Choix des illustrations:

Paul MERCIER, diplômé de l'École des Beaux-Arts, président de la Commission consultative des Musées du Québec, directeur du service de l'Aide à la création et à la recherche au ministère des Affaires culturelles du Québec.

HISTOIRE
DE LA
LITTÉRATURE
FRANÇAISE
DU
QUÉBEC

Rédacteur en chef,
directeur de l'équipe de rédaction:

Pierre de GRANDPRÉ, écrivain, critique, licencié ès lettres de
l'Université de Paris, diplômé de l'École Supérieure de Préparation et de Perfectionnement des Professeurs de français
à l'étranger de la Sorbonne, professeur invité de littérature
canadienne-française à l'Université McGill, directeur général
des Arts et des Lettres au ministère des Affaires culturelles
du Québec.

Collaborateurs du tome IV:

Roger DUHAMEL, écrivain, critique, jusqu'à récemment Imprimeur de la Reine à Ottawa.

Réjean ROBIDOUX, docteur ès lettres de la Sorbonne, professeur de littérature à l'Université de Toronto.

Alain PONTAUT, écrivain, critique au journal « La Presse ».

Guy BOULIZON, écrivain, critique, professeur d'art et de lettres.

Jean-Louis MAJOR, critique, professeur de lettres à l'Université d'Ottawa.

Georges-Henri d'AUTEUIL, s.j., critique dramatique à « Relations », professeur de lettres et d'histoire.

Pierre SAVARD, hisorien, docteur ès lettres, professeur d'histoire à l'Université Laval.

Jean-Louis GAGNON, écrivain, journaliste, co-président de la Commission d'enquête sur le bilinguisme et le biculturalisme.

Jean-Charles FALARDEAU, écrivain, sociologue, professeur de théorie sociologique à la faculté des Sciences sociales de l'Université Laval, professeur de littérature et de civilisation canadiennes-françaises à l'Université de Caen.

Jean MARCEL, docteur en sciences médiévales, professeur d'histoire et de littérature à l'Université Laval.

Michel BROCHU, docteur ès lettres et docteur ès sciences de l'Université de Paris, directeur de la recherche au Centre d'études arctiques de Montréal.

Gilles MARCOTTE, écrivain, critique, professeur de littérature au département d'Études françaises de l'Université de Montréal.

Paul WYCZYNSKI, docteur ès lettres de la Sorbonne, directeur-fondateur du Centre de recherches en littérature canadienne-française de l'Université d'Ottawa.

Réginald HAMEL, directeur-fondateur du Centre de documentation des lettres canadiennes-françaises de l'Université de Montréal.

Bio-bibliographies:

Irène KWIATKOWSKA-de GRANDPRÉ, écrivain, critique, docteur ès lettres de l'Université de Paris, a établi ou complété les biographies et les bibliographies de ce tome IV.

PIERRE DE GRANDPRÉ

HISTOIRE
DE LA
LITTÉRATURE
FRANÇAISE
DU
QUÉBEC

Tome IV

Roman, théâtre, histoire, journalisme, essai, critique
(de 1945 à nos jours)

1969
Librairie Beauchemin Limitée
MONTRÉAL

AVANT-PROPOS

Dans un article intitulé « Histoire littéraire ou histoire de la littérature? » [1], M. Jean-Pierre Corneille soulignait récemment que les progrès de la critique et des sciences de l'homme n'ont guère enrichi, jusqu'à ce jour, même en France, les méthodes de l'historiographie littéraire. « On a beau, écrivait-il, amplifier les notes et les commentaires, multiplier les questionnaires, grossir une iconographie parfois superflue: fondamentalement, rien n'a changé. »

Qu'on nous permette de reproduire ici les vues critiques et les propositions contenues dans cet article, car elles nous paraissent confirmer la justesse et l'opportunité de l'orientation théorique qui a présidé à l'élaboration de cette *Histoire de la littérature française du Québec,* orientation que nous avons définie dans l'Introduction générale de l'ouvrage.

Après avoir rappelé que l'attention de la critique se porte plutôt aujourd'hui vers les principes et les méthodes que vers les faits et les dates à l'état nu, qu'elle vise à établir des liaisons organiques plutôt que de s'en tenir à de plus ou moins arbitraires juxtapositions — l'« information » la plus large possible demeurant cependant essentielle à la « formation » — M. Jean-Pierre Corneille poursuit :

> « Il devrait être évident que l'argument d'une œuvre n'en épuise pas le contenu, qu'il sert de prétexte, ou mieux, de matériau à partir duquel s'édifie le phénomène littéraire. Il importe donc moins de « savoir » les textes que de les connaître, c'est-à-dire de pouvoir les comprendre et en évaluer la portée. D'autre part, ce n'est pas l'éphémère et pitoyable existence des hommes, mais l'évolution des idées, du goût et de la sensibilité qui devrait constituer le véritable objet de l'histoire littéraire. Ce qu'il faut montrer aux élèves, c'est qu'il existe des familles de penseurs, des lignées d'écrivains. Il faut les persuader qu'ils ne sont pas exilés dans un présent sans attache, mais qu'au contraire leur époque continue à se nourrir des fruits du passé.

> « De telles préoccupations, il est vrai, ne sont pas toujours absentes des manuels, mais, noyées dans une masse de détails, elles apparaissent le plus souvent comme secondaires, alors même qu'elles devraient leur servir de fondements. Au surplus, l'étude des formes, la recherche

---

1. Jean-Pierre Corneille: « Pour une mise à jour de l'enseignement des lettres dans le secondaire: Histoire littéraire ou histoire de la littérature? », *Le Français dans le monde,* septembre 1968, pp. 6-12.

des thèmes, l'évolution des techniques, le souci d'esthétique, l'évaluation de la portée morale, sociale ou philosophique des œuvres ne figurent qu'accidentellement dans les ouvrages scolaires. Tout aussi fortuites sont les considérations relatives à la condition de l'écrivain dans son siècle, au rôle et à la destination sociale des produits de l'écriture, aux liens qui unissent la littérature et la société. Des notions aussi importantes que celles d'engagement, de beauté formelle, d'ésotérisme ou d'art populaire, quand elles sont évoquées, ne se trouvent qu'au bas des pages. Bref, la plupart de ces problèmes, pourtant inhérents à l'objet de l'étude, sont pratiquement laissés pour compte. Si bien qu'on pourrait dire, sans trop jouer sur les mots, que l'histoire littéraire, telle qu'elle se présente dans les manuels, n'est pas à proprement parler une histoire de la littérature.

« ... La matière littéraire n'est soumise à aucun mode particulier d'organisation: on se contente de rassembler les œuvres autour des auteurs, sans chercher à établir des rapports entre elles. De là, l'incohérence des nomenclatures. Les sous-titres utilisés pour « situer » les écrivains témoignent abondamment de la fantaisie qui règne en ce domaine.

« Il ne paraît pas douteux que la conception analytique qui prévaut actuellement est à la base de cette situation. Elle conduit à émietter les tendances — à travers les siècles et au sein des écoles — pour caractériser la personnalité propre de chaque écrivain, à disséquer ensuite cette personnalité pour faire apparaître l'originalité propre de chaque œuvre. Or, si le caractère singulier de toute œuvre d'art est un fait admis (encore n'y insiste-t-on peut-être pas assez?), la littérature, considérée dans son ensemble, est cependant autre chose qu'un conglomérat fortuit d'éléments disparates. La démarche qui consiste à isoler les auteurs et à particulariser les écrits est certes légitime et nécessaire, mais elle ne devrait pas aboutir à une désintégration de l'objet même de l'étude.

« ... Au-delà de l'étude particulière de chaque siècle, de chaque auteur, et de chaque œuvre, c'est sur la notion de *continuité* que devrait se fonder l'histoire de la littérature.

« ... Il doit donc être possible, sans bouleverser pour autant les cadres traditionnels, de réorganiser la matière en fonction des données récentes de la critique et des nouvelles exigences de l'enseignement. Il suffirait pour cela, croyons-nous, de superposer à la conception analytique et personnaliste qui prévaut actuellement, une vision synthétique des grands courants de la littérature et de la pensée. Dans cette perspective, le découpage chronologique cesserait d'apparaître comme un facteur essentiel; il resterait cependant le canevas élémentaire sur lequel viendrait se greffer une autre répartition de la matière. Ainsi, la fragmentation diachronique serait compensée et nuancée par l'existence d'un système; les préoccupations du critique rencontreraient celles de l'historien.

« ... L'effort vaut d'être tenté si l'on veut que l'histoire de la littérature cesse de se confondre avec celle des littérateurs et ne se présente plus comme une simple énumération d'œuvres résumées et commentées. »

Rendre manifeste l'évolution des styles, des formes et du goût, les relier, en ne dédaignant pas l'appoint de l'illustration d'art ou de la photographie, à chacune des étapes de l'histoire de la civilisation au Québec, tirer parti, pour accéder à une véritable *histoire* de nos lettres, du fait que la littérature, ici, comme l'a souligné Georges-André Vachon [2], « constitue une sphère d'activité mal différenciée » et que « le domaine québécois se prête, mieux que nul autre, à l'observation de l'*émergence* de la fonction littéraire dans une société, et de son fractionnement progressif en « genres », toujours liés aux avatars d'autres fonctions et d'autres variables sociologiques » : tel est l'objectif qui aura guidé tous et chacun dans la préparation du présent ouvrage. À mes trente collaborateurs, j'adresse ici l'expression d'une vive et chaleureuse gratitude.

Pierre de Grandpré

---

2. Dans le premier chapitre du tome I de l'*Histoire de la littérature française du Québec*: « Le domaine littéraire québécois », p. 33.

LE ROMAN, DE 1945 À NOS JOURS

Chapitre I

L'ÉVOLUTION DU ROMAN DEPUIS UN QUART DE SIÈCLE

par Réjean ROBIDOUX

Jusqu'aux années quarante de notre siècle, la vie paysanne était restée le domaine privilégié, presque exclusif, du roman de mœurs canadien-français, malgré l'importance accrue des villes. [1] Les années de la seconde guerre mondiale, accentuant la présence du prolétariat urbain dans la collectivité nationale, imposèrent au romancier de mœurs des sujets et des thèmes nouveaux, et l'entrée de la ville dans le champ de l'expérience romanesque se trouva consacrée lorsque parurent *Au pied de la pente douce* (1944) de Roger Lemelin et *Bonheur d'occasion* (1945) de Gabrielle Roy. Si différentes qu'elles soient en elles-mêmes, ces deux œuvres firent époque et leurs auteurs se hissèrent d'un seul coup au premier rang des romanciers canadiens.

Dans *Au pied de la pente douce*, l'entreprise de Roger Lemelin correspond à la représentation pittoresque et moqueuse d'une réalité que l'auteur a bien connue: le quartier populaire où il a vécu son enfance et sa jeunesse, dans la basse-ville de Québec. Dans la mesure où l'élan créateur est spontané, la vie fuse et foisonne chez Roger Lemelin, quelles que puissent être les imperfections formelles. Mais quand l'œuvre voudra se développer en trilogie, avec *Les Plouffe* (1948) et *Pierre le magnifique* (1952), la nécessité de compenser la déperdition du jaillissement sans apprêt par les ressources plus subtiles du métier littéraire révélera les limites de l'artiste qui, à toutes fins pratiques et sous le couvert de promesses, de prétextes et de faux-fuyants, délaissera alors le roman.

---

1. Sur les rapports de la vie littéraire avec l'évolution socio-historique du Québec au XXe siècle, le lecteur voudra bien se reporter aux Introductions de MM. Jean-Charles Falardeau et Fernand Dumont pour les tomes II et III de cet ouvrage.

Bonheur d'occasion, moins collé à la vie de l'auteur et donc plus inventé, plus savamment concerté par les moyens de l'art, atteint avec une efficacité plus spécifique à la signification romanesque. Si l'œuvre peint avec une émouvante vérité la condition misérable du petit peuple de Saint-Henri, à Montréal, c'est le sort tragique de l'individu humain qui intéresse d'abord Gabrielle Roy, et tout l'univers extérieur des mœurs, du milieu, des événements n'est en somme, dans la composition très fonctionnelle de l'ensemble, qu'un moyen d'incarner l'âme en devenir des personnages. En ce sens, si *Bonheur d'occasion* est le sommet du roman de mœurs canadien-français, Gabrielle Roy est d'abord et par-dessus tout intéressée au roman psychologique. Toute la suite de son œuvre le prouve. Parce que le héros de *La Montagne secrète* (1961) demeure trop abstrait, parce qu'il a été sacrifié au décor et à des épisodes expressément symboliques, le livre est décevant. *Alexandre Chenevert* (1954), au contraire, de même que tous les récits manitobains, d'inspiration en partie autobiographique (*La Petite Poule d'Eau,* 1950; *Rue Deschambault,* 1955; *La Route d'Altamont,* 1966), explorant l'intime de l'individu concret, sont des réussites. Chacun de ces récits, selon son mode propre, tantôt restreint et tantôt plus ample comme la vie elle-même, comporte une signification au plan de l'étude des mœurs. Il en va exactement de même dans l'admirable *Laure Clouet* (1961) d'Adrienne Choquette qui, malgré sa brièveté, est en définitive, à ce jour, le roman de la haute-ville de Québec.

On découvre un équilibre analogue entre ambiance et psychologie dans les récits les mieux venus d'Yves Thériault. Lorsqu'il accepte de mettre au rancart ses idées et ses thèses les plus chères ou son goût pour un certain pittoresque, afin de laisser vivre avec vigueur les êtres qu'il crée, en révolte contre les tabous sexuels ou contre diverses formes de servitude, Yves Thériault, par un juste retour des choses, devient un puissant romancier de mœurs, dans une variété de registres d'ailleurs étonnante: univers nomade, paysan, villageois, urbain; communautés, tribus, familles d'immigrants, de Juifs, d'Esquimaux, d'Indiens, etc. L'inégale qualité de cette œuvre fort abondante, où se côtoient les grands romans et les livres ratés, ne tient pas à l'audace ou à l'étrangeté des sujets abordés mais à la vérité existentielle des personnages et donc au style du récit. Cela rejoint en somme une loi générale du roman: il est très difficile au roman de mœurs comme au roman d'aventures d'atteindre au niveau proprement littéraire lorsque la vérité humaine n'est pas avant tout concentrée dans l'individu, d'où ensuite elle rayonne. Cela peut arriver toutefois à la condition que l'auteur, dépassant les techniques coutumières de narration, vivifie ses descriptions et les arrache ainsi à l'habituel statisme. C'est le mérite d'un Jean-Jules Richard de s'y être essayé, dès 1948, avec ses *Neuf jours de haine:* dans ce roman, malgré bien des maladresses, la réalité de la guerre qui réduit les hommes à la condition de choses se communique au lecteur de la façon la plus vive.

En somme, pour peu qu'il se maintienne dans les voies traditionnelles, le roman de mœurs — ou le roman quel qu'il soit — garde beaucoup d'affinités avec le roman de pure analyse psychologique, qui connaît d'ailleurs lui aussi son véritable départ, au Canada français, au moment de la seconde guerre mondiale.

A défaut d'autres études théoriques sur l'essence du roman, *Connaissance du personnage* de Robert Charbonneau a le grand mérite, en 1944, de souligner l'importance d'un des éléments fondamentaux du roman intérieur et, par voie d'extension, du roman en général. Si sommaire qu'il soit dans les différents articles qui le composent, cet essai établit avec à-propos certaines exigences capitales de la vérité romanesque: il importe avant tout que l'exploration psychologique conduite par le romancier conserve au personnage son autonomie propre. Robert Charbonneau avait déjà appliqué cette loi avec assez de bonheur dans *Ils posséderont la terre* (1941). Mais il semble que, dans ses œuvres subséquentes, le souci de respecter ses créatures l'ait empêché de leur faire livrer toutes les possibilités qu'il trouvait en elles. Il reste que la direction imprimée à la création romanesque par l'auteur de *Connaissance du personnage* ouvre au roman canadien-français des voies nouvelles quant aux thèmes et quant à la façon de les traiter. L'accent porté sur le personnage, l'effacement qui s'ensuit de l'auteur omniscient et absolu, appellent les techniques de points de vue narratifs particuliers, que le récit à la première personne et le monologue intérieur illustrent dans les conditions les plus propices d'efficacité. Quels que puissent être les procédés mis en œuvre, le narrateur et, avec lui, le lecteur, se trouvent « situés », et cette relativité a pour effet de concrétiser davantage l'expérience temporelle et spatiale que renferme le roman.

C'est en misant avec adresse sur l'intensité de tels moyens stylistiques dans la représentation des actes et des états d'âme que les romanciers de la vie intérieure produiront leurs meilleurs ouvrages: André Giroux, *Au delà des visages* (1948) et *Le Gouffre a toujours soif* (1953) ; Robert Elie, *La Fin des songes* (1950); et le plus important de tous, André Langevin, *Poussière sur la ville* (1953) et *Le Temps des hommes* (1956). A la suite et autour de ceux-ci, jusqu'à l'époque-présente, il convient de placer, aux différents degrés de l'échelle d'excellence, des romanciers comme Jean Simard, Eugène Cloutier, Jean Filiatrault, Claire France, Jean-Paul Pinsonneault, Monique Bosco, Gilles Marcotte, Pierre de Grandpré, Gilbert Choquette, Paule Saint-Onge, Gilles Archambault, Michèle Mailhot et nombre d'autres [1]. L'univers d'angoisse, de solitude, d'incommunicabilité entre les êtres, que cristallisent la plupart des œuvres les plus significatives, implique souvent, à même la grisaille de la durée représentée, le recours lucide ou désespéré à des gestes extrêmes: tandis que le comportement sexuel des personnages romanesques se traduit dans un langage libre et franc, les meurtres, les suicides et toutes les formes de la mort tragique foisonnent dans le roman canadien-français depuis 1950. Un ouvrage comme *Le Temps des jeux* (1961) de Diane Giguère réunit à peu près toutes les audaces thématiques devenues courantes et qui n'auraient été naguère perçues que dans la perspective du scandale. Auteurs et lecteurs ont peu à peu compris que la vérité humaine d'un roman — comme de toute œuvre d'art — transcende l'apparence souvent trompeuse de sa matière anecdotique et s'exprime ultimement au moyen de l'ensemble des éléments de structure et d'écriture qui constituent son style. C'est pourquoi, dans la singularité voulue de l'histoire qu'ils racontent, *Doux-amer* (1960) et *Quand j'aurai payé ton visage* (1962) de Claire Martin sont sans doute les plus parfaits des romans produits ces dernières années hors des techniques dites d'avant-garde.

---

1. Nommons encore, parmi les romanciers de mérite que les collaborateurs du présent ouvrage n'ont pas eu l'occasion d'étudier: Clément Lockquell (*Les Elus que vous êtes*, 1949), Roger Viau (*Au milieu, la montagne*, 1951), Bertrand Vac (*Louise Genest*, 1950, *Saint-Pépin*, *P.Q.*, 1955, *Histoires galantes*, 1966), Charles Hamel (*Solitude de la chair*, 1951, *Prix David*, 1952), Adrien Thério (*Les Brèves Années*, 1953, *La Soif et le mirage*, 1960, *Soliloque en hommage à une femme*, 1968), Jean Vaillancourt (*Les Canadiens errants*, 1954), Maurice Gagnon (*L'Echéance*, 1956, *Rideau de neige*, 1957, *L'Anse aux brumes*, 1958, *Les Chirurgiennes*, 1960), Jean Pellerin (*Le Diable par la queue*, 1957), Jean-Marie Poirier (*Le Prix du souvenir*, 1957), Pierre Gélinas (*Les Vivants, les morts et les autres*, 1957, *L'Or des Indes*, 1962), Marcel Godin (*La Cruauté des faibles*, 1961), René Ouvrard (*La Fauve*, 1961), Roland Lorrain (*Perdre la tête*, 1962), Irène de Buisseret (*L'Homme périphérique*, 1963), Roger Fournier (*Inutile et adorable*, 1963), Gilles Archambault (*Une suprême discrétion*, 1963), Claude Mathieu (*Simone en déroute*, 1963), Roch Carrier (*Jolis deuils*, 1964, *La Guerre, Yes Sir!*, 1968), Georges Cartier (*Le Poisson pêché*, 1964), Ernest Pallascio-Morin (*Les Vallandes*, 1966), Jacques Hébert (*Les Ecœurants*, 1966), Jean-Paul Fugère (*Les Terres noires*, 1965), Yvette Naubert (*Contes de la solitude*, 1967, *L'Eté de la cigale*, 1968), Jacques Poulin (*Mon cheval pour un royaume*, 1967, *Jimmy*, 1969), René-Salvator Catta (*Le Grand tournant*, 1963), Jean O'Neil (*Je voulais te parler de Jérémiah, d'Ozélinah et de tous les autres*, 1967), Jean Tétreau (*Les Nomades*, 1967), Jean Hamelin (*Un dos pour la pluie*, 1967), Jean Nadeau (*Bien vôtre*, 1968), Paul Villeneuve (*J'ai mon voyage*, 1969). Deux bons critiques sont venus récemment au roman: Jean Éthier-Blais (*Mater Europa*, 1968) et Alain Pontaut (*La Tutelle*, 1963); leurs premières œuvres les destinent d'emblée aux rubriques sur les tendances et techniques nouvelles dans le roman, de même que Jacques Benoît, l'auteur de *Jos Carbone*.

Selon des lois subtiles et toujours inédites, l'œuvre romanesque compose une vision globale ou partielle du monde, au moyen d'un langage — mots, phrases, structures — qui arrache le lecteur à son existence propre pour l'immerger dans une réalité refaite par l'art. En cultivant une écriture imagée et symbolique, certains auteurs ont tenté d'associer l'expérience de la poésie à celle de la psychologie narrative. L'entreprise est difficile; elle peut être équivoque. Dans le registre du roman, la supériorité d'Anne Hébert sur Suzanne Paradis tient à ce que *Les Chambres de bois* (1958), maîtrisant par la rigueur le vague de l'expression métaphorique dans l'atmosphère de rêve, sont dans l'ensemble moins décollées de l'assise réaliste que *Les Hauts Cris* (1960). Mais parce qu'il s'accommode davantage de la stylisation et de la densité lyriques, c'est le conte plutôt que le roman, parmi les genres narratifs, qui peut le mieux coïncider avec la poésie, comme l'illustre l'éminente qualité du *Torrent* (1950) d'Anne Hébert.

Au plan des concepts, les romanciers moralistes ou satiriques affrontent des écueils analogues à ceux que doivent surmonter les auteurs de récits poétiques pour rejoindre l'essence — si ondoyante et diverse qu'elle soit — du roman. Faute d'incarner suffisamment dans des actes vifs les idées qu'ils agitent presque à découvert derrière l'écran de leurs personnages-abstractions, François Hertel, dans *Mondes chimériques* (1940), *Anatole Laplante, curieux homme* (1944), *Journal d'Anatole Laplante* (1947), et Pierre Baillargeon, dans *Les Médisances de Claude Perrin* (1945), *Commerce* (1947) et même dans *La Neige et le feu* (1948), restent trop cérébraux pour être de vrais romanciers. En comparaison, sans abdiquer la fantaisie spéculative, Eugène Cloutier, dans *Les Témoins* (1953) et *Les Inutiles* (1956), garde davantage le souci de créer un univers concret. Mais c'est chez Jean Simard qu'on peut le mieux apprécier la valeur de l'authenticité romanesque. Après la suite d'apologues qu'est *Félix* (1947), où l'expression de la satire n'empiétait pas sur la présence du personnage, *Hôtel de la reine* (1949), plus rigidement acerbe, marquait un recul par rapport au roman. En faisant de *Mon fils pourtant heureux* (1956) et, d'une façon plus convaincante encore, des *Sentiers de la nuit* (1959), de véritables romans intérieurs, Jean Simard n'a pas renoncé à son instinct satirique; il l'a au contraire approfondi, il l'a rendu pulpeux.

En somme, si l'on veut caractériser dans son ensemble le devenir du roman canadien-français depuis 1940, il importe d'insister, à l'intérieur des phénomènes de modernisation des thèmes et de multiplication des œuvres, sur la recherche tâtonnante, mais salutaire et semée de réussites, d'une véritable conscience esthétique, qui culminera sans grand heurt dans certaines trouvailles originales, audacieuses et fortes du roman actuel.

BIBLIOGRAPHIE

Ouvrages généraux:

Marcotte, Gilles, *Une littérature qui se fait,* Montréal, H.M.H., 1962; *Présence de la critique,* Montréal, H.M.H., 1966.

Tougas, Gérard, *Histoire de la littérature canadienne-française* (2e éd.), Paris, P.U.F., 1964.

Grandpré, Pierre de, *Dix ans de vie littéraire au Canada français,* Montréal, Beauchemin, 1966.

Robidoux, Réjean, et Renaud, André, *Le Roman canadien-français du XXe siècle,* Ottawa, Éditions de l'Université d'Ottawa, 1966.

Le Roman canadien-français, Évolution — Témoignages — Bibliographie, dans *Archives des Lettres canadiennes,* Centre de Recherches de littérature canadienne-française de l'Université d'Ottawa, Montréal, Fides, 1964.

Chapitre II

ROMANS D'ANALYSE, ROMANS D'OBSERVATION
ET DE CRITIQUE SOCIALE

par Roger DUHAMEL, Pierre de GRANDPRÉ
et Réjean ROBIDOUX
avec la participation de Guy BOULIZON, Alain PONTAUT,
Jean-Louis MAJOR

Entre la publication de *Nord-Sud* et celle du *Survenant* se situe, en littérature québécoise, un événement d'une très grande signification: la parution, en 1944, du premier grand roman de mœurs urbaines. C'était bien du retard par rapport à une matière que les écrivains d'imagination eussent déjà pu exploiter depuis plusieurs lustres. Ce livre, qui agit en coup de fouet et apporta une réelle révélation, fut *Au pied de la pente douce,* d'un auteur québécois de vingt-cinq ans, alors inconnu, Roger Lemelin.

I

ROGER LEMELIN
(né en 1919)
par Roger DUHAMEL et Pierre de GRANDPRÉ

Autodidacte, indiscipliné, gouailleur, débordant d'une verve intarissable, libre, drôle et caricatural dans la satire, populacier avec l'instinct le plus sûr, ne répugnant pas à user des moyens les plus gros, cet écrivain provoqua un vif émoi en inaugurant, dans les lettres canadiennes-françaises, une forme nouvelle d'observation de nos milieux populaires dans laquelle la bonne humeur, l'acuité et la cruauté du regard font bon ménage.

19

AU PIED DE LA PENTE DOUCE (1944)

Ce succès était en partie mérité. On découvrait, dans *Au pied de la pente douce,* l'observation judicieuse et amusée d'un milieu social bariolé, des traits d'une cocasserie fort divertissante, quelques caractères bien campés. Malgré la composition un peu floue et le plan indécis, ce roman révélait un écrivain en passe de maîtriser les difficultés d'un rude métier. C'était l'un des romans les plus spontanément nés et accueillis, l'un des plus vivants qui aient vu le jour au Canada français. Un coup d'essai qui était, somme toute, un coup de maître.

L'écrivain avait plus ou moins vécu, au cours de son enfance passée dans la basse-ville de Québec, tous les épisodes qu'il décrit; cloué sur un lit d'hôpital à la suite d'un accident, l'ancien gamin des faubourgs devenu jeune homme se gava de lectures et naquit à la vocation d'écrivain, comme il l'a lui-même souvent expliqué: « Mon premier livre, c'était tout cela, mon enfance, les petites joies, les petites douleurs, mes querelles, mes indignations... Toute une classe qui faisait le siège d'une citadelle imprenable » (*L'Événement,* 26 avril 1946) .

Dans d'autres entrevues, l'écrivain a marqué ses positions d'artiste avec assurance et même crânerie, mais sans nul pédantisme. Ses maîtres, il n'hésite pas à les nommer et il a raison d'en être fier: « la vie, Flaubert, Stendhal, Balzac et Dostoïevski ». Il ne se réclame pas de cette esthétique de la NRF, fort en vogue au Canada français au moment où il s'apprêtait à écrire, qui recherche avant tout le dépouillement de la pensée et de l'expression, le dessin régulier, cet art classique de l'économie, et parfois du linéaire, qui a produit tant de chefs-d'œuvre. Pour lui, le roman doit être « organique comme un être humain: les éléments qui le composent: observation, intrigue, réflexion, description, personnages, analyse psychologique, sont en fonction les uns des autres, « selon leur importance vis-à-vis le principe premier, la vie. Je ne crois pas au roman géométrique, dont les traits principaux sont tirés comme des lignes parallèles. Je préfère le fouillis informe mais vivant à un beau dessin qui n'a que l'harmonie ».

Cette dernière phrase fournit une clef précieuse pour se retrouver à travers les méandres de *Au pied de la pente douce.* Non que ce roman manque de composition; il est au contraire, si l'on en fait minutieusement l'analyse, d'une ordonnance précise. Mais le roman ne nous offre pas qu'un schéma, l'auteur y met de la chair et du sang, il fait vivre non pas quelques héros, quelques caractères approfondis et étudiés, mais tout un faubourg bruyant et confus. Et c'est ce qui fait son originalité. Il nous empoigne et nous plonge, avant même que nous ayons eu le temps de nous reconnaître, dans un tohu-bohu où l'oreille doit s'entraîner à découvrir et à classer les sons particuliers. Nous nous laissons emporter dans le tourbillon d'une vie unanime et indistincte en compagnie des Soyeux et des Mulots, un peu comme Salavin éprouvant quelque vertige avant de pénétrer dans le « mælstrom mouffetardien ». Pour obtenir cette impression totalitaire, l'auteur a eu l'heureuse inspiration de grouper les deux classes sociales de son faubourg en deux entités collectives, ces Soyeux et ces Mulots de qui on ne pénètre jamais la personnalité intérieure et individuelle. Ils représentent des ensembles, comme les chœurs de la tragédie antique. Il s'agit là d'une véritable trouvaille, d'une prise de contact vigoureuse et suggestive avec toute une population.

Sur ce fond de scène très savoureux, le romancier a dessiné quelques personnages bien campés et dotés d'une existence autonome. Denis Boucher, Jean Colin, Lise, Ti-Blanc, l'abbé Trinchu et le curé Folbèche, pour ne citer que les plus hauts en couleur, s'animent devant nous avec une intensité étonnante. Ils deviennent rapidement de vieilles connaissances: Lemelin réussit avec une adresse consommée tous les procédés de stylisation auxquels il a recours, révélant ainsi une technique romanesque déjà sûre de ses moyens.

L'affabulation n'a rien de recherché ni de compliqué. C'est la vie quotidienne avec ses tracas à peu près constants, ses efforts sans cesse répétés et ses brèves joies, quelques « éclats de lumière dans un horizon gris et bas ». Les sentiments, s'ils sont éternels, prennent forcément la teinte d'un milieu social, ils se moulent sur les réalités ambiantes pour en épouser les formes. Lise, Jean et Denis connaissent le « vert paradis des amours enfantines » et ils vivent, à leur échelle, le drame éternel de l'amour inaccessible. Cette anecdote sentimentale fournit la trame du roman. Plusieurs incidents, toutefois, sont beaucoup plus riches de substance. La mort de Gaston est un épisode d'une vérité déchirante. Et que d'incidents d'une verve populaire inégalée chez nous: la réunion du club libéral, le bingo, la partie de lutte, la grand'messe et le sermon du curé! Lemelin est l'un de nos très rares romanciers qui sachent faire parler leurs personnages sur un ton vrai. Il recourt, comme il se doit, au langage populaire farci de solécismes et de barbarismes, mais sans vulgarité, et en transposant habituellement, pour ne pas lasser le lecteur par une langue uniformément incorrecte.

L'ENTERREMENT DE JEAN COLIN

Ce serait mal comprendre le roman *Au pied de la pente douce* que de n'y voir qu'un pamphlet ou une satire; son but est de coller à la vie, de l'embrasser dans sa plus étroite réalité.

Quand le cortège se mit en marche, le temps tourna à la brume. Ti-Blanc se traînait derrière le charriot, abattu par une vieillesse précoce. Suivaient quelques oncles, puis Denis, qui, après l'inhumation, commencerait son premier cours de lettres d'un professeur privé. Il y avait aussi les Langevin et toute la bande Bédarovitch. On croisa Chaton qui avait attelé son chien Saint-Bernard à sa voiturette. Sa clientèle augmentait tellement qu'il devait cueillir ses vers le jour, en creusant la terre. Au pied du cap, comme on passait, un coup de sifflet coupa l'air. Le cortège s'immobilisa comme au guet. Des gamins dégringolaient la pente, poursuivis par les policiers. Les rangs du cortège s'ouvrirent, complices, laissant passer les fugitifs, pour se refermer devant les poursuivants.

On s'engagea ensuite dans la côte. Denis se retourna et contempla le quartier. Les bicoques pointaient comme des pieux calcinés sur une terre qu'on désespère d'avance de labourer. Il se dégageait des habitations tassées une odeur de vie tenace, rétive au progrès; et tout cela, malgré sa honte, refusait avec obstination tout changement, parce que tout changement est opéré par les autres. Des hommes étrangers s'étaient brûlés pour avoir voulu remuer le quartier et l'embellir. Seuls les prêtres y étaient écoutés. C'est vers eux que les yeux se tournaient.

D'ailleurs cette pauvreté ne demandait rien. Du milieu de la Pente Douce, les maisons sales qu'on apercevait semblaient se moquer des belles choses, parce que les belles choses tournent toujours aux larmes et fondent. Jean était mort aussi. ...D'en bas arriva une rumeur de vie. Des épousailles se préparaient dans l'enthousiasme: l'église était neuve, et les jeunes Mulots se tranquillisaient après la vingtaine, devenaient des ouvriers rangés, de bons pères de famille, d'excellents paroissiens.

LES PLOUFFE (1948)

Roger Lemelin a démontré, avec *Les Plouffe,* que le souffle ne lui fait pas défaut: un gros bouquin de près de cinq cents pages. C'est peut-être impressionnant; il y a là, aussi, un risque considérable. Il faut être parfaitement sûr de ses moyens pour espérer retenir l'attention du public à la lecture d'un texte aussi abondant. S'il s'agit d'une gageure, l'auteur ne l'a que partiellement gagnée.

Nous pénétrons dans l'intimité d'une famille ouvrière, les Plouffe. Nous y trouvons le père, Théophile Plouffe, typographe à « L'Action chrétienne » — l'allusion est transparente — empressé de se vanter de ses exploits anciens de coureur cycliste, et anti-britannique enragé; la mère, Joséphine, une bigote pleurnicharde, capable toutefois de petites méchancetés domestiques; l'aînée, Cécile, vieille fille grincheuse qui a voué un amour platonique à un conducteur de trams, Onésime; Napoléon, collectionneur effréné de photos de vedettes sportives et qui vouera à la première femme qui ne l'ait pas repoussé un amour naïf et profond; Ovide, le pseudo-intellectuelle de la maison, qui raffole des opéras et qui exerce sur les siens une espèce de tyrannie discrète et efficace; Guillaume, un tout jeune homme, qui ne rêve que sport et y obtient au reste des succès considérables. Autour de cette famille, on voit évoluer deux figures connues de *Au pied de la pente douce:* le curé Folbèche, dépeint sous des traits assez méprisants, et Denis Boucher, devenu reporter. On découvre aussi un type nouveau dans la ménagerie de Lemelin: Rita Toulouse, qui exprime très justement les aspirations et le comportement de nombreuses jeunes filles modernes, saines sous des allures évaporées.

Les nombreuses péripéties de l'intrigue, d'une verve excellente, confirment les dons d'observation de l'auteur. De faits divers sans conséquence, il est prompt à tirer toutes les possibilités romanesques. Il est particulièrement habile à brosser certains tableaux où s'agite toute une foule, comme le championnat d'anneaux, le rassemblement des grévistes et la procession en l'honneur du Sacré-Cœur. Ces vastes fresques populaires lui permettent de donner la mesure de son talent. Tout y est noté avec une minutie qui ne nuit en rien à l'équilibre de l'ensemble.

Les caractères sont également cernés avec une certaine vigueur. Chacun possède en propre ses notes individualisantes, chacun réagit conformément à sa logique intérieure. Le plus fouillé et le plus approfondi est certainement Ovide Plouffe, inquiet et faible sous des airs fanfarons. En général, cependant, il est difficile d'accepter l'attitude de l'auteur à l'égard de ses personnages; il les regarde vivre avec trop de hauteur, et son récit dévie trop volontiers vers la caricature.

Le roman, d'autre part, est beaucoup trop long. L'intérêt du lecteur n'est vraiment éveillé qu'après les deux cents premières pages. Il eût été facile de resserrer davantage l'action, de sacrifier nombre de morceaux de bravoure qui ralentissent le rythme. Pour le style, Lemelin se fie trop à sa facilité. Les négligences sont nombreuses et irritantes. Et certains dialogues sonnent terriblement faux. En somme, on a l'impression, avec ce roman, que l'auteur parodie sa propre manière. Il en met plein la vue et les invraisemblances ne lui pèsent pas lourd. N'allait-on trouver en lui, au lieu des maîtres qu'il prétendait suivre, que l'Eugène Sue du Canada français? La gaudriole facile des *Plouffe* pouvait laisser craindre que ce romancier-né ne s'abandonnât aux sollicitations les plus vulgaires du public et qu'il cherchât à connaître la célébrité viagère et les gros tirages des feuilletonnistes.

FANTAISIES SUR LES PÉCHÉS CAPITAUX (1949)

Dès l'année suivante, en 1949, un recueil de contes, les *Fantaisies sur les péchés capitaux,* est venu détromper ses lecteurs de la plus heureuse façon, marquant un considérable effort de renouvellement. Nous avions lu auparavant un écrivain habile à manier la loupe, nous étions désormais en présence d'un homme pour qui la vie intérieure existe, d'un auteur capable de projeter hors de lui-même des personnages non plus nécessairement rétrécis aux dimensions d'une localité donnée. C'était un grand pas vers la maturité. Les dons demeuraient tout aussi éclatants qu'au début; toutefois, l'auteur ne les gaspillait plus inconsidérément, il pratiquait avec bonheur l'économie des moyens, il avait acquis le suprême souci de l'œuvre d'art.

Lorsqu'il faisait ses classes de romancier, Lemelin s'était montré hanté par une préoccupation caricaturale, s'efforçant dans les conversations à un mimétisme d'une agaçante myopie, colligeant, comme de faux trésors, les phrases entendues tous les jours. Les incorrections de langage, les brusques ruptures de ton, l'inquiétaient peu. Il n'en est plus ainsi avec les *Fantaisies,* rédigées au contraire en une langue limpide, vive, imagée, pleine de surprises, d'une texture serrée.

Les péchés capitaux ne sont ici que des prétextes; il est même douteux que le lecteur les identifie dans chacun de ces sept contes. La plupart sont d'une remarquable originalité d'invention. Les deux premiers, *L'Elixir* et *Déchéance,* sont de beaucoup les meilleurs. On y trouve des aperçus saisissants et de soudains retournements de situations d'une excellente venue. Au surplus, quelques réflexions pertinentes sont lancées à la dérobée, sans la moindre insistance. Le dénouement de *Jalousie,* comme celui de *La Gloire du matin,* est trop prévisible pour retenir le lecteur. *Le Chemin de croix, Haut les mains!* et *Journal d'une Juive* retombent dans la charge ou donnent dans l'allégorie laborieuse, s'étirent en observations banales.

Ces *Fantaisies* ne sont peut-être qu'un divertissement dans l'œuvre de Lemelin. Le conteur aura réussi à y faire pardonner ses fautes — qui ne sont jamais des péchés dits capitaux — par l'étendue de ses ressources. Elles auront permis d'apprécier un aspect nouveau et très séduisant de son talent.

PIERRE LE MAGNIFIQUE (1952)

L'auteur des *Fantaisies,* lavé aux eaux lustrales de l'écriture, coupable de quelques rechutes seulement dans l'outrance, était-il prêt à donner sa pleine mesure, et quelle était-elle? La réponse vint en 1952, avec la publication de *Pierre le magnifique,* événement après lequel l'écrivain s'est laissé dévorer, on peut le craindre, par la télévision et les affaires.

Quelle impression donne ce roman? Le départ est saisissant, un peu forcé sans doute. Mais il n'importe, puisque nous sommes accrochés. Et puis le héros se perd en de multiples méandres, où il ne se retrouve pas lui-même. Enfin, un redressement s'opère, nous sommes en présence d'êtres humains qui vivent de toute leur vigueur.

Cette construction, avec ses inégalités, dénonce un vice architectural. Au début, il est possible de croire au drame intérieur de Pierre Boisjoly. Élève surdoué, issu d'un classe besogneuse et pauvre — c'est le milieu où se recrutent les révoltés, et nous assistons toujours ainsi à l'assaut de la ville basse contre la citadelle, — son rêve de grandeur le pousse, comme Julien Sorel, vers le sacerdoce. Une femme, Fernande, bouleverse l'âme de ce jeune séminariste qui se veut, qui se cherche *magnifique.*

Puis la machine s'emballe: l'on entre dans un roman-feuilleton aux péripéties saugrenues, une invention déréglée d'épisodes contrastés et cocasses. Tout n'est pas de créer, il faut aussi faire vivre. Doué d'un véritable tempérament de conteur, Lemelin s'abandonne à sa verve, qui n'est jamais tarie. Il serait injuste de nous arrêter à cette abracadabrante bigarrure d'événements, tout aussi bien qu'à des types humains improbables (le père Martel, le ministre, l'abbé « Voltaire ») qui, aussi bien, ne sont que des comparses.

Dans un roman, le personnage est roi. Dans *Pierre le magnifique,* trois êtres nous retiennent: le héros principal, l'industriel Savard conservant au milieu de ses turpitudes une droiture intérieure, et un touchant personnage de femme, Fernande.

Par-dessus tout, l'auteur a pris un peu d'altitude. Le va-et-vient des fantoches ne le retient plus entièrement; le temps du cirque est passé. Il a découvert une présence. Le Créateur pose des problèmes à sa créature, à ce Pierre Boisjoly qui n'a jamais fait taire en lui une certaine voix qui est amour.

En dépit des fautes d'écriture, de l'excessive minutie de son réalisme, de ses bariolages et de ses fautes de goût — verrues qui n'ont jamais complètement défiguré un beau visage — Roger Lemelin est un romancier-né. Ce sera jusqu'à la fin son tourment et sa joie, de s'approcher sans cesse du chef-d'œuvre qu'il porte en son cœur et qui cherche à naître au monde.

NOTICE BIOGRAPHIQUE

Né en 1919, Roger Lemelin a vécu son enfance et sa jeunesse en turbulent gavroche d'un faubourg ouvrier de Québec, le grouillant quartier Saint-Sauveur. Il a bien connu les petites bandes d'enfants qui hantaient ces ruelles, aux années de la prospérité, puis pendant la crise. S'isolant du troupeau, il avait cependant su faire ses délices des livres qu'il empruntait à la Bibliothèque du Parlement, grâce à l'intervention de son député qui lui avait obtenu une carte de lecteur. Ayant quitté l'école après sa huitième année, il acquit ce qu'il faut de dextérité en anglais et en comptabilité pour se trouver un emploi et, dans ses loisirs, il s'adonna avec entrain au sport, visant à des championnats de ski. La rupture d'une cheville, conséquence d'un saut mal exécuté, le cloua plusieurs mois à un lit d'hôpital. Ce fut, pour cet autodidacte opiniâtre, avec les longues heures de lecture et d'exercices de style, le début d'une foudroyante et trop brève carrière d'écrivain. Depuis 1952, le prolifique Roger Lamelin, qui a continué d'écrire pour la télévision, paraît connaître le sort, au Québec, de bien des talents moins abondants que le sien: il a cessé — provisoirement, à tout le moins — de publier.

BIBLIOGRAPHIE

L'œuvre romanesque de Lemelin:

Au pied de la pente douce, Montréal, L'Arbre, 1944. (Traduction anglaise par S. Putnam, *The Town Below*, New York, Reynal & Hitchcock, 1948).

Les Plouffe, Québec, Bélisle, 1948. (Paris, Flammarion, 1948, coll. « La rose des vents »); traduction anglaise: *The Plouffe's Family*, Toronto, 1950.

Fantaisies sur les péchés capitaux, Montréal, Beauchemin, 1949.

Pierre le magnifique, Québec, Institut littéraire du Québec, 1952. Paris, Flammarion, 1953. Traduction anglaise: *In Quest of Splendour,* Toronto, McClelland & Stewart, 1955; traduction hollandaise: *Peter de grootmœdige,* Antwerpen, 1956.

Études sur Roger Lemelin:

Duhamel, Roger: « Au pied de la pente douce », *Action nationale,* août-sept. 1944.
Lockquell, Clément: « Au pied de la pente douce », *Culture,* t. V, 1944 (pp. 347-349).
Felteau, Cyrille: « Réflexions en marge d'un succès littéraire », *Revue dominicaine,* juillet 1945.
Tremblay, Jacques: « Au pied de la pente douce », *Relations,* juillet 1944.
Monnier, Jacques: « Comment on entre dans l'histoire littéraire », *L'Action catholique,* 26 avril 1946.
Barbeau, Victor: « Les Plouffe », dans *La Face et l'envers,* Montréal, Académie canadienne-française, 1966.
Duhamel, Roger: « Les Plouffe », *L'Action nationale,* janvier 1949.
Racette, J.-T.: « Les Plouffe », *Revue dominicaine,* 55, 1 (1949).
Légaré, Romain: « Trois récents romans can.-frs », *Culture,* 10 (1949).
Bertrand, Théophile: « Les Plouffe », *Lectures,* 5 (1948).
Arthur, René: « Roger Lemelin », *Le Digeste français,* octobre 1950
Duhamel, Roger: « Fantaisies sur les péchés capitaux », *Action univ.,* avril 1950.
Duhamel, Roger: « Roger le magnifique », *Action universitaire,* janvier 1954.
Marcotte, Gilles: « Pierre le magnifique », *Le Devoir,* 7 déc. 1952.
Gaulin, Michel-Lucien: « Le monde romanesque de Roger Lemelin et Gabrielle Roy, dans *Le Roman canadien-français* (t. III des Archives des Lettres can., publ. Univ. d'Ottawa, Fides, 1964).
Falardeau, Jean-Charles, « Roger Lemelin où la révolte-échec de l'adolescent », dans *Notre société et son roman,* Montréal, H.M.H., 1967, pp. 180-220.

II

GABRIELLE ROY
(née en 1909)

par Roger DUHAMEL et Pierre de GRANDPRÉ

Il était bien urgent, dans les années de l'immédiat après-guerre, que l'on s'avisât enfin, après beaucoup de temps perdu, qu'il y avait autre chose à évoquer en littérature québécoise que « la terre paternelle », qu'il existait aussi quelques Canadiens français vivant dans les villes, que les citadins constituaient désormais un milieu humain intéressant à connaître, qu'ils avaient acquis des traits caractéristiques, éprouvaient de fortes passions, étaient aptes à des sentiments fort complexes. C'est ainsi qu'à quelques mois d'intervalle, deux romans de mœurs aussi francs et directs, aussi simples et spontanés que certains produits caractéristiques des lettres américaines, obtinrent chez nous un succès retentissant: ce furent *Au pied de la pente douce* (1944) de Roger Lemelin, dont on vient de parler, et *Bonheur d'occasion* (1945), de Gabrielle Roy.

BONHEUR D'OCCASION (1945)

Avec *Bonheur d'occasion,* Gabrielle Roy lève le voile sur quelques êtres de révolte et de misère dont la morne existence s'écoule dans le quartier Saint-Henri. Elle les a vus au creux de la crise économique, elle les a suivis lorsqu'ils aspiraient à un certain bien-être à la faveur de la guerre. Des bouleversements internationaux peuvent bien faire crouler l'univers sur ses bases chancelantes, ces malheureux ne les aperçoivent et ne les comprennent qu'en fonction de leurs modestes problèmes à eux. A ce fond de scène s'ajoutent des péripéties d'une humanité permanente, la détresse de Florentine, petite vendeuse à un bar de l'Uniprix, dont l'ersatz de bonheur aura été de courte durée; l'admirable abnégation de Rose-Anna, la mère, toujours à la recherche d'un nouveau logement et dont la vie s'épuise en des tâches absorbantes et humbles, sans cesse recommencées; le caractère fantasque et néanmoins attachant d'Azarius qui conserve, au sein de sa misère, la nostalgie de son métier. Tous ces types sont croqués sur le vif en même temps que stylisés pour s'imposer au lecteur en un suffisant relief. La langue n'est pas toujours impeccable, mais l'auteur possède un don du récit allègre, ménageant l'imprévu, s'attardant à la révélation minutieuse des mobiles secrets chez les simples. Ce qui compte surtout, c'est que Gabrielle Roy aime ses personnages; qu'elle leur a fait spontanément l'offrande de sa sympathie. Ils le lui ont bien rendu, puisqu'ils lui ont permis de recevoir, tant à New York qu'à Paris, une consécration sans précédent pour un écrivain canadien-français.

La publication de ce livre révélait un beau, un très grand roman, le seul peut-être qui ait réussi le tour de force, au Canada français, de susciter les éloges unanimes de la critique. Pour son premier ouvrage publié, cette jeune femme venue des lointaines campagnes du Manitoba, ancienne institutrice lancée depuis peu, et avec succès, dans le grand reportage, n'a pas redouté une entreprise de longue haleine: plus de cinq cents pages de texte serré pour raconter une tranche de vie, s'étendant sur quelques semaines seulement, d'un quartier ouvrier, et centrée autour d'une seule famille, les Lacasse. C'est peu de dire que jamais l'intérêt ne faiblit; il s'accroît en réalité de chapitre en chapitre, au fur et à mesure que se développent en un tout organisé d'une admirable composition, les étapes douloureuses et cocasses d'un destin semblable à des milliers d'autres.

Rien ne convainc davantage des dons exceptionnels de Gabrielle Roy que cette aisance à se nourrir en pleine pâte humaine, que cette fidélité au vrai et à l'équilibre existant entre les pauvres joies et les détresses quotidiennes des êtres. Le sujet qu'elle avait choisi se prêtait au vulgaire mélodrame où Margot eût pleuré ou à une charge humoristique. *Bonheur d'occasion* n'est ni l'un ni l'autre. On décèle constamment chez l'auteur un respect infini de ses personnages, cette affection intelligente et avisée pour les hommes et les femmes nés de l'imagination par laquelle s'affirment les plus grands. Il ne s'agit pas de s'attendrir ni de se divertir, mais de transposer la vie, sans aucune trahison comme sans aucune collusion. Cela, qui est le plus difficile, Gabrielle Roy l'a accompli d'emblée avec une maîtrise qui déconcerte. A chaque page, c'est une observation d'une vérité criante, l'analyse habile d'un sentiment quasi-inexprimable, ce sont quelques lignes qui nous font éprouver toute la poésie insoupçonnée qui habite les humbles; plus exactement toute la poésie authentique, de la plus belle qualité, qui jaillit de la plume, toujours réservée, de Gabrielle Roy.

Un rapprochement s'impose, et l'on n'a pas tardé à le faire, entre *Bonheur d'occasion* et *Au pied de la pente douce*. Le roman de Lemelin est plus caricatural, il témoigne d'un grossissement voulu, il manifeste des intentions unanimistes plus ou moins conscientes chez son auteur. Populiste également, et par ce biais également assez proche de toute une tradition nord-américaine du roman, Gabrielle Roy aime mieux ses personnages, et cela fait toute la différence. Elle recherche moins le pittoresque, le morceau à effet, si réussi qu'il soit presque toujours chez Lemelin. Elle s'est penchée avec sollicitude sur des êtres rudement secoués par la vie et elle a voulu se faire l'interprète de leurs espoirs comme de leurs détresses. On peut rire à certains passages, mais c'est un rire de même essence qu'à certains tableaux de Gratien Gélinas: un rire toujours près des larmes, car il y a trop de vérité et d'accablement dans ce qu'il nous fait découvrir.

JEAN LÉVESQUE

Artiste intelligent et sensible, Gabrielle Roy ne cherche pas, dans *Bonheur d'occasion*, à démontrer quoi que ce soit; elle nous fait voir, simplement, ce que ses yeux ont vu, ce que tous nous avons pu voir à maintes reprises mais qu'elle seule pouvait traduire dans un roman tout entier fondé sur les élans du cœur et une sorte de spontanéité dans la fraternisation.

Le printemps !... que lui apporterait-il ? se demandait le jeune homme. Il fut saisi de cet appétit d'inconnu, de recommencement qu'entraînent toujours avec eux les brusques changements de saison.

Un pas de femme, menu et vif sur le trottoir, le fit se retourner; et voyant une ombre solitaire derrière lui, il se rappela avec agacement la sensation de la main de Florentine sur son bras. Il se souvenait aussi comment elle était venue trottinant vers lui un soir de tempête et, pendant un très court instant, il comprit bien qu'à travers le vent, du fond de sa misère, du fond de toute son incertitude, elle était accourue à lui, follement, avec témérité, mais lui apportant toute sa vie, à lui qui était solide et représentait sans doute le succès à ses yeux de jeune fille pauvre. Puis il vit son ombre qui s'allongeait sur le trottoir, la stupéfaction, le dépit le clouèrent sur place. Qu'avait-il à faire de ce don ? Que lui importait-il ? Jamais encore la froide solitude dont il s'était entouré ne lui avait paru plus précieuse et plus nécessaire.

...Le printemps, quelle saison de pauvres illusions ! Il y aurait bientôt des feuilles dans la clarté des lampadaires; les petites gens mettraient des chaises sur le trottoir en face de leur maison; il y aurait dans la nuit le crissement des berceaux sur le ciment; de tout petits enfants respireraient l'air du dehors pour la première fois de leur vie; d'autres traceraient des signes à la craie sur le pavé des rues et y pousseraient une rondelle en sautant sur un pied d'un carré à l'autre; et, dans les cours intérieures, sous la faible lueur des carreaux, les familles réunies causeraient ou joueraient aux cartes. De quoi causeraient-ils ces besogneux dont la vie restait égale et monotone ? Ailleurs, les hommes se rassembleraient sur un terrain vague pour lancer des fers à chevaux, jouant eux aussi à oublier. Les nuits résonneraient du heurt du métal, des cris des enfants et des milliers de soupirs joyeux dans le halètement des locomotives et les coups hachés de la sirène. Oui, voilà ce que serait le printemps dans l'enceinte de la fumée, au pied de la montagne !

Il imagina la fin d'avril... Il y aurait partout dans les ruelles sombres, au fond des impasses obscures, dans la grande tache mouvante des arbres, des silhouettes réunies. Deux par deux, elles iraient dans la pénétrante odeur de la mélasse chaude, du tabac, dans le relent des fruiteries, dans la vibration des trains: elles iraient couvertes de suie, ombres tenaces et pitoyables; et certaines nuits de printemps, parce que le vent se secoue mollement et qu'il y a dans l'air une folie d'espoir, elles recommenceraient ces gestes qui assurent à l'humanité sa perpétuité de douleurs.

ALEXANDRE CHENEVERT (1954)

Après *Bonheur d'occasion,* et de plus en plus à mesure que paraissaient romans et recueils de nouvelles, l'on a pu vérifier que cette œuvre plongeait ses plus fortes racines dans une exceptionnelle puissance de sympathie. Le cœur de Gabrielle Roy déborde de tendresse pour les humbles, ses personnages. Elle les regarde vivre dans leurs gestes quotidiens et elle enregistre soigneusement la série indéfinie de leurs échecs. Ce ne sont pas des êtres désespérés. Ce sont d'inlassables combattants poursuivant, avec l'obstination de la fourmi, leurs petites luttes obscures. La lente monotonie et la grisaille des jours identiques imposent leur fardeau de résignation et de patience. C'est dans le trésor d'une sensibilité frémissante que Gabrielle Roy puise la substance de ses pitoyables héros; elle les nourrit de sa générosité jamais lassée.

Alexandre Chenevert (1954) ouvre une fenêtre sur le destin d'un homme abandonné. L'auteur n'a jamais atteint à une telle détresse. Les drames de *Bonheur d'occasion* se situaient au niveau d'une famille dont les membres s'accordaient mutuellement quelques marques de réconfort. Il n'en va plus de même ici où Chenevert demeure isolé au sein de ses inquiétudes. Prisonnier de son propre personnage, il tourne sans cesse en rond, refusant jusqu'à la fin d'abdiquer, et c'est ce qui lui confère, à la longue, une sombre grandeur.

C'est un caissier modèle dans une succursale de banque. Il est ponctuel et appliqué, économe et dévoué. Il est marié; sa femme n'est ni meilleure ni pire qu'une autre. Il a une fille, elle aussi mariée et qui vit dans une autre ville. S'il n'est pas riche, il est loin d'être misérable. Rien ne le prédispose donc à une incurable misanthropie; c'est l'un de ces anonymes tirés à des millions d'exemplaires de par le monde.

L'angoisse de Chenevert provient d'un paradoxe qu'il porte en lui et dont il a une conscience lucide. Inquiet et aigri dans sa vie personnelle, le sort de l'humanité l'inquiète et le préoccupe tout autant. Cette angoisse, où il y a une grande part d'abstraction, le mine. La maladie accomplit peu à peu son œuvre en lui. Chenevert décide de passer, seul, quelques jours à la campagne. Pour la première fois de sa vie, il découvre le calme, l'apaisement. Ce citadin des faubourgs surpeuplés éprouve dans son corps et dans son âme la délivrance qu'accorde la nature à ceux qui vont la lui réclamer. Les phantasmes s'abolissent peu à peu dans son esprit surmené. Ce n'est là qu'une brève halte; bientôt se réveillent ses démons intérieurs.

Gabrielle Roy atteint au sommet de son art dans la dernière partie du roman. Chenevert est à l'hôpital, la vie se retire peu à peu de lui. Les hommes qu'il a méprisés parce qu'ils ne se conformaient pas à l'idéal exigeant qu'il leur avait imposé lui témoignent une grande bonté. D'abord incrédule, il est touché. Avec la minutie du comptable, il règle aussi ses relations avec Dieu.

Il s'en acquitte avec une franchise virile que l'approche de la fin n'a pas amollie. C'est le grand mérite de la romancière d'avoir évité la scène à effet et de n'avoir pas cédé à une facile bondieuserie. Son livre acquiert une résonance spirituelle d'autant plus authentique que rien n'y est truqué. Cette analyse subtile est menée avec une maîtrise sans défaillance.

Gabrielle Roy demeure fidèle à son esthétique habituelle. C'est dire qu'elle écrit long; il lui faut les coups de crayon répétés. Il lui manque le sens de la formule, du tour serré de la phrase, de la notation précise.

Ce pointillisme un peu myope s'accompagne d'un réalisme constant. Aucune description n'est épargnée; chaque geste, chaque morceau de décor, chaque spectacle est minutieusement relaté. On peut estimer que la poésie perd beaucoup à cette servilité à l'objet. Dès que Gabrielle Roy parvient à secouer ce joug, elle ravit.

RUE DESCHAMBAULT (1955)

Que Gabrielle Roy soit l'un des très rares romanciers sur lesquels nous pouvons compter pour traduire avec fidélité l'âme secrète de notre pays, elle l'a encore démontré avec les nouvelles de *La Petite Poule d'eau, Rue Deschambault* et *La Route d'Altamont*. Dans ces récits tout autant que dans ses grands romans, cette historiographe attendrie des mouvements du cœur chez les petites gens s'est continuellement montrée, en tant que créatrice, d'une parfaite honnêteté. Elle ne dit pas plus qu'elle n'a à dire. Jamais elle ne force le ton. Tout chez elle, et le style même — ses quelques faiblesses tout autant que ses vertus — naît de l'abondance du cœur.

D'emblée elle s'est placée au-dessus de la virtuosité, des exploits techniques, des imitations laborieuses. L'on sent chez elle le souci de « dire juste ». Et elle y parvient. Elle fait saisir une infinité de nuances, elle émeut. Parmi les récits semi-autobiographiques de *Rue Deschambault* ou de ses autres recueils, il en est bien peu qui ne soient délicatement touchants, qui ne nous atteignent dans quelque profond repli de l'âme.

Rue Deschambault est une suite de récits complets en eux-mêmes, mais leur juxtaposition raconte l'enfance et les premières années d'adolescence d'une fillette délicieusement sensible, perspicace, vivant dans un perpétuel état de grâce poétique, douée d'une naïveté qui départage avec une parfaite aisance les valeurs vraies et les fausses.

S'agit-il d'une autobiographie? Au fond, que nous importe qu'il y ait, ou non, transformation des souvenirs par « cette bizarre alchimie du temps » dont parle Gabrielle Roy elle-même? Ce que nous savons, c'est qu'aucune enfance n'est plus plausible, plus seyante pour Gabrielle Roy telle que son œuvre la révèle, que celle de sa Petite Misère. La nouvelle intitulée « Petite Misère » est le portrait véritablement poignant d'une fillette qui a envie de mourir tant elle est désolée, et d'un père qui l'a devinée mais qui ne sait comment réparer les effets du mot malheureux par lequel il a engendré un tel chagrin.

Bonne volonté sentimentale, mais gaucherie à l'exprimer et mélancolie qui s'ensuit chez des êtres trop sensibles appelés à une vie pleine, voilà le thème général, le climat d'intimisme dans lequel baignent la plupart de ces récits. Le père aime les siens et le prouve par ses sacrifices; mais il est loin d'être comme son voisin venu d'Europe, choyant sa femme et « portant l'amour sur son visage comme un soleil »: « un produit d'Italie, sans doute », observe, résignée, la maman de Petite Misère.

Petite Misère cherche un peu de vie et d'âme autour d'elle, et elle les trouve. Il y a d'abord ces personnages du récit intitulé « L'Italienne », le plus chaleureux et le plus subtilement ému du recueil; il y a cette cousine Georgiana, dont on fait l'impossible « pour empêcher le mariage »: « Il me semble, pense la narratrice, que quelqu'un aurait dû être du côté de Georgiana, à cause de tout cet orgueil dans sa voix quand elle reprenait: « Je l'aime »; il y a l'oncle Majorique, rieur, fantaisiste, curieux du monde et averti, assagi, qui ne songe pas, lui, en racontant le naufrage du « Titanic », à blâmer, au nom de la crainte de Dieu, ce que d'autres nomment « la présomption humaine »; et il y a enfin cet extraordinaire visage de la mère vieillissante, à qui il suffit d'un voyage pour reprendre un air de jeune fille et pour « se sentir meilleure ».

On aura saisi sans peine le ton dominant de ces dix-huit récits. « Ma coqueluche » et surtout « La Voix des étangs » parlent de la naissance d'une vocation littéraire: « Alors j'ai eu l'idée d'écrire. C'était comme un amour soudain qui, d'un coup, enchaîne un cœur; c'était vraiment un fait aussi simple, aussi naïf que l'amour ». Le morceau s'achève sur des accents et une passion à la Marie Noël.

L'on n'est pas étonné d'apprendre que la vocation d'écrire a été la forme qu'a prise, chez Gabrielle Roy jeune, l'éclosion d'une richesse intérieure; ce fut un appel ressemblant à celui de l'amour. Car en se livrant, en parlant de ses proches, de son Manitoba natal, de sa découverte de la nature et du monde au contact d'étrangers qui lui ont appris la diversité des âmes, en décrivant, dans ce livre et ailleurs, de *La Petite Poule d'eau* à *La Route d'Altamont,* le milieu prenant mais pauvre de joie et d'indépendance où sa jeunesse rêveuse s'est isolée dans une noble ambition, en avouant et exprimant tout cela, Gabrielle Roy a su élever un véritable chant du cœur. Ils ne sont pas encore nombreux, dans la littérature française du Québec, les livres qui marquent une semblable rupture de silence.

N O T I C E   B I O G R A P H I Q U E

Née à Saint-Boniface en Manitoba en 1909, Gabrielle Roy y fut institutrice et elle s'occupa activement de théâtre à Winnipeg. Au retour d'un long voyage qu'elle fit en France et en Angleterre dans les années 1937 et 1938, elle s'installa à Montréal et consacra tout son temps à la littérature. A cette époque, le M.R.T. monta d'elle une pièce en un acte, journaux et revues publièrent ses reportages et ses premiers récits. 1947, année où elle obtint le prix Femina pour Bonheur d'occasion, *fut aussi celle de son mariage avec le Dr Marcel Carbotte. Elle vit à Québec depuis lors, toujours attachée à l'élaboration de son œuvre.* The Thin Flute, *traduction de son* Bonheur d'occasion, *a atteint à New York les 700,000 exemplaires.*

B I B L I O G R A P H I E

L'œuvre romanesque de Gabrielle Roy:

> *Bonheur d'occasion,* Montréal, Société des Éditions Pascal, 1945. Paris, Flammarion, 1947, 1948; Montréal, Beauchemin, 2 vols, 1947. Traduction anglaise: *The Thin Flute,* New York, 1947. Montréal, Beauchemin, 1 vol., 1965.

> *La Petite Poule d'eau,* Montréal, Beauchemin, 1950. Paris, Flammarion, 1951; Montréal, Beauchemin, 1957. Traduction anglaise: *Where Nests the Water hen,* par Harry L. Bensse, New York, 1951.

> *Alexandre Chenevert,* Montréal, Beauchemin et Cercle du Livre de France, 1954. Paris, Flammarion, 1954. Traduction anglaise: *The Cashier,* Toronto, 1955.

> *Rue Deschambault,* Montréal, Beauchemin, 1955. Paris, Flammarion, 1955. Traduction anglaise: *Street of Riches,* par Harry L. Bensse.

> *La Montagne secrète,* Montréal, Beauchemin, 1961. Traduction anglaise: *The Hidden Mountain,* par H.L. Bensse, Toronto, 1962.

> *La Route d'Altamont,* Montréal, Éditions H.M.H., 1966.

Études sur Gabrielle Roy:

Brochu, André: « Thèmes et structures » dans « Bonheur d'occasion », *Écrits du Canada français*, no 22, 1966.

Duhamel, Roger: « Bonheur d'occasion », *L'Action nationale*, oct. 1945.

Lafleur, Benoît: « Bonheur d'occasion », *La Revue dominicaine*, 51, 2 (1945).

Ambrière, Francis: « Gabrielle Roy, écrivain canadien », *Revue de Paris*, déc. 1947.

Bessette, Gérard: « Bonheur d'occasion », *L'Action universitaire*, juillet 1952.

Marcotte, Gilles: « En relisant Bonheur d'occasion », *Action nationale*, 35, 3 (1950).

Sylvestre, Guy: « La Petite Poule d'eau », *Nouvelle Revue canad.*, avril-mai 1951.

Sylvestre, Guy: « Alexandre Chenevert », *Nouvelle Revue canad.*, avril-mai 1954.

Roz, Firmin: « Témoignage d'un roman canadien », *Revue de l'élite européenne*, août 1954.

Duhamel, Roger: « Alexandre Chenevert », *L'Action universitaire*, juillet 1964.

Grandpré, Pierre de: « Rue Deschambault », dans *Dix ans de vie littéraire au Canada français*, Montréal, Beauchemin, 1966.

O'Leary, Dostaler: *Le Roman canadien-français*, Montréal, Cercle du Livre de France, 1954.

Brown, Allan: "Gabrielle Roy and the temporary provincial", *Tamarack Review*, automne 1956.

McPherson, Hugo: "The Garden and the Cage", *Canadian Literature*, été 1959.

LeGrand, Albert: « Gabrielle Roy ou l'être partagé », *Études françaises*, juin 1965.

Gaulin, Michel-Lucien: « Le Monde romanesque de Roger Lemelin et de Gabrielle Roy », dans *Le Roman canadien-français* (t. III des Archives des Lettres canadiennes), Univ. d'Ottawa, Fides, 1964.

Genuist, Monique: *La Création romanesque chez Gabrielle Roy*, Montréal, Cercle du Livre de France, 1966.

III

ROBERT CHARBONNEAU
(1911-1967)

par Roger DUHAMEL et Pierre de GRANDPRÉ

Dès son premier livre, en 1941, Robert Charbonneau se classait d'un seul élan au premier rang de nos écrivains, dans la mesure où il instaurait solidement au Québec, après quelques tentatives annonciatrices mais encore insuffisantes, comme celles de Rex Desmarchais ou de Claude Robillard, le roman d'analyse psychologique. Il a ainsi joué un rôle d'initiateur qui ne lui sera plus contesté.

Il devait s'affirmer, de livre en livre, comme un romancier robuste, d'une psychologie déliée, capable de s'attaquer aux sujets universels, généralement dédaignés jusque-là par ses émules canadiens au bénéfice de tentatives régionalistes répétées sans assez de passion et de nécessité intérieure.

ILS POSSÉDERONT LA TERRE (1941)

Le roman *Ils posséderont la terre* est une œuvre sévère, délibérément dépouillée, profondément émouvante, d'un tragique beaucoup plus suggéré qu'exprimé, et qui doit beaucoup à Dostoïevski et à Mauriac, les deux maîtres avoués de l'auteur, qui s'est remarquablement expliqué sur sa conception du roman dans son essai *Connaissance du personnage* (1944).

Le romancier de *Ils posséderont la terre* décrit l'évolution psychologique parallèle de deux adolescents: André et Edward. Le durcissement progressif du premier apparaît dès le prologue: incapable du moindre abandon en faveur d'autrui, André est destiné à s'encroûter dans l'égoïsme et la médiocrité. Edward, au départ, se révèle doué d'une nature plus généreuse. Mais, après diverses tentatives d'évasion, un paradoxal destin qu'il porte en lui et l'influence néfaste de Ly Laroudan, sa maîtresse, contribuent à l'enliser plus irrémédiablement encore que son ami André. Les gestes extérieurs, dans ce roman, n'ont en eux-mêmes d'autre valeur que de souligner le débat des âmes et le jeu des passions.

Cette esthétique romanesque, tout à fait valable, aboutit néanmoins, chez Charbonneau, à un dessin uniformément linéaire; il en vient à oublier que ses personnages ne sont pas que des abstractions, qu'ils doivent aussi s'insérer dans un contexte social et que le lecteur ne devrait pas avoir à tout deviner de leur comportement quotidien.

Ce schématisme et cette sécheresse, défaut de plusieurs de nos romanciers psychologues, comme nous aurons à le souligner (Giroux, Elie, de même que certains romanciers plus récents qui cherchent à nous exprimer collectivement par la voie de l'allégorie et du symbole), laissent un pénible sentiment d'insatisfaction. La même observation vaut pour *Fontile* et l'ensemble de l'œuvre de Robert Charbonneau. Au départ, et comme par principe, le romancier se prive de tout point de contact avec une terre bien déterminée, il dépayse délibérément ceux qui liront son récit. Cette méthode, accessible seulement aux plus grands, est périlleuse. Le milieu, chez Charbonneau, est-il français ou canadien? On l'ignore, et les personnages ne sont pas assez fortement dessinés pour qu'on les puisse associer à une région précise. Seul l'humain intéresse Charbonneau? L'on y consent volontiers, mais enfin l'homme abstrait n'existe pas, l'individu se rattache toujours à un milieu, à des habitudes, à un ensemble de traditions. Quelques indications fortuites permettent seules de croire que l'action prend place dans l'une de nos petites villes de province. Il n'est pas jusqu'aux noms des personnages et à leurs prénoms qui ne visent à dérouter.

Il reste cependant que *Ils posséderont la terre* ouvrait une avenue neuve avec une superbe autorité; il est dommage que *Fontile* l'ait rétrécie. *Les Désirs et les jours* et *Aucune créature* allaient permettre à Charbonneau de faire preuve d'un peu plus de profusion.

FONTILE (1945)

Le héros du roman *Fontile* (1945), Julien Pollender, appartient par toutes ses fibres à sa petite ville, même s'il tente vainement de s'en détacher. Étrange figure que ce Pollender. Attachante aussi. Dès son enfance, il s'analyse constamment, il fait le compte de ses ressources et de ses faiblesses. Il témoigne d'une grande lucidité, qui paraît parfois plus celle de Charbonneau que la sienne propre. Son grand défaut, c'est une volonté défaillante, qui s'use avant même que de s'être employée, un état permanent d'incertitude qui le rend inapte à l'action. Il est toujours assis au carrefour des routes, indécis quant à la direction dans laquelle s'engager. Ce dont il souffre surtout, c'est d'un excès d'introspection. Julien Pollender est légion; on peut même voir en lui une image assez ressemblante de sa génération, cette génération que l'auteur a peinte peu avant sa mort dans sa *Chronique de l'âge amer* (1967), roman à clés qui a des allures de mémoires.

Au collège, une certaine ferveur religieuse s'empare de lui; mais vite elle tourne court, alors que son ami Georges Lescaut se rendra au bout de sa voie. Pollender ne parvient jamais à franchir l'hiatus entre la pensée et l'action. Il espère découvrir dans la littérature un débouché à son drame intérieur. Ses dons le trahissent, et il demeure trop conscient pour ne point s'en émouvoir: « Je ne voulais donner qu'une joie rare, ténue, mesurée, artificielle... Je voulais une poésie sans appui dans la nature et dans l'homme ».

Le roman fait assister aux démêlés familiaux de Julien: avec son père, sa belle-mère, ses grands-parents, scènes bien brossées, d'une excessive retenue mais très suggestives. Nous le voyons aussi, rentré d'une expérience décevante dans la grand'ville, se replonger dans

Fontile, nouer certaines relations, notamment avec le journaliste Bonneville. Une histoire d'amour s'ébauche avec Armande Aquinault, frêle créature dévorée d'un feu intérieur et qui s'éteindra aux dernières pages du livre. Comme cet amour est abstrait et inachevé! Charbonneau supprime les transitions, supprime même les premières étapes dans l'évolution de ce sentiment réciproque. Nous nous apercevons un jour que Julien et Armande s'aiment et nous serions tentés de leur reprocher de nous l'avoir à ce point dissimulé. Mais peut-être qu'eux-mêmes ne le savent pas très bien... Pareillement, lorsque Julien aborde la politique, nous ne le croyons qu'à demi. Les péripéties de sa lutte électorale (bien que la tête d'un certain Vaillant soit fort bien réussie) laissent perplexes.

Ce roman, qui est l'histoire d'un échec, soulève maints problèmes, et c'est un bon critère de sa qualité. On y voudrait néanmoins découvrir une densité absente, une certaine épaisseur humaine. La vie y demeure prisonnière d'un rêts trop soigneusement tissé; elle n'éclate jamais d'une joyeuse ou douloureuse intempérance et les cris de détresse, perçus ici et là, n'ont pas plus de résonance que des balbutiements. C'est une œuvre trop décantée, trop cérébrale, d'où son divorce avec le foisonnement animal des existences humaines.

LES DÉSIRS ET LES JOURS (1948)

Publié en 1948, *Les Désirs et les jours* faisait suite à *Ils posséderont la terre* et à *Fontile*. Il y a, d'un livre à l'autre, le rappel de certains personnages, de certains lieux. Ces rapprochements nous situent dans un même climat: de toute évidence, Robert Charbonneau vise à une unité morale de plus en plus sensible au fur et à mesure que l'œuvre se développe et s'élargit.

Deuville pourrait bien être une transposition de Farnham. Le héros, Auguste Prieur, nous est présenté de l'enfance à l'âge mûr. C'est un fils de l'élite ouvrière qui passe à la bourgeoisie, selon un processus bien connu. Avec les années, à travers ses premiers jeux, son éducation, son cours universitaire, ses débuts d'avocat, son activité de député, son caractère se durcit, il risque parfois de céder à des mirages créés par son ambition, il se retient de justesse au bord de certaines lâchetés, de bassesses médiocres.

La figure de Pierre Massénac se détache avec plus de relief. Tempérament fougueux, mal adapté aux conditions sociales dans sa petite ville, il aura le courage de se rendre au bout de ses actes, de se livrer à une vie d'aventure qui le mènera à travers le monde. Il revient, donnant une part de lui-même à l'amitié et bientôt à un amour naissant. Il est au centre de toutes les péripéties qui confèrent à ce roman une vive allure, à laquelle Charbonneau n'avait pas habitué ses lecteurs et qu'il ne devait malheureusement pas retrouver, en 1961, avec *Aucune créature.*

INSOMNIE

Les Désirs et les jours est un roman appliqué, comme toujours chez Charbonneau, et d'une netteté de trait voisine de la sécheresse; cependant l'intrigue en paraît au contraire, pour une fois, compliquée à l'excès. On observera ici la vérité du détail et la qualité du style.

Auguste Prieur se soulève dans son lit, la tête bien dégagée de l'oreiller, et il attend en alerte le retour de la douleur qui vient de l'éveiller. Il tend l'oreille, dans la nuit, comme s'il espérait surprendre un bruit qui trahisse le passage du mal. Au dehors la pluie tombe, une pluie de fin d'octobre, monotone et froide. Maintenant, complètement éveillé, le nouveau député de Deuville sent les pulsations de son cœur le long d'une ligne qui relie les deux épaules. Au moindre mouvement, les battements de son cœur lui résonnent dans la gorge. Il se dresse au milieu du lit, repousse ses couvertures. Quand il est immobile, il ne sent rien ... Un sentiment d'insécurité l'envahit. Il tente de l'écarter en pensant au repos dont il a besoin, à la longueur des heures de la nuit quand on est éveillé. Il se tourne sur le côté et ferme les yeux. « Cette inquiétude est intolérable ». Il se sent profondément malheureux.

Il allume la petite lampe de chevet et consulte son bracelet-montre: deux heures. Demain, il verra son médecin. « Vous êtes atteint d'une maladie de cœur, condamné désormais à l'inaction totale. » Non, non, mon Dieu, ne m'abandonnez pas ! « C'est un malaise passager. Vous avez eu tort de vous affoler. Votre cœur survivra à tous les autres organes ». Pourtant le mal est là. « Musculaire, mon cher député ... »

A côté de lui, Marguerite dort profondément, le corps replié en chien de fusil, épuisée par les mille petits soins que réclame un nouveau-né. Il s'étend sur le dos, la tête appuyée sur les paumes. Ainsi, il ressent son mal. Il éprouve le besoin de se familiariser avec la douleur puisque, pense-t-il, il leur faudra désormais vivre ensemble.

Il compare son sort à celui de Julien Pollender, son collègue à la Chambre et le plus jeune député de la législature. Pollender est riche, fort comme un chêne, intelligent ... Il n'a que vingt-huit ans. Auguste, qui se croit atteint d'une maladie de cœur, lui envie sa santé, son dynamisme latent, sa richesse qui lui permettrait une cure de soleil en Californie. Il se défend contre une poussée d'envie.

« Je n'ai pas à me ronger les sangs au sujet de Pollender''. Un cardiaque prudent peut encore accomplir beaucoup.

NOTICE BIOGRAPHIQUE

Né à Montréal en 1911, Robert Charbonneau fit ses études au collège Saint-Marie et à la faculté des Sciences sociales de l'Université de Montréal. Il fut successivement journaliste à La Patrie, *au* Droit *et au* Canada *avant d'entrer à l'emploi de la société Radio-Canada, d'abord comme journaliste en 1950; après 1955, il y a occupé la fonction de directeur du service des textes. Dès 1934, encore étudiant, il avait fondé avec Paul Beaulieu* La Relève, *prestigieuse revue devenue, en 1941,* La Nouvelle Relève, *qu'il dirigeait avec Claude Hurtubise. Avec Claude Hurtubise également, il mit sur pied, pendant la guerre, la maison d'édition de l'Arbre, dont l'activité se poursuivit de 1940 aux premières années de l'après-guerre. C'est à l'issue de cette expérience qu'il eut une retentissante polémique, consignée dans* La France et nous *en 1947, avec un groupe d'écrivains français pour affirmer la vocation originale, autonome, « américaine » des lettres canadiennes-françaises en face de la littérature française. Il a aussi publié des* Petits poèmes retrouvés *et a écrit une pièce de théâtre,* Précieuse Elisabeth. *Robert Charbonneau était membre de l'Académie canadienne-française, à la fondation de laquelle il a participé en 1944; et il était depuis peu président de la Société des écrivains canadiens lorsque la mort l'a emporté prématurément, en 1967, à l'âge de 56 ans.*

BIBLIOGRAPHIE

L'œuvre romanesque de Robert Charbonneau :

> *Ils posséderont la terre,* Montréal, L'Arbre, 1941.
> *Fontile,* Montréal, L'Arbre, 1945.
> *Les Désirs et les jours,* Montréal, L'Arbre, 1948.
> *Aucune créature,* Montréal, Beauchemin, 1961.
> *Chronique de l'âge amer,* Montréal, H.M.H., 1967.

Études sur Robert Charbonneau :

> Ellis, Marie-Blanche: *Robert Charbonneau et la création romanesque,* Montréal, Éd. du Lévrier, 1948.
> McAndrew, A.: "A Canadian disciple of François Mauriac: **Robert Charbonneau**", *University of Toronto Quarterly,* 16, 1946.

Robidoux, Réjean, et Renaud, André: « Ils posséderont la terre », dans *Le Roman canadien-français au XXe siècle*, Éditions de l'Université d'Ottawa, 1966.

Sylvestre, Guy: « L'univers de Robert Charbonneau », *Revue dominicaine*, 59, 1 (1953). « Ils posséderont la terre », *Le Droit*, 1941.

Houle, Jean-Pierre: « Ils posséderont la terre », *Action universitaire*, 32 (1948).

Légaré, Romain: « L'œuvre romanesque de Robert Charbonneau », *Action nationale*, 32 (1948).

Légaré, Romain: « Robert Charbonneau », *Lectures*, 14 (1948).

Légaré, Romain: « Fontile », *Culture*, 1946 (p. 244 et suiv.).

Duhamel, Roger: « Fontile », *Action nationale*, février 1946.

Légaré, Romain: « Les Désirs et les jours », *Culture*, 1948 (p. 345 et suiv.).

Falardeau, Jean-Charles: « Robert Charbonneau et le rêve de l'adolescent », dans *Notre société et son roman*, Montréal, Éditions H.M.H., 1967, pp. 135-179.

IV

ANDRÉ GIROUX

(né en 1916)

par Roger DUHAMEL et Pierre de GRANDPRÉ

Il est si souvent question de la probité intellectuelle d'André Giroux qu'on finirait par craindre que cet éloge ne dissimule, chez ceux qui le prodiguent, des réserves quant à la qualité esthétique de son œuvre. Jouer de cette opposition serait un abus et risquerait d'aboutir à une regrettable méprise. Il est trop évident que cet écrivain ne signe pas une page qui ne corresponde à une expérience intérieure, à un souci toujours plus approfondi de vérité. Si la puissance créatrice n'emprunte rien chez lui au fleuve balzacien, il se rachète amplement par la délicatesse des sentiments, une émotion tremblante où se révèle la qualité d'une âme aisément angoissée.

AU-DELÀ DES VISAGES (1948)

André Giroux s'est imposé à l'attention du public littéraire en 1948, par un roman au découpage original et d'un pirandellisme habilement conduit. *Au-delà des visages* étudiait, à travers le prisme d'interprétations variables selon les observateurs — ce qui était l'occasion d'une intéressante galerie de portraits — le drame d'un jeune homme qui a tué sa complice, sous le coup d'un sentiment de culpabilité et de dégoût éprouvé au moment de sa première expérience amoureuse. A noter que *Moïra*, de Julien Green, qui exploite un semblable thème, ne devait paraître que deux années plus tard.

Au-delà des visages est d'abord un ouvrage travaillé. L'auteur ne nous offre pas ses brouillons, comme il arrive à certains écrivains. La structure est solide, les plans sont soigneusement équilibrés. Peut-être lui reprochera-t-on cette rigueur inflexible; mais dans une littérature où l'on se fie trop commodément au premier jet, c'est assurément un mérite. Combien de parties de ce roman eussent pu être longuement développées! Cette retenue, au contraire, enchante; quelques phrases révélatrices, un ou deux traits bien choisis, n'est-ce pas suffisant pour percer la nature véritable des personnages, pour recréer l'atmosphère, pour plonger le lecteur dans le contexte du drame?

André Giroux recourt à une technique qui n'est pas fréquente, mais il en use avec habileté. Dès les premières pages, la donnée fondamentale est exposée: un jeune homme de bonne famille a étranglé une fille dans une chambre d'hôtel. Tour à tour, nous apprenons la réaction des différentes personnes que ce fait divers intéresse; et chacune nous permet de connaître davantage la personnalité ondoyante de ce Jacques Langlet. Il y a là une tentative de reconstitution psychologique très dextrement menée: ses patrons, MM. Laberge et Giguère, Marie-Eve, la seule femme qui l'ait vraiment aimé et qu'il a repoussée, la femme de peine de sa famille, le bibliothécaire à qui il empruntait régulièrement des livres, les amies de sa mère, l'avocat qui accepte de prendre sa défense, la serveuse de restaurant, ceux qui se prétendaient ses amis, son père et sa mère enfin, tous ces personnages apportent leur témoignage; l'assemblage de ces pièces contribue à recréer le portrait du héros, à lui donner l'existence. Le procédé est louable; notons toutefois qu'il simplifie singulièrement la tâche du romancier, en lui épargnant la difficulté de composer un récit emmêlant tous les éléments au lieu que ceux-ci soient traités séparément. Le talent ici déployé est en définitive celui du conteur.

Sur les mobiles de l'assassinat, la discussion demeurera ouverte: Jacques a tué pour se rendre jusqu'au bout de sa quête de pureté; il a voulu passionnément la découvrir au-delà d'un visage, comme l'explique à la mère la lettre d'un perspicace religieux, le Père Brillart. On avouera que la nature de ce drame métaphysique qui aboutit, dans les faits, au meurtre le plus sordide, est loin d'être débrouillée. Elle exigeait, du romancier, une maîtrise peu commune pour le rendre plausible et pour faire partager au lecteur les angoisses du héros.

LES PERPLEXITÉS DE L'AVOCAT LANGLET

L'observateur de mœurs pourra, dans *Au-delà des visages*, se régaler comme de hors-d'œuvres de petits tableaux satiriques de bonne venue. Les réflexions de M. Giguère nous dépeignent un type d'homme plus fréquent qu'on ne l'imagine; le papotage des dames mûrissantes, à l'heure du bridge, est d'une cruauté étudiée; et qui ne s'enchanterait de l'article de la soi-disant bonne presse, d'un pharisaïsme écœurant! Un style dépouillé, nerveux, allègre contribue à situer *Au-delà des visages* dans la bonne tradition française du roman d'analyse.

Un chrétien doit aimer les hommes... Et les aimer pour leur faire du bien ! Qui, autour de moi, se préoccupe de cette loi ? Personne ! On condamne le communisme, mais que fait-on pour soulager la détresse des hommes ? Presque tous mes collègues du Barreau sont farouchement antisémites. Comment peuvent-ils être à la fois chrétiens et antisémites ? Bien des hommes de ma ville se haïssent, trahissent la parole donnée, volent des situations, trichent, se livrent avec délices aux spéculations du marché noir, refusent d'admettre des enfants dans leurs logements, et ils sont tous chrétiens ! Ma ville n'est peuplée que de catholiques. Y trouve-t-on plus d'amour, plus de charité qu'ailleurs ? Les chefs d'industries sont-ils plus justes envers leurs ouvriers ? La justice ! Ah ! les intrigues épouvantables autour des procès ! Et les faux serments à pleine gueule ! Faillite du christianisme dans les vies. Alors, quoi, rien ne va plus ? Et puis, ne pas juger ! Ne jamais juger ! Sur quoi nous basons-nous pour juger ? Sur ce que nous voyons ? Sur ce que nous savons ? Que voyons-nous ? Que savons-nous ? Des approximations, des apparences. Au delà des approximations, au delà des apparences règne la vérité inaccessible. Alors, nous taire puisque nous ne savons pas, puisque nous ne savons jamais. Mais aimer. Aucun risque d'erreur dans l'amour chrétien. Mais les hommes n'aiment pas. Et c'est là qu'éclate la faillite du christianisme. Non ! pas la faillite du christianisme, mais la faillite des hommes qui ont trahi le christianisme. ˙ D'ailleurs, qui s'intéresse au règne du Christ, cet étranger ?

Langlet, tu ne sauras jamais où tu m'as entraîné, ce soir. J'avance dans un pays inconnu où aucun visage ne m'est familier. Je ne reconnais même pas le mien...

LE GOUFFRE A TOUJOURS SOIF (1953)

L'on vient de voir comment le romancier visait déjà, dans sa première œuvre, à retracer, derrière les masques de l'hypocrisie mondaine, les plus hautes et périlleuses aventures spirituelles; il devait pousser ce souci jusqu'à la hantise, cinq années plus tard, dans *Le Gouffre a toujours soif* (1953). L'histoire, encore une fois, est mince, mais elle est émouvante par les résonances profondes des cœurs et par l'aventure spirituelle que vit le héros.

Jean Sirois, fonctionnaire perdu dans la foule anonyme, personnage grincheux, terre-à-terre, parvient, aux derniers jours de sa vie, à une sorte de grandeur. Exigeant sans pharisaïsme, sévère pour lui-même, il peut porter des jugements durs sur autrui.

L'on n'en éprouve pas moins une certaine gêne au soupçon que sa voix ne soit que l'écho de celle de Giroux. L'auteur ne lui a-t-il pas prêté ses rancunes, ses dégoûts et jusqu'à son ironie corrosive, le surveillant ainsi de trop près et ne lui donnant pas pleinement sa chance d'une vie autonome? Il en va de même d'autres personnages, dont les traits nous demeurent inconnus, comme ceux de Marie, la femme du malade, ou du chef de bureau Poirier, caricaturé avec sarcasme. En revanche le métier de Giroux s'est assoupli: le récit est moins linéaire que dans sa première œuvre; certaines fins de chapitres sont saisissantes dans leur brièveté tendue.

Le livre est attachant du fait qu'il agite les problèmes les plus aigus. Jean Sirois est un être divisé, à la recherche d'une vérité difficilement accessible; pour lui, la foi religieuse est un engagement total. La solitude et la détresse où le laisse sa soif d'absolu creuse un gouffre que rien d'humain ne peut combler. A ce niveau, le roman n'a plus rien d'un jeu; il correspond à la recherche angoissée d'options fondamentales, il appartient, au sens propre, à ce qu'on peut nommer « une littérature de salut ».

MALGRÉ TOUT, LA JOIE (1959)

Écrivain au trait rapide et au souffle un peu court, André Giroux devait bien réussir dans la nouvelle. Il est heureux qu'il l'ait deviné. *Malgré tout, la joie* (1959) est une série de brefs récits, reprenant des thèmes assez rapprochés les uns des autres. L'auteur s'est plu à des variations très souples sur la fragilité des sentiments humains.

Il ne fait aucun doute que Giroux appartient à la lignée des moralistes; comme tous ceux qui regardent avec intensité vivre les hommes, il est rarement gai. La plupart de ces nouvelles sont assez sombres et soulignent la duperie de nos rapports, les illusions tragiques dont nous nous berçons. L'homme et la femme essaient de se rejoindre; s'ils y parviennent, c'est à la suite d'un compromis fondé sur le mensonge, souvent inconscient. Il n'y a sans doute de vérité que la mort, qui nous dépouille de toutes les conventions et de toutes les affabulations dont nous nous entourons comme d'autant de bandelettes pour masquer notre intime faiblesse.

Un certain ton ironique relève ce que pourraient avoir de trop cruel ces tranches de vie où tout finit mal. L'auteur paraît ne s'être pas consolé d'avoir perdu le paradis terrestre. Il serait néanmoins malheureux que cette vision toute personnelle et valable de l'humanité le poussât à son insu vers une certaine facilité. Pour le dire en clair, la mort, qui hante tous les romans de Giroux, arrive trop fréquemment à point nommé, ici, pour dénouer les fils de l'intrigue. C'est moins un reproche qu'une constatation. On risque de ne rien comprendre à l'éthique de Giroux si l'on néglige de tenir compte d'une sorte de fantastique moral qui l'habite, de l'hymne à une inaccessible pureté qu'est son œuvre, fondée sur la recherche opiniâtre du triomphe, toujours menacé, de l'esprit sur la chair.

Il arrive dès lors, inévitablement, que l'invention fléchisse. Dans tout recueil de nouvelles, on peut déceler le meilleur et le pire; ici, le meilleur l'emporte de beaucoup et se situe au niveau de ce que la littérature canadienne-française a produit de plus vif dans le genre, par exemple les récits de Claire Martin. Même si la conception que se fait Giroux des rapports de l'homme et de la femme, dans ou hors du mariage, apparaît décevante, on ne niera pas qu'elle soit subtile, lucide, et probablement véridique. Et la qualité du recueil indique que l'on est en droit d'attendre de Giroux qu'il poursuive son œuvre à l'étiage où il l'a toujours rêvée.

NOTICE BIOGRAPHIQUE

Né à Québec en 1916, André Giroux y a fait ses études et il est entré dans la fonction publique alors qu'il était dans la vingtaine peu avancée. C'est du reste l'époque où il s'est lancé, avec Réal Benoît et quelques autres, dans l'entreprise de créer et de faire vivre, dans la vieille capitale, la revue littéraire de belle tenue qu'était **Regards** *(1940-1942). Après avoir occupé divers postes à l'emploi du gouvernement du Québec, André Giroux fut nommé, en 1945, publiciste au ministère de l'Industrie et du Commerce. En 1963, il occupait un poste à la Délégation générale du Québec à Paris, ce qui le fit passer successivement au service du ministère de l'Éducation et à celui du ministère des Affaires culturelles, auquel il appartint à titre de directeur général de la Diffusion de la culture après sa rentrée à Québec, en 1966, et où il est, depuis peu, sous-ministre adjoint. On connaît surtout André Giroux dans le grand public pour son roman télévisé* **Rue de Galais.** *Il fait partie de la Société royale du Canada depuis 1960.*

BIBLIOGRAPHIE

L'œuvre romanesque d'André Giroux :

> *Au-delà des visages,* Montréal, Variétés, 1948.
> *Le Gouffre a toujours soif,* Québec, Institut littéraire du Québec, 1953.
> *Malgré tout, la joie* (nouvelles), Québec, Institut littéraire du Québec, 1959.

Études sur André Giroux :

> Lockquell, Clément, « André Giroux, romancier spiritualiste », *Revue dominicaine,* 54, 2 (1948).
> Duhamel, Roger, « Au delà des visages », *Action universitaire,* janvier 1949.
> Sylvestre, Guy, « Au delà des visages », *Le Devoir,* 13 novembre 1948.
> Légaré, Romain, « Trois récents romans can.-fr. », *Culture,* 10 (1949).
> La Tour Fondue, Geneviève de, « André Giroux », *Lectures,* 10 (1954).
> Duhamel, Roger, « Le Gouffre a toujours soif », *Action universitaire,* avril 1954.
> Lafleur, Benoît, « André Langevin, André Giroux, Eugène Cloutier, trois jeunes romanciers canadiens », *Revue de l'Univ. Laval,* 8, 6, 1954.
> Duhamel, Roger, « Malgré tout la joie », *The University of Toronto Quarterly* (1959-1960, p. 539).
> Plante, Jean-Paul, « Le thème de la mesquinerie dans l'œuvre d'André Giroux » et « Entretien avec André Giroux », *Revue de l'Université d'Ottawa,* 3, 2 (1962).
> O'Leary, Dostaler, *Le Roman canadien-français,* Montréal, Cercle du Livre de France, 1954.
> Blais, Jacques, « Fraternel André Giroux », *Revue de l'Université de Sherbrooke,* octobre 1961.

V

ROBERT ELIE
(né en 1915)

par Roger DUHAMEL et Pierre de GRANDPRÉ

Robert Elie s'est fait connaître par *La Fin des songes,* œuvre d'une remarquable vigueur pour un débutant, d'une pensée patiente et approfondie, de ton stendhalien par le dépouillement voulu et la pointe acérée. De même qu'André Giroux et Robert Charbonneau, il ne s'est pas affirmé comme un écrivain très prolixe et il n'a jamais rien eu du polygraphe. Une plaquette pour initiés sur Borduas, quelques poèmes ésotériques, une collaboration discrète à *La Relève,* voilà tout ce qu'on savait de lui jusqu'à la parution de son premier roman.   On peut croire que son amitié pour Saint-Denys Garneau, sur lequel il a écrit avec ferveur et pénétration, a puissamment contribué à sa vocation de romancier et au choix de ses thèmes.

LA FIN DES SONGES (1950)

Le romancier ne s'est pas donné la tâche facile dans cette œuvre qui, à l'âge de trente-cinq ans, en 1950, marquait ses véritables débuts littéraires.   Il a voulu faire l'étude lucide et sympathique d'un homme incapable de trouver une réponse à la question essentielle du sens de la vie, et aboutissant ainsi au suicide.

Si l'écrivain s'est efforcé de se plier aux lois du genre en ménageant la progression de l'intérêt, il s'est surtout appliqué à sonder les âmes.   Il arrive que les faits et gestes de ses personnages ne retiennent guère, mais leurs pensées et leurs intentions conservent un grand fond de vérité humaine.   Ils continuent de vivre en nous par l'intensité de leur vie intérieure.   Sans se livrer à une introspection maladive, on peut dire qu'ils ne sont étrangers à aucune pulsation de leur cœur ni à aucun phantasme de leur esprit.   Leur faiblesse apparente, qui est leur véritable force, c'est qu'ils se cherchent constamment, qu'ils n'ont jamais la certitude de s'être définitivement trouvés.   Une inquiétude métaphysique les hante, qu'ils ne parviendront jamais à dissiper complètement, encore qu'on puisse supposer que le sacrifice de l'un permettra aux autres une difficile et nécessaire adaptation au monde du réel.   Les hommes qui prennent au sérieux leur aventure humaine ne triomphent jamais aisément de la vie. Et cependant, sans tomber dans la satisfaction béate des instincts élémentaires trop facilement repus, viendra un jour où ils accéderont à une forme d'équilibre toujours provisoire, où les songes en eux auront pris fin.   Ce sera la récompense d'une lutte virile.

Marcel et Bernard, deux compagnons de collège, dominent le récit de leur envahissante présence.   Ce sont, malgré certains traits communs, deux tempéraments différents, le premier voué à la défaite, le second tendu vers le combat.   Sous un masque de cynisme et d'amertume, Marcel recouvre une angoisse impossible à dissiper, qui fait tache d'huile et se communique à Jeanne, sa femme.   C'est un homme qui n'est pas guéri de son adolescence.   Tout le déçoit qui n'est pas, qui ne peut jamais être à la mesure de ses songes.   Ses efforts de délivrance aboutissent à une brève et désespérée liaison avec sa belle-sœur, Louise. Ainsi tous ses pas le conduisent-ils vers une impasse. Un seul dénouement paraît dès lors possible. C'est le mérite du romancier d'avoir bien vu cela.

Bernard, lui, a conservé le pouvoir de réagir. Il ressent une inquiétude tout aussi vive, mais d'une autre essence. Il est à la recherche d'un sens à donner à sa vie. Il est marié à Nicole qui lui est une inconnue; revenu de la guerre, il se sent inadapté. Tout le sollicite et rien ne le retient. Mais la crise qu'il traverse sera surmontée après la mort de Marcel; il comprendra qu'il est à se détruire par son éparpillement, et redeviendra « un homme, c'est-à-dire un combattant » (Goethe) ; il mettra un terme à une forme particulièrement virulente d'individualisme romantique, pour assumer des responsabilités au sein d'une collectivité.

MARCEL ET LES SONGES

En raison de l'acuité de l'analyse morale et d'une sorte de fraternelle révélation de la vérité des âmes, à cause aussi d'observations pertinentes et sobres sur le milieu, on pouvait estimer, en 1951, que *La Fin des songes* était le roman le plus attachant qui eût encore paru au Québec et que son auteur possédait un fort solide talent de romancier.

Ai-je vraiment le désir de me ressaisir ? Ce journal que je commence en cherchant à fixer mes impressions de tout à l'heure en sera-t-il le moyen, ou bien, encore une fois, vais-je l'abandonner ? Essayer de me retrouver, de trouver un sens à ma vie ? Il faudrait tout d'abord en faire le triste inventaire, bien voir ceux qui m'entourent pour savoir ce que je suis devenu. Mon travail, ma famille, ou, plutôt, mes familles, mes amis (en ai-je encore?), pourquoi chercher à m'expliquer tout cela ? Ne vaut-il pas mieux me résigner à la monotonie de ma vie, ne jamais résister à la tentation du sommeil, me perdre dans le brouillard et ne pas chercher à reconnaître les ombres qui m'entourent.

Il pourrait arriver que je me retrouve. Quelle rencontre agréable ! Ah ! c'est bien celui-là qui me dégoûte le plus. Je ne l'ai vu qu'une seule fois en pleine lumière, il n'y a pas un mois de cela. Je me faisais la barbe et je chantais comme un imbécile, joyeux parce que j'avais bien dormi et que la journée s'annonçait si semblable aux autres que je n'aurais même pas à la vivre. Un dernier coup de rasoir et la joue apparaît toute nue à mon regard attentif, perçant comme il ne l'est qu'à ce moment. Dans cette demi-seconde, je me suis vu comme un autre, le profil découpé sous une lumière cruelle que l'on réserve d'ordinaire à ses ennemis...

Qu'est-ce qui m'a sauvé de la folie ? Je ne sais. Mais s'il y a eu des moments intolérables, je puis dire maintenant que je n'ai pas connu une seule fois le désespoir et que j'ai réussi à tromper ma solitude. J'ai eu des moments de révolte et c'est ma femme, qui il va sans dire, qui eut à subir toutes mes colères. Ce n'était pas très brave et je ne suis pas brave. Je le dis sans honte parce que je suis convaincu qu'il faut être inconscient pour affronter la mort et tout ce qu'elle signifie sans broncher... Malgré tout, n'est-ce pas ma paresse qui m'a sauvé ? Je fus si longtemps au repos, à vivre de vieux rêves sans jamais me poser une seule question grave, que j'avais des réserves de force insoupçonnées. Somme toute, c'est affaire de résistance physique: on ne devient fou que si l'on est trop las pour se détourner du vide qui nous environne tous.

... Mon espoir est parfois si grand que je suis tenté d'écrire ce journal comme un roman, d'imaginer tout ce qu'il me faudra vivre pour me sauver. Il faut, à tout prix, que je résiste à cette tentation, car je ne ferais ainsi que gaspiller ma dernière chance. Je dois toujours m'appuyer sur le réel, ne procéder que par des contacts avec d'autres êtres, surtout ceux qui m'entourent, en somme vivre attentivement chaque moment de l'aventure et me refuser au rêve qui ne ferait qu'épaissir l'ombre.

IL SUFFIT D'UN JOUR (1957)

Dans son second roman, *Il suffit d'un jour,* Robert Elie révélait une plus robuste possession de ses moyens, mais avec des qualités et des défauts qui n'existaient pas précédemment. Les drames multiples qui se recoupent ici en un chassé-croisé où il est parfois difficile de se retrouver, se déroulent dans un même village en l'espace de vingt-quatre heures. Cette analyse d'un microcosme possède une indiscutable efficacité; c'est le procédé auquel s'est soumis Roger Martin du Gard dans *Vieille France.*

Ce ne sont pas tellement les faits qui retiennent, dans *Il suffit d'un jour,* que leur retentissement dans les âmes des personnages. C'est ce qui, dans le travail de création, intéresse au premier chef un écrivain du tempérament d'Elie, chez qui le roman de critique morale s'épanouit tout naturellement en roman spiritualiste. Toujours dans le même style un peu feutré, enveloppé et confidentiel qui est le sien, une pièce comme *L'Étrangère* opposait à notre américaine « innocence » quelques exemples de maturité humaine; le roman de la solitude intérieure qu'était *La Fin des songes* avait une portée et des significations si vitales que presque tout l'effort des jeunes poètes contemporains a livré un message parallèle; et voici qu'avec *Il suffit d'un jour,* le romancier a entrelacé plusieurs intrigues dont l'objet est une critique personnelle et passionnée d'un milieu sans vie, sans passion et dont le lien réside dans le thème sourd d'une libération humaine pour le meilleur et pour le pire. L'on prend intérêt à *Il suffit d'un jour* dans la mesure où l'on découvre — et l'auteur nous invite à chaque page à l'y découvrir — l'ample valeur exemplaire, symbolique, de personnages en eux-mêmes plus esquissés qu'étoffés, et d'événements souvent minimes, dont les plus minimes en tout cas ne sont pas toujours les moins chargés de sens.

L'un de nos bons romanciers de la vie intérieure a donc entrepris ici le roman d'une paroisse rurale, peinte pendant un court moment de sa vie somnolente, d'un samedi midi au lendemain, dimanche. C'est une paroisse qui va bientôt bouger mais contre son
gré, par la pression qu'exercera sur sa vie la construction d'une usine
américaine. L'on voit venir ce changement avec méfiance, mais l'on
n'a rien à y opposer. Comme l'observe le jeune curé qui la dirige,
c'est une paroisse dont tous les habitants n'admettent en réalité que
la vocation de la terre, « ne connaissent que des objets. Et que fe-
raient-ils des paroles qui naissent d'une longue méditation? » Ils
ont l'admirable patience des pauvres, et c'est leur seule défense. Car
ils ne connaissent jamais cette « résistance des justes, qui peut sauver
le maître ». Ils ne sont qu'obéissance, soumission totale, indifférence,
sauf à ce qui lèse leurs intérêts et leurs trop confortables routines.
L'ennui est pour eux le compagnon fidèle de la fuite des risques. La
joie ne leur semble pas nécessaire: « Elle est ce que la vie donne par
surcroît à ceux qui l'embrassent en toute liberté »... Ils ont, eux,
ce qu'il leur faut: « Osez en apprendre plus qu'il ne faut pour mener
une affaire à terme, et vous êtes en danger ». On pourrait établir
aisément que chaque étape de l'action est figure et symbole d'autre
chose. C'est ce qui donne son prix à cette lecture. Le romancier
cherche à exprimer par du vécu une vision à la fois constructive et
critique de la réalité canadienne-française.

Et il se laisse, en même temps, suffisamment conduire par ses
personnages. Ceux qui se mettent soudain à vivre, au grand scandale des inertes et des immobiles, le noir petit Evariste qui tue un
homme; la Marie-Justine brusquement affolée; le jeune curé incapable de communiquer avec ses paroissiens mais qui se laisse tout à
coup emporter par les élans de vie d'une jeune ville vulnérable, Elisabeth, « que rien d'autre ne paraissait soutenir qu'une générosité
aveugle et la haine du mensonge »: ces quatre-là, êtres neufs dans une
humanité usée, venus de cette « enfance qui n'est pas de notre monde » et disponibles pour la dure liberté, ceux-là vivent aussi, pour le
lecteur, avec une particulière intensité.

Parce que les habitants « d'un monde arrêté », à Saint-Théo-
dore, adorent vivre par procuration, ils sont friands de petits scan-
dales, les femmes surtout, incorrigibles cancanières. Chez le rentier
célibataire Charlie Lamont, ces défauts s'amplifient au point que le
personnage passe dans le roman comme une ombre diabolique.
Egoïste, impuissant à vivre, tempérament de voyeur à la fin vidé de
toute espérance, ce jeune vieillard ne perd jamais la tête. Dans les
pauvres orgies et saouleries de l'hôtel, il regarde les autres rouler

sous les tables. Il attend, écornifleur, fureteur, que les transformations prochaines du village animent « la basse-cour » et qu'un grand mouvement l'affole.

Tel est l'essentiel de ce roman. Il n'est guère besoin d'insister sur l'algèbre des faits nombreux et trop schématiques qui servent de support à cette peinture morale. Que le lâche Charlie Lamont dénonce à la police un meurtrier jaloux et qu'il soit abattu à son tour par la pauvre fille instinctive pour qui le premier meurtre a été commis, ce sont là, du côté du mal, quelques-uns des remous qui troublent les eaux mortes. Les derniers mots du roman réclament pour ces actes le pardon, au nom de la vie et de ses risques. Car l'on a vu, en cours de route, d'autres ondes se former et s'élargir au nom de la vie, et c'est ainsi que le centre de gravité réel du roman est le départ en fugue de la jeune Elisabeth.

Sur le plan technique, Elie marque un progrès évident; on ne trouve plus, par exemple, ces maladresses et ces confusions qui gâtaient l'exposition de son premier roman. Néanmoins, en groupant un grand nombre d'incidents en une seule journée sans fournir à ses personnages un suffisant espace psychologique, peut-être a-t-il sacrifié au procédé et compromis la plausibilité du récit. Au surplus, en multipliant les protagonistes et les comparses, il disperse exagérément l'attention. La narration est cependant alerte et fourmille de trouvailles. *Il suffit d'un jour,* œuvre dense et recueillie, se classe d'emblée parmi nos bons romans et fait bien auguer de la suite de l'œuvre. Personne ne mettait en doute la profondeur de pensée de Robert Elie; l'on a appris qu'il est aussi capable d'animer une fresque romanesque, de créer des êtres que chacun pourra reconnaître comme familiers et fraternels.

NOTICE BIOGRAPHIQUE

Né à Montréal en 1915, Robert Elie fit ses études au collège Sainte-Marie et à la faculté des Lettres de l'Université de Montréal. En 1936, il publia ses premiers essais et poèmes dans La Relève. *Journaliste, il collabora notamment à* La Presse *et au* Canada *avant d'entrer au service de la Société Radio-Canada. Au temps de* La Relève, *il avait connu et fréquenté Saint-Denys Garneau. De concert avec leur ami commun Jean Le Moyne, il prépara l'édition complète des œuvres du poète disparu, auquel il a consacré quelques essais pénétrants. Critique d'art, Elie a publié une brochure sur le peintre Borduas (1943) et commenté maintes expositions avant de devenir directeur de l'École des Beaux-Arts en 1957. De là il fut promu en 1961 au poste de directeur de l'Enseignement des arts dans la province et fut nommé, l'année suivante, attaché culturel à la Délégation générale du Québec à Paris. Il revint au Canada en 1966 pour entrer dans l'administration fédérale. Robert Elie est membre de la Société royale du Canada. Récemment, il prenait charge d'un poste-clé au Musée des Beaux-Arts de Montréal.*

BIBLIOGRAPHIE

L'œuvre romanesque de Robert Elie:

La Fin des songes, Montréal, Beauchemin, 1950; Toronto, Ryerson, 1954 (traduction anglaise par Irene Coffin: *Farewell my Dreams*).
Il suffit d'un jour, Montréal, Beauchemin, 1957.

Études sur Robert Elie:

Gagnon, Marc, *Robert Elie*, Montréal, Fides, coll. « Écrivains canadiens d'aujourd'hui », 1968.

Marcotte, Gilles: « La Fin des songes de Robert Elie », *Le Devoir*, 16 déc. 1950.

Garneau, René: « La Fin des songes », *Nouvelle Revue canadienne*, 1, 2, (1951).

Blain, Maurice: « Un grand roman canadien: La Fin des songes », *Cité libre*, fév. 1951, article repris dans *Présence de la critique* (Marcotte), H.M.H., 1966.

Tremblay, Jean-Noël: « La Fin des songes », *Revue dominicaine*, 57, 1 (1951).

Duhamel, Roger: « La Fin des songes », *Action universitaire*, juin 1951.

Duhamel, Roger: « Il suffit d'un jour »: *University of Toronto Quarterly*, « Letters in Canada », 1957-8, p. 553.

Grandpré, Pierre de: « Pour sortir des prisons de songes: Il suffit d'un jour », dans *Dix ans de vie littéraire au Canada français*, Montréal, Beauchemin, 1966.

Leclerc, Rita: « Il suffit d'un jour », *Lectures*, 15 janvier 1958.

Poliquin, Jean-Marc: « Il suffit d'un jour »: portrait d'une jeune fille, *Le Droit*, 8 janvier 1958.

Dedet, Christian: « La révolte des écrivains au Canada français (entretien) », dans *Arts et lettres*, no 995, 3-9 mars 1965, pp. 6-7.

VI

ANNE HÉBERT
(née en 1916)

par Réjean ROBIDOUX

L'œuvre romanesque d'Anne Hébert semble soumise entièrement à la poésie, au plan de la signification comme à celui de l'écriture. Là réside son honneur et sa qualité, en même temps peut-être qu'un manque à gagner quant à une idéale spécificité du roman.

Dans une forme qui tend vers l'absolu du poème, le dynamisme allégorique des textes majeurs — *Le Torrent* (1950) et *Les Chambres de bois* (1958) — a souvent du mal à s'accommoder des servitudes réalistes de la durée anecdotique. *Les Chambres de bois* surtout, qui se veulent de façon expresse « roman » alors que *Le Torrent* est un « conte », paraissent dépourvues de l'autonomie nécessaire à une complète réussite. C'est pourquoi il importe de maintenir l'œuvre narrative d'Anne Hébert dans la perspective thématique et formelle de l'œuvre poétique, qu'elle prépare ou bien prolonge, et de considérer les poèmes comme la cristallisation expressive de l'aventure que les récits tentent, à des degrés divers, de monnayer. A ce titre, ce que les personnages du conte et du roman expérimentent, Anne Hébert parvient à le transcender dans l'indissoluble ensemble que constituent l'œuvre poétique et l'œuvre narrative, celle-ci servant de genèse et de commentaire plus ou moins discursif à l'autre, qui fait ainsi figure d'élément fondamental.

LE TORRENT (1950)

Ce récit de la dépossession originelle et irrémédiable d'un individu paraît aujourd'hui refléter, comme l'a écrit Gilles Marcotte en une juste et grave image, le « drame spirituel du Canada français ». C'est la méditation rétrospective d'un homme mûr dont l'enfance fut opprimée par l'autorité inflexible et sacrée d'une mère farouche. Enfermé de surcroît dans la surdité par suite des coups reçus de la marâtre, le personnage ne pourra s'affranchir de sa prison intérieure. La suppression du tyran maternel laissera intacte la solitude de l'adolescent, puis de l'homme. Cette existence fatale s'abîmera avec fracas dans une angoisse désespérée.

Parce que le conte est, par essence, l'illustration parabolique d'une morale plutôt que la représentation existentielle de la vie, il rend plausible l'extrême stylisation d'une histoire; à la limite, il rejoint la concentration hardie du poème. Ainsi ce récit, qui utilise à la façon de purs symboles les réalités du torrent, du cheval, du chat, des êtres humains eux-mêmes, qui dédaigne toute vraisemblance réaliste, apparaît-il cependant comme le sommet de l'œuvre romanesque d'Anne Hébert et comme l'un des hauts-lieux de la littérature québécoise.

L'aventure est narrée par son principal acteur, et le récit comporte deux parties. La première, racontée au passé, couvre les années d'enfance du personnage jusqu'au moment où il tente de vaincre son asservissement en provoquant la mort de sa mère.

L'OBSTACLE CULBUTÉ

Poussé au matricide par le bouillonnement en lui du torrent, le héros libère Perceval, fier cheval que la mère n'a jamais pu dompter.

Le torrent me subjugua, me secoua de la tête aux pieds, me brisa dans un remous qui faillit me désarticuler.

Impression d'un abîme, d'un abîme d'espace et de temps où je fus roulé dans un vide succédant à la tempête. La limite de cet espace mort est franchie. J'ouvre les yeux sur un matin lumineux. Je suis face à face avec le matin. Je ne vois que le ciel qui m'aveugle. Je ne puis faire un mouvement. Quelle lutte m'a donc épuisé de la sorte? Lutte contre l'eau? C'est impossible. Et d'ailleurs, mes vêtements sont secs. De quel gouffre suis-je le naufragé? Je tourne ma tête avec peine. Je suis couché sur le roc, tout au bord du torrent. Je vois sa mousse qui fuse en gerbes jaunes. Se peut-il que je revienne du torrent? Ah! quel combat atroce m'a meurtri! Ai-je combattu corps à corps avec l'Ange? Je voudrais ne pas savoir. Je repousse la conscience avec des gestes déchirants.

La bête a été délivrée. Elle a pris son galop effroyable dans le monde. Malheur à qui s'est trouvé sur son passage. Oh! je vois ma mère renversée. Je la regarde. Je mesure son envergure terrassée. Elle était immense, marquée de sang et d'empreintes incrustées.

UN MORT PARMI LES DÉBRIS

La seconde partie du *Torrent*, narrée au présent, décrit une longue et vaine lutte pour posséder la vie.

Je n'ai pas de point de repère. Aucune horloge ne marque mes heures. Aucun calendrier ne compte mes années. Je suis dissous dans le temps. Règlements, discipline, entraves rigides, tout est par terre. Le nom de Dieu est sec et s'effrite. Aucun Dieu n'habita jamais ce nom pour moi. Je n'ai connu que des signes vides.

J'ai porté trop longtemps mes chaînes. Elles ont eu le loisir de pousser des racines intérieures. Elles m'ont défait par le dedans. Je ne serai jamais un homme libre. J'ai voulu m'affranchir trop tard.

Je marche sur des débris. Un mort parmi les débris. L'angoisse seule me distingue des signes morts.

Il n'y a de vivant que le paysage autour de moi. Il ne s'agit pas de la contemplation aimante ou esthétique. Non, c'est plus profond, plus engagé; je suis identifié au paysage. Livré à la nature. Je me sens devenir un arbre ou une motte de terre. La seule chose qui me sépare de l'arbre ou de la motte, c'est l'angoisse. Je suis poreux sous l'angoisse comme la terre sous la pluie.

La pluie, le vent, le trèfle, les feuilles sont devenus des éléments de ma vie. Des membres réels de mon corps. Je participe d'eux plus que de moi-même. La terreur, pourtant, est à fleur de peau. Je feins de ne pas y croire. Mais, parfois, elle me fait discerner mon bras de l'herbe qu'il fauche. Si mon bras tremble, c'est parce que la peur le fait soudain trembler. L'herbe, elle, ne dépend pas de la peur, mais seulement du vent. J'ai beau m'abandonner au vent, la peur, seule, me balance et m'agite.

Je ne suis pas encore mûr pour l'ultime fuite, l'ultime démission aux forces cosmiques. Je n'ai pas encore le droit permanent de dire à l'arbre: « Mon frère », et aux chutes: « Me voici » !

Qu'est-ce que le présent? Je sens sur mes mains la fraîcheur tiède, attardée, du soleil de mars. Je crois au présent. Puis, je lève les yeux, j'aperçois la porte ouverte de l'étable. Je sais le sang, là, une femme étendue et les stigmates de la mort et de la rage sur elle. C'est aussi présent à mon regard que le soleil de mars. Aussi vrai que la première vision d'il y a quinze ou vingt ans. Cette image dense me pourrit le soleil sur les mains. La touche limpide de la lumière est gâtée à jamais pour moi.

Le malheur du personnage culminera dans l'échec de la communication avec Amica, la femme; et il le conduira à se perdre dans le gouffre.

LES CHAMBRES DE BOIS (1958)

Tout le roman, écrit à la troisième personne et au passé, est axé sur le devenir de Catherine. L'adolescence de la jeune fille cherche son sens dans l'attente et l'idéale quête de Michel, jeune seigneur étrange et fuyant. Mais quand celui-ci prend Catherine pour femme, il n'agit que pour se venger des désordres de sa sœur Lia. Loin de la demeure seigneuriale, c'est dans l'exiguïté d'un petit appartement parisien que Catherine suit Michel. Elle connaît là une existence claustrée, assujettie au processus suppliciant d'une véritable désincarnation, en marge du temps et de la vie. Lia vient un jour s'installer dans l'espace clos des chambres de bois, et les morbides retrouvailles du frère et de la sœur consomment la disgrâce de Catherine. La jeune femme, cependant, après une grave maladie, parviendra à s'évader. Elle se soustraira à l'atmosphère étouffante, séjournera à la mer, y rencontrera Bruno avec qui elle refera sa vie.

Dans les deux premiers tiers du roman, Catherine, « dépossédée du monde », revit à sa façon l'expérience du héros du *Torrent*. Son aventure est alors la projection dans la durée de ce qu'Anne Hébert avait déjà resserré dans « La chambre fermée » et « La chambre de bois », deux poèmes du *Tombeau des rois* (1953). L'ouverture au monde, expérimentée dans la « solitude rompue » de la phase dernière du roman, sera à son tour transposée en esprit dans les poèmes du *Mystère de la parole* (1960).

L'anecdote a suffisamment d'assises réalistes pour assurer aux *Chambres de bois* leur authenticité romanesque. Mais le caractère imagé de l'écriture et le traitement symbolique des personnages et du décor, visent trop à traduire dans la forme aiguë et ramassée du poème le quotidien terne et sans éclat. Le climat de rêve qui en émane, plus nébuleux qu'envoûtant, n'a pas l'efficacité significative qu'un langage plus direct et plus dépouillé réussit à créer dans les plus grands romans oniriques: *Sylvie* de Nerval ou *Le Grand Meaulnes* d'Alain-Fournier. Ainsi certaines pages de la première partie des *Chambres de bois* paraissent-elles peu convaincantes. A cause sans doute des nécessités de l'anecdote, l'esthétique romanesque d'Anne Hébert s'ajuste mieux, dans son exercice, à la représentation de l'espace restreint et du temps immobile ainsi qu'au mouvement net et précis d'émancipation qui fondent la substance des deux dernières parties de l'ouvrage.

UNE MINUTE INCROYABLEMENT VIDE

Catherine tente en vain d'atténuer l'ennui de sa séquestration en saisissant toutes les possibilités concrètes de mirage.

Michel disait tristement :
— Catherine, Catherine, quelle petite fille fantasque j'ai épousée là !

Et il baissait les yeux sur les arabesques du tapis, comme un brodeur fatigué qui s'applique à retrouver le dessin obscur d'une fleur rare. Catherine suivait le regard de Michel. Elle cherchait avec lui dans cette forêt enchevêtrée de lignes et de couleurs, comme s'il lui eût été possible de saisir, à force d'attention, les traits mêmes de la peine de Michel, égarée parmi les motifs du tapis. Michel ne relevait pas la tête. Catherine s'épuisait à ce jeu. Il y avait une minute incroyablement vide où les arabesques du tapis éclataient dans les yeux de Catherine.

Elle se dépêcha de crier, tout essoufflée :
— Comme c'est tranquille, ici ! Dis quelque chose, Michel, je t'en prie, parle, fais quelque chose ! Ça y est, le tic-tac de l'horloge va prendre encore la place !
— Comme un cœur monstrueux, Catherine, comme le cœur énorme de cette douce place minuscule où je t'ai menée.

Michel n'avait pas bougé, parlant d'une voix lente et égale, comme s'il lisait. Catherine dit tout bas :
— Michel, tu es méchant.
Le jeune homme bondit sur ses pieds.
— C'est toi qui es mauvaise, Catherine, une sale fille, voilà ce que tu es, comme Lia, comme toutes les autres !

Catherine protesta doucement, presque tendrement :
— Michel, mon mari, c'est toi qui es méchant.

Le silence intolérable dura entre eux. Catherine se tint debout devant son mari, les doigts fermés, sans rien de donné dans le regard, ni larme, ni reproche, sans rien qui laisse prise, stricte et droite, mince fille répudiée sur le seuil.

LE CONSENTEMENT LIBÉRATEUR

Au terme de ses épreuves, Catherine surmonte ses hésitations et, en acceptant Bruno, s'arrache décisivement au monde fermé de Michel et de Lia.

L'aube violette glissait le long des troncs noirs et des feuillages gris. Le champ d'oliviers bougeait au gré du vent sur ses sombres piliers travaillés. L'herbe demeurait nocturne sous la rosée. Catherine et Bruno sortirent lentement, serrés l'un contre l'autre. Ils allaient se quitter ce matin-là, sous les arbres, tandis que des coqs chantaient à intervalles presque réguliers.

Nulle parole ne bougeait sur leurs lèvres sèches, nul dessein précis n'éclairait leurs fronts désertés. Ils se dénouèrent lâchement. Un instant, ils se tinrent à distance, tête basse, sous les oliviers, semblables à des moines solitaires qui se saluent. Toute parole leur était retirée. Catherine songeait que cet homme attendait un signe d'elle qui eût pu changer leur vie à tous deux, mais son cœur était noué dans sa poitrine. Une voix répétait en elle : « C'est à vous de décider, Catherine ».

Soudain un grand chant de coqs éclata comme une sonnerie de cuivre, et il sembla à Catherine et à Bruno qu'ils étaient traversés par le cri même du monde à sa naissance.

Le chant reprit plus près d'eux à une seule voix, aiguë, si proche qu'elle parut vouloir se percher à leur épaule. « Je tremble ! » pensait Catherine, et cela se passait comme si le cœur de la terre l'eût sommée de se rendre.

Elle s'avança vers Bruno, le toucha à l'épaule, lui dit tout bas contre sa poitrine « qu'elle voulait bien devenir sa femme ».

BIBLIOGRAPHIE[1]

L'œuvre romanesque d'Anne Hébert :

> *Le Torrent*, Montréal, Beauchemin, 1950, Éd. H.M.H., 1964.
> *Les Chambres de bois*, Paris, Éditions du Seuil, 1958.

1. Pour la notice biographique sur Anne Hébert, voir le chapitre II sur la poésie.

Études sur Anne Hébert, romancière :

> LeGrand, Albert, *Anne Hébert : de l'exil au royaume*, Montréal, U. de M.
> (Conférences de Sève, 7, 1967).

Blain, Maurice, « Anne Hébert, ou le risque de vivre », dans Liberté, I (1959); *Approximations,* Montréal, H.M.H., 1967.

Ethier-Blais, Jean, « Fleurons glorieux », dans *Signets II,* Montréal, Cercle du Livre de France, 1967.

Marcotte, Gilles, « Le Torrent » d'Anne Hébert, dans *La Presse,* 18 janvier 1964; « Réédition d'un grand roman », *La Presse,* 18 janvier 1964.

Bessette, Gérard, *Une littérature en ébullition,* Montréal, Éditions du Jour, 1967.

Pagé, Pierre, *Anne Hébert,* Montréal, Fides, Collection « Écrivains canadiens d'aujourd'hui », 1965.

Sainte-Marie-Eleuthère, Sœur, *Le Mère dans le roman canadien-français,* Québec, P.U.L., 1964, pp. 64-72.

Robidoux, R. et Renaud, A., dans *Le Roman canadien-français du XXe siècle,* Ottawa, 1966.

Bosco, Monique, *L'Isolement dans le roman canadien-français,* thèse dact., U. de Montréal, 1953, pp. 181-193.

Aylwin, Ulric, « Les Chambres de bois » d'Anne Hébert, dans *Littérature québécoise, Voix et images du pays (Cahiers de Sainte-Marie,* no 4, 1967); « Vers une lecture de l'œuvre d'Anne Hébert », dans *La Barre du jour,* vol. 2, no 1, été 1966, pp. 2-11.

Barberis, Robert, « De l'exil au royaume », dans *Maintenant,* avril 1967.

Grandpré, Pierre de, « Les Chambres de bois », dans *Dix ans de vie littéraire au Canada français,* Montréal, Beauchemin, 1966, pp. 147-151.

Simon, P.-H., « Les Chambres de bois », dans *La Revue de Paris,* décembre 1958, p. 178.

VII

ANDRÉ LANGEVIN
(né en 1927)

par Réjean ROBIDOUX

L'œuvre d'André Langevin, expression pathétique d'une pensée opiniâtre et désespérée, a débouché, il y a une dizaine d'années, sur un silence étale, réfractaire, frustrant, où derrière le refus se cache une énigmatique et sans doute provisoire impuissance.

Si nourrie qu'elle soit par les ressources d'une imagination concrète, l'œuvre romanesque d'André Langevin apparaît néanmoins, dans son ensemble, comme le processus d'incarnation dans la vie d'une intelligence systématique et résolue. L'absolutisme tendu de la doctrine métaphysique qui détermine à l'excès *Évadé de la nuit* n'a de valeur romanesque que dans la perspective des deux autres récits.

L'outrance visiblement didactique de ce premier ouvrage a, chez le romancier, l'heureux effet d'un sevrage cérébral. *Poussière sur la ville* et *Le Temps des hommes*, s'appropriant l'espace moral d'*Évadé de la nuit*, correspondront davantage à un exercice angoissé de l'existence elle-même. Le phénomène de création déjà expérimenté chez André Langevin permet de supposer que le romancier arriverait à vaincre le silence s'il consentait au déblocage des forces accumulées en lui depuis dix ans, sous la forme d'un « traité » analogue — dans un registre sans doute nouveau à l'ancien *Évadé de la nuit*.

La trilogie romanesque d'André Langevin a pour thème la solitude ontologique de l'homme dans l'existence. L'unique relation efficace entre les êtres engendre le désespoir: elle consiste dans le mal que l'on fait ou que l'on subit, même en bataillant contre lui. Coupés de toute transcendance, à l'échelle exclusive de l'homme, les personnages conscients sont aux prises avec la souffrance absurde, et leur vie les met en demeure de choisir entre les extrêmes de l'alternative sisyphienne: s'évader de la nuit par le suicide, comme Jean Cherteffe (*Évadé de la nuit*), ou bien lutter avec les moyens du bord contre la fatalité, comme Alain Dubois (*Poussière sur la ville*) ou Pierre Dupas (*Le Temps des hommes*).

POUSSIÈRE SUR LA VILLE (1954)

C'est le drame d'Alain Dubois, jeune médecin trompé par sa femme et qui, lorsqu'il le sait, est contraint par la force des choses de le tolérer, ayant mené un vain combat pour corriger la situation. La technique de récit choisie par André Langevin naît directement de cette signification romanesque particulière. Tout narrateur qui ne serait pas à l'intérieur de l'âme d'Alain Dubois pourrait dire comme le curé au jeune homme: « Personne ne comprend votre attitude » (p. 164). Le romancier a confié toute la narration au personnage. Le roman est donc écrit à la première personne, et le courant de conscience est, à mesure que se déroule l'aventure, celui de la durée en acte.

Symbolisées dans le titre même de l'œuvre, la représentation de l'espace physique (le paysage et le climat sont très précis) et celle de l'espace moral (la présence maléfique des individus et d'une collectivité) jouent un rôle déterminant sur le devenir d'Alain Dubois.

LA LIBERTÉ DÉFINITIVE

Après avoir en vain tenté de tuer l'amant qui l'a abandonnée, Madeleine, la femme d'Alain Dubois, se suicide. Jim, le chauffeur de taxi qui a participé, comme un témoin assez sordide, à toute l'histoire, emmène le docteur Dubois sur les lieux.

Nous arrivons. Il y a un attroupement devant la maison. Je descends et me rends vite au milieu du cercle sans regarder personne.

Elle est allongée sur la neige, dans la position où elle a dû tomber. Personne n'a songé à recouvrir le corps. Il y a du sang gelé dans ses cheveux qui vivent encore dans le scintillement de la neige. Sans y penser, je ferme les paupières. Elles sont froides. Je me relève en ne cessant de la regarder. Une jambe est repliée sous elle. Je l'allonge à côté de l'autre. A son cou, je vois le collier d'agates qui a passé par-dessus le manteau. Je soulève la manche. Elle portait le bracelet aussi [1]. Et je n'avais rien vu lorsqu'elle m'a embrassé.

— Apportez une couverture.

L'assurance de ma voix me trouble. Puis je vois le revolver dans la neige, tout près d'elle. Une arme beaucoup trop lourde pour elle. Comment a-t-elle pu s'en servir ? La police n'est pas encore arrivée. C'est Jim qui me tend la couverture. Une couverture verte. Celle qu'elle eût choisie elle-même.

Je vois tout à coup les visages autour de moi, tendus dans l'ombre. Le regard sans pitié des habitants de Macklin. Il va du corps à moi et de moi au corps. Si la police n'arrive pas, ils peuvent passer toute la nuit là à nous reluquer encore, à attendre de nous d'autres gestes étonnants. Il y a des femmes et plusieurs enfants dans le groupe. On se bouscule aux derniers rangs pour mieux voir.

Je regarde la maison des Hétu, à quelques pas. Il y a de la lumière à toutes les fenêtres. Celui-là vit encore. Il n'intéresse pas. Il sera encore là demain. C'est de l'étrangère et de moi dont on se repaît.

Puis le son strident de la sirène naît tout à coup dans le paysage. Il s'enfle lentement et mon cœur accélère sa course à mesure qu'il se rapproche, comme si j'étais le coupable, comme si c'était moi qui avais troué la tête rousse. Le cercle s'élargit lorsqu'ils arrivent. Ils sont deux. L'un commence déjà à chercher des témoins. L'autre, un genou en terre, trace un croquis de la position du corps et de l'arme. Ils sont méthodiques, froids. Ils travaillent.

Il n'y a qu'un témoin: Jim. Ils dispersent les curieux et l'un d'eux s'en va interroger les Hétu tandis que l'autre monte la garde à côté du corps. Jim lui fait son récit.

Madeleine lui a demandé de la conduire chez les Hétu en passant devant la gare pour me tromper. Devant la maison, elle a donné un billet de cinq dollars à Jim et elle a refusé d'attendre la monnaie. Elle a laissé sa valise dans la voiture en disant à Jim qu'elle le rappellerait plus tard. Intrigué, Jim a roulé un peu, puis il a viré et est revenu devant la maison, les phares éteints.

---

1. Le collier et le bracelet sont des cadeaux donnés par Alain à sa femme.

Richard sortait de la maison. Ils devaient avoir un signal convenu. Dès qu'il fut dans le rectangle de lumière d'une fenêtre, elle a tiré. Richard est tombé. Puis Jim a entendu aussitôt après la deuxième détonation. Madeleine était dans l'ombre et il ne l'a pas vue. Quelques secondes. Et elle est morte. Et il vit. Jim, notre plus ancien témoin, n'a pas manqué ce dernier spectacle. Je l'écoute avec indifférence presque, comme s'il parlait d'une autre que Madeleine. Il me suffit de ne pas regarder les souliers qui dépassent sous la couverture pour ne pas croire à cette histoire. L'autre agent revient vers nous. Ils se parlent un peu à l'écart. Puis tous deux soulèvent Madeleine et la déposent à l'arrière de leur camionnette. En se refermant, la porte fait un bruit effroyablement quotidien.

C'est à ce moment-là que quelque chose se détache en moi et laisse un grand vide où pénètre la morte. Madeleine a le dernier visage que je lui ai vu, les yeux noyés sous l'eau, indiciblement blanche, se redressant une dernière fois pour accomplir son destin, une dernière bouffée d'orgueil lui donnant la force de faire ses derniers gestes. Cette image-là survivra quand toutes les autres se seront flétries. Son masque poignant. Ou peut-être n'avait-elle plus de masque enfin. Je lui avais tout pardonné. Même ma chair, pour la première fois, oubliait. Ma vague de pitié se résorbait dans l'amour que je n'avais jamais cessé de lui porter. Et c'est à ce moment-là qu'elle est allée se tuer comme un enfant se jette à l'eau. Elle s'est donné la liberté définitive. Je suis sûr que lorsqu'elle a tiré, son haïssable petite fierté lui allumait les yeux. Elle est morte en animal indompté, sans penser peut-être que la mort dure toujours, qu'elle ne pourrait pas me revenir ensuite. A-t-elle porté le bracelet et le collier pour affirmer son dernier choix ? Je ne sais, mais elle ne l'a certainement pas fait sans intention. Elle me dit peut-être ainsi ce que, vivante, elle n'eût su me dire, parce qu'elle n'avait pas d'humilité.

FAIRE FACE

> Trois mois après le suicide de sa femme, Alain Dubois est revenu dans la petite ville où s'est déroulé tout le drame. Il dresse le bilan de l'affaire, définit son attitude personnelle vis-à-vis des autres et considère les lendemains qu'il veut construire.

Partir. Mais je ne puis pas quitter tout cela sans avoir vu clair. J'émerge de ma stupeur enfin, je cesse de vivre au ralenti, mais tout se confond, se mêle. Arrêtez le kaléidoscope. Je veux voir les images une à une, leur donner un sens. Pour m'assurer de ma qualité de vivant, il me faut la logique de la vie. Je dois sortir du cercle, prendre plus de recul encore. Au début, il y avait le bonheur, l'inconscience. Il y avait les sentiments que nous n'interrogions pas, notre passivité, notre ignorance l'un de l'autre, notre bonne nature. Le divan rose ne possédait pas l'identité qu'il a maintenant. La médiocrité. Peut-être. Mais le bonheur peut-il avoir une autre qualité que celle-là ? Oh ! Madeleine, que ne sommes-nous demeurés médiocres, loin l'un de l'autre dans le même lit sans le savoir ! Les enfants seraient venus quand même et, avec eux, un foyer, un peu grisâtre, mal assuré, mais qui se serait affermi peu à peu d'habitudes et d'acceptations. C'eût été la vie, Madeleine, chaude et pacifiante, sans exaltation, mais sans danger aussi. Et il me faut te chercher sur le divan rose ! Le téléphone. Mais oui, la vie reprend. Et il faut la vivre. Marie Théroux me fait le don d'accoucher dès maintenant. Je resterai. Je resterai, contre toute la ville. Je les forcerai à m'aimer. La pitié qui m'a si mal réussi avec Madeleine, je les en inonderai. J'ai un beau métier où la pitié peut sourdre sans cesse sans qu'on

61

l'appelle. Je continue mon combat. Dieu et moi, nous ne sommes pas quittes encore. Et peut-être avons-nous les mêmes armes: l'amour et la pitié. Mais moi je travaille à l'échelon de l'homme. Je ne brasse pas des mondes et des espèces. Je panse des hommes. Forcément, nous n'avons pas le même point de vue.

En les aimant eux, c'est Madeleine que j'aime encore. S'ils lui ont donné raison, c'est qu'ils la reconnaissaient pour leur.

Je n'en crois pas mes yeux. Le gros Jim rentre dans sa cabane en titubant. Est-ce qu'il s'humanise ? Il se saoule maintenant !

LE TEMPS DES HOMMES (1956)

L'attitude de pitié envers les hommes que découvre Alain Dubois à la fin de *Poussière sur la ville,* Pierre Dupas l'a prise depuis longtemps lorsque commence *Le Temps des hommes.* Prêtre, il a perdu la foi dix ans plus tôt, assistant en témoin impuissant aux souffrances d'un enfant atteint de méningite cérébro-spinale. Depuis lors, caché parmi les bûcherons, il n'en reste pas moins en marge des autres qui, sans connaître son état, l'on d'ailleurs surnommé: *le curé.* Son sacerdoce le retient de jamais répondre à l'amour plein de respect que lui témoigne Marthe. Il ne réussit pas à prévenir le meurtre passionnel de Gros-Louis par Laurier, et c'est en vain qu'ensuite il tentera, par sa présence, de racheter le criminel traqué.

Dans le récit à la troisième personne, le romancier assume successivement le point de vue propre des divers personnages, qui montent donc tour à tour au premier plan. Par comparaison avec *Poussière sur la ville,* l'usage d'une telle technique donne au lecteur l'impression de n'être pas hermétiquement enfermé dans une seule conscience. André Lanvegin excelle dans le récit direct des actions extérieures et de la pensée en acte. En revanche, la spéculation rétrospective, quand le personnage évoque des événements passés, a tendance à devenir un peu cérébrale: l'auteur disserte alors au moyen de concepts qui lui sont propres.

L'AMOUR QUI N'A JAMAIS PARLÉ

Dupas, le *curé,* a été blessé en intervenant dans une bagarre pour séparer Laurier et Gros-Louis.

...Il avait une large entaille au sommet de la tête. Marthe étanchait le sang avec des linges mouillés que lui apportait Yolande. Délicatement, elle séparait les cheveux, puis elle appliquait le linge. Elle était émue. C'était la première fois qu'il la laissait la toucher. Avec une infinie douceur, un soin quasi solennel elle s'efforçait d'exprimer, dans ce simple geste d'étancher, un amour qui ne s'était jamais nourri que de miettes. Elle était heureuse qu'il ne pût voir son visage. Rien ne la pouvait contraindre ainsi dans l'expression de son amour. Elle eut la tentation d'appuyer sa tête contre sa poitrine sous le prétexte de mieux voir la blessure, mais elle n'osa pas. Tout ce qu'elle avait désiré lui dire pendant ces dix ans et qu'elle ne lui avait jamais dit, tout ce qu'elle avait voulu faire pour lui et qu'elle n'avait jamais fait, tout ce qu'elle avait voulu lui demander et qu'elle ne lui avait jamais demandé, tout cela passait de son cœur à ses doigts, coulait dans ses bras comme un sang chaud. Elle écartait les cheveux et elle étanchait, méthodiquement, lentement, sans même regarder ce qu'elle faisait car, la tête très droite, elle fixait le mur devant elle, elle contemplait la satiété de son bonheur.

— Qu'est-ce que tu fais ? Ça ne saigne plus. Yolande, qui tenait un bassin d'eau, la regardait avec des yeux stupéfaits.

— Tu rêves !

La honte lui fit perdre contenance. Son aveu était-il si clair que les autres s'en étaient aperçu ? Elle remit le linge dans le bassin et s'essuya les mains avec son tablier. Le *curé* ne bougeait pas.

— Faudrait un pansement.

— J'ai ce qu'il faut dans mon sac, dit-il.

Son sac était à l'autre extrémité de la salle. Elle se leva aussitôt et marcha très vite. Il lui semblait que tous la regardaient, que tous pouvaient voir sa confusion et lire au dedans d'elle. Elle eut du mal à détacher les courroies du havresac. La trousse de pharmacie était sur le dessus. Elle l'ouvrit, y prit du taffetas gommé, une bouteille d'antiseptique.

JE NE CROIS PLUS EN LA RÉDEMPTION

Afin d'empêcher le meurtre qui se prépare, le *curé* tente de rejoindre le niveau de l'humaine misère, en se confessant littéralement à Laurier.

La lune descendait lentement à l'ouest et de grandes ombres s'allongeaient sur la neige. La forêt dormait dans un silence nerveux.

Laurier remplit le verre de Dupas. La lune l'éclairait de côté et prêtait à son visage une sérénité inquiétante. Il attendit en vain que Dupas reprît.

— Tu parles bien, *curé*. Je t'écoutais et je me demandais comment il se fait qu'on ne se soit aperçu de rien avant. Tu ne ressembles à personne. C'est vrai que t'es costaud pour un curé et que tu ne parles jamais. C'est quand même drôle que ce soit moi qui t'aie découvert. Tu parles bien, mais je ne te suis pas. Je ne connais pas beaucoup les prêtres mais j'imagine qu'il est arrivé à plus d'un de demander la guérison d'un enfant. C'est pas un crime.

Il se rongea les ongles et réfléchit avec application.

— Je m'attendais à autre chose, plus grave. On ne fait plus la paire, vois-tu. Un enfant qui meurt sans te demander la permission, ce n'est pas assez pour que tu me ressembles. Tu ne l'as quand même pas tué.

— D'une certaine façon, peut-être. Dieu a pu me punir dans l'enfant.

— Te punir de quoi ?

— Tu n'as pas compris. Écoute. Tous les hommes sont souillés par le péché originel, un enfant aussi. Dieu s'est fait homme et a souffert la mort pour racheter tous les hommes, l'enfant aussi. Les souffrances d'un enfant participent aussi à la rédemption. Autrement on ne comprendrait pas.

— Tu me fais rire quand tu parles de la souillure d'un enfant. Pourquoi pas les animaux, pourquoi pas tout ce qui vit. Les enfants n'en connaissent pas plus.

— Alors vois-tu ce que j'ai fait ? J'ai nié la rédemption. J'ai dit à Dieu : les souffrances de l'enfant sont inutiles, il est pur et vous le torturez en vain. Je ne crois plus en la rédemption, je crois à l'injustice. Guérissez-le. J'ai choisi l'enfant contre Dieu. Un prêtre choisit Dieu sans retour, Laurier. Moi, je me suis repris pour me donner à l'enfant. C'était comme si je n'avais plus été prêtre. Mon rôle était d'offrir ses souffrances à Dieu. Je n'ai pas accepté.

— Tu parles de Dieu comme s'Il était devant toi, comme si tu pouvais Lui expliquer. Ce n'est pas un policier. Tu ne sais pas ce qu'Il pense, tu ne peux pas le savoir.

— Je suis prêtre, Laurier. Le ministre de Dieu. Comment veux-tu que je n'aie pas su que je L'avais trahi. C'est comme pour les vocations. Tu sais ce que c'est. Dieu t'appelle, Il t'a choisi, tu dois entrer au séminaire. Il ne te le dit pas avec des mots, mais tu le sais. C'est la même chose quand tu Le quittes. Tu sais, aussi clairement que je sais que tu es là à côté de moi, que tu as trahi.

Laurier mit un long moment à comprendre, à briser l'écorce des mots pour en pénétrer le sens. Il dit enfin d'un ton rêveur :

— C'est un plus grand péché que de tuer un homme ?

— C'est un péché contre Dieu, Laurier. Le plus grand de tous. C'était me mettre à Sa place, guérir à Sa place, décider pour Lui du juste et de l'injuste.

— Tu m'as dépassé ? Je ne te rejoindrai jamais ?

Laurier savourait sa découverte. Qu'un homme comme le curé pût être pire qu'il ne pourrait jamais être, lui, le laissait pensif.

— Là où je suis je ne puis rien refuser, Laurier.

— C'est ce que je pense. C'est drôle comment les choses vont. Tu vois, la nuit passe et nous ne sommes plus l'un pour l'autre ce que nous étions hier. J'aurais pas pensé qu'un prêtre avait ses fautes à lui tout seul. Quand j'ai su, je n'étais pas sûr que je pourrais te parler. Cela changeait tout. D'une certaine manière, tu m'impressionnais, tu me gênais.

Son rire donnait à Dupas le sentiment d'un accolement tiède d'âmes. Laurier retrouvait sa grosse familiarité. Il lui labourait l'âme avec la plus complète indifférence. Un instant il avait examiné son secret avec curiosité et, maintenant qu'il n'avait plus aucune surprise pour lui, il s'en jouait. Il s'en servait pour mieux établir une complicité.

— Au fond t'es un homme comme moi, du même côté que moi. Tu vois, en forêt tous les deux, deux fuyards, on pourra s'entendre. Le pire en forêt c'est d'être seul. A deux on s'en tirera.

rielle ROY

Roger LEMELIN et ses parents

Robert CHARBONNEAU

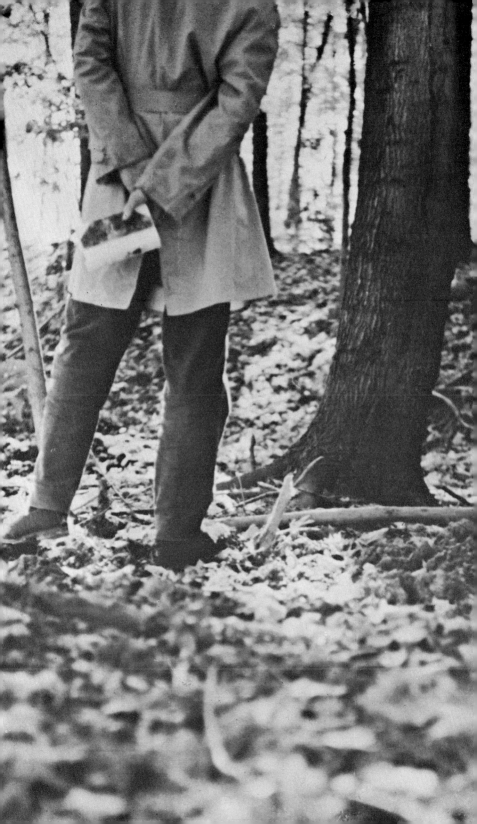

André GIROUX

Robert ÉLIE

André LANGEVIN

Gilles MARCOTTE

Jean LE MOYNE

64 — X   *Claire MARTIN*

Yves THÉRIAULT

Jean-Paul
PINSONNEAULT

Eugène
CLOUTIER

Gilbert CHOQUETTE

Jean FILIATRAULT

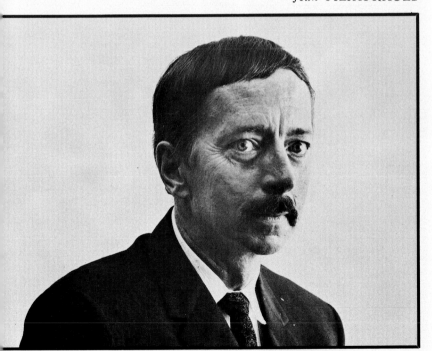

NOTICE BIOGRAPHIQUE

André Langevin avait connu comme écrivain une maturité précoce et sûre. Né à Montréal en 1927, il était déjà parvenu, comme journaliste, à la vérité de son style avant d'avoir vingt ans. En peu d'années il produisit, coup sur coup, trois romans: Evadé de la nuit *(1951),* Poussière sur la ville *(1954),* Le Temps des hommes *(1956), et deux pièces de théâtre:* Une nuit d'amour *(1954) et* L'œil du peuple *(1958). Depuis lors, les billets qu'il a donnés à divers périodiques, comme le* Magazine Maclean, *sur des sujets d'actualité politique ou sociale, ne font qu'accroître aux yeux du public le regret qu'il ait abandonné la littérature. Il est depuis plusieurs années à l'emploi de Radio-Canada.*

BIBLIOGRAPHIE

L'œuvre romanesque d'André Langevin :

Évadé de la nuit, Le Cercle du Livre de France, Montréal, 1951.

Poussière sur la ville, Le Cercle du Livre de France, Montréal, 1953; Paris, R. Laffont, 1955 (trad.: *Dust over the City*, McClelland & Stewart, Toronto, 1955); rééd. scolaire aux Éd. du Renouveau pédagogique, 1969 (présentation de Rénald Bérubé).

Le Temps des hommes, Le Cercle du Livre de France, Montréal, 1956; Paris, R. Laffont, 1958.

Études sur André Langevin :

Edwards, M.-J. et Bessette, G., « Le thème de la solitude dans les romans d'André Langevin », dans *Revue de l'Université d'Ottawa*, 32, 3 (1962).

Plante-Charron, C., *Le thème des passions dans les romans d'André Langevin*, M.A. McGill, 1966 (Prof. J. Ethier-Blais).

Major, Jean-Louis, « André Langevin », dans *Archives des lettres canadiennes*, no 3, *Le roman*, Montréal, Fides, 1964.

Godbout, Roger, « Le milieu, personnage symbolique dans l'œuvre d'André Langevin », dans *Livres et auteurs canadiens — 1966*, Montréal, 1967.

Robidoux, R. et Renaud, A., « *Poussière sur la ville* » d'André Langevin, dans *Le roman canadien-français du XXe siècle*, Éd. de l'Université d'Ottawa, Ottawa, 1966.

Marcotte, Gilles, « L'œuvre romanesque d'André Langevin », dans *Une littérature qui se fait*, Montréal, H.M.H., 1962.

Bérubé, Ronald, « L'hiver dans Le Temps des hommes », dans *Cahiers de Sainte-Marie*, mai, 1966.

Grandpré, Pierre de, « La pureté au fond de l'abjection ». « Le Temps des hommes », dans *Dix ans de vie littéraire au Canada français*, Montréal, Beauchemin, 1966.

Falardeau, Jean-Charles, « André Langevin, romancier », dans « Littérature du Québec », *Europe*, février-mars 1969.

VIII

YVES THÉRIAULT
(né en 1915)

par Réjean ROBIDOUX

Modèle en esprit de toute l'œuvre romanesque, le cheminement d'Yves Thériault dans la vie représente une véritable aventure dans les espaces humains les plus divers: citadins, ruraux, sauvages ou exotiques, parmi des races en conflit et à des niveaux très variés de culture.

Né à Québec en 1915, Yves Thériault ne veut pas appartenir au monde québécois, et les origines indiennes dont il se prévaut déterminent ses attitudes, les positions qu'il prend, les défis qu'il ne cesse de lancer. L'homme s'est formé lui-même, à l'écart des institutions dispensatrices de diplômes, au hasard d'entreprises banales ou audacieuses parmi lesquelles sa carrière littéraire demeure la plus haute et la plus durable.

Après les *Contes pour un homme seul* (1944), il a fallu attendre six ans pour voir paraître un premier roman d'Yves Thériault: *La Fille laide* (1950). Puis la production prompte et périodique est devenue abondante — phénomène unique dans la littérature québécoise — les années fastes de deux ou de trois ouvrages comblant à peu près la lacune de celles où l'écrivain ne publiait pas. En tout, l'œuvre comprend plus de quinze titres — romans, recueils de contes ou de nouvelles — qui s'échelonnent sur une vingtaine d'années: *Le Dompteur d'Ours* (1951), *Les Vendeurs du temple* (1952), *Aaron* (1954), *Agaguk* (1958), *Ashini* (1960), *Cul-de-sac* (1961), *Les Commettants de Caridad* (1961), *Amour au goût de mer* (1961), *Le Vendeur d'étoiles* (1961), *Le Grand Roman d'un petit homme*

(1963), *La Rose de pierre* (1963), *Le Ru d'Ikóué* (1963), *Le Temps du carcajou* (1966), *L'Appelante* (1967), *La Mort d'eau* (1968), *Mahigan* (1968), *Antoine et sa montagne* (1969), etc.

Yves Thériault est tout le contraire de l'artiste gratuit. Le jaillissement impétueux qui le pousse à écrire — et qui maintes fois lui a fait commettre des œuvres hâtives et mal léchées — fait de lui un écrivain passionnément engagé. A elle seule, la représentation vive et hardie des instincts déchaînés de l'homme a déjà la puissance du choc: elle impose l'authenticité d'un primitivisme dru. L'acte d'amour et l'acte de mort surtout ont ici une valeur sans égale dans la consécration qu'ils opèrent de l'individualité farouche des personnages, et leur importance est encore décuplée par la place qu'ils tiennent dans le processus émancipateur des opprimés: petites gens, Indiens, Esquimaux, Juifs, immigrants, en lutte contre les forces dominatrices — morales, religieuses, sociales ou ethniques — qui les empêchent d'être pleinement des hommes.

C'est dans l'usage robuste et sans apprêts des formes simples de narration qu'Yves Thériault paraît avoir réussi ses œuvres les plus significatives: *Le Dompteur d'ours, Aaron* et *Agaguk*. L'effort trop visible qu'il a tenté depuis 1960 pour s'annexer certaines techniques modernes de récit a bien l'air de n'être chez lui qu'un faux-semblant. Le dynamisme naturel de l'écrivain, qu'emporte l'élan de l'aventure ou la nécessité du devenir, connaît alors l'entrave lourde et périlleuse de l'artifice raffiné. L'obligation critique de se regarder agir révèle malencontreusement le montreur de marionnettes et empêche le roman — *Ashini, Cul-de-sac, Les Commettants de Caridad, Le Grand Roman d'un petit homme* — d'être convaincant.

LE DOMPTEUR D'OURS (1951)

L'arrivée d'Hermann, séduisant vagabond qui se dit dompteur d'ours, bouleverse la routine d'un village. Le peu de jours que passe l'énigmatique inconnu dans la petite communauté rurale aura suffi pour provoquer, chez les hommes autant que chez les femmes, l'éclatement d'instincts obscurs — rancunes, aspirations, désirs — jusque-là refoulés, modifiant pour le mieux ou pour le pire l'existence de chacun des habitants.

Dans le roman, le personnage du dompteur d'ours n'est que le catalyseur des réactions générales et particulières. Sa présence est nécessaire, mais c'est la durée des habitants du village, et non la sienne, qui est le sujet de l'œuvre. Le court épisode de Louis Voiron est caractéristique de la manière de Thériault tout au long du récit.

LE PETIT LOUIS VOIRON

Louis Voiron, solide garçon de quatorze ans, à la seule vue d'Hermann, qu'il juge sévèrement mais dont il sait pour son usage personnel tirer des leçons, trouve le stimulant qu'il faut pour donner corps à ses rêves d'évasion. Les nuances psychologiques du personnage s'expriment dans les gestes frustes qu'il pose; le romancier enregistre les actes sans entamer par l'analyse leur force, leur mystère, leur poésie. Des ressemblances avec Ramuz et surtout Giono ont été perçues dans le style des premières œuvres de Thériault.

Il voyagea jusqu'à l'aube, et s'aperçut qu'il avait marché lentement, et que déjà il arrivait au grand village. Ensuite, peu de jours plus loin, ce serait la ville.

Quand vint l'aube, il se tapit dans un fourré et dormit, sûr de n'être pas retrouvé.

Le soir, il reprit la route, traversa le chef-lieu aux nombreuses rues, se retrouva en rase campagne, et entreprit le long chemin jusqu'à la ville.

On le retrouva cette deuxième nuit. Quelqu'un avait opiné qu'il voyageait seulement au soir tombé, puisque, dans le jour, personne ne l'avait vu passer sur aucune des trois routes qui partaient de son village.

Quand il se vit suivi, puis cerné par son père, par d'autres du village, Bressart, le fils Lormel et qui encore, il se mit à hurler comme une bête aux abois.

Tout ce qui était en lui, tout le désir qu'il avait de conquérir le monde et de piétiner des montagnes surgit tout à coup. Tout le désir qui maintenant ne pourrait être réalisé.

Il mordit, frappa à coups de poings, à coups de pieds. Il blessa deux de ses assaillants. Il frappa en aveugle, sans se soucier des chairs qu'il meurtrissait, des parties vitales qu'il atteignait.

Mais quand on l'eut maîtrisé, il se mit à rire.

Un bien drôle de rire dans cette nuit calme.

Un rire qui ne venait pas de la joie.

Quelqu'un comprit pourquoi il riait ainsi, et le dit aux autres. Et puis Voiron tenta de parler à son fils. Mais sans avoir de réponse.

On le conduisit jusqu'à la maison de son père.

(Il y est longtemps resté, les yeux perdus, le visage fermé, haineux. Il taillait des objets avec son canif, dans du bois blanc et tendre. Les objets ressemblent à des hommes. Mais, toujours, ces hommes ont les bras tendus, la tête renvoyée en arrière. Comme s'ils allaient sauter, ou seraient dans les airs, au-dessus de tous, en maîtres qui imposent la volonté par le geste.

Et puis, un matin, beaucoup plus tard, il est parti en prenant place dans un camion qui passait. On ne l'a jamais revu).

AARON (1954)

Plus que le drame personnel d'Aaron, c'est la destinée lyrique du vieux grand-père Moishe qui est l'axe du roman. Yves Thériault recrée cette existence misérable, persécutée, tout entière soumise aux impératifs d'une loi mystique, sans accommodement avec les nécessités terre-à-terre de la vie. Au-delà du réalisme bien individualisé, le récit est plein de significations symboliques; ainsi y peut-on voir l'homme canadien-français enserré dans l'inertie de ses traditions.

Elevé par le vieux Moishe dans la plus stricte orthodoxie spirituelle et sociale, le jeune Aaron, qui perçoit les exigences d'une époque nouvelle, va lutter avec acharnement et sans pitié pour s'affranchir des inhumaines servitudes du ghetto.

VIEDNA ET LE BON JUIF

La rencontre que fait Aaron, à quinze ans, de Viedna, jeune Juive très évoluée, et la connaissance première de la chair qu'il acquerra dans la plus pure loyauté, cristalliseront le mouvement de révolte déjà latent en lui depuis qu'il a pris conscience de sa force d'homme.

Aaron avait voulu un jour parler des tribus anciennes, d'Adoshem, toute l'histoire en son esprit, telle que Moishe l'y avait implantée, toute fraîche, forte encore et belle, et douce parfois...

Mais Viedna avait ricané.

— Je ne crois à rien, ma famille ne croit à rien. Les malheurs des Juifs viennent de la croyance. Mon père fera oublier qu'il est Juif à la seule condition de n'être plus Juif. Et moi de même. Pourquoi la synagogue, si la synagogue ne nous amène que des persécutions, des pogroms? Pourquoi la loi du Shabbat qui nous fait opprimer, et le Shuavos, ou le Yom Kippur qui soulèvent souvent la colère des Gentils contre nous ou leur mépris?

Elle avait eu un geste railleur.

— Je mange du porc, dit-elle, et j'aime bien ça.

Aaron mit deux semaines avant de confier ses rêves à Viedna.

Un jour, elle lui demanda:

— As-tu décidé de ce que tu feras dans la vie?

Aaron hésita avant de répondre. D'ailleurs, connaissait-il une réponse à cette question?

— Je ne sais pas, dit-il finalement. Chose certaine, je ne resterai pas ce que je suis.

Il lui raconta comment il vivait et avec qui. Il lui parla de son grand-père. Il lui en parla avec douceur, presque avec tendresse. Mais à mesure qu'il donnait à l'homme — pour le bénéfice de la fille — sa véritable place dans la vie de tous les jours, Aaron identifiait avec effroi le sentiment qui l'agitait envers le vieillard. Un sentiment qu'il avait maintes fois repoussé, mais qui maintenant s'implantait en lui.

Ce fut Viedna qui rompit les digues.

— Tel qu'il est, et comme tu me le décris, il sera toujours entre toi et tes ambitions.

Aaron protesta, mais faiblement.

— Pourquoi le serait-il?

— Mais d'abord, que veux-tu faire plus tard?

Comment expliquer une ambition qui n'a pas de nom, mais seulement une grande qualification, une condition d'existence, un moyen d'être, de devenir, mais sans que cela se nomme banquier ou roi, savant ou dictateur?

— Je veux être... grand, dit Aaron.

— Puissant?

— Oui, puissant.

Il se sentait rougir.

— Tu n'as pas à être timide, dit la fille. C'est une ambition légitime. Moi aussi je veux être riche.

Elle ne comprenait donc pas?

— Je ne parle pas de richesse, dit Aaron. Je parle de... de grandeur, de puissance.

Elle eut un air surpris et le dévisagea.

— Ce que tu viens de dire, c'est sérieux?

— Mais oui.

— Être riche, dit Viedna, c'est la même chose. Et c'est mieux encore...

Puis elle eut un geste d'impuissance.

— Seulement, toi, tu ne le seras jamais.

— Pourquoi?

— Tu es orthodoxe, tu suivras les traditions. Tu ne seras rien, mais tu seras un bon Juif.

AGAGUK (1958)

A même le déroulement d'aventures captivantes, le roman met en œuvre l'évolution d'un couple esquimau qui vit dans la solitude, à l'écart de la tribu, et qui surmontera la barbare tyrannie de traditions immémoriales. Agaguk est le personnage central du récit.

Son dynamisme est le moteur de l'action, dans les multiples conflits qui l'opposent, tour à tour ou tout ensemble, aux blancs, à sa propre tribu et aux réalités hostiles de la vaste toundra. L'humanisation progressive du héros sera l'œuvre d'Iriook, sa femme. Grâce au courage, à l'intelligence et à la ruse de celle-ci, Agaguk sera par deux fois arraché à la mort: la première fois, quand il sortira, horriblement mutilé, de son corps à corps avec un monstrueux loup blanc, et ensuite lorsqu'il échappera à l'enquête policière sur le meurtre qu'il a commis d'un sordide trafiquant blanc.

L'HOMME ET LA FEMME

Au moment le plus chargé de signification du roman, Iriook, contre toute l'impitoyable tradition esquimaude qui commande encore les actes de son mari, réclame, à la pointe du fusil, la vie sauve pour la fille qu'elle vient de mettre au monde. Puis elle cherche, en prenant tous les risques, un consentement lucide et serein qui engage tout l'être d'Agaguk.

— Agaguk, par pitié, laisse-moi ma fille. Ne la tue pas.

L'homme ne bougeait plus.

Encore une fois il était sidéré par la femme et ses larmes qu'il haïssait tant, contre lesquelles il devenait tellement impuissant.

— Laisse-moi ma fille.

Cloué au sol, Agaguk était incapable de faire le moindre geste. Quelque chose l'immobilisait; une puissance si entière que rien en lui ne voulait s'y opposer.

Iriook ramenait maintenant contre elle ses bras qu'elle avait tendus, implorant qu'y fût déposée l'enfant. Sur son visage, la haine se substituait à toute imploration et à toute douleur. Mais une haine comme jamais Agaguk n'en avait conçu. Dans le regard, dans le pli des lèvres, dans tout le visage; ardente et indescriptible.

En l'homme brusquement surgit un besoin nouveau: détruire cette haine, car tout à coup l'avenir lui apparaissait, un jour suivant l'autre, vécu en silence. Ne plus jamais connaître les anciennes tendresses... Seulement le ressentiment, seulement cette haine avec lesquels il devrait apprendre à vivre...

Et de cela il se savait incapable. Mais pourquoi ne comprend-elle donc pas?

— Il faut que tu comprennes, dit-il.

Mais en prononçant les mots, il en saisit l'inutilité. S'il tuait sa fille, c'était du même coup Iriook qu'il tuait. Ou du moins il tuait tout ce qui chez sa femme lui avait été de la joie, du plaisir. Autant l'image des années à venir lui apparaissait soudainement intolérable, autant le souvenir des autrefois revivait en lui.

Tel sourire d'Iriook, tel geste tendre, telle plainte sensuelle lancée dans la nuit. Ce qu'elle avait été, chaque pas qu'elle avait fait à côté de lui, le sentiment de paix et de sécurité qu'il avait en la sentant tout près... Tout cela, leur vie entière maintenant revenait, bousculait la laide image de l'avenir et n'arrivait pas à s'accorder à ce nouveau regard d'Iriook, ce regard implacable, insensible.

71

— Va tuer la fille, dit-elle d'une voix froide. Vas-y. Fais à ta guise. Tu as raison, c'est toi le maître.

Elle se retourna, se laissa tomber sur le banc de glace, cria:

— Mais vas-y. Puisque tu le veux, vas-y! Je ne t'en empêche pas. Je partirai. Je n'ai besoin ni de toi, ni de Tayaout, ni de la fille!

C'était vrai qu'elle pouvait partir. Une nuit, en tapinois. Et même s'il la rejoignait le lendemain, ne devrait-il pas la tuer? Mais alors?... Morte ou vivante... mais, vivante, elle serait ainsi, comme il la voyait?...

Agaguk s'avança lentement vers la femme. D'un geste hésitant, il lui tendit l'enfant.

— Tiens, dit-il.

Ils restèrent longtemps ainsi, l'un devant l'autre, incapables de parler, de bouger. Iriook pressait la fille contre elle, la cachait entre ses seins. Et lentement, aussi graduellement qu'elle était venue, la haine disparut de son visage. Ce fut un regard d'une muette tendresse qu'elle leva vers Agaguk. Elle comprenait, Esquimaude et femme, par quel combat l'homme venait de passer, quelle victoire elle avait remportée. Et l'homme lui apparut si grand qu'elle gémit doucement. Plus rien de ce visage mutilé ne lui faisait peur, ne la repoussait.

Et que donner à Agaguk, en retour?...

Ce qu'elle connaissait de bonheur neuf, de joie soudaine et grandiose, elle n'aurait pu le dire. Aux instants sombres de sa grossesse, alors que dans l'étroite enceinte de l'igloo, elle n'arrivait que difficilement à vivre devant la face mutilée de son homme, elle n'aurait pas cru possible que cette hideur pût un jour lui paraître belle. Et c'était pourtant le miracle qui se produisait.

Agaguk devant elle, presque beau?

Si doux en tout cas, et bon, et généreux... Elle avança une main hésitante, effleura le visage mutilé.

— Merci, dit-elle. Merci.

Elle chancela sur ses jambes. Le ventre encore lourd était une masse laide, ramassée sur le sexe.

— Recouche-toi, dit Agaguk. Tiens, recouche-toi.

Il l'aida à s'étendre, la fille à ses côtés. En lui montait une tiédeur, une plaisance toute chaude qu'il n'avait jamais encore éprouvée. Il était heureux. Il ne voulait plus combattre. Il ne voulait plus obéir aux traditions. La fille vivrait, parce qu'Iriook le voulait ainsi. Il touchait à sa femme, ses mains comme une caresse. Et elle touchait à la fille.

— Elle sera belle, dit-il. Aussi belle que Tayaout.

A qui appartenait le monde?...

— Elle sera belle, répéta-t-il. Belle et forte.

NOTICE BIOGRAPHIQUE

Né à Québec en 1915, Yves Thériault, autodidacte, après une enfance protégée auprès de parents sévères, a choisi au terme de son adolescence la revendication, la bohême et la liberté. Cette révolte fut, on peut le dire, à la source de contacts assez exceptionnels avec les catégories sociales, les ethnies et les milieux les plus divers du Québec et du Canada, qu'il a sillonnés en tous sens. Il s'est essayé sans constance, en une existence qui eut pendant plusieurs années quelque chose de picaresque, à dix ou vingt métiers: traduction, commerce de fromage et vente de tracteurs à Montréal, direction artistique de spectacles à Trois-Rivières, gérance d'un journal à Toronto, collaboration à Ottawa à l'Office National du Film, travaux radiophoniques de New-Carlisle à Rimouski en passant par Hull, Québec et Montréal (poste CKAC), sans compter une tentative du côté du sport professionnel dont les excès, comme ceux de son travail, ont contribué à miner sa santé. Atteint de phtisie, il conçoit, au sanatorium du Lac-Édouard, le projet de s'affirmer par la littérature. Des séjours prolongés en Europe, en particulier en Yougoslavie et en Italie, devaient encore élargir le champ d'une expérience exceptionnellement nourrie et variée dans notre milieu littéraire. Aussi chacun des livres qu'il publie — et il les publie avec une abondance et une régularité exemplaires depuis 1944 — est-il une surprise aussi bien par le ton chaque fois renouvelé que par le caractère imprévisible des thèmes abordés. Aux dernières nouvelles, Thériault s'est établi sur une ferme et y élève des canards.

BIBLIOGRAPHIE

L'œuvre romanesque d'Yves Thériault:

Contes pour un homme seul, l'Arbre, Montréal, 1944; réédité avec deux contes inédits, H.M.H., Montréal, 1965.

La Fille laide, Éd. Beauchemin, Montréal, 1950.

Le Dompteur d'ours, Cercle du livre de France, Montréal, 1951.

Les Vendeurs du temple, Institut littéraire de Québec, Québec, 1951.

Aaron, L'Institut littéraire de Québec, Québec, 1954; Grasset, Paris, 1957.

Agaguk, L'Institut littéraire de Québec, Québec, 1958; Grasset, Paris, 1958; Éd. de l'Homme, Montréal, 1961 (trad. en japonais).

Ashini, Fides, Montréal, 1960.

Les Commettants de Caridad, Institut littéraire de Québec, Québec, 1961.

Amour au goût de mer, Éd. Beauchemin, Montréal, 1961.

Cul-de-sac, Institut littéraire de Québec, Québec, 1961.

Le Grand Roman d'un petit homme, Éd. du Jour, Montréal, 1963.

La Rose de pierre, Éd. du Jour, Montréal, 1964.

Le Temps du Carcajou, Institut littéraire de Québec, Québec, 1966.

L'Appelante, Montréal, Éd. du Jour, 1967.

La Mort d'eau, Montréal, Éd. de l'Homme, 1968.

Kesten, Montréal, Éd. du Jour, 1968.

N'tsuk, Montréal, Éd. de l'Homme, 1968.

L'Île introuvable, Montréal, Éd. du Jour, 1968.

Mahigan, Montréal, Éd. Leméac, 1968.

Valérie, Montréal, Éd. de l'Homme, 1969.

Antoine et sa montagne, Montréal, Éd. du Jour, 1969.

Tayaout fils d'Agaguk, Montréal, Éd. de l'Homme, 1969.

Études sur Yves Thériault:

Brochu, André, « Yves Thériault et la sexualité », dans *Parti pris,* nos 9-10-11, été 1964.

Grandpré, Pierre de: « Deux générations, deux mondes », « Aaron », dans *Dix ans de vie littéraire au Canada français,* Montréal, Beauchemin, mai, 1966.

Robidoux, R. et A. Renaud: « Agaguk » d'Yves Thériault, dans *Le Roman canadien-français du XXe siècle,* Éd. de l'Université d'Ottawa, Ottawa, 1966.

Bérubé, Renald, « Yves Thériault, romancier », dans *Europe,* février-mars 1969 (« Littérature du Québec »).

IX

JEAN SIMARD
(né en 1916)

par Réjean ROBIDOUX

Au héros juvénile de ses premiers récits satiriques, Jean Simard a prêté plusieurs des caractéristiques originelles qui le marquent lui-même, les accentuant ou les estompant selon le cas. Fils unique au sein d'une famille bourgeoise de Québec, il a terminé ses études classique au Séminaire de cette ville avant de s'installer à Montréal, où il a fait carrière à l'École des Beaux-Arts, comme étudiant d'abord, puis comme professeur. Le rapport entre divers arts — la réflexion sur l'un nourrissant la production dans l'autre — est très net dans la *manière* de ses ouvrages; il se trouve amplement confirmé par la publication de ses carnets de notes, essais à bâtons rompus, qui forment les deux tomes de *Répertoire* (1961 et 1965). Les œuvres de création comportent une pièce de théâtre: *L'Ange interdit* (1961), un recueil de nouvelles: *Treize récits* (1964) et surtout quatre romans: *Félix* (1947), *Hôtel de la Reine* (1949), *Mon fils pourtant heureux* (1956) et *Les Sentiers de la nuit* (1959).

FÉLIX (1947) ET SES AVATARS

Jean Simard est un écrivain au souffle court, et il en a conscience. C'est donc à dessein que, privé du jaillissement tumultueux de l'imagination, il exploite dans ses romans les ressources sûres de son intelligence qui sont d'ordre critique, réflexif, volontiers parodique, et qui font souvent état des inventions des autres et de souvenirs de lectures, avec références à l'appui. L'aspect autobiographique de *Félix*, d'*Hôtel de la Reine* et de *Mon fils pourtant heureux*, qui est réel et que l'auteur a toujours reconnu, importe moins que le déploiement tour à tour amusant, stoïque ou virulent de la satire, une satire qui relève entièrement de la création et qui constitue la vérité propre de l'œuvre. L'ironie à l'égard des institutions et des individus, en face de la société, de la famille et de soi-même est, chez Jean Simard, un attribut fondamental du style, c'est la frappe incontestable d'un tempérament. Mais après les albums de croquis de *Félix* et de *Hôtel de la Reine*, le romancier, en même temps qu'il élargit son cadre formel et qu'il devient plus « objectif » quant à la matière romanesque, intègre à la satire une composante nouvelle, de tonalité pathétique, sur les thèmes de la mort, du destin et de la religion. La ligne de démarcation qui en résulte, entre les deux massifs de l'œuvre entier, passe perceptiblement aux deux tiers de *Mon fils pourtant heureux*. C'est pourquoi *Les Sentiers de la nuit*, dans l'indéfinissable complexité de leur accent, restent jusqu'à présent la réussite la plus impressionnante d'un romancier lucide et personnel.

LES SENTIERS DE LA NUIT (1959)

Le récit suit pas à pas l'existence d'un petit bourgeois: George-Godley Roundabout, dit G.G., fils d'un pasteur montréalais. L'observation satirique, la notation incisive de Jean Simard qui, dans les romans précédents, jouait à découvert sur le monde canadien-français, passe cette fois par la voie symbolique d'un milieu et de personnages anglo-canadiens. La gravité croissante des thèmes narratifs, dans un registre d'une retenue et d'une densité exemplaires, confère à l'ironie toujours présente du romancier une irremplaçable qualité d'humour noir.

CONVERSION NÉCESSAIRE

La tonalité de ce passage rappelle assez bien la manière ironique du Jean Simard de *Félix*.

Que les O'Donnell fussent catholiques, et protestants les Roundabout, cela constituait, il faut bien l'avouer, un empêchement majeur au projet matrimonial de Godley.

Il songe principalement à son père, le Révérend Thaddeus, dont il connaît l'obstination. Mais la pression s'est faite en lui si véhémente, de cet amour qui l'a envahi comme un raz de marée, qu'elle s'avère de taille à contrecarrer tous les tabous — jusqu'à, et y compris, la colère paternelle.

D'autre part, G.G. en est averti, jamais Theodora ne consentira à contracter d'union ailleurs qu'en son Église. Persuadée, à l'égal des Roundabout, que sa religion est la seule « vraie », elle ne saurait donner son accord qu'à un hymen scellé, au préalable, par la conversion de l'infidèle.

Condition exorbitante.

Pourtant, cette idée, une fois distillée dans l'oreille du jeune homme, ne lui fut pas aussi désagréable qu'on aurait pu le supposer...

Il existe, aussi, des protestants tièdes !

Du reste, il n'avait jamais été qu'un adepte plus que modéré de la croyance épiscopalienne: l'éloquence dominicale de son père était singulièrement dévalorisée par le pieux ronron de son verbiage hebdomadaire.

Le fils du meunier, à la longue, n'entend plus tourner la roue du moulin.

Aussi bien, le jeune homme se laissa-t-il mener, sans trop de résistance, chez le savant Jésuite que Theodora, avec une sûre prescience des besoins réels de son ami, avait choisi pour l'instruire.

Le Père était parfait.

Dans toute l'acception du terme, un homme évangélique.

Il fit la plus forte impression sur le catéchumène. De sorte que les leçons — facilitées, du reste, par les antécédents de G.G., fidèle lecteur de la Bible — prirent d'emblée l'allure de conversations amicales et de libre discussion: chemin emprunté par la Grâce pour s'insinuer en lui.

Il y a, d'ailleurs, dans la structure fortement charpentée, hiérarchisée, de l'Église catholique — avec son bureau-chef à Rome, ses succursales dans le monde entier — cet aspect de « solide affaire » qui ne pouvait manquer d'impressionner le jeune financier, de flatter en lui le penchant pour l'autorité et la bureaucratie.

A vrai dire, il trouvait quelque chose d'infiniment rassurant dans le fait d'appartenir bientôt à cette puissante Société, de faire corps avec ce grand arbre séculaire auprès duquel les sectes protestantes, et singulièrement l'épiscopalienne, ne font figure, au mieux, que de rameaux détachés, passablement desséchés...

76

L'INCONNAISSABLE

Ce n'est pas sans raison que Jean Simard a donné à ses principaux personnages des noms où se retrouve sous différentes formes linguistiques le mot *Dieu*: Godley, Theodora, Dorothy; le prénom du pasteur (Thaddeus) contient lui aussi, dans sa graphie sinon dans son étymologie, le *Deus* latin. Le nom de famille *Roundabout*, qui signifie: *manège, carrousel*, accolé à pareils prénoms, complète fort bien la signification d'un devenir propre à G.G.

G.G. essaie de se représenter Dieu.

Ou — sachant que c'est impossible — seulement de Le prier.

Il Le prie à l'église de la paroisse, qui est un temple d'utilité courante, à l'échelle humaine. Il Le prie davantage — n'importe où: au travail, à la promenade, dans son cœur, dans la nature. Sanctuaires illimités, à la taille d'un Pouvoir ordonnateur qui règne sur la cosmogénèse, où chaque grain de matière recèle, dans une poussière d'astres et d'atomes défiant l'imagination, des systèmes planétaires non moins complexes et vertigineux que le nôtre...

G.G. n'est pas sans connaître, néanmoins, de ces périodes affreuses de sécheresse où le Croyant, la tête entre les mains, se demande avec désespoir s'il n'implore pas en réalité un Ciel vide. Ou meublé, par l'homme chétif, du seul désir de croire; du besoin, peut-être infantile, d'un au-delà compensateur, d'une Justice enfin équitable; de sa terreur de se découvrir « seul », à jamais, entre l'immense et l'infime — prisonnier d'un Univers incompréhensible.

> ... *C'est toi le Dieu de mon refuge;*
> *Pourquoi me rejeter?*

Mais quel est donc ce *Dieu*, qu'il s'évertue à prier? Existe-t-Il seulement, ou n'est-Il que la projection délirante du vertige devant l'Inconnu? Est-ce qu'Il *est*, ou est-ce que nous l'*inventons*? Car c'est bien vrai que G.G. n'arrive pas à Le *voir*, n'ayant d'alternative, au bout du compte, que l'idée d'une Force transcendante, diffuse dans le Cosmos; ou l'image, par trop rudimentaire, d'un *bondieu* courroucé de petit catéchisme...

— Alors, je prie Qui — ou Quoi?

ISOLEMENT

Le problème social de la religion et certaines questions métaphysiques, comme celles de la souffrance — G.G. devient aveugle — du mal et de Dieu, occupent une place importante dans le roman.

Les Roundabout n'avaient jamais été mondains.

A titre exceptionnel, une invitation à dîner parfois les arrachait à leur repaire. Agapes convoitées, redoutées, qui iraient se raréfiant, à mesure que l'impotence de G.G. les lui rendrait plus pénibles, finalement abominables. Comment souffrir, en effet, quand on a été toute sa vie un homme correct, respectueux des usages, que des regards étrangers vous voient poursuivre d'une fourchette anxieuse, porter maladroitement à la bouche ou semer sur la nappe des bribes de nourriture que vos yeux éteints ne parviennent plus à distinguer?

Aussi, leur isolement allait-il s'accentuant.

C'était comme si la Vie les eût laissés en panne, au bord d'une route où continuait de défiler, imperturbable, la caravane humaine. Seulement eux n'avançaient pas, toujours plus abandonnés...

Déjà, au moment de sa conversion, maints parents avaient levé le nez sur G.G., ne l'avaient plus revu. Voici que maintenant les amis eux-mêmes se faisaient rares: soit qu'ayant escaladé les degrés du succès, ils eussent été entraînés à frayer en des sphères désormais interdites aux Roundabout; ou, demeurés fidèles, qu'ils n'en aient pas moins espacé les rencontres, rebutés à la longue par l'humeur saturnienne, la sauvagerie croissante de l'aveugle, qui, se croyant incapable de donner plus longtemps le change et de jouer le jeu, en ce Néanderthal où il aurait fallu, pensait-il, hurler avec les loups, avoir bon pied, bon œil, les dents longues, la cuirasse sans défaut, ne savait que s'abîmer en lui-même et, dolent, se terrer, disparaître.

N'y voyant plus — devenir invisible!

Tout à la fin, G.G. et sa femme font un voyage à Atlantic City où ils avaient connu autrefois des jours euphoriques. « Cela est horrible à dire, mais l'Hôtel — l'hôtel qui les avait ensorcelés, autour duquel ils avaient tant et tant rêvé, phosphoré, cristallisé, tant discuté, hésité, tergiversé — l'hôtel de leur jeunesse, le vieux petit hôtel victorien des années d'espérance *n'existait même plus!* » Ils rentrent alors à Montréal, la mort dans l'âme.

Ils s'enfermèrent avec leur humiliation, leur désespoir.

De longtemps, on ne les revit...

Puis, petit à petit, le fil se renoua des gestes quotidiens: les promenades dans le quartier, l'église, le parc, l'épicerie.

Cependant, les locataires qui croisaient G.G. dans l'escalier comprenaient, à son visage, qu'il n'était revenu là que pour mourir...

Mais la Mort, en pareil cas, n'est plus une calamité.

N O T I C E   B I O G R A P H I Q U E

Né à Québec, le 17 août 1916, rejeton unique de parents appartenant au milieu bourgeois, Jean Simard a fait son cours classique au Petit Séminaire de sa ville natale. Passé ensuite à Montréal, il étudie à l'École des Beaux-Arts avant d'y enseigner à son tour; parvenu à la cinquantaine, il demeure fidèle à cette institution. Il s'est adonné quelque temps à l'art du dessin caricatural et à l'illustration de volumes dans une maison d'édition, mais il a surtout prati-

qué, dans les arts plastiques, la fonction critique et didactique de sa profession d'enseignant. Il fait partie de plusieurs sociétés: la Société des Écrivains canadiens, la Société royale du Canada, le jury du Prix du Cercle du Livre de France. Il a appartenu au Conseil des arts du Québec. Il siège au comité de rédaction de la revue Liberté, *à celui de* Écrits du Canada français, *et il collabore occasionnellement aux journaux ou à la radio, où il a en particulier animé pour Radio-Canada l'émission* L'Art et la vie.

BIBLIOGRAPHIE

L'œuvre romanesque de Jean Simard:

> *Félix, livre d'enfant pour adultes,* Montréal, Éd. Variétés, 1947.
>
> *Hôtel de la reine,* Montréal, Éd. Variétés, 1949.
>
> *Mon fils pourtant heureux,* Montréal, Cercle du Livre de France, 1956.
>
> *Les Sentiers de la nuit,* Montréal, Cercle du Livre de France, 1959.

Études sur Jean Simard:

> Cormier, L.-P.: « Jean Simard et la satire du milieu canadien », dans *Culture,* 19, 2 (1958).
>
> Blain, Maurice: « Notre maître, la misère humaine », dans *Cité libre,* novembre 1964, repris dans *Approximations,* Montréal, H.M.H., 1967.
>
> Marcotte, Gilles: « L'expérience du vertige dans le roman canadien-français », dans *Écrits du Canada français,* no 16 (1963).
>
> Grandpré, Pierre de: « La satire affûte ses traits: Mon fils pourtant heureux », dans *Dix ans de vie littéraire au Canada français,* Montréal, Beauchemin, 1966.

X

EUGÈNE CLOUTIER
(né en 1921)

par Pierre de GRANDPRÉ

De même qu'on peut découvrir *a posteriori* dans le pirandellisme d'*Au-delà des visages,* le roman d'André Giroux, ou dans les récits de Claire Martin, des prémonitions du roman à facettes et à multiples perspectives qui triomphe aujourd'hui dans les recherches plus systématisées d'un Jasmin, d'un Basile ou d'un Godbout; de même aussi que les symboles précis et déliés d'un poète du roman comme Anne

Hébert — voire les minces épures allégoriques de psychologues et de satiristes comme Robert Charbonneau, Robert Elie, Jean Simard et, antérieurement, Pierre Baillargeon, François Hertel — ont préfiguré les romans-poèmes des Réal Benoît, Marie-Claire Blais ou Réjean Ducharme, de même peut-on déceler, sinon une filiation, à tout le moins une parenté spirituelle entre l'auteur des *Témoins* et certains praticiens du « nouveau roman » québécois, habiles dans un récit à brouiller les pistes et à fondre les plans: un Jacques Ferron, un Wilfrid Lemoine, un Gérard Bessette ou un Hubert Aquin.

On le peut d'autant plus aisément, sans doute, que dans son œuvre romanesque la plus récente, *Croisière* (1964), Eugène Cloutier a dextrement tenté d'expérimenter et qu'il a emprunté des voies toutes nouvelles: sur le mode humoristique, il a construit la seconde moitié de son récit en tirant profit d'un savant amalgame d'absurde, de fantastique, de discontinuité narrative, de dérèglement voulu de tous les sens, et cela rejoint directement, cette fois, les plus contemporaines recherches formelles.

LES TÉMOINS (1954)

Il reste toutefois que *Les Témoins,* de même que *Les Inutiles,* sont irrécusablement de leur époque: l'immédiat après-guerre, c'est-à-dire un moment des lettres où la pensée lestait de son poids tous les genres — y compris ceux qui s'accommodent fort bien, à l'occasion, de l'image et de la cabriole seules. C'était l'heure des influences existentialistes, d'un roman « de l'homme » et d'une littérature « de salut ». Eugène Cloutier à ses débuts appartient à une famille d'esprits où il fraternisait tout naturellement avec des aînés immédiats comme Elie ou Giroux, ou avec un cadet de la trempe de Langevin. En 1954, il parut naturel qu'un livre comme *Les Témoins* fût couronné d'un prix David.

On lui découvrait, outre la densité de sa matière, une originalité et une hardiesse considérables au plan technique. Les « témoins » de Cloutier, ce sont les aspects variés de la personnalité du héros; ce sont les différents points de vue selon lesquels il considère le meurtre qu'il a commis, points de vue correspondant à telle ou telle tendance de sa nature, c'est-à-dire à telle ou telle modalité « existentielle » de son essentielle personnalité. Là encore, un tour d'esprit ludique et pirandellien, mâtiné de préoccupations existentialistes à vrai dire assez superficielles, annonçaient dans le roman québécois l'ère actuelle d'un certain jeu expérimental.

L'INDIVIDU « AVALÉ » PAR LE SOCIAL

La constatation, ou la plainte, d'être sur terre pour la société, fût-elle plantureuse et « de consommation », et non pas de trouver une société au service de l'épanouissement individuel, ce grief de ceux qui se sentent par trop « inutiles », a été exprimé il y a quinze ans par Eugène Cloutier dans *Les Témoins*, et c'est l'essentiel du message de Marcuse, de l'*Underground*, des « Beatniks » et de l'universelle « contestation » contemporaine. C'est du reste pour la littérature un très ancien langage puisqu'il remonte pour le moins à *Antigone*.

J'ai voulu mener une vie d'homme. Du moins dans sa forme extérieure. Je n'ai réussi qu'à m'identifier insensiblement à la machine. J'avais créé la société pour moi. Désormais j'étais sur la terre pour la société. Et je devais jouer mon rôle d'esclave, si je ne voulais pas être détruit.

Oui, cela s'est fait insensiblement. Je n'avais pas encore découvert mes propres yeux, mes mains, mes pieds que déjà ils ne m'appartenaient plus tout à fait. Quelqu'un était passé par là! Avant d'en disposer à mon gré, je devais d'abord apprendre à tenir compte de tout ce qu'ils savaient déjà (...) Ils avaient déjà leur vie propre et indépendante de la mienne quand on me les a donnés.

Partout où je regardais autour de moi, les enfants étaient ainsi. J'ai conclu que tous les enfants devaient être ainsi, avec des yeux qui ne peuvent pas tout voir, des mains qui ne peuvent pas tout saisir, des pieds qui ne peuvent aller où bon leur semble. Pourtant je savais bien, moi, qu'on pouvait faire confiance à mes yeux, à mes mains, à mes pieds. Je le savais, et je tentais de l'expliquer parfois... Mais les mots dont je me servais, les adultes riaient en les entendant. Sans doute que ma bouche, et les mots qui en sortaient, je devais aussi les surveiller étroitement. Et petit à petit, j'ai appris le langage que les adultes pouvaient entendre sans rire. Ce langage n'était plus le mien. Et s'il m'arrivait d'y songer certain soir, j'étais tenté par la révolte. Mais le lendemain, je rencontrais d'autres enfants qui avaient appris également le langage dont les adultes ne rient pas, et je me sentais rassuré: c'était la bonne route ..

LES INUTILES (1956)

Avec son second roman, *Les Inutiles,* Eugène Cloutier tenait un sujet d'une particulière richesse. Ses « inutiles » pouvaient être deux êtres purs, simples, sensibles, hautement conscients, retournant toutes nos idées reçues pour en faire une critique imprévue et impitoyable. Ils eussent jeté sur toutes choses, dans leur milieu, un regard neuf et naïf, mais profond, mais vrai. Et on les aurait tenus pour fous parce que trop sages. Malheureusement, l'auteur s'est contenté de frôler ce thème splendide. Les deux fous de son roman ont des éclairs de lucidité, mais ce sont de vrais fous: c'est-à-dire que rien de positif ne se construit en eux et par eux; leur état de dépendance maladive est un grave symptôme. Leur fantaisie, leur sensibilité, leur sens de l'amitié et de la souffrance, leur primitivisme contem-

platif, tout cela se range sous le signe de l'anarchie et de l'autodestruction, comme il n'arrive vraiment que chez les malades mentaux.
Le romancier n'a pas pris le parti de ses héros; il paraît d'avis qu'« on
s'évade toujours pour des fantômes ». Aussi a-t-il posé le problème
d'une manière qui affaiblit, au départ, la portée satirique de son
roman.

Sous les allures d'un récit fantaisiste et semi-policier, ce roman
de Cloutier demeure de ceux qui alimentent la réflexion. Il donne
l'espoir d'un approfondissement de la personnalité de cet écrivain,
qui vit son aventure intellectuele avec intrépidité, mais qui, semble-t-il,
n'en a pas encore atteint le cœur et la vérité.

LE CHIEN CALIGULA

Un bel apologue fournit l'une des pages les mieux venues du roman *Les
Inutiles*: le récit que fait Jean — l'un des trois évadés de l'asile, le plus pathétique
parmi ces trois victimes de leur « désadaptation créatrice » — de la conduite du
chien Caligula. C'est une bête caressante qui, après avoir été repoussée à coups
de pieds, est revenue à son maître avec un long regard d'interrogation.

J'avais un chien. Il s'appelait Caligula. Je lui avais donné ce nom à cause
de son profil d'empereur et non pour des raisons de caractère ou d'appétits.
Il était comme tous les chiens d'un naturel attendrissant. Un jour que je rentrais
à la maison, après un examen raté, Caligula me fit son traditionnel accueil, dont
les manifestations hystériques m'avaient toujours fait grande pitié mais qui, ce
jour-là, me furent insupportables. Au lieu de m'appliquer, comme à l'accoutumée,
à le calmer par des caresses et des abjurations amicales, je me souviens l'avoir
presque éventré d'une ruade. Il s'est roulé par terre, ameutant toute la maison
par de longs cris déchirants. Je le regardais, vidé de réflexes, comme après un
crime. Plusieurs heures s'écoulèrent. A la nuit, je m'installai à ma table de
travail. Soudain, j'entendis tout près de moi une respiration haletante. C'était
Caligula, assis sur son derrière, et qui me regardait. On ne pardonne jamais à
autrui le mal qu'on lui fait. Je ne pouvais soutenir son regard. J'aurais voulu
le chasser de nouveau pour qu'il cessât de me rappeler un geste que je réprouvais.
Je me concentrai dans mes livres pour oublier sa présence. La respiration était
toujours là, à même distance. Je parvins à l'ignorer encore quelques minutes. Puis,
je regardai Caligula, droit dans les yeux, pour lui faire comprendre que sa
présence me gênait. J'étais sûr d'y lire un reproche, une supplique ou une plainte.
Les chiens sont tous plus ou moins bouddhistes. Or, il n'y avait dans les yeux de
Caligula, ce soir-là, ni un reproche, ni une supplique, ni une plainte. Il cherchait
mes yeux pour comprendre. Peut-être y avait-il aussi une nuance de remords
dans son regard ! Il semblait me dire : « Je me suis certainement rendu coupable
d'un crime, mais lequel ? » Je l'attirai sur mes genoux. Je le caressai. Il en eut
un tressaillement. Mais ses yeux n'étaient pas apaisés. Ils voulaient toujours
comprendre. Sans le savoir, Caligula me livrait ce soir-là le secret de l'amitié vraie.
C'est dans cette « insistance à comprendre » qu'elle réside

NOTICE BIOGRAPHIQUE

Né à Sherbrooke le 13 novembre 1921, Eugène Cloutier a étudié au collège Saint-Charles-Garnier de Québec, à l'Université Laval et à la Sorbonne. A partir de 1943, il a été journaliste au « Soleil », puis à « L'Événement-Journal ». Chef des nouvelles au poste CHRC de 1945 à 1947, il entra en 1947 au service des nouvelles de Radio-Canada. Il y fut rédacteur et auteur. En 1954, Les Témoins lui valent un grand prix littéraire de la province de Québec et, en 1956, il remporte le Prix du Cercle du Livre de France avec Les Inutiles. Il s'impose comme auteur de romans télévisés: Anne-Marie, C'est la loi, C'est la vie. Après avoir été pendant plusieurs années directeur de la Maison canadienne, à la Cité universitaire de Paris, il a entrepris de nombreux voyages à travers le monde et à travers le Canada, ces derniers alimentant les deux volumes du Canada sans passeport (1967 et 1968). Au théâtre, Eugène Cloutier a notamment donné Le Dernier Beatnik.

BIBLIOGRAPHIE

L'œuvre romanesque d'Eugène Cloutier:

> *Les Témoins*, Montréal, Le Cercle du Livre de France, 1953.

> *Les Inutiles*, Montréal, Le Cercle du Livre de France, 1956.

> *Croisière*, Montréal, Le Cercle du Livre de France, 1964.

Études sur Eugène Cloutier:

> Lafleur, Benoît, « André Langevin, André Giroux, Eugène Cloutier, trois jeunes romanciers canadiens », dans *La Revue de l'Université Laval*, 8, 8 (1954), pp. 530-541.

> Grandpré, Pierre de, « La désadaptation créatrice: Eugène Cloutier, Les Inutiles », dans *Dix ans de vie littéraire au Canada français*, Montréal, Beauchemin, 1966.

XI

JEAN FILIATRAULT
(né en 1919)

par Pierre de GRANDPRÉ

Les Canadiens français participent à une civilisation imprégnée jusqu'à ce jour de valeurs primordialement féminines: sens de la tradition, respect des autorités et des usages, amour de la famille close, du foyer tiède, douillet, jalousement protecteur. La civilisation américaine tout entière, à vrai dire, dans ce qu'elle recèle de conformisme petit-bourgeois, se profile sur ce même fond de décor. Et de même qu'un Wescott dans *The Grandmothers* ou un Wylie, aussi bien dans ses essais que dans ses récits, ont réagi contre cette « Mom » toute-puissante et dominatrice, ainsi nos valeurs de matriarcat ont-elles été battues en brèche par toute la récente littérature québécoise, de Roger Lemelin à Anne Hébert, de Jean Filiatrault et Jean Simard à Marie-Claire Blais et à Réjean Ducharme.

L'auteur de *Terres stériles* (1953), *Chaînes* (1955), *Le Refuge impossible* (1957) et *L'Argent est odeur de nuit* (1961) avait entrepris, avant le silence prolongé des dernières années, l'une des explorations les plus méthodiques et les plus hardies menées par nos romanciers aux abords de l'anomalie et des cas relevant de la psychanalyse. Il a mené laborieusement, consciencieusement aussi, des enquêtes un peu grises au point de vue de l'art — gâchées par des platitudes et l'obsession d'infimes détails parfois cueillis à la surface de la vie quotidienne — à travers un désert d'amours maudites ou avortées, de passions « de proie », ambiguës, tissées de haines, saisies et dévoilées au moment décisif où elles aboutissent à la crise ou à la catastrophe. Le romancier s'était initié à la littérature par la tragédie et c'était de bon augure, le sens profond du tragique ayant manqué a l'ensemble de nos écrivains au moins autant que la « vis comica ». De plus, il s'abstenait de toute innovation technique, de toute ornementation verbale. Pareil dépouillement interdisait au départ la tricherie, laissait tout à juger selon la valeur et la vérité de l'observation.

Le premier roman de Filiatrault accommodait le récit rural au goût freudien en décrivant les sentiments complexes, un peu morbides, d'une fille à l'égard de son père; et c'est une semblable opération démystifiante que conduira l'écrivain dans le secteur du roman suburbain avec *L'Argent est odeur de nuit*, tableau de la misère dans une famille ouvrière — on reconnaît le fief que s'est conquis Gabrielle Roy — présenté par l'auteur comme un « plaidoyer contre les familles nombreuses ».

C'est dans *Chaînes* et *Le Refuge impossible* que se découvre l'apport original de Filiatrault: un art de démasquer avec virulence et pénétration, d'exhumer au sein de respectables familles une lie de sensualités ou d'émotions troubles, plus ou moins marquées par l'inceste.

CHAÎNES (1955)

Les « chaînes » qui pèsent sur les personnages de Filiatrault, on pourrait les assimiler à une sorte de cordon ombilical difficile à rompre entre mères et fils. L'œuvre se compose de deux récits — « Chaînes de feu », « Chaînes de sang » — totalement différents mais si proches par le sujet que le second pourrait constituer la suite du premier.

« Chaînes de feu » est surtout centré sur la mère. Les épisodes les plus ténus prennent de l'importance dans la perspective où elle les perçoit. Eugénie Dugré-Mathieu n'a qu'un fils, Serge, musicien qui fait des gammes en attendant la gloire. Elle le couve littéralement et lui voue un sentiment où sa chair même semble intéressée sans qu'elle se l'avoue. Femme aux aguets, une crainte folle s'empare d'elle dès qu'elle soupçonne chez son fils une pensée étrangère. Il a l'air, lui, de résister; les caresses, les attentions maternelles lui sont fastidieuses. Mais il n'a jamais appris à s'opposer aux volontés de cette Génitrix.

EUGÉNIE DUGRÉ-MATHIEU

Ce sera un jeu pour Eugénie Dugré-Mathieu, mère abusive, que de détourner son fils Serge d'une jeune fille, Véronique, qui un moment a semblé pouvoir le lui enlever. Elle lui laissera croire que son mari, M. Dugré-Mathieu, n'est pas mort, mais enfermé à l'asile. Voici comment cette mère couveuse a subodoré les débuts de l'idylle.

Eugénie Dugré-Mathieu connut des heures terribles. Tant qu'elle n'était pas seule, elle pouvait douter encore, mais il suffisait ce soir que son fils fût absent, qu'il l'eût quittée d'une manière insolite, pour que s'imposât la preuve de son bonheur menacé. Oui, son fils avait fui ! Oui, il l'avait sacrifiée à cette péronnelle. Comme il était simple de se délivrer des êtres embarrassants ! Elle songea à ces vieillards trops lourds à traîner que les peuples migrateurs abandonnent à la férocité de leur destin. Elle avait beau se répéter: « Tout n'est pas perdu, j'exagère mes misères », elle n'en constatait pas moins la faiblesse de ses armes. Que pouvait-elle contre cette fille ? Pourtant elle était prête à tout. Elle irait jusqu'à la méchanceté, jusqu'à l'horreur pour conserver son bien.

Le carillon de la pendule sonna l'heure; elle compta douze coups. C'était comme si l'on avait enfoncé des clous dans ses poignets et dans ses chevilles.

— Il m'échappe... Ah ! cette fille ! Cette Véronique !

Elle rageait d'impuissance. En ce moment, il ne lui était possible que d'attendre... de l'attendre, lui, le fils ingrat. Elle guettait les bruits de la rue. Chaque pas sur le trottoir la faisait tressaillir et chaque fois elle courait à la porte-fenêtre et soulevait le rideau.

Il arriva qu'enfin ce fut lui. Elle revint vivement éteindre la lampe et, dans l'obscurité la plus complète, elle retourna se placer entre les tentures. Ses yeux avides fendaient la nuit pour se rendre jusqu'à Serge.

— C'est lui... Il n'est pas seul : Véronique !

O spectacle qu'elle ne pouvait brouiller, qu'il lui fallait subir ! Ils étaient si près l'un de l'autre ! Leurs têtes se touchaient presque. Elle ne voyait qu'une silhouette informe : sur le trottoir leurs deux ombres n'en faisaient qu'une. Comme ils semblaient heureux ! Elle les entendit rire et les rires la pénétrèrent comme des dards. Elle crut devenir folle tellement leur joie lui était intolérable.

Par le style, l'absence de contention et une plus grande liberté verbale, le second récit, « Chaîne de sang », paraîtra supérieur au premier. Le complexe d'Oedipe y est d'autre part plus franchement étudié. Un aliéné étrangement lucide, qui habite désormais, comme il l'écrit, « le monde de la logique » et non plus celui des vivants, explique à son père, dans une longue lettre, pourquoi il « devait » tuer sa mère, de même qu'il avait dû tuer Noiraud, un vieux chat souffreteux: c'était par amour, c'était selon la logique de l'amour.

LE REFUGE IMPOSSIBLE (1957)

Comme les œuvres antérieures de Filiatrault, *Le Refuge impossible* projette une lumière grisâtre, trop proche de la pure algèbre cérébrale, et cependant nette et attachante sur un autre de ces foyers irrespirables dont l'auteur a la hantise, sur un nouvel « enclos trop étroit où des êtres qui avaient pour mission de s'aimer, au contraire s'étaient pourchassés jusqu'à l'essoufflement, surveillant les portes sans arrêt, se barrant le chemin, guettant les regards... se cachant les uns des autres afin de ne rien laisser deviner de leurs pensées secrètes ». Étouffements provinciaux et mauriaciens auxquels manquent cependant encore l'éclat, le retentissement, le pouvoir d'envoûtement d'un style et d'une poésie suffisamment soutenus.

Seul le personnage de Jacques — dont la veulerie et l'impuissance font secrètement le malheur de sa femme, Geneviève, et de sa demi-sœur, Cécile, une belle sourde-muette — est doté dans ce roman d'un caractère complexe. Sur ce personnage qui devient vite central, l'auteur accumule les traits avec une sorte de rage à préciser, à dénoncer tous les ressorts défaillants d'une triste nature. Depuis une déception survenue à l'âge du collège, Jacques a vécu privé de toute foi dans les pouvoirs et l'effort de la volonté. Sa lâcheté morale se double de lâcheté physique. Être d'emprunt, il a conscience de répéter à tout propos des phrases toutes faites, de se servir, devant sa femme, de formules malhabiles que lui-même juge « idiotes ». Il s'est engagé dans le mariage de la même manière qu'il a entrepris la rédaction d'un roman: pour trouver un refuge contre lui-même. Ainsi apparaîtra le sacerdoce pour le héros du *Poids de Dieu* de Gilles Marcotte; ainsi tous les aspects de l'aventure humaine pour la galerie des si nombreux « héros fatigués » qui prélassent leur faiblesse et occupent un si considérable espace au sein de notre littérature d'imagination. Sans cesse l'essentiel de leur vie leur échappe; et sans cesse leur existence falote entraîne le malheur de leurs proches. Il fut sans doute un moment de l'histoire de nos lettres où cette vérité-là était la réalité à saisir, à transfigurer par l'art, à rendre sensible aux yeux de chacun.

NOTICE BIOGRAPHIQUE

Né à Montréal en 1919, dans le quartier de Côte Saint-Paul évoqué dans L'Argent est odeur de nuit, *Jean Filiatrault est devenu comptable immédiatement après ses études primaires. Il exerça pendant cinq ans ce métier, puis il entra au journal* Notre Temps. *Il a par la suite dirigé les services français de l'agence de publicité Vickers et Benson, de Montréal. Récemment, il a agi comme secrétaire de la Commission d'enquête sur l'enseignement des arts au Québec (la Commission Rioux). Après avoir écrit une tragédie en vers alexandrins,* Le Roi David, *qui fut représentée à la télévision, et un premier roman,* Terres stériles, *tout aussi dépouillé et tragique, Filiatrault a décroché un Prix du Cercle du Livre de France et il a fait carrière dans le roman télévisé (la Balsamine, etc.).* Il a été élu président de la Société des écrivains canadiens en 1961, l'année même où il entrait à la Société royale du Canada.*

BIBLIOGRAPHIE

L'œuvre romanesque de Jean Filiatrault :

> *Terres stériles*, Québec, L'Institut littéraire du Québec, 1953.
>
> *Chaînes*, Montréal, Le Cercle du Livre de France, 1955.
>
> *Le Refuge impossible*, Montréal, Le Cercle du Livre de France (coll. Nouvelle-France), 1957.
>
> *L'Argent est odeur de nuit*, Montréal, Le Cercle du Livre de France, 1961.

Études sur Jean Filiatrault :

> Grandpré, Pierre de, *Dix ans de vie littéraire au Canada français* (pp. 95-102: « Coups de griffe aux familles: Chaînes, Le Refuge impossible »), Montréal, Beauchemin, 1966.

XII

CLAIRE MARTIN
(née en 1914)

par Jean-Louis MAJOR

Chronologiquement, la rédaction des mémoires [1] de Claire Martin *(Dans un gant de fer, La Joue droite)*, se situe à l'arrière-plan de l'ensemble de sa création romanesque, dégageant celle-ci des fonctions autobiographiques, favorisant par là son accomplissement au niveau formel. L'utilisation du « je » dans les romans apparaît dès lors comme une technique dont la signification se définit strictement sur le plan littéraire, ainsi du reste que l'auteur l'a lui-même expliqué: « Pour moi, un roman c'est une histoire dont les personnages ne sont plus capables de garder le secret. De là vient que mes romans sont écrits à la première personne » [2].

Depuis les esquisses de *Avec ou sans amour* (1958), où s'exercent le trait juste et la souplesse du style, Claire Martin semble avoir atteint son exacte mesure dans une écriture tendue entre la passion et le détachement, à la fois vibrante et incisive, d'où peuvent saillir tout aussi naturellement l'humour, le lyrisme et la sentence morale de frappe classique.

---

1. *Dans un gant de fer*, porte la date de composition: avril 1957 — juillet 1966.
2. *Archives des Lettres canadiennes*, tome III: *Le roman canadien-français*, Fides, 1964.

DOUX-AMER (1960)

Depuis que Gabrielle Lubin a publié son premier roman, une paisible liaison s'est établie entre elle et son éditeur. Tout est bouleversé lorsque Gabrielle s'éprend de Michel Bullard, et l'épouse. Mais le nouvel amour se désagrégera. Les liens d'autrefois renaîtront peut-être, c'est du moins ce dont rêve l'éditeur:

> « Je les ai bien connus tous les deux. J'ai vu naître leur misérable amour et je l'ai vu mourir. J'ai eu droit aux confidences, aux confessions même. On est allé jusqu'à me demander conseil, et pour que je n'en ignore rien, me voici avec ce manuscrit entre les mains. Ce manuscrit où seuls sont changés les noms, les emplois, les couleurs de cheveux. Je peux à peine croire ce que j'y lis, parfois. Cet étalage!
>
> (...)
>
> Je l'ai aimée durant douze ans. C'est un bail. Et si j'emploie ce passé, c'est que le miséricordieux oubli s'étend sur tout cela. Du moins, il me semble. De pouvoir en parler, je ne dis pas avec détachement, mais d'en parler, d'en voir tout le sordide et aussi le ridicule, aujourd'hui je n'en demande pas plus.
>
> Durant douze ans! Dix ans, elle me l'a rendu. Oh! pas mesure pour mesure. Je n'étais pas si exigeant. Les êtres qui peuvent aimer à ma mesure sont rares. Je n'en ai guère rencontré. Un soir, elle a jeté pardessus bord ce trop long amour. Sans crier gare. D'un coup d'épaule. Et léger encore. »

L'anecdote que nous avons résumée plus haut est livrée dans deux récits: celui de Gabrielle, dur et vengeur, que le lecteur ne connaît que par les réactions du narrateur de *Doux-amer,* et par les quelques passages qu'il en cite; celui que nous livre l'éditeur après avoir lu le manuscrit de Gabrielle. Ces narrations imbriquées, de même que la double fin, soulignent l'importance du point de vue et de la perspective dans la composition de *Doux-amer.* Le présent dans lequel le narrateur est situé par rapport aux événements, ses sentiments actuels, son tempérament déterminent le ton de la narration et transforment le récit en un souvenir modulé empreint d'un lyrisme sobre et discret, tempéré par la volonté de détachement mais affleurant à certaines pages en une véritable poésie bien fondue au récit lui-même.

Le souvenir est cependant organisé en une durée progressive, que nous rendent sensible les deux mouvements successifs qui la structurent. Le premier débute par la tentative du narrateur de retrouver les circonstances exactes de la naissance de l'amour en lui; il se prolonge avec l'épisode de la première absence de Gabrielle, absence qui en annonce une autre, plus grave.

LES OIES SAUVAGES

A ce moment du récit s'inscrit un long temps étale marqué par l'ampleur significative de la description des promenades en forêt et du passage des oies sauvages, l'une des plus belles pages de *Doux-amer*.

Après le déjeuner, dès le printemps et jusqu'aux neiges, nous allions faire une promenade en forêt. Nous en connaissions plusieurs, mais nous avions notre préférée. C'était une forêt de pins si serrés que leurs branches basses étaient mortes, faute de lumière. Pour ce que les fûts dénudés montaient en colonnades, ils donnaient l'impression d'une sorte de temple. Le sol, recouvert d'une épaisse couche d'aiguilles, ne permettait aucune autre végétation. Le silence de ces bois, la couleur verdâtre de l'ombre qui y régnait, l'odeur de la résine avaient quelque chose de doux et de poignant. Nous nous étendions sur le sol, silencieux et chastes, ne nous permettant d'enlacement que celui des mains. Un loriot lançait ses quatre notes : la, sol dièse, fa, mi, et nous lui répondions inlassablement. Ou bien nous errions au milieu des arbres. Nous allions jusqu'à la clairière. Les pins qui la bordaient étaient énormes et verts, ceux-là, jusqu'au sol. Tout autour il en poussait de petits, parfois pas plus hauts que le doigt, touchants d'enfance et de fragilité.

Un jour que nous approchions de la clairière, un bruit lointain qui ne ressemblait à rien de ce que je connaissais, un bruit grêle et ample à la fois, et qui allait s'amplifiant chaque seconde, jusqu'à ce que je me rende compte qu'il venait du ciel, m'immobilisa.

— Qu'est-ce que c'est, Gabrielle ?

Elle courait à la clairière. Je la suivais en répétant ma question. Sans cesser de courir, elle me cria :

— Les oies, les oies sauvages !

Elles arrivaient, innombrables, en clamant sans arrêt, comme si elles avaient eu besoin de ce bruit pour soutenir leur courage. Quand elles furent plus près, je vis qu'elles n'étaient pas en groupe confus, comme je l'avais d'abord cru, mais qu'elles volaient en un ordre rigide dont elles ne s'écartaient que pour se remplacer à tour de rôle, en tête de ligne.

Il arriva, soudain, qu'une des leurs se laissa distancer. Elle allait, comme à la dérive, en marge de la longue file, et l'écart s'accroissait vite.

— Tu va voir, me souffla Gabrielle.

Et je vis : trois ou quatre oiseaux se séparèrent du groupe, vinrent entourer la traînarde et la ramenèrent, je ne sais au moyen de quelle force, avec les autres. Une exaltation au bord des larmes m'envahit. J'avais le sentiment d'avoir fait irruption au milieu d'une sorte de mystère.

Deux fois encore, des groupes nouveaux passèrent. L'un d'eux s'effilocha lamentablement au passage d'un avion. Après quelques minutes de flottement, il se reforma et reprit la route. Un quatrième passa si loin que nous l'entendions sans le voir. Et chaque fois, j'avais la gorge nouée devant ce phénomène inexplicable, ce courage, cet entêtement. Cet inéluctable aussi, qui me faisait le comparer à l'amour.

La charnière du roman correspond au rythme trépidant de la création de la pièce de théâtre et de la soirée où apparaît Michel Bullard.

Après quoi le deuxième mouvement se déroulera selon une double progression simultanée, celle des rapports de plus en plus difficiles entre Gabrielle et son mari, et celle de la reprise d'une tacite amitié entre le narrateur et Gabrielle. L'épisode de la mort de Bullard s'inscrit dans un temps nul, symétrique à celui qui clôt le premier mouvement, où se situent également la lecture du manuscrit de Gabrielle et la rédaction du récit que nous sommes à lire. Puis, après que le narrateur a écrit le mot « fin », l'arrivée d'une lettre de Gabrielle constitue le point d'appui d'une nouvelle perspective, tout entière ouverte sur l'avenir.

D'une écriture toujours juste, maintenue constamment entre le renoncement et la douleur de l'amour blessé, *Doux-amer* est le récitatif d'une conscience sensible, aux prises avec son destin, qui rejoint son passé pour définir et assumer le présent.

QUAND J'AURAI PAYÉ TON VISAGE (1962)

Le second roman de Claire Martin retrace l'évolution psychologique du couple de Catherine et de Robert, depuis leur rencontre, à l'occasion des fiançailles entre Catherine et Bruno, jusqu'au moment où elle quitte son mari pour Robert, qui est le frère de Bruno; puis, en un deuxième cycle, il raconte les débuts de leur vie ensemble jusqu'au dénouement d'une crise longuement amorcée, précipitée par l'amitié qui se noue entre les deux frères.

L'attention portée par la romancière au point de vue narratif, manifestée dans *Doux-amer,* on l'a vu, par l'insertion du roman de Gabrielle dans le récit du narrateur, apparaît de façon plus explicite encore dans *Quand j'aurai payé ton visage:* on y voit le développement simultané, en dix chapitres chacun, des récits de Robert et de Catherine. Sur l'entrecroisement de ces deux narrations au passé, se greffe le commentaire, au présent, de la mère de Robert et de Bruno. Les six chapitres ainsi intercalés permettent de varier l'alternance des points de vue, mais une écriture trop logique, trop linéaire, hésite alors entre la narration ordonnée et le monologue intérieur.

DES VÉRITÉS PARALLÈLES

> Tout le sens du roman tient dans le caractère nettement particularisé et dans la durée propre de chacune des narrations. Les affinités et les discordances entre des événements vécus dans un climat d'amour réciproque, mais ressentis par chacun en fonction de valeurs différentes, accentuent graduellement la distance entre les deux protagonistes et acheminent le roman vers son point de tension ultime.

CATHERINE

La famille était réunie au salon. Je me sentais fort à mon aise malgré, si on peut dire, les sourires encourageants. Tout le monde était gentil et c'était agréable d'être l'héroïne de cette petite fête. Il n'y en avait que pour moi. Seule, la grand-mère semblait m'ignorer.

—Robert n'est pas encore là ? demandait-elle sans cesse. Nous n'allons pas nous mettre à table sans Robert ?

—Grand-maman est passionnément amoureuse de mon frère, me dit Bruno. Elle est fascinée par sa beauté.

—C'est faux, je ne suis pas fascinée...

Puis elle rougit comme une fillette. Suivant son regard, je tournai les yeux vers la porte. Robert se tenait dans l'embrasure, encadré.

ROBERT

Un soir, comme je revenais d'une de ces séances les oreilles et la bouche encore pleines de chants, j'ai trouvé Catherine dans le salon de mes parents. Elle était là pour être présentée à la famille et se fiancer avec Bruno, à quoi, lorsqu'on m'en avait fait part, j'avais attaché fort peu d'importance. Sur le pouf de velours grenat, prétentieux et rebondi comme un symbole des Ferny, sa simple robe blanche s'étalait en corolle. Son corsage libérait la nuque et, fine et brune, un peu de la peau du dos.

...J'étais en retard et je me hâtais. En arrivant près de la porte j'arrêtai pour reprendre mon souffle et j'entendis qu'on taquinait à mon propos grand-mère qui, m'apercevant, rougit adorablement. Catherine se retourna.

CATHERINE

Le portrait de l'Amour même. Ce qui m'envahit, je le connaissais bien. Je ne puis le comparer qu'aux petites bulles du champagne. Elles me venaient crever au bout des doigts en les picotant un peu. Tu n'as pas changé, Catherine. Tu n'as pas dépouillé le vieil homme comme, au pensionnat, on nous le prêchait tout au long du Carême.

ROBERT

—M'as-tu aimée tout de suite en m'apercevant ? demande souvent Catherine.

—Oui, tout de suite.

Il y a les femmes à qui on peut dire la vérité et il y a les autres. Cela ne change rien à l'amour qu'on leur porte. Cela ne change que les conversations.

CATHERINE

C'est fou ce qu'on ment bien quand on aime. Et je ne pense pas seulement à ce pieux mensonge. Je me demande souvent s'il a, lui aussi, ses secrets. S'il fait un tri entre ce que je peux savoir et ce que je dois ignorer. Faut-il que les humains jugent l'amour fragile pour toujours l'étayer de mensonges, pour toujours croire qu'il ne résistera pas à telle vérité. Pourtant, je sais le mien capable de résister à n'importe quel aveu. Pourquoi n'en serait-il pas ainsi du sien ? Pourquoi lui ai-je toujours caché que je n'aimais pas David ?

ROBERT

Je me demande souvent si elle a, elle aussi, ses secrets. Si elle fait un tri entre ce que je peux savoir et ce que je dois ignorer. Faut-il que les humains jugent l'amour fragile pour toujours l'étayer de mensonges, pour toujours croire qu'il ne résistera pas à telle vérité. Pourtant, je sais le mien capable de résister à n'importe quel aveu. Pourquoi n'en serait-il pas ainsi du sien ? Pourquoi ne lui ai-je jamais dit que mon père m'avait chassé ?

NOTICE BIOGRAPHIQUE

Madame Roland Faucher (pseudonyme: Claire Martin) est née à Québec le 18 avril 1914. Elle eut une enfance et une adolescence malheureuses, d'où naîtront les deux volumes de ses mémoires et une préoccupation manifeste pour la condition sociale de la femme. Elle étudia chez les Ursulines et chez les Sœurs de la Congrégation de Notre-Dame. Après une carrière de speakerine à la radio, d'abord à Québec, puis à Radio-Canada à Montréal, elle épousa le chimiste Roland Faucher, le 16 août 1945. Claire Martin a quarante-quatre ans lorsque son premier livre, un recueil de nouvelles, lui vaut le Prix du Cercle du Livre de France. Ce livre et les deux qui suivirent, parus à Montréal, ont tous trois été republiés chez Robert Laffont, à Paris. Membre de la Société des Écrivains canadiens, Claire Martin fut pendant quelque temps présidente de cette société.

BIBLIOGRAPHIE

L'œuvre romanesque de Claire Martin :

Avec ou sans amour, nouvelles, Montréal, Cercle du Livre de France, 1958; rééd. scolaire aux Éd. du Renouveau pédagogique, 1969 (présentation de Robert Vigneault).

Doux-Amer, Montréal, Cercle du Livre de France, 1960.

Quand j'aurai payé ton visage, Montréal, Cercle du Livre de France, 1962.

Dans un gant de fer (souvenirs d'enfance), Montréal, Cercle du Livre de France, 1965

La Joue droite (suite des souvenirs d'enfance), Montréal, Cercle du Livre de France, 1966.

Études sur Claire Martin :

Grandpré, Pierre de: « Comment l'esprit vient aux filles » (Avec ou sans amour), dans *Dix ans de vie littéraire au Canada français*, pp. 158-161, Montréal, Beauchemin, 1966.

Robidoux, Réjean et Rénaud, André: « Doux-Amer de Claire-Martin », dans *Le Roman canadien français du XXᵉ siècle*, pp. 147-162, Ottawa, Éd. de l'Université d'Ottawa, 1966.

Robidoux, Réjean, « Claire Martin, romancière », dans *Études françaises*, juin 1965.

Éthier-Blais, Jean, « Entre femmes seules, Claire Martin », dans *Signets II*, Montréal, Cercle du Livre de France, 1967, pp. 224-228.

Renaud, André, « La Joue droite », dans *Relations*, no 310, novembre 1966, p. 314.

Légaré, Romain, « La Joue droite », dans *Culture*, décembre 1966, pp. 484-486.

Pelletier-Baillargeon, Hélène, « Les Bonnes sœurs de Claire Martin », dans *Maintenant*, février, 1967.

XIII

GILLES MARCOTTE
(né en 1925)

par Guy BOULIZON

En 1962, à la lecture du roman de Gilles Marcotte, *Le Poids de Dieu*, on eut le sentiment d'un souffle nouveau, d'une présence nouvelle dans la littérature d'ici. Non pas, certes, quant aux techniques de la création romanesque, traditionnelles dans ce premier roman, mais parce qu'on y découvrait une certaine vision du monde, un sens de la vie intérieure et spirituelle, voire une présence de la transcendance au cœur de l'homme: « Dieu plus intime à moi-même que moi » (saint Augustin). Souffle nouveau qui n'était pas chargé d'une passion ravageuse à la Bernanos. On ne rencontrait pas dans ce récit une humanité palpitante; il semblait pourtant qu'il déchirât, dans l'histoire de notre roman, ce voile de la « quasi indifférence aux problèmes de l'âme » dont avait parlé Monique Bosco.

On en était encore à l'époque de la possession tranquille de la vérité. Certains commençaient à remettre en question pas mal de choses. Était-on enfin parvenu à l'âge du courage? cet âge que Gilles Marcotte avait évoqué huit ans plus tôt, préfaçant le *Journal* de Saint-Denys Garneau: « Notre littérature est à l'âge du courage. Qu'un homme ose parler... des portes s'ouvrent, une prise de conscience est amorcée qui promet une vie nouvelle. » Certes, dans ce même sens, d'autres hommes avaient déjà parlé: Jean Le Moyne, un peu du point de vue de Sirius; Pierre Vadeboncœur, avec des accents plus engagés; Robert Élie, avec beaucoup de vie intérieure; Fernand Dumont, surtout, avec ce lyrisme de l'intelligence qui est plus convaincant que tout. D'autres romanciers, de leur côté, avaient abordé le thème du spirituel (notamment Robert Élie et André Langevin). Mais c'est ce livre de Marcotte qui, dans ce sens, fut le premier à toucher profondément, mystérieusement.

Avec sept années de recul, plusieurs choses laissent insensible. Tout a tellement évolué. L'auteur lui-même modifierait sans doute tel ou tel passage. Dans l'ensemble, toutefois, l'œuvre demeure grave, discrète et prenante, bien que l'auteur n'ait sacrifié à aucun romanesque, à aucun romantisme. Un livre qui pourrait plaire au cinéaste Bresson, pas à Bunuel. Une intériorité incontestable. La chose, alors des plus rares, demeure assez rare pour qu'on s'y attache.

LE POIDS DE DIEU (1962)

Le récit commence au soir même de l'ordination sacerdotale de Claude Savoie. Ce jeune prêtre, à la fois fragile et étrangement fort, nommé vicaire de la riche paroisse Sainte-Eulalie, découvre soudain, mais sans regret, combien est lourd le poids de Dieu sur ses frêles épaules. Il repense à ce paradis d'enfance qui est encore si près. Sa vocation? elle est sincère sans aucun doute, même si nous devinons de quelles illusions et de quels malentendus elle est chargée. Comment Claude Savoie va-t-il s'adapter à cette nouvelle vie? Car c'est bien ce soir que commence le passage difficile menant d'une générosité adolescente et un peu naïve à l'option authentique et réfléchie en laquelle se révélera le vrai visage de Dieu. Les jeux sont loin d'être faits et les réponses ne sont pas données aux interrogations angoissées:

« Mon Dieu, me voici devant vous, moi, Claude Savoie, votre prêtre, celui que vous avez choisi de toute éternité pour être le lien entre votre grâce et leur misère. Cela seulement: « Un chemin qu'on suit et qu'on oublie... » Je n'ai plus affaire aux hommes, désormais, si ce n'est par vous et pour votre service. Que je me perde en Vous, pour n'être plus que le fidèle instrument de votre justice et de votre compassion. Vous pouvez tout, Seigneur: je sais peu de choses, mais je sais celle-là, qui est ma seule espérance. Arrachez-moi donc, brisez avec l'arme de la souffrance les mille liens ténus qui m'attachent à la terre et m'en font sentir à chaque minute le poids terrifiant. Est-ce donc une si grande grâce, que vous tardiez tant à me l'accorder ? Et mon indignité est-elle si grande que je n'aie pas le droit de l'attendre ? Je la connais, cette indignité, cet effroi panique de regarder la douleur en face. Si je devais compter avec elle, mon Dieu, je ne serais pas ici, j'aurais pris la fuite. Mais on m'a appris à ne pas me fier à moi-même, à m'en remettre à Vous de tout ce qui dépassait ma volonté. C'est Vous, seul, qui êtes ma force. Délivrez-moi, Seigneur. Je refuse la femme, je refuse le bonheur. Mettez votre joie à la place que fait en moi leur absence. »

A la cure de Sainte-Eulalie, rien n'est facile. Le curé Marquis est autoritaire, sûr de lui; au demeurant, le plus honnête homme du monde: « Un prêtre réussi, un prêtre satisfait, songe l'abbé, ça n'existe pas ou, si ça existe, c'est pire que tout. » D'ailleurs, c'est pour « les autres » que Claude s'est fait prêtre. Va-t-il être intégré, assimilé par ce clergé privilégié, séparé? Va-t-il sombrer « dans une spiritualité de choisi? »

Deux événements vont marquer la démarche du roman. Tout d'abord une grève locale du syndicat. L'abbé Savoie prend parti pour les ouvriers; il se met ainsi à dos l'autorité paroissiale. D'autre part survient, plus délicate, l'histoire de Serge Normand. Affaire étrange qui, sous un aspect un peu mélodramatique, révèle bien le goût de la vie qui gît au cœur de l'abbé: Serge Normand est un jeune homme que les confrères du presbytère voudraient bien diriger vers le séminaire. Mais Serge est amoureux d'une jeune tuberculeuse, Marie Norbert. Le séminaire ou l'amour? C'est vers cette voie qu'en toute droiture, l'abbé Savoie pousse Serge. Marie Norbert mourra; l'on rentrera dans l'ordre, ou mieux, dans « les ordres ».

Les jeux cependant ne sont toujours pas faits. A travers crises et angoisse, Claude Savoie hésite: « Être dans le monde comme n'en étant pas », c'est bien inconfortable. Certains ont pu parler avec insistance, à propos de ces romans de vocation sacerdotale (au deuxième colloque de la revue *Recherches sociographiques*, par exemple), des thèmes de l'échec, de la castration, de la culpabilité, de l'inversion enfin. Certes, tout est dans tout. Mais si on lit avec soin ce roman de Marcotte, les dernières pages en particulier, on verra qu'il s'agit, au vrai, d'une sagesse enfin conquise.

VIE ET LIBERTÉ : UN MINIMUM

Si l'on peut croire un certain temps à quelque forme d'évasion ou de fuite dans le cas du héros du *Poids de Dieu*, c'est, en dernière analyse, d'une fuite par en-haut qu'il est question. En témoigne cette méditation de Claude Savoie à la lecture du livre de Camus, *Noces*, que lui a prêté un ami incroyant.

Impossible de fermer l'œil de la nuit. Le livre de Camus a opéré en moi avec une violence et à une profondeur inattendues. Cet accueil glorieux de la vie, tous sens ouverts, même si, au bout, s'ouvre le gouffre de la mort... Il y a quelques semaines ce livre m'aurait, je crois, épouvanté par l'aliment qu'il aurait offert à une tentation toujours résorbée, mais toujours présente, qui me faisait souhaiter comme en rêve d'être soudain réduit à l'état laïque, et plus encore à l'absence de foi. Aujourd'hui, il m'exalte et me confirme dans un goût nouveau de la vie. Le trouble léger qui m'a surpris, devant une vie sensuelle dénuée de toute contrainte, a été bientôt recouvert par la perception d'une source de liberté plus profonde, qui ne compromettait pas ma foi mais au contraire la situait dans sa plus exacte lumière. Il faut croire à la vie avant de croire en Dieu; accepter tous les risques de la liberté pour oser le pari de la foi. Elle n'est rien si elle n'inclut la possibilité, à chaque instant éprouvée, de ne pas croire. Le pari de Pascal m'avait répugné, au collège, parce que je n'y voyais qu'un assez bas marchandage. Je commence à le comprendre. Pascal connaissait, pour en avoir lui-même usé, la force d'une pensée qui veut se suffire à elle-même, se satisfaire d'un monde fini. C'est à un libertin fort de ses droits d'homme qu'il propose le pari comme le dernier risque à prendre, comme la dernière liberté à conquérir. Vous vivez ? Essayez de voir si vous ne pouvez pas vivre plus fort, plus libre, si vous ne pouvez vous engager plus à fond. Mais ce qu'offre Pascal au libertin, comment le prendrions-nous, nous qui ne savons même pas ce que c'est que vivre? Aimer, prendre, conquérir, on ne nous a pas enseigné cela. Tout nous a été enlevé, soigneusement, méthodiquement. Admirez les fleurs, mais de loin, et surtout ne pensez pas au pollen ! Regarder tout droit devant soi, vers l'Idéal, c'est la recette, tout ce qui est à côté est tentation, le monde est rempli de pièges. Faites ceci, mais surtout ne faites pas cela, au pas, camarade ! Ah ! l'opération était bien menée. Avec la sûreté infaillible de l'instinct, la superbe aliénation de l'inconscience. On ne s'apercevait pas qu'en nous prévenant contre les sens, on nous éloignait du Sens. Qu'en nous faisant perdre le goût du monde, on nous enlevait le goût même de Dieu. Nous sommes-nous assez battu les flancs pour nous persuader que nous aimions au-delà du monde, alors que toutes nos puissances d'aimer s'atrophiaient nécessairement, sous l'œil complaisant de nos maîtres ! Le mal qui nous rongeait, qui me rongeait, n'avait qu'un nom, et c'était peut-être celui de l'enfer: Absence.

Maintenant qu'il croit à la vie tout court, Claude Savoie peut atteindre à une authentique vie spirituelle. Sa vocation affermie, mûrie, assumée, n'est plus celle de sa molle adolescence. Au terme, il pourra trouver la Joie.

RETOUR À COOLBROOK (1965)

Ce second roman de Marcotte peut faire penser à ce texte du Coran: « Chaque homme a dans un coin du ciel, une petite plage vers laquelle il se tourne en priant »; Marcotte pourrait ajouter: « en riant, en rêvant, en aimant », même si ce coin de ciel vous déçoit finalement et vous rejette. C'est bien, en un sens, le thème du *Retour à Coolbrook*. Car, au-delà de l'apparente facilité d'une chronique provinciale, il y a bien autre chose que devine un lecteur attentif.

C'est d'abord la longue confidence d'un narrateur anonyme, narrateur dont — comme cela se produit dans *La Peste* — il nous faut curieusement attendre la dernière ligne pour savoir de qui il s'agit. Le récit à mi-voix nous apprend que ce narrateur, journaliste de métier sinon de vocation, a longtemps vécu à Montréal. C'est même un Montréalais dans l'âme. Mais un beau jour, il décide de revenir dans sa ville natale: c'est le retour à Coolbrook. Du coup, il retrouve l'atmosphère provinciale de la « perle des Cantons de l'Est », ses anciennes amours, sa ville. Et cependant, rien n'est plus comme avant:

> « J'occupais mes loisirs à marcher, suivant chaque jour un parcours différent pour ne pas être remarqué. Précaution d'ailleurs inutile, car la ville était assoupie par les chaleurs de l'été, l'on ne prêtait aucune attention au promeneur solitaire, acharné, que j'étais devenu. La sensation d'être surveillé, que j'éprouvais de temps à autre, venait tout entière d'une insécurité dont je ne parvenais pas à me débarrasser, même parmi les images familières de la ville. Connaissais-je Coolbrook ? J'en doutais de plus en plus. En l'explorant presque systématiquement — j'y étais bien forcé, pour varier mes parcours — je découvrais des quartiers nouveaux, de vieilles rues bizarres, des points de vue singuliers, qui m'avaient toujours échappé. Coolbrook devenait un labyrinthe dans lequel je pouvais perdre mes points de repère, et cette découverte me donnait chaque fois un léger vertige, comme si le sol se fût brusquement dérobé sous mes pieds. Ainsi je découvrais une ville nouvelle, à quoi s'accordaient mal les souvenirs de mon enfance. Impitoyablement, les nouvelles images détruisaient les anciennes, et je me trouvais seul et nu, seul et sel (de quel poète, ces accouplements de mots ?), dans un Coolbrook qui n'était plus mien que par le nom. Où en étais-je, et qui étais-je, si les signes les plus irrécusables de mon enfance m'étaient enlevés ? Pour me rassurer, je passais devant la maison qui avait été celle de mes parents, la mienne. Mais elle avait changé, je la reconnaissais à peine. »

C'est donc dans un Coolbrook revisité que va vivre le narrateur. Il est un cérébral; pas forcément un intellectuel; peut-être un futur humaniste (noter le grand nombre de locutions latines, dans le texte). Un homme un peu désinvolte, d'un individualisme forcené, d'un égoïsme à toute épreuve. Soigneusement, il se protégera de tous les êtres, de toutes les situations, de toutes les occasions qui peuvent contrecarrer son besoin d'indépendance.

Pourtant, vient un jour où — malgré tous ses efforts — il s'éprend de la jeune Mariette. Sa vie a été jusque-là mesquine et sans grand horizon, il a été aussi incapable de haine dévorante que d'amour chaleureux. Et il se verra pris au piège de la vie bourgeoise de Coolbrook.

L'HUMILIATION

Lucide, notre « coolbrookois » acceptera le jeu, reniera ses belles résolutions d'autrefois. Mais c'est un amour bien compliqué qui commence. Au cours d'une excursion de ski, le narrateur a cru, sans raison, qu'il pouvait pousser quelques avantages, comme on dit. Il a voulu embrasser Mariette.

Je lui fermai la bouche, vous savez comment. Mariette ne s'abandonnait qu'à demi; je la forçai, j'écrasais sa bouche, nous tombâmes dans la neige. Après d'interminables secondes, je la lâchai. Elle était pâle, haletante. A bien y penser, je devais l'être aussi. Je voulus l'aider à se relever, mais elle refusa mon bras. Et je reçus son regard comme un coup de fouet... Ce qu'il disait, ce regard, je n'ai jamais pu le définir parfaitement. Je sais seulement qu'il me dépouillait de moi-même, qu'il me livrait sans défense à la plus terrible inquisition. On me laissait entendre que je n'étais pas toujours beau à voir. Mariette avait remis ses skis et se dirigeait vers le groupe sans m'attendre. Alors, on n'aime plus son petit ami, son compagnon de jeux ? On voudrait à ses côtés un athlète splendide, un don Juan accompli ? On rêve de contes de fées, de princes charmants ? Mais je ne suis pas un personnage de légende, moi, mademoiselle, j'ai mes défauts et mes limites — si je l'admets, vous devrez l'admettre aussi — et je me débrouille comme je peux avec cet amour qui devient si compliqué, si terriblement compliqué...

Une lecture attentive de ce roman fait découvrir bien autre chose que ce récit quotidien et ronronnant, un peu mince pour un roman d'amour. On comprend que Coolbrook et Mariette, c'est, à peu de chose près, une seule et même réalité: c'est la ville-femme, qui se déchiffre à un double niveau. Au niveau de Mariette, c'est, pour le héros du livre, l'histoire d'un amour obsédant, puis contrarié. Mais c'est aussi, c'est surtout, plus profondément, l'évocation de la cité perdue, retrouvée, puis reperdue; et c'est au total, un peu à la manière du Grand Meaulnes, la quête décevante d'une enfance à posséder à nouveau, la quête de soi-même, à travers la forêt de symboles et de significations que suscite l'art romanesque de Gilles Marcotte. On perçoit bien qu'un tel retour est vain. Celui qui, autrefois, a déserté Coolbrook, en est désormais rejeté. L'enfance ne se recommence pas.

C'est à partir de cette certitude que le narrateur, conscient de la réalité, sûr de son identité, va pouvoir se nommer, et ainsi se posséder: je m'appelle Maurice Parenteau. Et c'est sur cette affirmation symbolique que s'achève le récit.

NOTICE BIOGRAPHIQUE

Né à Sherbrooke en 1925, Gilles Marcotte y fait ses études primaires et secondaires. Ayant terminé ses études universitaires à l'Université de Montréal (maîtrise ès arts), il prépare actuellement une thèse de doctorat sur « la Poésie nouvelle au Canada français ». Sur le plan professionnel, Gilles Marcotte a commencé à faire du journalisme à La Tribune de Sherbrooke. Il a ensuite collaboré à deux journaux montréalais, Le Devoir et La Presse, dont il a dirigé les pages littéraires et artistiques. Sa participation à la radio et à la télévision a été considérable: une trilogie dramatique, « Au milieu de la course de notre vie... », présentée à Radio-Canada en 1967. A l'Office national du film, il a été chargé de recherches. Gilles Marcotte est actuellement professeur-assistant au Département de français de la faculté des Lettres de l'Université de Montréal.

BIBLIOGRAPHIE

L'œuvre romanesque de Gilles Marcotte:

> *Le Poids de Dieu*, Paris, Flammarion (Traductions à Barcelone et à New York).

> *Retour à Coolbrook*, Paris, Flammarion, 1965.

Études sur Gilles Marcotte romancier:

> Grandpré, Pierre de, « Le procès d'une spiritualité de refus », dans *Dix ans de vie littéraire au Canada français*, Montréal, Beauchemin, 1966, pp. 162-166; « Un colloque littéraire franco-canadien », dans *Le Devoir*, 21 mars 1962.

> Hamelin, Jean, « Le Poids de Dieu », dans *Le Devoir*, 17 février 1962.

> Duhamel, Roger, « Le Poids de Dieu », dans *La Patrie*, 18 février 1962.

> Le Moyne, Jean, « Le Poids de Dieu », dans *La Presse*, 17 février 1962.

> Barjon, Louis, s.j., « Le Poids de Dieu », dans *Les Études*, avril 1962.

> Bosquet, Alain, « Le Poids de Dieu », dans *Le Monde*, 11 janvier 1962.

> Walsh, Chad, « Gilles Marcotte », dans le *New York Herald Tribune*, 20 décembre 1964.

> Ethier-Blais, Jean, « Retour à Coolbrook », dans *Le Devoir*, 12 juin 1965.

> Lockquell, Clément, « Retour à Coolbrook », dans *Le Soleil*, 12 juin 1965.

> Barjon, Louis, s.j., « Retour à Coolbrook », dans *Les Études*, janvier-juin 1966.

XIV

JEAN-PAUL PINSONNEAULT
(né en 1923)

par Guy BOULIZON

« Je définirais assez volontiers le roman, a écrit Jean-Paul Pinsonneault, comme une descente aux enfers ». C'est bien là l'impression que l'on éprouve, impression merveilleuse et redoutable, en plongeant dans cette œuvre romanesque. Du voyage dans les ténèbres en compagnie de ces personnages d'exception qui se nomment: Jérôme Aquin, Jean Lebrun, Hélène Vernier, Anne, Marie, Jean Marsan, le romancier, bon gré mal gré, nous rapportera sa propre vérité, à travers les monstres entrevus, à travers l'univers qu'il aura vécu ou imaginé.

A ce jour, Jean-Paul Pinsonneault a publié quatre romans. Tous les deux ans, en effet, un livre paraît et, comme systématiquement, l'œuvre s'accroît, se ramifie, se développe.

LE MAUVAIS PAIN (1958)

C'est, dans un climat tragique, l'histoire, narrée avec bonheur et avec fureur, de Ruth Villemure, veuve égoïste et possessive, femme âprement attachée au domaine familial, obsédée par le nom des Villemure. L'avarice rend cette femme implacable à l'égard de ses deux enfants: Marthe et Alain. Quand elle aura tout saccagé, gâché et qu'il ne lui restera plus rien ni personne, elle connaîtra une solitude rendue plus dramatique encore par la présence de la grâce. Elle mourra « ainsi qu'une bête tuée ».

Ce qui est intéressant dans ce premier roman, encore maladroit, c'est qu'on y perçoit déjà la sourde rumination des thèmes de l'œuvre ultérieure de Jean-Paul Pinsonneault: d'abord et avant tout, celui de la solitude, omniprésente; puis celui de l'incommunicabilité des êtres et des générations; enfin, celui des jeux de la passion et de la grâce.

Ce roman, comparé aux *Terres sèches,* montre ce qu'est l'acquisition du métier d'écrivain, et comment écrire c'est reprendre, d'œuvre en œuvre, un thème fondamental et transformer l'instinct, parfois ambigu, parfois miraculeux, par l'intelligence et par l'effort.

JÉRÔME AQUIN (1960)

Après la désolation d'un cœur avare, voici les complications de l'âme orgueilleuse. Un jeune homme, assuré à jamais de ce qu'il croit être sa vocation religieuse, doit, contre son gré, quitter le séminaire, son directeur en ayant ainsi décidé. Il retourne donc dans sa famille qui accepte mal cet opprobre. Dans ce milieu dont il se sent rejeté, Jérôme affronte sa mère, et son frère. Il se lie avec sa belle-sœur, Anne, qu'il conduit au suicide. Ce nouvel échec accule l'ancien séminariste à une solitude plus irrémédiable que jamais.

LES ABÎMES DE L'AUBE (1962)

Après l'avarice et l'orgueil, Jean-Paul Pinsonneault a donné, avec *Les Abîmes de l'aube,* un roman de la sensualité.

Sous forme d'un journal intime (sans indication de date ni de lieu), Jean Lebrun, adolescent vulnérable et démuni, raconte, à travers les intermittences du cœur, ce que fut son éducation amoureuse. Enfant naturel, renvoyé du collège pour une histoire d'amitié particulière avec son jeune ami, Laurent, Jean Lebrun subit l'animosité de sa mère adoptive, que la faiblesse de son père ne parvient pas à contrebalancer. Loyalement et à plusieurs reprises, il s'efforce d'échapper à sa passion sensuelle pour Laurent. Un suicide manqué, une descente dans les abîmes, l'oriente sur une nouvelle voie, où il découvrira l'aube.

LES TERRES SÈCHES (1964)

Le thème des jeux du péché et de la grâce, déjà présent dans les précédents romans, est désormais au cœur même de la vision romanesque de Pinsonneault.

Les Terres sèches ne sont plus seulement un roman de la vie intérieure ou d'analyse psychologique. C'est vraiment l'histoire de la vie spirituelle et de sa nuit; l'histoire, aussi, des lents et incertains cheminements de la grâce dans les cœurs; l'évocation de la difficile apparition de la Source, à travers les terres desséchées.

L'action se situe dans la paroisse d'Aumont, où deux prêtres assurent le service pastoral: le curé Montreuil et son jeune vicaire, l'abbé Marsan. Tous deux hommes de Dieu, mais aussi hommes engagés en pleine aventure terrestre.

Dans ce milieu plein de médiocrité et de secrète malignité, les deux pasteurs se trouvent affrontés à mille misères. On y voit vivre, aimer, souffrir Véronique, cancéreuse et humiliée; son mari, médecin, Paul Duquesne et sa maîtresse, Hélène Vernier, l'infirmière; enfin, Marie, la jeune sensuelle, source de calomnie, de scandale et d'épreuves. Sur ces personnages souffle un vent de désespoir, de vertige et de révolte. Le Dieu qui règne à Aumont n'est pas le Seigneur du Royaume; c'est un Dieu exigeant dont la présence n'apporte ni joie ni sérénité. Les destinées de tous ces êtres vont se croiser, s'épauler, se heurter, se délaisser. L'affrontement aura lieu à un double niveau: celui de la vie quotidienne et celui du dessein de Dieu dans la Communion des saints. Car s'il est vrai — selon le curé Montreuil — qu'« on s'avance toujours seul à la rencontre de Dieu », il est non moins vrai que « tout est grâce » et que, sur cette terre, nos actes sont exemplaires: à chaque instant, notre destin, notre liberté, notre salut sont liés étroitement à ceux des autres.

C'est à travers ces terres desséchées, à travers ces expériences de la solitude — nécessaires à toute paix, selon l'auteur — que va surgir le Dieu sans tendresse qui apparaît à une première lecture comme une sorte de Dieu eschylien, un Dieu-vautour qui fond sur ses créatures lorsqu'il les voit au creux de l'abîme. On comprend à la réflexion que ce dont l'auteur se méfie, c'est du Dieu quiétiste à la mode, un Dieu à ce point fou d'amour qu'il en deviendrait mou, complaisant et aveugle. Alors que pour Pinsonneault, l'Amour ne peut être que jaloux et exigeant. C'est là, dans cette tension, que s'obtient la Paix: une paix pathétique d'où la douleur n'est pas absente.

L'HEURE DE LA VÉRITÉ

Vers la fin du roman *Les terres sèches*, au terme d'une longue épreuve spirituelle, l'abbé Jean Marsan, mourant, éprouve le tourment d'une déchirante solitude face à Dieu.

La nuit qui suivit la visite d'Etienne Lépine fut pour l'abbé Marsan la dernière. La douleur le harcela sans relâche et, à l'aube, une nouvelle hémorragie le vida du peu de force qu'il conservait encore. La vue des draps rougis de sang lui enleva tout courage et ajouta à l'humiliation que lui causait son état. Il était devenu un fardeau à la fois pour les autres et pour lui. Dieu merci, la fin de l'épreuve approchait. Une sensation de complet épuisement en avertissait Jean. Il comprit que cette aube de cendre était pour lui la dernière et il l'accueillit avec gratitude. L'intolérable souffrance de la nuit l'avait à ce point brisé que tout en ce moment lui semblait meilleur que cette torture sans cesse recommencée. Seule la morsure en lui de la peur l'empêchait d'être heureux. Mais Dieu n'avait jamais permis qu'il le fût tout à fait... L'effroi le paralysait, le retenait à la vie comme par une amarre résistante. Il aurait voulu fuir cette peur, chercher refuge hors de lui-même, mais il était prisonnier de cette force redoutable. Dieu avait disparu, et son absence refermait sur Jean les eaux de nuit et de solitude. Il était semblable au naufragé que cerne peu à peu l'anneau meurtrier des remous.

Le visage d'homme traqué qu'était à cette heure celui de Marsan portait le stigmate de l'épouvante. Il paraissait ravagé de l'intérieur par le feu dur du regard. « Une tête de fou », eût pensé Lépine en l'apercevant, tant l'éclat sombre des prunelles avait quelque chose d'inquiétant, de farouche. Le mal avait enfoncé le globe de l'œil, pincé le nez, creusé les joues et légèrement tordu la bouche. Ce masque donnait l'impression d'une vie atroce, décuplée, presque animale. Une sorte de fièvre prêtait aux traits une palpitation qu'ils n'avaient jamais eue, une mobilité où se traduisaient la terreur et le déchirement de l'âme. Dans les moments de violence et de désarroi, les mains décharnées du prêtre se tordaient, se nouaient sur une humble croix de métal gris. A quelques reprises, elles avaient tenté vainement de la porter jusqu'aux lèvres bleuies, désespérément closes sur une prière intérieure aussi douloureuse à l'âme de Jean que l'était à son corps le triomphe du mal. A mesure qu'il avançait vers la mort, Marsan voyait grandir autour de lui et en lui la désolation. Il se traînait maintenant dans un univers désertique, au cœur d'une région de séche-resse et d'insoutenable soleil. Ce brasier le tuait. Il happait à lui en longues traînées de flamme ce désespoir. « Mon Dieu, gémissait Jean, pourquoi m'avez-vous abandonné ? »

NOTICE BIOGRAPHIQUE

Né à Waterloo, Qué., le 22 avril 1923, Jean-Paul Pinson-neault fit ses humanités classiques au Collège Saint-Lau-rent. En 1951, il devint rédacteur en chef de la revue Lectures. *Il a commencé à écrire cinq ans plus tard : d'abord des textes dramatiques pour la télévision et deux pièces de théâtre encore inédites:* Cette terre de faim *(1956) et* Electre *(1957). En 1958 paraît chez Fides son premier roman:* Le Mauvais pain. *C'est l'année où une bourse du Conseil des arts du Canada lui permet de sé-journer en Europe; il voyage en France, en Belgique, en Espagne et en Italie. L'année suivante, il devient direc-teur du journal* Salaberry *de Valleyfield, poste qu'il con-servera jusqu'en juillet 1961, date de son entrée chez Fides à titre de directeur littéraire. Entretemps il avait publié son deuxième roman,* Jérôme Aquin. *L'année suivante paraît un troisième roman,* Les Abîmes de l'aube, *suivi en 1964, chez Beauchemin comme les deux précé-dents, du roman* Les Terres sèches *qui obtint le prix France-Canada et le prix du gouverneur général. Fides publiait de lui, en 1967,* Terre d'aube, *pièce en deux actes créée à Montréal par la compagnie* Le Rideau Vert.

BIBLIOGRAPHIE

L'œuvre romanesque de Jean-Paul Pinsonneault :

    Le Mauvais Pain, Montréal, Fides, 1958.

    Jérôme Aquin, Montréal, Beauchemin, 1960.

    Les Abîmes de l'aube, Montréal, Beauchemin, 1962.

    Les Terres sèches, Montréal, Beauchemin, 1964.

Études sur Jean-Paul Pinsonneault :

    Lemieux, Pierre, *Le Climat religieux dans les romans de Jean-Paul Pinsonneault*, travail présenté au Département de français de l'Université d'Ottawa (1964-1965).

    Melançon, André, « Jean-Paul Pinsonneault », dans *Lectures*, octobre 1965.

    Duhamel, Roger, « Le Mauvais pain », dans *La Patrie*, 25 juin 1959.

    Robert, Guy, « Le Mauvais pain », dans *La Revue dominicaine*, mars 1959.

    Éthier-Blais, Jean, « Jérôme Aquin », dans *Le Devoir*, 6 mai 1961.

    Richer, Julia, « Jérôme Aquin », dans *Notre temps,* 3 décembre 1960.

    Leclerc, Rita, « Jérôme Aquin », dans *Lectures*, mai 1961.

    Ménard, Jean, « Jérôme Aquin », dans *Revue de l'Université d'Ottawa*, avril-juin, 1961.

    Gay, Paul, « Les Abîmes de l'aube », dans *Le Devoir*, 8 décembre 1962.

    Lockquell, Clément, « Les Abîmes de l'aube », dans *Le Soleil*, 29 décembre 1962.

    Marcotte, Gilles, « Les Abîmes de l'aube », dans *La Presse*, 1er décembre 1962.

    Aubarède, Gabriel d', « Les Terres sèches », dans *Les Nouvelles littéraires,* 12 novembre 1964.

    Anjou, Joseph d', s.j., « Les Terres sèches », dans *Relations*, août 1964.

    Roy, Paul-Émile, « Les Terres sèches », dans *Lectures,* octobre 1964.

    Grenier, A., « Les Terres sèches », dans *L'Enseignement secondaire,* mars 1965.

    Sylvestre, Guy, « Les Terres sèches », dans *Le Devoir*, 27 juin 1964.

    Descent, Georges, « Les Terres sèches », dans *Livres et auteurs canadiens, 1964*, Montréal, 1965.

XV

GILBERT CHOQUETTE
(né en 1929)

par Guy BOULIZON

On pourrait parler des deux romans de Gilbert Choquette comme de romans de la conscience. A travers des personnages et des situations choisis dans notre milieu, l'auteur reprend les thèmes de l'inquiétude contemporaine, illustrés notamment par la littérature existentialiste, et nous propose des conflits qui sont moins d'ordre psychologique, en dépit des apparences, que métaphysique. Il s'agit essentiellement de l'affrontement de l'homme et du monde, mais cet affrontement est vu de l'intérieure d'une conscience aux prises avec ses multiples contradictions. Ceci est particulièrement vrai de *L'Interrogation*. Par des analyses souvent subtiles, l'auteur s'emploie à démonter et à éclairer les mécanismes qui poussent l'homme, usant de sa liberté, d'une part à agir, et d'autre part à s'interroger sur la qualité de ses motifs et sur l'efficacité de son action.

L'amour ne joue pas ici un rôle accessoire. Parce qu'il est lui aussi un « affrontement », et qu'il peut avoir une signification rédemptrice universelle, il est soumis lui aussi à une critique exigeante, suivant qu'il s'oppose ou au contraire s'identifie à l'effort d'affranchissement et de service de « l'autre » auquel tendent, de toutes leurs forces souvent insuffisantes, les héros de Gilbert Choquette.

Au niveau littéraire, la forme et le style des livres de Gilbert Choquette reflètent les mêmes tensions fondamentales. Ils sont faits d'un mélange de réalisme et de lyrisme d'une intégration parfois difficile, mais qui traduisent un besoin de serrer le concret d'une vie humaine dans ce qu'elle a simultanément d'éphémère et de permanent.

L'INTERROGATION (1962)

Le jeune médecin montréalais Charles Dumais est le narrateur de ce récit; il dit « je » et nous apparaît, dès le début, comme un personnage rompu à toutes les habiletés de l'introspection. L'action commence à son retour de Bolivie où, depuis dix ans, il a soigné la misère des Indiens. Un héros de générosité? Ce n'est pas sûr. Charles Dumais s'interroge sur les raisons qui l'ont conduit en Amérique du Sud. La détresse? La conscience de ne pouvoir aisément atteindre, dans son propre milieu, à son idéal de vie? Oui, pour une part; mais il y eut surtout, en réalité, la volonté de couper court à son amour pour Adrienne Brabant. Jamais il n'a pu oublier cette femme à laquelle il n'avait pas voulu s'unir par suite de profondes et essentielles divergences d'ordre religieux et métaphysique.

UN AVENIR OBSTRUÉ

Charles Dumais, à son arrivée à Montréal, s'est installé dans une lamentable chambre d'hôtel. Il interroge son visage.

Ce visage que je promène devant cette glace fêlée, ce visage que j'examine, sur quoi je passe la main, comme s'il n'était pas le mien, comme si je ne l'avais jamais vu, ce visage me fait peur. Peur comme ces masques grotesques que les enfants mettent parfois dans leurs jeux, et qui, l'espace d'un instant, donnent l'horrible sensation de la réalité. Ce visage, le mien, pouvoir l'arracher et voir ce qu'il recouvre de fausseté peut-être. Il me plairait de déplacer quelque chose dans les rouages de la machine à penser. Un jour sans doute la médecine fera de nous ce qu'elle voudra: en agissant sur un nerf, sur une circonvolution cérébrale, on modifiera à volonté la personnalité des gens, leur façon de raisonner, leur affectivité. C'est alors que nous verrons que nous étions tous fous.

Jamais je n'ai eu autant conscience de mon impuissance. A trente-sept ans il est trop tard pour entreprendre une nouvelle carrière de médecine, recruter une clientèle, me lancer à l'assaut des maladies à la mode. La médecine générale, le bon médecin de famille, tout cela est du passé. Il faut des spécialisations. Je n'en ai aucune. Pas même celle du rhume de cerveau. Curieusement pourtant, ce sombre avenir dont je suis menacé ne me trouble nullement. Il me réjouirait plutôt. Plus exactement, ce sombre avenir me donne à l'avance une sombre joie. La joie de celui qui risque en prenant un chemin dangereux et écarté d'accéder à la découverte d'un panorama plus vaste, où la nature s'étale suivant une ordonnance supérieure. En m'exilant il y a dix ans, en me retranchant d'une société impénétrable, j'avais l'impression qu'il me suffirait de renoncer à vivre pour moi, de me donner à autrui, pour accomplir mon destin. Après la faillite de l'amour, je découvre que ce n'était là qu'une autre illusion, la plus perfide, celle du désintéressement calculé.

S'il n'y avait que le malheur, l'ennui, la mort qui fussent vrais et dignes d'être exaltés ? Comme tout serait facile et combien sûre l'existence ! Mettre l'espoir au rancart, miser sur l'échec, quelle invincibilité ! Je pense qu'au-delà d'un certain degré de clairvoyance et de sérieux, il n'est rien d'heureux qui puisse arriver à un homme.

Dorénavant, j'irai tout droit sans même regarder devant moi. Le soleil est là : je bois du soleil. Il pleut : je lave ma conscience. Si un homme me blesse, je lui rends son coup, ou je lui dis merci si j'en ai envie. Surtout pas d'avenir. Le présent doit suffire. Et mon histoire que je repasse comme une leçon.

Quelques mois plus tard, Charles Dumais, de plus en plus démuni moralement et matériellement, doit se résoudre à chercher appui auprès de son meilleur ami de collège et de faculté, le docteur
Edmond Bernard, devenu une sommité médicale de Montréal et dont
l'idéalisme ancien s'est sensiblement refroidi avec les années. Surprise bouleversante: Charles apprend que, durant son absence, Edmond a épousé Adrienne.

Sur l'offre, imprudente ou complice, du docteur Bernard, Charles Dumais accepte de quitter son misérable hôtel et de loger dans la
vaste demeure de son ami. C'est vraiment aller au devant des drames, à tout le moins des difficultés. D'autant plus qu'à côté du
couple Bernard vit, dans la même maison, Louise, la sœur d'Edmond,
une jeune vieille fille peu séduisante, femme possessive et autoritaire.

Dès son arrivée dans sa nouvelle demeure, Charles Dumais est
repris par l'espoir insensé de reconquérir l'amour d'Adrienne. De
toute évidence, la passion est morte dans le couple des Bernard, et
Edmond ne se gêne pas (un voyage dans le Sud en apporte la preuve
à Dumais) pour tromper sa femme.

Tandis que Charles Dumais se débat entre la tentation d'un
grand amour purificateur, le respect de l'amitié, et une angoisse
quant à son propre avenir que l'écoulement du temps ne fait qu'ac-
centuer, le docteur Bernard fait à Charles une proposition étrange:
accepterait-il d'épouser sa sœur Louise? Par une sorte de défi ins-
tinctif à l'égard de ses propres élans, défi où il entre un brin de ma-
sochisme, par reconnaissance aussi envers Edmond qui l'a dépanné
provisoirement en lui trouvant une situation à son hôpital, Charles
est tenté d'accepter.

Mais les événements se précipitent car, sur ces entrefaites, le
docteur Bernard meurt subitement. Louise connaît avec Charles
une brève nuit d'amour. Pourtant, elle ne l'épousera pas. En plein
désarroi, elle se suicide; à moins qu'il s'agisse d'un accident. Les
jeux semblent faits et le dénouement est proche.

Charles Dumais épousera-t-il Adrienne? Celle-ci s'y refuse, ne
voulant pas profiter des circonstances, désireuse de garder hors de
toute atteinte le rêve d'amour et d'absolu qu'elle a fait autrefois.
Charles, qui a tout perdu, retournera à ses Indiens. Et ce ne sera
pas, en réalité, une défaite, mais un dépassement. Cette fois, Charles choisit son destin en pleine connaissance de cause. Il répond à
l'appel de son adolescence par delà les facilités d'une déception amoureuse ou d'un élan de générosité trop exalté pour être durable. Il
aura fallu l'épreuve et le renoncement pour accéder à la liberté lu-

cide, à cette pleine possession de soi-même sans laquelle le véritable don de soi reste une chimère.

Dans une adaptation de son roman pour la télévision, l'auteur a néanmoins répudié en partie cette conclusion trop janséniste. Adrienne, renonçant à vivre pour elle-même dans le culte d'un noble passé, ira rejoindre Charles en Amérique du Sud et partagera sa volonté d'engagement. Ainsi non seulement l'amour sera sauf, mais il sera, comme il est juste, promoteur de générosité.

L'APPRENTISSAGE (1966)

Un jeune homme, Alain Guilbault, fait devant nous son apprentissage: essentiellement, celui de la liberté. Et cet apprentissage, il le fait d'une manière maladroite, déconcertante; et surtout imprévisible. Car chez Gilbert Choquette, les jeux ne sont jamais faits. C'est ce qui donne à ce roman son authenticité, sa vérité, sa signification et, en un sens, sa séduction; l'auteur, ennemi de tout exhibitionnisme, n'apparaît que sous le masque. D'une part, un style discret, feutré, sans prouesses stylistiques, volontairement classique, parfois guindé même à travers sa continuité sinueuse et son romantisme mal dompté. D'autre part, des thèmes résolument modernes, objectivement traités, manifestant chez l'auteur une vision personnelle qui non seulement découvre, mais possède l'espace et le temps où vont se dérouler les diverses phases de cet apprentissage.

Ces deux éléments apparemment contradictoires, force intérieure et démarche tâtonnante, semblent expliquer le mode d'expression qu'a adopté Gilbert Choquette et qui ne s'apparente, à première vue, à aucun modèle connu.

On se sent immédiatement concerné par l'histoire de cet Alain Guilbault qui, après avoir rompu avec sa famille embourgeoisée et sclérosée, va refuser de jouer le jeu des convenances pour repartir à zéro et apprendre vraiment ce qu'est l'amour, ce qu'est son pays, ce qu'est l'existence.

D'abord, l'amour. Thérésa Maréchal, actrice montréalaise en renom, pleine de maturité et d'expérience, chez qui il a trouvé refuge en fuyant le foyer paternel, saura-t-elle apporter à ce grand garçon timide ce qu'il recherche éperdument: un amour qui soit plus que l'amour, qui aille au-delà des apparences?

Cette éducation sentimentale, Alain Guilbault pressent ce qu'elle vaut. Il en prévoit la fin, qui sera plus dérisoire encore qu'il ne le redoutait. Car Alain — comme tous les héros de Choquette — est lucide. Pour son malheur.

LA TENTATION DE L'ABANDON

Le refus global qui interdit au héros de *L'Apprentissage* de travailler, de s'intégrer à aucune société, connaît des moments de découragement. L'amour sans issue que partage Thérésa ne le détourne-t-il pas de cet autre grand apprentissage: celui de l'action, du pays, de la vie qui appelle? Même si, de toute évidence, Alain — et il le sait, et son âge l'explique — est plus proche du révolté selon Camus que du révolutionnaire selon Sartre, pour qui « la révolution n'est pas un état d'âme » ...

Nous sommes au milieu de décembre et toute la matinée je me tiens à la grande fenêtre, *L'Homme révolté*, de Camus, sur les genoux, abîmé dans la fascination d'une neige qui n'en finit pas de s'écraser à gros flocons humides sur les toits, les rues et les pelouses pour s'anéantir aussitôt avant d'avoir jamais existé vraiment. Cette neige, c'est moi. Cet anéantissement, c'est mon destin. J'ai cru un moment que j'allais trouver un contact ferme avec la réalité, mais il suffit que je rencontre le réel, une femme en chair et en os, une possibilité d'engagement politique concret, pour que je cesse d'exister. Ah! pour le boniment ... Mais c'est dominer une situation que je voudrais, ne serait-ce que la mienne, et je vois bien que ma fatalité est de glisser de rêves en rêves, de refus en refuges, toujours au nom d'un idéal plus grand, plus radical, plus impossible et j'ai beau me faire accroire qu'un jour, bientôt, demain, je donnerai un coup de poing violent sur la table, ou dans cette vitre, et que tout éclatera, et que le monde tremblera, ce sont là phrases en l'air que je n'ose même plus servir à Thérésa ... Tant pis pour moi, je n'avais qu'à accepter l'offre de mon père. J'aurais de l'argent plein les poches. Je ne serais pas un fardeau pour Thérésa, ni une autre occasion de tourment moral. Mes parents en auraient pour leur compte de satisfactions parentales, et l'humanité n'en serait guère plus malheureuse. L'univers serait en ordre. Je ferais la rencontre d'une belle fille pas trop stupide, je lui ferais la cour pendant un an ou deux, le temps de décrocher un diplôme, on se fiancerait, on se marierait à Saint-Viateur d'Outremont dans les confetti, la marche nuptiale de Mendelssohn et un noble sermon sur l'amour conjugal, comme au mariage de Louis Guilbault, mon cousin, l'année dernière ... Ah! ce n'est pas possible d'avoir commencé sa vie aussi pitoyablement ...

De telles rêveries ne doivent cependant pas nous donner le change sur l'idéalisme profond, presque incurable, d'Alain. Celui-ci se fait l'avocat de son propre diable pour mieux l'exorciser. L'amour ne saurait s'opposer à quelque forme d'engagement que ce soit, au contraire. Suzanne, une jeune fille dont il s'éprend et qui choisit de « se ranger », le décevra et il reviendra à la comédienne, comme lui avide d'absolu. Auparavant, il aura fallu les blessures de l'apprentissage du pays. Pour les évoquer, le romancier hausse le ton, Au milieu de pages unies, discursives, s'interdisant le pittoresque, voici que les mots d'enracinement et de prise de conscience nationale résonnent comme des cris ou des coups de poing sur la table. Phrases elliptiques, nerveuses et saccadées. Cela « date » le livre sans équivoque possible: c'est le début de la révolution tranquille. Il y a déjà des terroristes. On cite René Lévesque « dont toute cette génération veut faire son porte-parole ». Il est question de Gilles Vigneault et de son Jack Monnoloy. Cela serait littérairement banal si, en contrepoint, de nombreuses pages ne baignaient dans un climat racinien, celui de Phèdre surtout, qui, par contraste, crée une singulière distanciation. Et telles références un peu précieuses à l'humanisme, à la peinture, à la musique, demeurent extrêmement significatives.

Troisième apprentissage, enfin, plus en profondeur: celui de la vie, on pourrait dire de la Vie avec un grand V tellement Alain Guilbault (j'allais écrire, Gilbert Choquette) nous apparaît comme un moraliste assoiffé de révolte métaphysique et tourmenté par l'absolu; mais d'un absolu nullement sûr de soi, au contraire plein d'hésitations, d'échecs et de reculs. Aussi bien, comment un idéalisme aussi intransigeant, voire aussi désincarné, ne mènerait-il pas à ces contradictions insolubles ou l'on voit un héros de désintéressement se laisser entretenir par une actrice vieillissante, comme dans *L'Interrogation* on voyait la pureté et l'exigence de Charles Dumais le réduire à vivre dans la dépendance d'un ami qu'il avait peut-être le droit de mépriser? C'est que rien n'est jamais clos chez Gilbert Choquette: il s'agissait là d'une interrogation, ici d'un apprentissage. Apprentissage de l'âge adulte; efforts pour assumer la difficulté d'être, de croire et d'aimer; tentatives de vivre avec soi-même en accueillant le monde tel qu'il est et en lui conférant un sens.

NOTICE BIOGRAPHIQUE

Gilbert Choquette est né en 1929, à Montréal. Il a fait ses études au collège Stanislas de cette ville, puis à l'Université McGill où il fut admis au grade de licencié en droit. D'un séjour de trois ans à Paris, il a rapporté un doctorat en droit international privé. En 1954, renonçant à une carrière juridique, il entre à l'Office national du film où il compose durant plusieurs années de nombreux commentaires de films, dont quelques-uns obtiennent des prix internationaux, avant d'accéder au poste de producteur des adaptations françaises. Il quitte le fonctionnarisme en 1962 afin de consacrer plus de temps à son œuvre littéraire. Gilbert Choquette avait publié en 1958 les poèmes de Au loin l'espoir. *A partir de 1962 paraissent successivement* L'Interrogation, *roman,* L'Honneur de vivre, *poèmes, et* L'Apprentissage, *roman. Un troisième ouvrage romanesque,* La Défaillance, *paraît en 1969. Gilbert Choquette collabore à l'occasion à des journaux et à des revues.*

BIBLIOGRAPHIE

Oeuvres de Gilbert Choquette :

Au loin l'espoir, poèmes, Montréal, chez l'auteur, 1958.

L'Interrogation, roman, Montréal, Beauchemin, 1962.

L'Honneur de vivre, poèmes de l'âge amer, Montréal, Beauchemin, 1964.

L'Apprentissage, roman, Montréal, Beauchemin, 1966.

La Défaillance, roman (en préparation).

Études sur l'œuvre romanesque de Gilbert Choquette :

Ménard, Jean, « L'Interrogation », dans *Livres et auteurs canadiens,* Montréal, 1962-1963.

Major, André, « Une exigence d'amour et de lucidité », dans *Le Petit Journal,* 6 mai 1962.

A. Renaud et R. Robidoux, *Le Roman canadien-français au vingtième siècle,* Ottawa, Éditions de l'Université d'Ottawa, 1966.

Kushner, Éva, « L'Apprentissage », dans *Livres et auteurs canadiens, 1966,* Montréal, 1967.

Tremblay, Gisèle, « L'Apprentissage », dans *Études françaises,* novembre 1967.

XVI

PIERRE DE GRANDPRÉ
(né en 1920)

par Alain PONTAUT et Roger DUHAMEL

Pierre de Grandpré ne s'est pas d'abord imposé à l'attention en tant que romancier. On l'a surtout connu, jusqu'à une date récente, comme un critique très délié, dépassant volontiers les frontières de l'hexagone français pour aborder avec autant de lucidité que d'intuition les œuvres les plus significatives des littératures étrangères de notre temps. Il y apporte une technique fort souple qui lui permet de ne pas se confiner aux seules considérations littéraires, mais de situer les écrivains dans leur exacte géographie sociologique ou idéologique.

Est-ce un paradoxe que de voir ce critique tout à fait « vingtième siècle » prolonger son exploration d'essayiste dans une œuvre romanesque qui demeure fidèle aux objectifs et aux procédés traditionnels? Il est vrai que, comme critique, il ne lui paraît pas nécessairement constructif de voir une littérature qui a, somme toute, aussi peu et aussi imparfaitement parlé que la nôtre — qui n'a guère donné encore de romans structurés, foisonnants, profonds — affecter d'être à l'âge « d'une contestation blasée de la parole ». On perçoit chez lui le désir de ne brûler, en tout cas en ce qui le concerne, aucune étape, et de relever certains défis autres que ceux de la toute dernière mode.

Déjà, en 1948, à une époque revenue de tout et qui humait partout le remugle de la nausée existentialiste, il y avait quelque coquetterie de la part de ce journaliste, un certain courage aussi, à raconter, dans *Marie-Louise des champs* (1948), une histoire d'amour d'une grande fraîcheur, ne se soutenant que par la droiture d'un sentiment fort et sain.

Ce fut le mérite du romancier à ses débuts de rendre son récit tout à fait plausible, attachant, et même, parfois, d'émouvoir sincèrement. *Marie-Louise des champs* était un roman bien écrit, d'une langue souple, assez imagée, d'un tissu solide. Une écriture peut-être trop retenue, mais de bonne compagnie et bien adaptée à la peinture de sentiments analysés avec beaucoup de délicatesse. Pierre de Grandpré fouillait la psychologie de Marie-Louise et des autres personnages avec une grande sûreté tempérée par le respect des âmes. Il ne cherchait pas tant à juger qu'à comprendre. Le lecteur attentif pouvait observer avec quelle habileté il se débrouillait dans le dédale d'un jeune cœur féminin. Cette maîtrise était le fait d'un écrivain aimant la vie et les êtres, communiant à la poésie du monde.

Plus pour sa manière que pour sa matière, cette première tentative donnait le droit d'attendre de son auteur des œuvres de grande classe.

Pendant de longues années, Pierre de Grandpré a gardé un silence relatif, ne s'exprimant que par des articles où apparaissait une conception à la fois de la vie, de la chose littéraire et du Canada français, ainsi que le goût de confronter certaines valeurs ou réalités de notre pays a celles de l'étranger. Il a occupé la plus grande partie de cette période à poursuivre une haute aventure intellectuelle en Europe, et il nous a récemment offert, dans la maturité de son âge, un roman solidement étoffé où se retrouvent rassemblés et adroitement dramatisés les principaux thèmes de l'actuelle pensée canadienne-française.

La Patience des justes appartient, par sa forme, à la plus pure tradition classique; nous aurions tort, néanmoins, de nous laisser prendre à certaines apparences. Cette tranche de vie bourgeoise canadienne-française n'est pas du tout un roman bourgeois. Sous l'écriture lisse gronde une sourde révolte contre des schèmes révolus et des attitudes figées. C'est même plus que le conflit naturel des générations, c'est l'opposition violente de l'acceptation et du refus, c'est l'effort impatient d'une nouvelle race d'hommes pour briser son cocon. Tout cela se lit en filigrane, parce que Pierre de Grandpré est un écrivain trop élégant pour recourir aux invectives grossières et pour bousculer la syntaxe.

LA PATIENCE DES JUSTES (1966)

Ce roman est une fresque sociologique, mais cette fresque n'est si exacte que parce qu'elle ruisselle de cent existences et de cent vérités particulières. Le commentaire est fréquent, mais toujours adéquat. Il est d'un moraliste qui n'en demeure pas moins un authentique romancier. Cette analyse nette et claire, de la pensée la plus fine, souligne le cheminement indépendant de chacun des protagonistes en le liant, comme il l'est en fait, à l'ensemble social dont il fait partie; elle n'est qu'accompagnement d'existences spécifiques, orchestration feutrée d'un romanesque fourmillant.

On pourrait montrer par dix exemples à quel point la galerie des portraits, dans ce roman, est homogène, authentique, sans caricature, qu'elle ne plaide jamais mais qu'elle définit, selon ses lois propres, la vérité de créatures qui échappent à leur créateur mais n'en parviennent pas moins à fixer très précisément la vérité d'un moment et d'une société: Louis-Rodolphe Merrin, patriarche guindé, momifié par son auréole, Mme Merrin, attentive à polir les angles et à atténuer les frictions, Denis, leur fils aîné, chantre éhonté de la réussite matérielle, Lucile, la sœur mal mariée de Denis, d'Étienne et du jeune poète désespéré qu'est Fernand, singulière créature vouée à une volonté d'autodestruction où s'exaspèrent les coordonnées profondes d'une éducation empreinte d'absolu et de culpabilité; Étienne Merrin enfin qui, au retour d'un long séjour européen, s'efforce de retrouver « mille vérités emmêlées » et de participer aux combats d'un Québec en pleine évolution, autant de portraits en action, remarquablement cernés, dialogués et animés. Portraits de cette famille Merrin: père, mère et cinq enfants aux natures et aux voies si diverses, portraits aussi de Lina Portinari, l'étrangère, passionnée et lucide, du rédacteur en chef Henri Dallongues, arriviste implacable, type de « vilain » peut-être trop peu nuancé, des professeurs « désagrégés », des syndicalistes aux bases indécises, des ouvriers impulsifs et vite retournés, de l'oncle paysan, « patient » et chaleureux, des requins « de combats sous-marins, aux bruits étouffés et lugubres », « d'un certain nombre d'obsédés cupides que leur appétit géant avait hissés, de façon encore un peu occulte, au premier rang de cette société », de prêtres conservateurs ou novateurs, de jeunes nihilistes, de représentants d'un chauvinisme qui détruit la présence au monde ou d'une américanisation des mœurs et des méthodes qui débouche sur la désidentification, de témoins de la misère, enfin, au sein d'une société dite prospère.

Ainsi joue de toutes ses facettes une galerie familiale et québécoise qui se révèle à chaque instant d'une vérité et d'un art saisissants. Jeune avocat généreux, Étienne, à son retour, va-t-il rentrer dans le rang, profiter, sans rien y changer, des principes et de la puissance paternels? Ou bien, s'il les dénonce et les attaque de front en défendant un ouvrier, un vieux contremaître exemplaire, congédié par son père, injustement accusé de meurtre, sortira-t-il vainqueur de ce combat à double enjeu, qui intervient d'ailleurs vers la fin du roman comme un « suspense » admirablement agencé? Étienne en sortira vaincu, mais libéré — la raison du plus faible étant souvent la meilleure — de l'égoïsme de sa caste, de la médiocrité de sa puissante appartenance, délivré d'une honteuse solidarité, enrichi d'un amour vrai, d'une humanité neuve, découvrant son chemin qui est celui d'une patiente fierté et de la justice.

Cet itinéraire n'est ni optimiste, ni pessimiste. Il est objectif. Et il impose son mouvement — et les mille mouvements qui l'entourent — avec une lucidité, une richesse, une chaleur indéniables. L'entreprise romanesque a remarquablement délimité ici son objectif et l'a atteint avec une grande précision. Ces pages qu'aux premières lignes on croit analytiques, retiennent et captivent comme le plus passionnant des romans. C'est le tableau généreux et brillant d'une société à la fois lucidement explorée, richement décrite et profondément mise en question. Une œuvre noble et grave, de résonances profondes, qui a des chances de demeurer comme un témoignage et de faire date dans les lettres québécoises.

Cependant un critique, Jean Éthier-Blais, tout en relevant dans ce livre « la beauté formelle, mélancolique et haute du style », se demandait si une telle langue n'était pas trop soignée pour un récit québécois; il contestait, d'autre part, la vérité contemporaine des pages évoquant l'origine et les dernières attaches paysannes d'un jeune homme d'il y a dix ou quinze ans. Il n'en situait pas moins ainsi l'œuvre: « Comme, malgré ses failles, ce livre est puissant! Je ferai à Pierre de Grandpré le plus grand compliment dont je sois capable: il reprend notre monde là où l'abbé Groulx l'avait laissé. Il le reprend et le délivre; il le démasque ». Représentatives à cet égard apparaissent les lignes suivantes de *La Patience des justes:*

« Ce qu'il avait à affronter — Étienne, le héros du drame — c'était cette société rébarbative, tournant à l'aigre faute d'avoir jamais été révélée à elle-même, cette communauté jalouse, mesquine coupeuse de têtes, mégère inapaisable, tyrannique, perplexe, empêtrée dans l'écheveau de ses projets, trahissant et piétinant à chaque instant dans ses actes les valeurs qu'au même instant, dans son délire, elle reven-diquait. Société et peuple vraiment perdus comme on se perd quand on récuse ses propres absolus, quand un haut orgueil se tourne contre lui-même, collectivité qui reniait ses anciennes fiertés mais ne trouvait pas les voies nouvelles où s'engager. »

LE SUICIDE DE FERNAND

Voici comment Pierre de Grandpré décrit les Canadiens français: « Ils luttent dans la solitude, ne sachant s'ils ont tort ou raison, s'ils ne sont qu'un vestige ou la plus séduisante promesse. Écartelés, solitaires, nocturnes, poussant à hue et à dia, anachroniques et faibles, étonnamment têtus, on les voit languir dans leurs chemins absurdes. » « C'est le procès de cette absurdité, dit encore Jean Éthier-Blais, que l'on trouve dans *La Patience des justes*. Comme l'écrit Anne Hébert: « Qui donc m'a mené ici? » Nos maîtres et personne. Pierre de Grandpré, dans un livre qui est l'un des documents les plus importants qui aient jamais paru sur le Canada français, nous explique, par l'âme de ses personnages, pourquoi nous en sommes venus là. »

Louis-Rodolphe avait laissé sa femme en larmes, toute la famille réunie et confondue; il était accouru au logis de cette Ginette, que lui avait indiqué la police. Il voulait avant tout comprendre la raison d'un pareil geste de la part de son garçon. « Pourquoi? pourquoi? » Il harcelait la fille de cette question, à laquelle elle ne pouvait répondre. Il lui fallait des détails sur la dernière nuit, sur les dernières paroles de Fernand. Mais il s'impatientait de devoir trier dans un amas de propos décousus les seuls mots qu'il attendait.

Fernand avait passé la nuit dans ce cabaret où il revoyait souvent Ginette. Il savait quelle vie elle menait, qu'elle ne lui serait jamais rien, ni lui à elle, et cependant ils avaient du goût l'un pour l'autre. Il l'avait aidée et elle, souvent, lorsqu'il « filait un mauvais coton », lorsqu'il s'enivrait, elle le protégeait... Hier, il n'était pas tenable. Il avait déliré deux longues heures sous l'effet de l'alcool. Il répétait tout le temps: « Les salauds! les salauds! Ils ont eu mon père, ils ne m'auront pas... J'ai du respect pour mon père. C'est un homme que je respecte. Les salauds! J'ai le moyen de leur échapper. Je suis libre. »

Ginette l'avait rejoint au milieu de la piste de danse: « Tu as assez bu, Fernand Merrin! Assez fait le clown! » Elle lui avait saisi le bras, retiré son verre. C'était si humiliant de le voir, avec ses lèvres qui tremblaient, ses basques trempées de whisky, cependant que tous les danseurs, revenus à leurs tables, faisaient silence et souriaient sans bienveillance... A la fin, c'en avait été trop pour elle. Les nerfs avaient cédé. Cette voix rauque qu'il avait, ces yeux rape-tissés, ce beau visage congestionné lui avaient paru méconnaissables: elle l'avait giflé, n'en pouvant plus de honte et de terreur à le voir se détruire ainsi. Mais au lieu de lui rendre son soufflet, comme elle avait cru qu'il ferait, il avait pris entre les siennes la main qui l'avait frappé et il l'avait portée à ses lèvres.

Puis, la regardant longuement, d'un regard que jamais plus elle n'oublierait, il lui avait dit : « Voilà que tu te mets pour de bon à m'aimer, à présent, pauvre Ginette !... Ce n'est plus la peine, et il faudra, toi, me pardonner... »

De ce récit, M. Merrin détachait quelques précisions par lesquelles il se sentait hypnotisé. Ainsi, son fils avait parlé de lui dans son ivresse. Il avait lutté jusqu'à ses dernières forces pour lui garder son respect: l'affligeante pensée !... Et l'image des yeux rétrécis de Fernand, qu'il connaissait trop bien, l'obsédait. N'était-ce pas de ces yeux-là que cet enfant perdu l'avait dévisagé, et comme défié, tout le long du procès ?... Fernand était bien, d'entre ses fils, le plus profond, le plus lucide dans ses déséquilibres. On ne lui passait rien, il ne savait rien pardonner. Et c'était en définitive avec lui seul, Louis-Rodolphe Merrin, qu'il avait toujours eu affaire, avec lui qu'il avait un compte très ancien à régler. Il y avait eu depuis toujours entre eux un inentamable composé d'amour et de haine. Sa mort seule avait fait éclater cet amalgame. Elle n'avait laissé que l'amour. Pitoyable et en même temps cruel — oh ! combien cruel — justicier: sa sentence, inhumaine, avait été de se donner la mort. Son fils que tout rebutait, qui n'avait su que faire de son existence et que personne n'avait aidé, c'était donc cela le grand œuvre qu'il avait mûri pendant toutes ces années et conduit à bonne fin : sa propre disparition, sans même un adieu !

NOTICE BIOGRAPHIQUE

Né en 1920 à Montréal, Pierre de Grandpré a passé sa petite enfance à Windsor où son père, avocat, s'était installé pour fonder une école et un journal afin d'y entreprendre la défense de la minorité canadienne-française ontarienne. Après avoir étudié aux collèges Brébeuf et Sainte-Marie, puis aux Sciences sociales de l'Université de Montréal, Pierre de Grandpré fit du journalisme au Ca-nada et à La Presse avant d'entrer au Devoir dont il fut le correspondant parisien pendant de nombreuses années, tout en parachevant ses études supérieures à la Sorbonne. Il revint au pays pour diriger les pages littéraires et artistiques du Devoir, de 1955 à 1958. Ce fut le début d'une activité critique dont il a recueilli l'essentiel, pour ce qui touche à la littérature canadienne, dans Dix ans de vie littéraire au Canada français, œuvre primée aux concours littéraires du Québec en 1966. Il a aussi animé de Paris de nombreuses émissions avec des écrivains français et étrangers pour la société Radio-Canada. Il est aujourd'hui directeur général des Arts et des Lettres au ministère des Affaires culturelles du Québec et membre du Conseil provincial des Arts.

BIBLIOGRAPHIE

L'œuvre romanesque de Pierre de Grandpré :

> *Marie-Louise des champs*, Montréal, Fides, 1948; rééd., revue et corrigée dans la collection « Alouette bleue », Montréal, Fides, 1959.

> *La Patience des justes*, Montréal, Cercle du Livre de France, 1966; rééd. scolaire, Éd. du Renouveau pédagogique, 1969 (présentation de J.-Pierre Lapointe).

Études sur Pierre de Grandpré :

> Duhamel, Roger, « Marie-Louise des champs », *Montréal-Matin*, 29 septembre 1948.

> Bertrand, Théophile, « Marie-Louise des champs », *Lectures*, janvier 1949.

> Pontaut, Alain, « Étienne ou la raison du plus faible », *La Presse*, 24 sept. 1966.

> Lockquell, Clément, « La Patience des justes », *Le Soleil*, 24 septembre 1966.

> Éthier-Blais, Jean, « La Patience des justes », *Le Devoir*, 29 octobre 1966.

> Duhamel, Roger, « Un roman qui a des chances de durer », *Photo-Journal*, 9-16 novembre 1966,

> Irwin, Joan, "Pierre de Grandpré's Moving Quebec Novel", *The Montreal Star*, 26 novembre 1966.

> Biron, Hervé, « La Patience des justes », dans *Culture*, vol. 28, no 3, septembre 1967, pp. 325-326.

XVII

« PARTI PRIS » ET LE ROMAN DE REVENDICATION SOCIALE

par Alain PONTAUT

« J'avais quelqu'un à tuer pour vivre demain. Je vivais en un état primitif, en marche vers la conscience. Puis les robots ont fait front. Non... ils étaient là de tout temps, bien avant le néant. Je les distinguais à l'horizon dans leur marche de poussière. C'était mon pays en assaut vers moi, enfant nouveau dans ce monde de ferraille... » A pays et enfant nouveaux, littérature nouvelle. On trouve ces lignes symboliques dans le roman de Laurent Girouard, *La Ville inhumaine,* qui marqua à plus d'un titre, en 1964, la naissance des Éditions Parti pris.

Un peu apocalyptique, et en même temps conscient de ses lacunes, qui sont celles de sa société, plus ou moins rimbaldien dans sa façon provocante d'explorer, au-delà de « notre bordel national », « l'éternel éblouissement de l'harmonie cosmique », le roman de Girouard fait écrire à la critique québécoise, à celle du moins qui en fait état, qu'« il roule une sorte de génie à l'état brut, d'ailleurs absolument insortable, pas du tout montrable, un monstre à usage domestique ». Mais aussi bien c'était à l'intérieur de la maison qu'il entendait frapper. Fondée en octobre 1963, la revue *Parti pris*, bientôt prolongée et approfondie par les éditions du même nom, s'était en effet fixée pour tâche l'étude théorique de la révolution à opérer pour parvenir à « la formation d'un État du Québec, État libre, socialiste et laïque ».

Cette révolution, les gens de *Parti pris* s'efforcèrent donc aussi de la promouvoir sur le plan littéraire: par l'illustration romanesque et quotidienne de la revendication sociale et nationale, c'est-à-dire par une totale remise en question de la pensée et de la littérature traditionnelles du Québec. Et sans doute pouvaient-ils, d'une certaine façon, relier leur entreprise à celles de quelques prédécesseurs, — de tons, il est vrai, fort différents: la dénonciation transposée des romans d'André Langevin, la vigoureuse et fruste protestation du *Feu dans l'amiante* ou du plus récent *Journal d'un hobo* de JEAN-JULES RICHARD [1], la fresque émouvante de PIERRE GÉLINAS, *Les Vivants, les morts et les autres*. Pourtant le ton, les thèmes, la langue de Girouard, aussi bien que de Claude Jasmin dans ses meilleurs romans, des nouvelles de Gérald Godin, des récits de Jacques Renaud et de son roman, *Le Cassé*, du *Cabochon* d'André Major, opéraient avec le passé une rupture radicale.

Car il s'agissait, pour ces très jeunes écrivains débordant de fureur et de violence parce que dépossédés, de décrire, à travers des personnages issus du milieu le plus défavorisé, la réalité de l'aliénation québécoise aux plans économique, linguistique et national, d'en faire éclater la démonstration comme une bombe, dans sa hideur et dans son dénuement; de s'armer d'une commune indignation, du mépris radical de ceux qui les avaient précédés; de fondre, si l'on préfère, en une synthèse régénératrice, les éléments socio-politiques que Buies, Nevers et même Tardivel auraient pu tendre à Jacques Berque et à Franz Fannon.

---

1. Seuls ses graves défauts de style nous ont empêché de donner à ce romancier la place de premier plan à laquelle lui eussent donné droit la matière et la densité de son œuvre romanesque — P. de G

Aux intellectuels de *Parti pris,* dont la réflexion sans doute débouchait sur une théorie de la révolution, se posait le problème épineux de l'engagement et de la littérature. La revue *Liberté* avait consacré un numéro spécial à ce débat et, à *Parti pris,* il y avait un fossé visible entre littéraires et idéologues de l'action. Certains avaient vécu, d'autres lu et appris. Ainsi Paul Chamberland, poète engagé, lorgnait-il pourtant avec un peu d'envie du côté de la dépolitisation proclamée d'un Claude Péloquin.

C'est au niveau de la langue, où les obstacles apparaissaient pourtant les plus nombreux, que ces romanciers-dénonciateurs manifestèrent l'audace la plus grande. Car ils prirent le parti le plus dangereux, selon eux le plus nécessaire. En « joualisant » leurs œuvres, ils les vouaient à l'indignation des puristes et se vouaient eux-mêmes à une audience limitée. Devant la rédemption à opérer du langage du peuple, langage, selon Vigneault, non « châtié » certes mais « puni », devant cette langue rocailleuse, anglicisée, abâtardie, trop exact miroir de l'abaissement communautaire, la justification littéraire de ces écrivains-témoins était dialectique: ils écrivaient avec l'espoir premier qu'il suffirait de décrire la situation pour la faire changer. Pour eux, l'élite québécoise, qui très fort méprisait le « joual », se gardait bien de rechercher les vraies raisons de cette plaie sociale, de dénoncer l'aliénation qu'elle prouvait pourtant à l'évidence; elle agissait, selon les termes de Gérald Godin, de la même façon que les Américains, établissant le blocus de Cuba et disant ensuite que le gouvernement cubain se montrait incapable de nourrir le peuple.

Que son objectif fût ou non fondé, cette littérature ne pratiquait donc pas le « joual » par goût, par amusement, par attirance vers le bas, mais par « terrorisme ». Elle ne prétendait pas y voir la possibilité d'un véhicule littéraire valable, mais le moyen d'un exorcisme par la reproduction et par la dérision; elle y produisait la preuve, jusque dans l'œuvre, d'un état avancé d'anémie de la langue, précédant sa disparition que les notables, confinés dans leur colonialisme et généralement dans la stérilité de leur pensée politique, préféraient se dissimuler.

On dira que ces écrivains de *Parti pris* répondaient davantage à un sentiment d'urgence qu'à la promotion d'une esthétique romanesque élaborée. En fait, ils apparaissent encore fréquemment écartelés entre l'engagement sous la forme doctrinale et le traitement d'une pure matière romanesque, entre la langue informe et la nécessité de l'expression (à laquelle vient de se plier Major dans *Le*

Vent du diable). Leurs œuvres sont inégales, à quelques exceptions près, à l'exception en premier lieu de ce roman-pamphlet chaotique et fascinant qu'est *La Ville inhumaine*. Mais elles eurent une réelle répercussion, au Québec, où elles trouvèrent assez bien leur public, en particulier *Le Cassé* de Jacques Renaud et *La Chair de poule,* le recueil de nouvelles d'André Major; et aussi à Paris, et en quelques autres lieux du monde où elles contribuèrent à attirer l'attention d'un certain nombre de critiques littéraires, pour la première fois avertis de l'état de révolte larvée d'une certaine jeunesse québécoise en quête de libération.

LA VILLE INHUMAINE

(Laurent Girouard)

Mesquineries. Et c'est ce que j'ai trouvé de mieux en fait de valeur humaine. Deux bougres d'idiots. Ils sont tous comme ça. Hommes ridicules ! Cercle vicieux. Ils ne peuvent que s'agiter autour de leur pieu. Combien d'heures ai-je gâchées avec de telles cervelles vides ? Milieu inconscient. Pays désaxé. Je vis dans un milieu pathologique. Tu n'as pas été voter ? Mon œil, le parlement. Et encore quelques jours et encore quelques semaines de ma vie ridicule parmi eux. Je remercie Dieu de ne pas être sociologue ou instituteur. Je ne prends conscience de la nullité de mon pays que par ricochet.

Je n'aurais jamais dû sortir de ma condition de brute. Les brutes ont toujours eu l'avantage d'être inconscientes. Qu'est-ce que j'ai à foutre dans cette patrie-fantôme ? Tout un chacun s'est torturé l'imagination pour déceler les dominantes de notre culture. Eh ! oui. Une question de foi. Ils y croient. Moi pas. Une culture nourrit son homme... On en vit. Transfusion. Notre culture à nous pompe notre sang... Une cloche où l'on fait le vide.

...je suis rond. Pourquoi l'imbécillité de Thério et de Marchand m'amène-t-elle une fois de plus à mes vitupérations nationales... Je suis pourri par hallucinations... Je n'en sors pas.

Croire en l'avenir ? Je n'y serai pas et... mon fils... Ne sois pas ridicule. Tu sermonnes. Notre mission ? Collectivement, vers la déchéance. Non ? Il faut tout dire. Cracher tout, arracher les voiles, les mensonges ! ! ! Il faut tout raconter. Après nous ferons un feu de camp.

Et ce que tu disais à François dans ta dernière lettre, que tu aurais tellement voulu y croire... Imprégné de tant d'années de vie lourde de souvenirs, une vase se dépose lentement, tout au fond. Je me vois, je vous vois tous, recouverts d'une purée glaireuse. J'ai honte et je me révolte que nous vivions à la face du monde.

La mesquinerie est notre dénominateur commun. Nos artistes, penseurs, dirigeants, jonglent avec leurs illusions. Et ceux qui se sont échappés du marais ne nous appartiennent plus. Ils sont étrangers parmi nous. L'insouciance, eh ! oui ... et la malhonnêteté.

Jévékuchéunpeupldeunukkisevantèdavouarlèpluglorieuzkouilldumond.

LA CHAIR DE POULE

(André Major)

Je flânais dans le carré St-Louis, et ça sentait bon ces feuilles qui brûlaient lentement sur le sol. On a beau dire, la vie nous tient dans son charme. Et la mort, la pensée inutile de la mort, on la refoule bien loin au fond des temps. Tant qu'il y aura toutes ces douceurs... J'ai le sommeil court, et tous les matins, tôt levé, c'était comme une résurrection, pas celle de l'Histoire Sainte, non, la mienne. Je me levais avec le jour et me payais une bonne marche dans la ville. Ceux que je croisais, eux, n'avaient pas l'air de rêver, ils couraient gagner leur croûte, gaspiller leur automne dans les usines mangeuses d'âmes. Moi, côté argent, ça allait sur des roulettes, grâce à un bon coup que j'avais fait, cinq cents piasses pour un récit, une histoire d'amour qui se passait au début de l'hiver. Je pouvais vivre comme un pacha, sans trop me soucier du lendemain, délivré pour un temps de l'absurde obligation de me vendre à rabais au premier Chien qui accepte de me faire participer à son entreprise. Vivre comme un pacha, c'est vite dit, puisque mes dépenses étaient réduites à celles du gîte et du couvert. Vivre comme un pacha, ça veut dire, dans ma pensée, avoir le temps de son côté, en disposer à son gré, le partager avec qui l'on veut et quand l'on veut et comment l'on veut. Mon idée de la liberté. Disposer de soi, user de soi comme on l'entend. Cette expérience vous dégoûte à jamais du travail forcé, du travail qui vous brise; et elle m'a enseigné qu'un travail qu'on n'aime pas vous rend semblable à la bête. Je fais de la morale, je le sais, mais ce n'est pas mauvais quand ça nous donne l'impression de dominer notre destin. La morale, entre vous et moi, c'est un truc commode : changer le sens de la vie, lui en donner un qui nous convienne le plus parfaitement. Pensez à Camus qui voulait étreindre le Bonheur. Il a essayé de se convaincre qu'on le trouvait, le Bonheur, entre les jambes d'une femme. Une idée qui l'aidait à vivre, je suppose. C'était peut-être une bonne recette pour lui, mais beaucoup ne la jugent efficace que durant quelques minutes. Ensuite ? Faut trouver autre chose; alors notre homme se cherche un autre sens à l'existence, il se prend pour Sisyphe. Ça dépend du tempérament de chacun. Moi, je suis plutôt du genre instable, toujours à me contredire. La seule vérité que je possède, c'est précisément celle de n'en posséder aucune. Comme certitude morale, guère rassurant, je suis le premier à en convenir. Donc, ne pas s'attendre à des jugements définitifs de ma part, ne pas se surprendre si je parle comme je sens, sous l'impulsion du moment comme dit Minou. En art, je serais plutôt impressionniste...

LE CASSÉ

(Jacques Renaud)

Cette chambre lui a coûté cinq piasses.

Une chambre ?

C'est plutôt une espèce de grand placard...

Aucun drap sur le lit. Aucune couverture non plus. La literie n'est pas fournie. Le matelas taché de grandes flaques brunes et jaunâtres. Des trous de cigarettes dans cette chair bleu-déteint. Une coquerelle sort de l'un des trous comme une grosse bébite d'un trou de balle dans le ventre luisant d'un chien abattu. Lourde et saoule coquerelle. Repue. Le matelas : un cadavre.

Il n'y a pas un concierge à Montréal qui va se fendre le cul en quatre pour fournir une chambre à cinq piasses. Ti-Jean le sait bien. Les cassés sont trop sales pour des draps blancs.

La fenêtre : une porte-persienne à deux battants qui donne sur un balcon. Le balcon donne sur l'avenue du Parc ou bien sur le cimetière si on saute à pieds joints dessus car le bois de ce balcon de troisième étage est pourri.

A gauche du balcon, le mur d'un bloc d'appartements cache le viaduc vert, la traverse des rails du C.N.R. et plus au nord, la rue Jean-Talon : des phares sans cœur, des pneus qui font un bruit de langue sur l'asphalte, un son de bouche mouillée ininterrompu, des autos reluisantes à cause de la bruine, des autobus, des feux rouges, des klaxons et des hommes. Un pan de mur à gauche. Un pan de mur à droite aussi. Celui-là c'est le sud de la ville qu'il cache. Vers la rue Beaubien, la rue Mont-Royal, la rue Sherbrooke, Ontario, la Catherine, la Craig, le port, la partance, le goût parfois obsédant de tout crisser ça là pis d'partir. Disparaître. Le pont Jacques-Cartier. La campagne. Québec. Les filles. Et plus loin encore, plus loin, jusqu'à Percé. Les Gaspésiennes et l'air du large qui vous enveloppe la nuit, qui vous lâche pas, les Gaspésiennes ont la peau la plus douce en Amérique du Nord. Faire le tour de la mâchoire d'âne, passer par Matapédia, le pont Jacques-Cartier, la Catherine, l'avenue du Parc, le balcon, Ti-Jean rentre dans la chambre, la peur l'a agrippé aux épaules et tiré par en-arrière, le balcon a craqué. Il pleut.

BIBLIOGRAPHIE

Éthier-Blais, Jean, « Les roses de la vie : Le Cabochon, Le Cassé », dans Signets II, Montréal, Cercle du Livre de France, 1967, pp. 237-245.

Grandpré, Pierre de, « Notre génération "beat": Girouard-Fournier-Jasmin », dans Dix ans de vie littéraire au Canada français, Montréal, Beauchemin, 1966, pp. 184-195.

Major, Jean-Louis, « La Ville inhumaine, de Laurent Girouard », dans Livres et auteurs canadiens, 1964, 1965, pp. 36-37.

Bosco, Monique, « Document : le roman d'une libération », dans Le Magazine Maclean, mai 1964.

Vachon, Georges-André, « Nouvelle prose », dans Relations, juin 1964.

Girouard, Laurent, « En lisant : Le Cassé », dans Parti pris, décembre 1964.

Bergeron, Léandre, « Le Cassé, de Jacques Renaud », dans Livres et auteurs canadiens, 1964, avril 1965, pp. 35-36 : « Le Cabochon, d'André Major », dans Livres et auteurs canadiens, 1964, avril 1965, pp. 27-28.

Major, Jean-Louis, « La Chair de poule, d'André Major », dans Livres et auteurs canadiens, 1965, avril 1966, pp. 44-46.

XVIII

LE ROMAN FÉMININ

par Alain PONTAUT

Durant les vingt dernières années, le roman féminin a fait preuve, au Canada français, d'une particulière vitalité. Outre les œuvres étudiées ailleurs et en quelque sorte déjà classiques, il importe de faire place à des auteurs et à des ouvrages qui ont fait mieux, quelquefois, qu'apporter la promesse de floraisons futures.

Ainsi peut-on mentionner, au crédit des vingt dernières années, le roman d'ADRIENNE CHOQUETTE, *Laure Clouet* (1961), où l'auteur de *La Coupe vide* (1948), de vivantes *Confidences d'écrivains canadiens-français* (1939) et des nouvelles de *La Nuit ne dort pas* (1954), s'efforce de scruter, à l'aide d'instruments quelquefois un peu surannés, un monde psychologique assez intime et, surtout, inexploré.

HAUTE-VILLE BOURGEOISE

Dans un style d'une simplicité et d'une rigueur exemplaires, *Laure Clouet* apportait à nos lettres, par touches discrètes, la première transposition romanesque remarquable d'une matière qui eût dû tenter nombre d'écrivains: le tableau de la *haute-ville* de Québec.

Le dimanche, parfois, des jeunes gens montaient encore se promener rue Saint-Jean. De là, ils s'aventuraient jusqu'à la terrasse Dufferin, mais ils n'allaient plus aux Plaines et tôt rentraient dans leurs quartiers, déconcertés par l'indifférence de leurs flirts d'été. Peu à peu, les classes sociales reprenaient position. Cela se faisait sans heurts, comme d'un accord tacite : Saint-Roch en bas, Grande-Allée en haut, et jamais si nettement qu'à l'automne les portes de la ville n'assignaient aux habitants leurs limites respectives...

La vieille maison aux assises encore solides se renfrognerait bientôt sous la pluie de novembre fouettant ses pierres. A l'intérieur, Marie-Laure poursuivrait ses soirées de reprisage pour l'ouvroir de la paroisse. Elle ne lèverait pas les yeux, mais peut-être n'entendait-elle pas la pluie siffler ? Il semblait que nulle rumeur extérieure jamais n'aurait pu troubler le rythme de cette maison, aussi immuablement ordonnée que ses horloges à carillon. Semblable à quelque fort, la demeure de la Grande-Allée se moquait des intempéries depuis soixante ans. On y entrait comme dans un tombeau orné. La première surprise passée, une singulière impression de ne plus participer à la vie du siècle s'insinuait dans l'âme.

L'effort psychologique de FRANÇOISE LORANGER, dans son roman *Mathieu* (1949), apparaît, au début de cette période, plus probant encore. L'itinéraire de ce jeune mal-aimé québécois, orgueilleusement enfermé dans sa détresse déguisée en cynisme, s'éclaire fréquemment de vrais accents de désespoir et de révolte.

──────────── LA RÉVOLTE ────────────

> Dans *Mathieu*, roman dont l'insuccès fut injuste, Françoise Loranger, deve-
> nue l'auteur dramatique que l'on sait, utilise une prose incisive, aiguë, déjà par
> endroits dialoguée, qui sait aller de façon convaincante à l'essentiel d'un drame
> à la fois collectif et particulier.

L'enfer aujourd'hui habite en moi. Un feu tellement violent me consume
que mon corps devrait se dissoudre en fumée. Je n'ai rien à attendre de personne
que la pitié, cette pitié même que je hais. Aucune inquiétude d'ailleurs; je me
suis forgé contre elle un tel rempart d'ironie que personne n'osera jamais le
franchir. Non ! Personne jamais n'a songé à me plaindre ! Tous ceux qui me
connaissent s'accordent à me trouver cynique. Hélas ! encore hélas ! pourquoi
se trompent-ils ? S'ils savaient qu'un mot seulement, prononcé d'une certaine
manière, suffirait à me faire éclater en sanglots ! ...

En 1950, CHARLOTTE SAVARY, spécialiste du roman-fleuve
historique et télévisé, publiait *Isabelle de Frêneuse,* son premier roman, suivi dès 1951 de *Et la lumière fut,* relation des difficultés sen-
timentales d'un avocat vieux garçon.   Dix ans plus tard, ce sera *Le
Député,* bâti sur le thème d'un représentant canadien-français à Ottawa qui, poussé par le clergé, entend restituer au fédéral le domaine
québécois de l'éducation!   Les allégories de Charlotte Savary, qui se
ressent de la nécessité constante où s'est trouvé cet écrivain de « faire
plaisir à plus de 500,000 auditeurs à la fois », oscillent, avec un don
de vie estimable, entre ces deux grands thèmes que sont la politique
et la condition de la femme.

Oeuvres mineures, mais diversement éclairantes, que celles de
GENEVIÈVE DE LA TOUR FONDUE (*Monsieur Bigras,* 1944),
ou de YOLANDE CHÊNÉ (*Au seuil de l'enfer,* 1961, *Peur et amour,*
1965), de PAULE SAINT-ONGE (*Ce qu'il faut de regrets,* 1961), ou
de CLAIRE MONDAT (*Poupée,* 1963), de MINOU PETROWSKI
(*Le Passage,* 1966), ou d'ANNE BERNARD (*Cancer,* 1967), de JAC-
QUELINE DUPUY (*Dure est ma joie,* 1962) ou de SUZANNE PA-
RADIS (*Les Hauts Cris,* 1960; *Il ne faut pas sauver les hommes,* 1961),
celle-ci plus à l'aise en poésie ou bien dans les portraits critiques de
Femme fictive, femme réelle, essai sur le personnage féminin dans le
roman, féminin également, du Canada français.

ANDRÉE MAILLET s'est affirmée dans ses nouvelles et dans
ses romans (*Le Lendemain n'est pas sans amour,* 1964, *Les Montréalais,* 1963, *Les Remparts de Québec,* 1965, *Les Nouvelles montréalai-
ses,* 1966), comme un écrivain plein d'ironie, de fantaisie et de perspi-
cacité.

Plus reporter que romancière, ALICE POZNANSKA-PARI-ZEAU sait esquisser dans *Fuir* (1963), *Survivre* (1964), *Rue Sherbrooke ouest* (1966) des mondes imaginaires que l'abondance et la facilité, la vivacité de sa plume ne parviennent cependant pas tout à fait à ancrer dans la vraisemblance et la densité. MONIQUE BOSCO n'a pas retrouvé, dans *Les Infusoires* (1965) — « quatre beaux imbéciles », employés de bureau canadiens, en voyage à Venise — la force d'évocation de son premier roman, partiellement autobiographique, *Un amour maladroit* (1961), récit de l'existence d'une jeune Juive française au temps de l'occupation et de son arrivée au Canada.

D'une fraîcheur de ton, d'une grâce juvénile qui lui valurent en 1957 les plus grands éloges de la critique parisienne, *Les Enfants qui s'aiment* de CLAIRE FRANCE furent suivis, avec moins de bonheur, de *Et le septième jour,* et, en 1962, d'un roman volumineux, petite fresque familiale située au Lac Saint-Jean durant la seconde guerre mondiale: *Autour de toi, Tristan.* Débuts brillants, suivis d'une un peu longue éclipse.

Situé dans une Gaspésie réaliste, émotive et brutale, le roman, très structuré, de HÉLÈNE OUVRARD, *Le Cœur sauvage* (1967), marque un progrès considérable par rapport à un ouvrage précédent, *La Fleur de peau;* pour la sincérité de son ton et la qualité de son analyse morale, il mériterait d'être rapproché de *Une saison dans la vie d'Emmanuel.* *L'Itinéraire* (1966), premier roman de SIMONE LANDRY-GUILLET, relate avec sincérité et talent l'évolution d'une jeune Québécoise en quête d'exigence, en mal d'identité psychologique et nationale.

Romancière à succès du *Temps des jeux* (1961), peinture aiguë de la haine que voue une fille à sa mère, DIANE GIGUÈRE fut affublée à un certain moment — comme, périodiquement, quelques-unes de ses consœurs — du titre de « Françoise Sagan canadienne ».

UN NOUVEAU MAL DU SIÈCLE

Diane Giguère poursuit dans *L'Eau est profonde* (1965) la recherche écorchée et lucide de son âme et de son destin à travers l'expérience amère d'une jeunesse à la fois confortable et désertique.

Mon âme demeurerait toujours une énigme irrésolue. J'en avais jeté la clé à la mer et elle reposait dans des profondeurs abyssales où je ne pourrais jamais descendre... J'aurais voulu être pur esprit, à l'abri de toute souffrance, pur esprit dépeçant minutieusement ce cadavre que semblait être ma vie! Mais la passion de nouveau me submergeait et je devenais presque folle à l'idée que quelque chose en moi pourrissait, irrémédiablement...

Après le constat un peu flou d'une recherche similaire dans *Dis-moi que je vis* (1964), MICHÈLE MAILHOT, enfin, publie *Le Portique* (1967), où Josée, fille d'une famille bourgeoise plutôt hostile à son dessein de prendre le voile, nous conte par le menu les incidents psychologiques d'une vie de foi brûlante, mais aussi de sa jeunesse fougueuse, en contact avec la sainte, silencieuse et désidentifiante monotonie de l'existence du cloître. Émotion à fleur de peau, jetée sur l'âme et sur le papier. Émotion habilement distanciée, comme en cette page remarquable où une religieuse d'une cinquantaine d'années, considérée jusque-là par la narratrice comme statue de marbre en ce « musée stoïque », s'écroule soudain, vaincue par les larmes, au milieu de ses compagnes stratifiées et néanmoins troublées par cet écart intempestif. *Le Portique,* austère et frémissant, de Michèle Mailhot est un document psychologique d'une grande acuité et, fréquemment, un ouvrage littéraire d'une belle tenue.

C'est, cependant, au niveau de la langue que ces ouvrages manifestent, en général, la plus grande faiblesse: expression incertaine, recherchée, manque de science de la phrase et du rythme, laxités grammaticales ou fautes de français, souvent accompagnées, comme chez les écrivains de *Parti pris,* d'une conscience avouée de l'aliénation de cette langue et de la douloureuse pression du bilinguisme.

On observe également que bon nombre de ces nouvelles romancières confondent un peu trop souvent les délices sans invention du journal intime avec la création ou la transposition romanesques. Elles se racontent plutôt qu'elles ne racontent, et se rencontrent donc fréquemment dans l'évocation de décors qui furent ceux de leur adolescence. Elles se réjoignent aussi dans le traitement d'un thème majeur: le passage, des tabous les plus lourds et les plus prolongés, à l'essai d'intégration au monde moderne, mais ce monde reste pour elles à assumer, sur le plan psychologique aussi bien que littéraire, dans ses plus redoutables contradictions.

BIBLIOGRAPHIE

Paradis, Suzanne, *Femme fictive, femme réelle,* Québec, Garneau, 1966.

Cloutier, Cécile, « L'homme dans les romans écrits par des femmes », dans *Incidences,* avril, 1964.

Martin, Claire, « L'homme dans le roman canadien-français », dans *Incidences,* avril, 1964.

Saint-Onge, Paule, « Les hommes d'ici », dans *Incidences,* avril, 1964.

Vachon, Georges-André, « Un roman actuel trop enfoncé dans l'Ancien Testament ? », dans *Le Devoir,* 7 novembre, 1964.

Sainte-Marie Éleuthère, Sœur, *La Mère dans le roman canadien-français,* Québec, Presses de l'Université Laval, 1964.

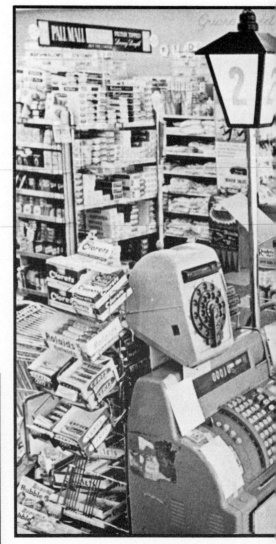

Laurent GIROUARD

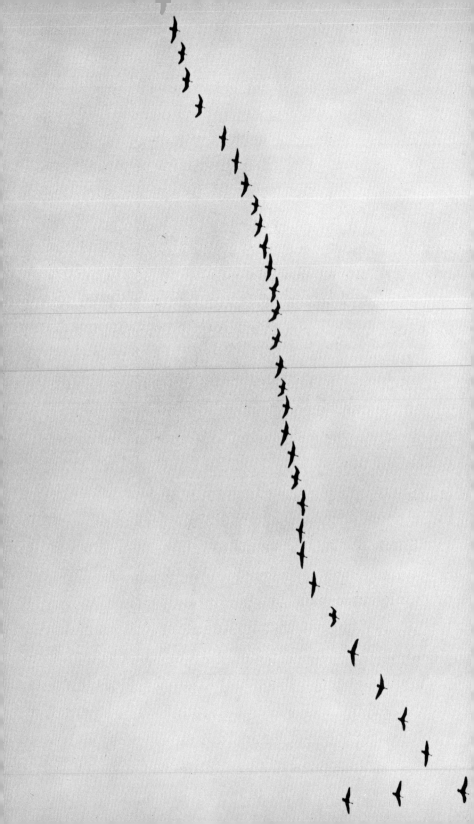

Chapitre III

ROMANS-POÈMES, ROMANS-SYMBOLES
« NOUVEAU ROMAN »

par Jean-Louis MAJOR
avec la participation de Pierre de GRANDPRÉ

Depuis 1960 environ, le roman semble, plus qu'auparavant, conscient de lui-même. On ne saurait dire de façon exacte par quoi ni comment cela a débuté. Ce serait d'autant plus difficile à établir qu'aucune œuvre particulière, aucun manifeste ne marquent le point de conversion. En réalité, il n'y a pas de commencement absolu, mais une transformation qui se prépare depuis longtemps et qui se manifeste surtout depuis dix ans, en s'accomplissant d'œuvre en œuvre.

VUE D'ENSEMBLE SUR LE ROMAN
DES DIX DERNIÈRES ANNÉES

A propos de cette prise de conscience, on a évidemment parlé de l'influence du « nouveau roman ». Mais il demeure à peu près impossible d'établir une correspondance qui soit vraiment significative. D'abord, comment caractériser dans leur ensemble ces formes si diverses que l'on tente de désigner par l'expression « nouveau roman »? D'autre part, lorsqu'on ne s'en tient pas aux impressions mais qu'on essaie de comparer des œuvres précises, on se rend compte que les points de rencontre se dissolvent, que tous les repères nous échappent. On peut croire cependant que l'actuel climat de réflexion sur la forme romanesque, de même que la très grande liberté de facture que le « nouveau roman » français, entre autres, a suscités et mis en relief, ont pu favoriser ici l'éclosion d'œuvres authentiquement personnelles et autonomes. D'ailleurs, chaque œuvre réussie se définit au-delà de ses antécédents: elle se situe à une irréversible distance à leur égard. Elle s'inscrit sans doute dans une continuité littéraire et s'enracine dans un destin collectif mais, en même temps, elle assume les éléments de son univers pour les rendre uniques.

Le problème des influences, qui peut d'abord apparaître comme un exercice très spécialisé de la critique, devient important dans une littérature comme la nôtre, certainement encore sous-développée par rapport à la littérature de la France. Or, on constate, à ce propos, que les romanciers tiennent à affirmer de plus en plus leur autonomie. On en peut voir un signe dans le refus qu'opposent plusieurs d'entre eux — Godbout, Benoît, Basile — à l'étiquette « nouveau roman » accolée à leurs œuvres. On le voit encore dans la façon dont se définissent certains écrivains par rapport à l'institution littéraire. Qu'ils s'installent résolument dans la « québécité », qu'ils publient en France mais en se situant dans une « francité » qui suppose l'égalité entre les littératures de langue française (voir l'avant-propos de Jacques Godbout à *Le Couteau sur la table*) ou, plus simplement encore, qu'ils écrivent sans, apparemment, aborder le problème de l'autonomie littéraire et culturelle, les romanciers participent de façon originale à la réalité libre et vivante que devient la littérature québécoise.

Dans l'ordre qualitatif aussi bien que quantitativement, le roman a atteint un niveau à peu près constant depuis quelques années. Des œuvres comme *Prochain épisode, Quelqu'un pour m'écouter, L'Incubation, Une saison dans la vie d'Emmanuel* peuvent soutenir la comparaison avec ce qui se fait ailleurs, mais surtout elles manifestent une signification et une nécessité qui n'ont rien à voir, elles, avec quelque forme que ce soit d'imitation. Le reste n'est que problème de diffusion, de commerce et d'édition. Il importe d'abord que les œuvres d'aujourd'hui existent par elles-mêmes, et du même coup elles font apparaître dans une vivante continuité celles d'hier et d'autrefois. Mais cette continuité ne prend forme que parce que le présent s'oriente vers la création d'une réalité autonome, réductible à aucune autre.

De plus en plus les romanciers reconnaissent que c'est par le style surtout qu'ils ont quelque chose à apporter, et que le style s'étend de la phrase à la composition spatio-temporelle de l'ensemble, de l'agencement des perspectives au choix des mots. Cependant, dénuée de tout caractère abstrait, cette prise de conscience n'a pas trouvé à s'exprimer dans des manifestes ou des écrits théoriques, et les innovations les plus hardies au niveau des structures d'ensemble demeurent étroitement liées à des nécessités d'expression individuelle.

Le caractère concerté de l'art romanesque s'allie en certaines œuvres à une écriture fluide et hautement personnelle pour créer une forme spéculaire [1]. La composition en tryptique de *Quelqu'un pour m'écouter*, de même que le mouvement oscillatoire de *Prochain épisode*, incorporent en leur centre une réflexion sur l'écriture qui modifie la signification et la résonance des événements, en les reliant au rythme et au style. Dans *L'Incubation*, la forme spéculaire joue un rôle semblable, mais elle est morcelée et s'accomplit dans la description de récits parcellaires dont le mouvement reproduit celui de la narration globale.

Le passage d'une technique implicite à une organisation consciemment significative a donné lieu à une certaine part de fabrication. On doit cependant reconnaître que le roman s'est situé à un niveau d'exigences auxquelles désormais il pourra difficilement échapper. La production romanesque de cette période intéresse d'abord parce qu'on y trouve une volonté de signifier par les moyens spécifiques au roman d'art. Les œuvres les plus importantes parues depuis 1960 et surtout depuis environ cinq ans semblent, pour la plupart, se rattacher de quelque façon à cette orientation.

Doux-amer et *Quand j'aurai payé ton visage* (Claire Martin), *Le Libraire* (Gérard Bessette), *La Corde au cou* (Claude Jasmin), *Tout compte fait* (Jacques Languirand), *Le Temps des jeux* (Diane Giguère) sont des œuvres dont l'écriture est soumise à la perspective et aux tonalités d'états de conscience, beaucoup plus qu'à l'ordre des événements extérieurs. Avec les plongées dans le temps antérieur de *L'Or des Indes* (Pierre Gélinas) et d'*Amadou* (Louise Maheux-Forcier), avec les formes du compte à rebours de *L'Aquarium* (Jacques Godbout), on est d'emblée au niveau du roman consciemment structuré. Puis ce sont les flux et reflux musicaux de *Quelqu'un pour m'écouter* (Réal Benoît), la ronde hiératique de *La Jument des Mongols* (Jean Basile), le mouvement cyclique des saisons et des espaces dans *Le Couteau sur la table* ou *Salut, Galarneau* (Jacques Godbout), les oscillations et les flambées magnifiques de *Prochain épisode* ou de *Trou de mémoire* (Hubert Aquin): autant de formes et d'agencements qui constituent l'identité et le sens le plus intime de ces œuvres.

La transformation atteint aussi le style « réaliste ». Cette esthétique, qui dominait depuis longtemps le roman, au Canada français comme ailleurs, semblait fixée à jamais. Pourtant la description et le récit apparemment les plus objectifs se sont mis à obéir aux marées

---

1. Spéculaire, adj.: qui réfléchit à la façon d'un miroir.

de la conscience; le monde le plus opaque s'est mis à participer à l'agencement de significations personnelles. Dans ces univers aux couleurs parfois violentes, il y a une « poésie » qui tient aux particularités de l'écriture romanesque, comme en témoignent le bouleversement de la chronologie dans *Cotnoir* (Jacques Ferron), la déformation de la langue dans *Le Cassé* (Jacques Renaud), le cynisme innocent de la narration dans *Une saison dans la vie d'Emmanuel* (Marie-Claire Blais), la profusion lyrique dans *L'Incubation* (Gérard Bessette) ou le jaillissement des feux d'artifice verbaux dans *L'Avalée des avalés, Le Nez qui voque* et *L'Océantume* (Réjean Ducharme) [2].

Les romanciers des années 1960, quels que soient leur tempérament et leurs orientations, se sont révélés aux prises avec le roman dans l'un de ses aspects essentiels: le style, l'enveloppe formelle, et chacun d'eux pourrait reprendre à son compte les paroles du narrateur de *Quelqu'un pour m'écouter:* « Pourquoi éviter le *je,* je n'invente pas d'histoire, je raconte ce que j'ai vu, senti, vécu, je ne peux plus jouer à l'auteur détaché, au jeu du camouflage ».

BIBLIOGRAPHIE

Robidoux, Réjean, et Renaud, André, « Vers le roman-poème d'aujourd'hui » (Anne Hébert, Jacques Ferron, Jacques Godbout, Réal Benoît, Jean Basile, Gérard Bessette), pp. 163-211 dans *Le Roman canadien-français du vingtième siècle*, Ottawa, Éditions de l'Université d'Ottawa, 1966.

Robidoux, Réjean, « Le roman canadien-français de demain », dans *Le Roman canadien-français, Évolution-Témoignage-Bibliographie*, Archives des Lettres canadiennes-françaises de l'Université d'Ottawa, Montréal, Fides, 1964.

Blain, Maurice, « Conscience de l'étrangeté : Jacques Godbout », dans *Approximations*, Montréal H.M.H., 1967, pp. 223-232.

Grandpré, Pierre de, « Quand le roman se fait vision et allégorie : Jacques Godbout, L'Aquarium », « Le Pays incertain du fantastique et de l'humour : Jacques Ferron, Andrée Maillet, Réal Benoît », « Notre Génération "Beat" : Fournier, Jasmin, Girouard », pp. 167-195, dans *Dix ans de vie littéraire au Canada français*, Montréal, Beauchemin, 1966.

---

2. Un tableau du « nouveau roman » québécois ne serait pas complet si l'on n'y évoquait tels récits fantastiques d'Hertel ou d'Andrée Maillet, les *Nouvelles singulières* de Jean Hamelin, la désolation, parfois, d'un dénuement humain à la Samuel Beckett chez le Languirand de *Tout compte fait*, déjà nommé, la poésie aérienne et triste du *Funambule* de Wilfrid Lemoine, ainsi que certains titres tout récents mais dont l'importance est apparue dès l'abord: *La Tutelle*, d'Alain Pontaut, fulgurante tentative d'appropriation onirique et critique d'une ville et d'un pays, *Mater Europa*, de Jean Éthier-Blais, récit moiré, plein de sens et drapé de style, où l'humeur vagabonde est dirigée en sous-main par les cheminements proustiens les plus délibérés et les plus sûrs: le *Jos Carbone*, enfin, de Jacques Benoît, au primitivisme flamboyant.

I

MARIE-CLAIRE BLAIS
(née en 1940)

Les premiers romans de Marie-Claire Blais, *La Belle Bête* (1959), *Tête Blanche* (1960) et *Le Jour est noir* (1962) recelaient une certaine forme de violence, qui se manifestait surtout dans la révolte d'adolescents perdus dans un univers de rêve. La virulence de ces œuvres était cependant étouffée par une poésie vague et diffuse, qui privait les personnages de toute épaisseur réelle. Avec *Une saison dans la vie d'Emmanuel*, la violence et le climat poétique, qui semblaient jusqu'alors incompatibles, parviennent à s'imposer dans une durée et une densité spécifiquement romanesques.

UNE SAISON DANS LA VIE D'EMMANUEL (1965)

Ce roman est une chronique familiale délimitée par la durée d'une saison, un hiver dans la vie du dernier-né. Emmanuel est le seizième enfant si l'on compte ceux qui sont morts, et l'on meurt beaucoup dans ce milieu où sont célébrés selon les rites de l'Église, aux deux pôles de l'existence, le baptême et l'enterrement. La figure toute-puissante de Grand-Mère Antoinette domine toute la famille, reléguant ainsi à l'arrière-plan la présence du père et de la mère. Le principal centre perspectif du récit demeure cependant Jean-Le Maigre, dont la conscience poétique et prophétique élève les événements au niveau du mythe.

« *Une manière symbolique et crue* »[1]

Le caractère réaliste du roman apparaît surtout dans les références aux thèmes explicites: la misère peinte dans le détail, avec précision, la sexualité crûment étalée et associée à une religion pervertie, le froid qui pénètre tout. Mais le style et la facture échappent aux poncifs de l'écriture naturaliste et créent un ton unique, auquel est lié tout le sens du roman. Tout s'accomplit sous un regard ingénu, qui ne juge ni ne condamne, grâce auquel le destin le plus sordide semble aller de soi. Par un phénomène qui ressortit tout entier à l'ordre du style, on est en présence d'une révolte allègre, d'un cynisme à l'allure inconsciente qui rendent en quelque sorte innocent le sacrilège et la turpitude.

---

1. « J'ai vu la misère matérielle d'autres gens, et ça m'a frappée. Je l'ai montrée d'une manière symbolique et crue dans *Une saison*. » Interview.

La perspective qui gouverne le récit possède aussi la vertu de grandir certains personnages, tels la grand-mère et Jean-Le Maigre, l'une dans sa puissance, l'autre dans son génie. C'est en même temps le langage qui, par l'artifice des majuscules, se transmue en poésie au détriment de la réalité qu'il décrit. Le même phénomène s'accomplit d'ailleurs au niveau de l'anecdote, avec le personnage de Jean-Le Maigre dont la faculté d'invention poétique, en recréant le vécu, communique aux autres la fascination du langage et de l'écriture. La facture même du roman accentue le caractère intérieur du réalisme: la narration à la troisième personne s'identifie surtout à la vision de Jean-Le Maigre, mais elle passe sans transition à celle de la grand-mère, du Septième, d'Héloïse ou d'Emmanuel; la durée n'a d'autres repères que le début et la fin d'une saison; l'espace n'existe que par la conscience des personnages, par le froid qui les assaille. C'est le rêve d'un monde d'horreur et d'innocence.

GRAND-MÈRE ANTOINETTE

Devant Emmanuel, Grand-Mère Antoinette se dresse dans toute sa puissance et son immortalité (Jean-Le Maigre avait écrit que sa grand-mère « mourrait d'immortalité »).

Les pieds de Grand-Mère Antoinette dominaient la chambre. Ils étaient là, tranquilles et sournois comme deux bêtes couchées, frémissant à peine dans leurs bottines noires, toujours prêts à se lever : c'étaient des pieds meurtris par de longues années de travail aux champs (lui qui ouvrait les yeux pour la première fois dans la poussière du matin ne les voyait pas encore, il ne connaissait pas encore la blessure secrète à la jambe, sous le bas de laine, la cheville gonflée sous la prison de lacets et de cuir...), des pieds nobles et pieux (n'allaient-ils pas à l'église chaque matin en hiver ?), des pieds vivants qui gravaient pour toujours dans la mémoire de ceux qui les voyaient une seule fois l'image sombre de l'autorité et de la patience.

Né sans bruit par un matin d'hiver, Emmanuel écoutait la voix de sa grand-mère. Immense, souveraine, elle semblait diriger le monde de son fauteuil. (Ne crie pas, de quoi te plains-tu donc ? Ta mère est retournée à la ferme. Tais-toi jusqu'à ce qu'elle revienne. Ah ! déjà tu es égoïste et méchant, déjà tu me mets en colère !). Il appela sa mère. (C'est un bien mauvais temps pour naître, nous n'avons jamais été aussi pauvres, une saison dure pour tout le monde, la guerre, la faim, et puis tu es le seizième...). Elle se plaignait à voix basse, elle égrenait un chapelet gris accroché à sa taille. Moi aussi j'ai mes rhumatismes, mais personne n'en parle. Moi aussi, je souffre. Et puis, je déteste les nouveaux-nés; des insectes dans la poussière ! Tu feras comme les autres, tu seras ignorant, cruel et amer... (Tu n'as pas pensé à tous ces ennuis que tu m'apportes, il faut que je pense à tout, ton nom, le baptême...)

Il faisait froid dans la maison. Des visages l'entouraient, des silhouettes apparaissaient. Il les regardait mais ne les reconnaissait pas encore. Grand-Mère Antoinette était si immense qu'il ne la voyait pas en entier. Il avait peur.

Il diminuait, il se refermait comme un coquillage. (Assez, dit la vieille femme, regarde autour de toi, ouvre les yeux, je suis là, c'est moi qui commande ici ! Regarde-moi bien, je suis la seule personne digne de la maison. C'est moi qui habite la chambre parfumée, j'ai rangé les savons sous le lit ...). Nous aurons beaucoup de temps, dit Grand-Mère, rien ne presse pour aujourd'hui ... »

JE VAIS FAIRE MON OEUVRE POSTHUME

Jean-Le Maigre, aux yeux de qui sa grand-mère est immortelle et à qui, dès sa naissance, des Muses aux grosses joues ont voilé le ciel, exprime les vicissitudes et les triomphes du génie de l'écriture.

Jean-Le Maigre appréciait que le Noviciat fût ce jardin étrange où poussaient, là comme ailleurs, entremêlant leurs tiges, les plantes gracieuses du Vice et de la Vertu. Maintenant cloué à son lit par l'ordre du docteur et la complice sollicitude du Frère Théodule, Jean-Le Maigre écrivait tristement son autobiographie...

* * *

Dès ma naissance, j'ai eu le front couronné de poux ! Un poète, s'écria mon père, dans un élan de joie — Grand-Mère, un poète ! Ils s'approchèrent de mon berceau et me contemplèrent en silence. Mon regard brillait déjà d'un feu sombre et tourmenté. Mes yeux jetaient partout dans la chambre des flammes de génie. Qu'il est beau, dit ma mère, qu'il est gras, et qu'il sent bon ! Quelle jolie bouche ! Quel beau front ! Je bâillais de vanité, comme j'en avais le droit. Un front couronné de poux et baignant dans les ordures ! Triste terre ! Rentrées des champs par la porte de la cuisine, les Muses aux grosses joues me voilaient le ciel de leur dos noirci par le soleil. Aie, comme je pleurais, en touchant ma tête chauve...

Je ne peux pas penser à ma vie sans que l'encre coule abondamment de ma plume impatiente. (Tuberculos Tuberculorum, quel destin misérable pour un garçon doué comme toi, oh ! le maigre Jean, toi que les rats ont grignoté par les pieds ...)

Pivoine est mort
Pivoine est mort
A table tout le monde

Mais heureusement, Pivoine était mort la veille et me cédait la place, très gentiment. Mon pauvre frère avait été emporté par l'épi ... l'api ... l'apocalypse ... l'épilepsie quoi, quelques heures avant ma naissance, ce qui permit à tout le monde d'avoir un bon repas avec Monsieur le Curé après les funérailles.

Pivoine retourna à la terre sans se plaindre et moi j'en sortis en criant. Mais non seulement je criais, mais ma mère criait elle aussi de douleur, et pour recouvrir nos cris, mon père égorgeait joyeusement un cochon dans l'étable ! Quelle journée ! Le sang coulait en abondance, et dans sa petite boîte noire sous la terre, Pivoine (Joseph-Aimé) dormait paisiblement et ne se souvenait plus de nous.

— Un ange de plus dans le ciel, dit Monsieur le Curé. Dieu vous aime pour vous punir comme ça !

Ma mère hocha la tête :
— Mais, Monsieur le Curé, c'est le deuxième en une année.
— Ah ! Comme Dieu vous récompense, dit Monsieur le Curé.

Monsieur le Curé m'a admiré dès ce jour-là. La récompense, c'était moi. Combien on m'avait attendu ! Combien on m'avait désiré ! Comme on avait besoin de moi ! J'arrivais juste à temps pour plaire à mes parents. Une bénédiction du ciel. dit Monsieur le Curé.

NOTICE BIOGRAPHIQUE

Née dans une famille ouvrière de Québec en 1939, ayant abandonné ses études en belles-lettres pour travailler, contre son gré, dans une fabrique de chaussures, obligée, pour se livrer à la littérature, de quitter le foyer paternel pour s'installer dans un garni, Marie-Claire Blais est en ce moment l'un des très rares écrivains québécois qui soient parvenus à vivre de leur plume par le livre. Elle vit et travaille dans une maison retirée de Cape Cod, près de la colonie d'artistes de Provincetown, aux États-Unis. Découverte par Jeanne Lapointe et par le Père Georges-Henri Lévesque qui l'aidèrent à publier son premier roman, La Belle Bête *(1959), vigoureusement lancée une nouvelle fois, ces dernières années, par les chaleureuses recommandations du célèbre critique américain Edmund Wilson, qui lui fit du reste obtenir une bourse Guggenheim en 1963, elle a publié à ce jour sept romans, dont le plus célèbre,* Une saison dans la vie d'Emmanuel, *remportait le Prix Médicis, à Paris, en 1966. Elle est aussi l'auteur de deux recueils de poèmes,* Pays voilés *et* Existences, *ainsi que de quelques pièces de théâtre, dont* L'Exécution, *montée en 1968 au Rideau Vert.*

BIBLIOGRAPHIE

L'œuvre romanesque de Marie-Claire Blais :

La Belle Bête, Québec, Institut littéraire de Québec, 1959.

Tête blanche, Québec, Institut littéraire de Québec, 1960.

Le Jour est noir, Montréal, Les Éditions du Jour, 1962.

Une saison dans la vie d'Emmanuel, Montréal, les Éditions du Jour, 1965.

L'Insoumise, Montréal, Les Éditions du Jour, 1966.

David Sterne, Montréal, Les Éditions du Jour, 1967.

Manuscrits de Pauline Archange, Montréal, Les Éditions du Jour, 1968.

Études sur Marie-Claire Blais :

Renaud, André, « Le Jour est noir », dans *Livres et auteurs canadiens 1962,* avril 1963, pp. 8-9.

Éthier-Blais, Jean, « Entre femmes seules », dans *Signets II,* Le Cercle du Livre de France, Montréal, 1967, pp. 228-232.

Barbeau, Victor, « Marie-Claire Blais », dans *La Face et l'envers,* Académie canadienne-française, Montréal, 1966, p. 48.

Ollier, M.-Claire, « Une saison dans la vie d'Emmanuel », dans *Études françaises,* juin 1966.

Onimus, Jean, « Une saison dans la vie d'Emmanuel », dans *La Table ronde,* no 230, mars 1967, pp. 125-132.

Greffard, Madeleine, « Une saison... kaléidoscope de la réalité québécoise », dans *Cahiers de Sainte-Marie,* mai 1966.

Barjon, Louis, « Une saison dans la vie d'Emmanuel », dans *Études,* t. 326, fév. 1967, pp. 210-222.

Audet, Jules, « Notre parole en liberté », dans *Incidences,* août 1966, pp. 7-10; « Une saison dans la vie d'Emmanuel », dans *Incidences,* août, pp. 39-41.

Bosco, Monique, « Blais contre Ducharme », dans *Le Magazine Maclean,* fév. 1967, p. 54.

Cloutier, Cécile, « L'Insoumise », dans *Livres et auteurs canadiens 1966,* avril 1967, pp. 29-31.

Marcotte, Gilles, « L'Insoumise », dans *Québec 66,* vol. 3, no 8, oct. 1966, pp. 79-81.

Moussalli, Mireille, *Le Noir et le tendre* (Une saison...), D.E.S., Université de Montréal, 1967 (ss-dir. prof. Le Grand).

Hertel, François, « Du misérabilisme intellectuel », dans *L'Action nationale,* vol. 56, no 8, avril 1967, pp. 828-835.

Lamarche, Jacques-A., « La thématique de l'aliénation chez Marie-Claire Blais », dans *Cité libre,* juillet-août 1966.

Boivin, Gérald-Marie, « Le monde étrange de M.-C. Blais ou la cage aux fauves », dans *Culture,* mars 1968, pp. 3-17.

II

LOUISE MAHEUX-FORCIER
(née vers 1935)

La parution d'*Amadou,* Prix du Cercle du Livre de France en 1963, souleva une controverse dans laquelle des critères d'ordre moral se superposaient aux considérations proprement littéraires. Après ces débuts fort remarqués, Louise Maheux-Forcier publiait en 1964 un second roman, *L'Île joyeuse,* et une nouvelle, *Triptyque* aux *Écrits du Canada français,* en 1965.

Pratiquant une écriture sensible et tout empreinte de lyrisme, les romans de Louise Maheux-Forcier organisent, grâce à leur liberté de facture, un climat onirique où s'accomplit une douloureuse recherche de soi, dans un passé mythique que cristallise le souvenir d'une jeune fille aimée ou d'une île blonde. Cependant la volonté de faire « poétique » empâte le style de certaines pages d'*Amadou* et de l'*Île joyeuse* au point d'annuler, parfois, les moyens spécifiques à la composition de la durée romanesque.

AMADOU (1963)

A quinze ans, Nathalie a aimé une adolescente de son âge, morte tragiquement. Les voyages, les amants, le mariage ne serviront qu'à exalter le souvenir lumineux de ce premier amour. Seule la présence de Sylvia viendra près de vaincre un instant la hantise qui conduira Nathalie jusqu'au meurtre.

« *Tout flambe autour de moi* »

Beaucoup plus que la poésie facile qui alanguit certains passages surchargés de comparaisons et de points de suspension, c'est la composition d'ensemble qui accomplit la signification d'*Amadou*. Tout le tragique de cette destinée se découvre dans la tendresse douloureuse du ton narratif et dans la géométrie particulière du roman, divisé en deux parties d'égale longueur dont la première fixe les coordonnées affectives du drame, alors que la seconde le déploie jusqu'à son inéluctable achèvement.

La narration est d'emblée dominée par un acte dramatique — « Je l'ai tué » — qui en constitue le point perspectif et l'épilogue inévitable. Après quelques paragraphes situés au présent, le récit rejoint, à diverses profondeurs, le passé de l'héroïne, aidant ainsi le lecteur à comprendre sa conduite actuelle. La même composition en contrepoint définit la facture des cinq chapitres de la première partie. Dans la seconde partie, le rythme s'accélère: un long chapitre, tout en instantanés juxtaposés, puis un autre, beaucoup plus bref, conduisent l'action jusqu'à sa conclusion nécessaire.

Cette structure de l'œuvre soutient un complexe réseau affectif dans lequel objets et situations s'appellent et se répondent symboliquement.

C'ÉTAIT AU COMMENCEMENT DU MONDE

Dans un univers où les événements se déroulent en accord avec les correspondances intimes, le souvenir du premier amour se prolonge en des variations métaphoriques qui vont des statuettes turques au Christ Pantocrator des églises byzantines.

Je l'avais trouvée comme mon ami Jean découvre ses petites statuettes en Turquie et ressuscite des villes endormies, enfouies sous la poussière et les avalanches et le temps et le feu. Anne m'attendait du fond des âges, couverte de terre et pareille à moi. Je l'ai prise doucement pour ne pas la casser; je sentais palpiter sa petite âme. Cela m'a pris des mois; je l'ai lavée, peignée, parfumée; j'ai mobilisé toutes mes fées pour cela; celle qui fait les baignoires bleues, puis celle qui fait la mousse dans les baignoires, puis celle qui fait les cheveux comme la laine d'un animal inconnu, très longs et tout dorés, puis celle qui colore les yeux noirs, plus noirs encore, puis celle qui va chercher les parfums aux petites fleurs des Météores que je n'ai jamais vues... Anne était vivante... Je l'avais créée : elle était moi-même; elle était mon amour. Elle attendait mon sourire pour rire elle-même et que je pleure pour sangloter. Nous étions belles et nous étions heureuses. Elle n'avait pas le droit de mourir : elle m'a trahie.

Je me suis assise sous mon arbre énorme; Anne avait plongé au fond du lac. Je l'avais vue se mettre debout sur le petit tremplin, étendre doucement ses deux bras, étirer tout son corps nu, brillant, me faire une œillade, puis, sa chevelure la suivant comme une traînée de poudre lumineuse au soleil, entrer dans l'eau sans une éclaboussure. L'air était doux comme une caresse, le lac, comme un grand miroir sombre et mon premier amour chantait au-dessus de moi, de toutes ses feuilles.

J'ai crié... puis je ne me rappelle plus rien. Je crois bien que c'est ce jour-là que je suis devenue folle... pour la première fois.

N O T I C E   B I O G R A P H I Q U E

Née à Montréal vers 1935, Louise Maheux-Forcier fit ses études chez les Sœurs de Sainte-Croix. Elle commença à l'âge de six ans des études de piano, auxquelles elle se consacra entièrement en 1947. Après avoir suivi les cours du Conservatoire de musique du Québec, elle fit à Paris un stage complémentaire d'études musicales de deux ans, sous la direction du professeur Yves Nat. En 1955, elle épouse Marcel Forcier et abandonne bientôt le piano, se sentant plus attirée par les lettres. Elle écrit des poèmes, ébauche plusieurs romans. Amadou, sa première œuvre publiée, a tout de suite imposé son nom en 1963 en lui valant le Prix du Cercle du Livre de France.

BIBLIOGRAPHIE

L'œuvre romanesque de Louise Maheux-Forcier :

> *Amadou*, Le Cercle du Livre de France, Montréal, 1963.

> *L'Île joyeuse*, Le Cercle du Livre de France, Montréal, 1964.

> *Triptyque*, paru dans *Les Écrits du Canada français*, 1965.

Études sur Louise Maheux-Forcier :

> Ménard, Jean, « Amadou », dans *Livres et auteurs canadiens, 1963*, avril 1964, pp. 23-24.

> Trudel, Louis, « Amadou », dans *Incidences,* avril 1964.

> Cloutier, Cécile, « L'Île joyeuse », dans *Livres et auteurs canadiens, 1964*, avril 1965, p. 21; « L'homme dans le roman écrit par des femmes », dans *Incidences*, avril 1964.

> Bosco, Monique, « Depuis peu, le roman connaît la sexualité », dans *Le Magazine Maclean,* février 1964.

> Vachon, Georges-André, « Louise Maheux-Forcier », dans *Relations*, janvier 1964, pp. 21-22. « L'Univers du roman et l'ordre moral », dans *Relations*, février 1964.

> Éthier-Blais, Jean, « Une nouvelle littérature », dans *Études françaises,* février 1965, pp. 106-110.

> Marcotte, Gilles, « Les îles de l'enfance, les Amériques de l'avenir », dans *La Presse*, 13 février 1965.

III

JACQUES FERRON
(né en 1921)

Prolifique et truculent, alerte et dru, toujours à l'affût du trait cocasse qui s'amplifie allégrement dans la description caricaturale, le style de Jacques Ferron adopte aussi, parfois, un registre plus intime dans l'évocation d'existences hantées par la misère, l'injustice et la mort. Il s'accorde également au lyrisme de certaines images, comme celle du vol des oiseaux sur la ville, qui apparaît de façon significative dans *Cotnoir,* dans *La Nuit,* et dans plusieurs contes. Une émouvante complicité, partout sous-jacente à la verve humoristique, éclaire la grande détresse humaine dans les actes les plus humbles, chez des êtres en butte au destin et à la société mais qui, parfois, se redressent magnifiquement.

**« Le faiseur
de contes »**

Du cycle d'une vie, d'une légende ou d'un fait divers,
Ferron crée un univers qu'anime tout un folklore personnel et qui rejoint, sans qu'il
y paraisse, l'âme d'un peuple
en ce qu'elle a de plus authentique. Dans ces contes où le naturel
se fait insolite et le fantastique, naturel — récits ou tableaux d'une
extrême concision malgré la verdeur du style et de l'invention — le
dialogue s'accomplit en répliques précises marquées d'un sens fort
original de la repartie. La forme elliptique de l'écriture au niveau
de la phrase aussi bien qu'à celui de la progression du conte favorise les rapprochements significatifs et tout à fait inattendus; elle se
prête merveilleusement à une durée syncopée, orientée par le trait
final.

UNE ÉPOUSE

Dans l'un des plus pathétiques de ces contes, « Martine », l'héroïne (dans
Contes anglais et autres), évoque en douze tableaux ses désillusions de petite fille
qui a commis un vol par amour. On y retrouve d'excellents exemples de l'association du cocasse et du tragique.

Elle était laide sans conteste, voire sans indulgence. Néanmoins, sachant
profiter de la nuit, elle enfantait à tous les ans. Son mari était mon père; il ne
se couchait jamais sans être saoul. Je le comprenais.

Elle eût préféré que je me nommasse Angèle; mon père s'y opposant, lui mit,
argument sans réplique, le poing sous le nez; après quoi, fier de son autorité,
il s'en fut boire. Sa femme n'avait qu'une robe trouée; elle restait à la maison.
Quand elle criait : « Martine ! » je baissais le nez, car il aurait fallu que je me
nommasse Angèle; j'avais tort et la raison est sans pitié : gare au balai qu'elle
a en main !

— Ta femme m'a battue, me plaignais-je à mon père.

Il la battait à son tour; on raisonnait ainsi. Était-ce probant ? Sur le
moment, peut-être; mais il fallait recommencer. D'un raisonnement à l'autre,
je devins raisonnable et d'âge à décider; je résolus de ne jamais me marier, le
mariage me paraissant avoir un rôle dans la maternité.

LE ROBINEUX

La *Suite à Martine* (dans *Contes anglais et autres*) conjugue en une com-
plainte à plusieurs voix les monologues de Martine, du vagabond, du veuf, du
vieux médecin — à quoi s'ajoute un commentaire lyrique — qui disent la détresse
de l'existence étouffée.

L'hiver, je revenais en ville où je retrouvais mes semblables, les vagabonds
d'alors, les robineux d'aujourd'hui. Nous échangions nos sagesses et nos fantaisies
en attendant la fin du déluge. Car l'hiver est un déluge. Chaque maison devient
une arche, où le souvenir du printemps survit; c'est pourquoi le printemps revient.

141

Nous le guettions et dès que frémissait dans l'air un désir sans objet, dès que paraissait son signe lumineux, sans plus tarder nous nous quittions. Chacun reprenait son sac de sagesse et de fantaisie, et sortait de la ville discrètement. Les chemins sinueux se prêtaient au vagabondage; marcher était encore possible. Un cheval ne va pas beaucoup plus vite qu'un homme et la différence ne vaut pas l'embarras d'une bête supplémentaire. Nous allions donc à vive allure. Il nous arrivait, dans une saison, de parcourir la province. Puis les chevaux disparurent, remplacés par des machines. Les chemins se redressèrent et durcirent. Dès lors marcher ne fut plus possible : comment voulez-vous qu'un homme rivalise avec ces machines de vitesse, qui brûlent l'espace sur des rubans d'asphalte fumante ? Marcher n'avance plus. Autant vaut ne pas bouger. Aussi avons-nous cessé de vagabonder. Le pays sans nos contes retourne à la confusion. Nous ne quittons plus la ville et nous avons troqué le sac contre la fiole; nous avons troqué la sagesse et la fantaisie contre le poison. La sagesse et la fantaisie n'ont pas leur place en la cité, alors que la fiole nous donne un avant-goût de la grande évasion.

Encastrés dans un temps restreint et strictement délimité, présentés à la première, à la troisième ou même à la deuxième personne selon la perspective d'un narrateur nettement situé mais doué parfois d'une connaissance merveilleuse, les romans de Ferron empruntent à la technique du conte leur caractère allégorique, la liberté des correspondances symboliques et la forme elliptique de la narration. La durée romanesque ainsi affranchie de l'ordre chronologique permet de mettre en relief, par la facture même du récit, des significations intimes que laisserait difficilement soupçonner la matière anecdotique. Toutefois, la transposition dans le roman de formes propres au conte prive parfois l'écriture romanesque d'une part de la densité du temps vécu et l'empêche d'aller à la limite des possibilités signifiantes du roman.

COTNOIR (1962)

Un jour, le charbonnier Aubertin accepte d'héberger chez lui un vague cousin nommé Emmanuel, qui sort de la prison de Bordeaux, « côté folie ». Quand Emmanuel manifeste de nouveaux symptômes inquiétants, on fait appel à Cotnoir, vieux médecin alcoolique et bizarre qui décide de soigner le « mental » en l'expédiant dans les chantiers. Le soir même, Emmanuel échappe à la surveillance d'Aubertin, de Cotnoir et d'un jeune médecin — le narrateur — venus l'escorter à la gare; il prend la fuite à même la voie ferrée. Au cours de la nuit, Cotnoir meurt. Les funérailles n'attireront que quelques personnages grotesques: un ex-médecin narcomane et escroc, le notaire, le commerçant crapuleux et les croque-morts. Le tout se termine par un service funèbre loufoque où Madame Cotnoir représente le seul élément de dignité.

Tout le roman, qui débute et se termine par le service funèbre, tient dans le récit qu'en fait le jeune médecin dix ans plus tard, dans le but d'éclairer de l'intérieur toute cette aventure et d'en retrouver le sens profondément humain. Le bouleversement de la durée anec- dotique permet d'organiser, dans la description de l'enterrement, un cycle où apparaissent en opposition la ronde macabre des profiteurs et la figure solitaire et tragique de Madame Cotnoir, soucieuse du sort d'Emmanuel. Depuis la question inattendue de Madame Cot- noir, au chapitre premier: « Avez-vous eu des nouvelles du cousin Emmanuel? », jusqu'à l'apparition en plein soleil, à la sortie de l'église et au cimetière, d'une « sorte d'énergumène » ressemblant à Emmanuel, le thème du « salut » d'Emmanuel, constamment repris au cours de la narration, donne aux événements le caractère sym- bolique d'un acte rédempteur.

LE SERVICE FUNÈBRE

Dès les premières pages, la description du service funèbre rend sensible le contraste entre les forces maléfiques et le personnage de Madame Cotnoir. On notera la structure de la première phrase de cet extrait: elle sera plusieurs fois reprise au cours du récit, et toujours à propos de Madame Cotnoir.

Derrière nous, au milieu d'un grand espace de bancs vides, Madame Cotnoir se tenait, seule. Son voile faisait ressortir ses cheveux blancs et la sérénité de son visage. Elle avait gardé sa tristesse pour soi, laquelle, la ternissant de l'intérieur, la vieillissait un peu — mais ce n'était peut-être que la fatigue.

L'église de Saint-Antoine, à Longueuil, est vaste et peuplée de saints, de saintes, d'anges, d'apôtres et de prophètes; tout le ciel y est assemblé. Mais, pour la circonstance, on avait caché cette imagerie derrière de longues tentures noires. Et le ciel n'y était plus. Il eût fallu toute une foule, une foule fervente pour le rappeler, et il n'y avait presque personne. Ce furent d'étranges funérailles. Les habitués de l'église, vieillards à la peau séchée, dévotes sans famille, échappés d'hospice, demoiselles noires, s'y trouvaient plus nombreux que nous, les partici- pants, et par une conjoncture extraordinaire en antagonistes. Ils avaient pris place en-dessous du jubé, dans les derniers bancs de la nef, et ils semblaient des juges. A l'opposite, au fond du chœur désert, l'autel vacillait dans l'air chaud des cierges. Il était blanc et doré. On eût dit un gâteau de miel fondant. Le prêtre y grignotait, tout en feignant de chanter la messe des morts. Ses supplications restèrent du latin. Cependant, dans notre dos, le tribunal, auquel le défunt n'avait personne à opposer hormis sa femme qui en appelait déjà à Dieu, rendait sentence contre lui. C'était la cérémonie renversée, une sorte de sacrilège. Je n'en suis pas revenu. Dix ans après, elle me hante encore.

ELLE RECRÉE LE MONDE

En route vers la gare, Cotnoir tient des propos de plus en plus bizarres où sont liés de façon significative la hantise de la mort, le rôle de Madame Cotnoir et « le salut d'Emmanuel ».

Les corneilles sont toujours aux aguets. Quand il y a relâche, elles appro- chent. Elles lancent des cris brefs et se parlent ainsi au-dessus de la ville. Il y a toujours relâche au petit matin. C'est à ce moment que la nuit se fait blanche et que les malheureux, qui n'ont pas dormi, les entendent. Mais les corneilles se disent : ce ne sera pas encore pour aujourd'hui. Et elles s'éloignent pendant que la ville s'éveille. Tous les matins, elles reviennent. Elles attendent le jour où la ville ne s'éveillera pas. Alors elles entreront par les fenêtres... L'œil ! Il n'y a rien de meilleur pour une corneille qu'un œil d'homme.

La voiture roulait lourdement. Emmanuel souriait entre Aubertin et moi. Il semblait entendre Cotnoir, pour nous de plus en plus bizarre et inquiétant. Ç'avait été en sortant du pont que celui-ci, jusque-là renfrogné, s'était pour ainsi dire dégagé de lui-même et mis à parler avec une aisance que je ne lui connaissais pas, avec une lucidité extrême qu'on rencontre au-delà des maladies fatales, à l'heure du testament.

— Il faudra, disait Cotnoir, que j'en cause devant ma femme. Ma femme a un grand cahier. Elle écrit ce que je dis. Je ne lui ai pas encore parlé des corneilles. Du moins je ne lui en parle plus depuis qu'elles me font peur. Elle pourrait penser que je suis malade. Cela la peinerait. Elle n'a que moi sur terre. Notre maison de Longueuil est le couvent où elle s'est mise en religion, seule. Je n'ai jamais été son mari, je suis son frère convers. Chaque jour, je vais aux provisions. Elle vit de ce que je lui rapporte. Avec ça elle recrée le monde. En est-elle contente ? Je la tiens au courant de tout, mais à ma façon; elle y ajoute la sienne : le drôle de monde que ce doit être ! Mais il prévaudra sur l'autre, sur le vrai qui n'a pas de durée, qui se fait et se défait à chaque instant, qui s'abîme dans l'indifférence générale. Je me dis parfois que ma femme construit une arche, une arche qui flotte déjà au-dessus du déluge où nous pataugeons tous sur le point d'y périr. Dans cette arche j'ai fait monter beaucoup de gens et tous les animaux que j'ai rencontrés depuis vingt ans aux mille détours du faubourg, les derniers chevaux, les chèvres de la vieille Italienne, les coqs clandestins, les chiens sans licence, les perroquets qui sont tous très vieux et ne comprennent que l'anglais, sans oublier le beau chevreuil, aperçu une fois par un matin d'automne, qui regardait Montréal et ne comprenait pas. Ils seront tous sauvés. Et toi aussi, Emmanuel. Et toi, Aubertin, avec ta femme et vos six filles, sans oublier les perruches. Et moi aussi, bien sûr. Seulement je ne sais pas si je me reconnaîtrai. Quelle idée ma femme se fait-elle de moi ? Je ne l'ai pas questionnée. J'aimerais bien quand même la connaître. Plus tard, quand je prendrai ma retraite, avant de mourir, je lirai dans son grand cahier. Toute ma vie est là, jour après jour. Je lirai et me jugerai avant le bon Dieu...

NOTICE BIOGRAPHIQUE

Jacques Ferron, né à Louiseville en 1921, a publié huit pièces de théâtre et une multitude d'articles où il prend, à sa manière, la mesure du paysage québécois, de son histoire et de sa vie politique. Son talent s'affirme surtout de façon unique dans les Contes du pays incertain *(1962),* les Contes anglais et autres *(1964) et dans trois romans:* Cotnoir *(1962),* La Nuit *(1965) et* Papa Boss *(1966). La pratique de la médecine, dans l'armée en 1945 et en 1946, en Gaspésie et à Ville-Jacques-Cartier depuis 1949, a fourni à l'écrivain la matière de nombreuses affabulations;*

en retour, le sens de l'humour et de l'humain qui caracté-
risent l'œuvre de Ferron trouvent à se manifester selon des
formes personnelles dans l'exercice de sa profession et de
ses engagements politiques. Jacques Ferron s'est illustré
au théâtre tout autant que dans le conte et le roman;
aussi le retrouverons-nous au chapitre suivant.

BIBLIOGRAPHIE

L'œuvre romanesque de Jacques Ferron :

> *Cotnoir,* Montréal, Éditions d'Orphée, 1962.
>
> *Contes du pays incertain,* Montréal, Éditions d'Orphée, 1962.
>
> *Contes anglais et autres,* Montréal, Éditions d'Orphée, 1964.
>
> *La Nuit,* Montréal, Éditions Parti pris, 1965.
>
> *Papa Boss,* Montréal, Éditions Parti pris, 1966.
>
> *La Charrette,* Montréal, H.M.H., 1968.
>
> *Le Ciel de Québec,* Montréal, Éditions du Jour, 1969.

Études sur Jacques Ferron :

> Major, André, « Jacques Ferron, romancier », dans *Europe,* février-mars
> 1969.
>
> Robert, R., « Un diagnostic du réel, les contes de Jacques Ferron »,
> dans *Lettres et Écritures,* vol. 5 no 1, janvier-mars 1967, pp. 16-19.
>
> Lavoie, Michelle, « Jacques Ferron, de l'amour du pays à la définition
> de la patrie », dans *Cahiers de Sainte-Marie,* 4, 1967.
>
> Grandpré, Pierre de, « Le pays incertain du fantastique et de l'humour »,
> dans *Dix ans de vie littéraire au Canada français,* Montréal, Beauche-
> min, 1966, pp. 172-183.
>
> Renaud, André, « *Papa Boss,* de Jacques Ferron », dans *Livres et auteurs*
> *canadiens 1966,* avril 1967, pp. 37-38.
>
> Robidoux, Réjean, et Renaud, André, *Le Roman canadien-français du*
> *XXe siècle,* Ottawa, Éditions de l'Université d'Ottawa, 1966, pp. 185-196.

IV

RÉAL BENOÎT
(né en 1916)

Réal Benoît a publié un recueil de contes, *Nézon* (1945), une
biographie, *La Bolduc,* et dans les *Écrits du Canada français,* en
1961, un extrait d'un récit haïtien, *Rhum-Soda.* En 1964, un court
roman, semi-autobiographique, *Quelqu'un pour m'écouter,* révélait
tout l'aspect intérieur de ce destin mouvementé.

Chez Réal Benoît, l'écriture constitue une tentative pour faire irradier un acte, un objet, une situation en un réseau concentrique qui corresponde à l'approfondissement d'une conscience sensible. Pressentie dans le texte intitulé *Rhum-Soda,* cette forme, dont le modèle se définit sur le mode musical (comme en font foi le sous-titre de *Rhum-Soda,* « rhapsodies antillaises », et l'intention de *Quelqu'un pour m'écouter:* « J'aurais voulu faire [...] une interminable rhapsodie avec variations ») , s'accomplit dans *Quelqu'un pour m'écouter,* aussi bien par le développement mélodique de la phrase que par la facture du récit.

QUELQU'UN POUR M'ÉCOUTER (1964)

Un soir, un homme s'apprête à quitter son foyer. En route, sa voiture étant tombée en panne, un passant le conduit à destination. En déchargeant ses bagages, il se blesse légèrement à la tête. Affolé, il téléphone à une amie, reçoit une visite, va ensuite passer la nuit chez des voisins. Au matin, une vie nouvelle s'offre à lui.

« Une rhapsodie avec variations »

Racontée à la troisième personne dans la première et la troisième partie du roman, l'aventure intérieure de Rémy se déroule en vagues successives, selon le rythme d'une phrase sensible à toutes les orientations que suggèrent un mot, une image. Ce monde intime est dominé par la présence onirique de quelques personnages: les deux fils de Rémy, dont l'un est mort; deux femmes: l'énigmatique Madame de Chou et Yvonne, exotique et sensuelle (que l'on retrouve dans *Rhum-Soda* et dans *Le Marin d'Athènes,* texte dramatique présenté à la télévision) . Les événements et les objets servant de repères anecdotiques constituent les noyaux de rêves et de souvenirs qui les expliquent et les justifient, en quelque sorte, sur le plan de la conscience; l'enfance, l'amour et les voyages illuminent ainsi les gestes en apparence les plus banals.

Dans la deuxième partie, la narration passe de la troisième à la première personne, accentuant ainsi, sur le plan de la composition d'ensemble, ce qu'accomplit le mouvement même de l'écriture. C'est en effet tout le mode de narration de la première partie, c'est l'acte même de la création romanesque qui devient le pôle concret autour duquel le narrateur, en se projetant au premier plan du récit, développe une réflexion sur ses rapports avec la forme et les personnages qu'il a inventés. Le sens de la première partie se trouve modifié du fait de cette prise de conscience explicite. La dernière partie, où le récit est repris à la troisième personne, effectue le passage de la nuit au jour, de l'hiver à l'été. Dans la maison-navire des S., entouré des portraits d'ancêtres, Rémy brise symboliquement le portrait de famille où il avait cru découvrir la présence d'un petit garçon d'abord inaperçu parmi les autres personnages. Après l'explicitation du rapport à l'imaginaire dans la deuxième partie, ce dénouement sur le plan de la conscience (par rapport à Rémy) et de la représentation (par rapport au narrateur) annonce la libération finale de l'univers intérieur et le retour à un équilibre heureux.

── VOILÀ COMMENT IL ÉTAIT ──

En faisant sa valise, Rémy se voit au restaurant avec Madame de Chou et des amis, alors que lui-même se dédouble chromatiquement en Do et Rémy, deux aspects de sa personnalité.

Voilà comment il était, souriant, sérieux, espiègle, grave... présent, proche, absent, lointain, on ne savait pas, heureux mais voulant déjà être ailleurs, dans une heure, demain... Madame de Chou elle-même le savait-elle toujours ?... mangeant avec précaution comme s'il pensait à tous ceux qui ne mangeaient pas, souriant mais avec réticence comme s'il se disait que le bonhomme aux cheveux à l'odeur de foin brûlé par le soleil ne sourirait peut-être pas souvent dans la vie, sourirait plus que lui-même ? moins que lui-même ? prêt à tout saisir, à tout apprécier, prêt aussi à tout rejeter et à bondir à l'énoncé d'une injustice apparente ou de principes indéfendables... L'Ami en est rendu aux desserts, Rémy en est lui aussi au dessert, il devrait écouter, mais non, il arrive de trop loin ou il repart pour trop loin... Madame de Chou fait Beu ! et Rémy sourit faiblement, encore tout chargé de la poussière des longs voyages, n'ayant pu secouer assez vite tout ce qui se bouscule en lui d'impressions, de souvenirs vagues ou précis, de moitiés de rêves, de sentiments avoués, refusés et Beu ! encore, Rémy doit reprendre ses lunettes pour lire le menu car il n'a rien entendu du poème des desserts... le menu... à le voir ainsi, ici, ailleurs, un peu partout, beaucoup s'y seraient trompés, se trompaient en effet sur sa nature véritable, parce qu'à le voir ainsi, lointain, inquiet, méfiant peut-être, comme à le voir dans la vie de tous les jours, on n'imaginait pas facilement le sourire présent, à deux instants des lèvres, à une lueur près dans les yeux, il aurait fallu pouvoir le suivre, comme faisaient facilement l'Ami, Madame de Chou, les amis présents et les autres, le suivre pour le retrouver sur les dunes de neige, imaginant les navires-trésors emprisonnés dans les glaces; le nez collé à la vitre des grands trains, à l'affût de la vie, à la recherche des signes; assis sur le bord de la boîte des camions, cheveux au vent, emmagasinant tous les trésors de la nature et des hommes, très vite, à la vitesse du camion brûlant l'asphalte, comme pour reprendre les richesses perdues; sur les berges des rivières de son pays, découvrant pour le bonhomme chéri l'étrave d'un bateau de Champlain, la rame de la barque de d'Iberville; devant le feu de hêtre qui embaume la salle de séjour d'une maison de pierre, jouant au petit seigneur de village, celui qu'on retrouve, celui qu'on cherche pour s'acquitter non des droits de fermage mais des devoirs de l'amitié, celui dont on s'inquiète un peu, en dedans, sans lui en parler, simplement lui parler du feu de hêtre, ce bois est rare dans le pays, de la cheminée qui tire bien, des teintes que le plafond revêt avec cette flamme qui fait aussi briller ses yeux d'une lueur qui ne laisse pas de doutes sur sa tranquillité, en dépit de...

POURQUOI ÉVITER LE JE?

Dans la deuxième partie, le narrateur s'interroge sur sa propre existence, en une réflexion sur l'acte d'écrire et sur le roman lui-même.

Tourner autour du pot... et pourquoi tourner ainsi plus longtemps autour du pot ? pourquoi éviter le je, je n'invente pas d'histoire, je raconte ce que j'ai vu, senti, vécu, je ne peux plus jouer à l'auteur détaché, au jeu du camouflage. Quelqu'un de très près de moi, — évidemment, pour être conséquent, je devrais le nommer, mais cette fois, vraiment, ça ne donnerait rien, vous ne connaissez pas ce personnage, et il n'en sera plus question, ainsi ces héros, Elpénor et bien d'autres, qui ne doivent leur renommée que pour avoir été cités une fois en tout et partout, dans Homère, Rabelais, Saint-Simon, — quelqu'un de très près de moi donc m'a dit : et quand tu te seras tout raconté, qu'est-ce que tu écriras ? je répondis : nous verrons, nous en reparlerons, rien peut-être, mais d'ici là... et puis j'aime autant ne plus rien écrire si je ne dois pas écrire la vérité ou plutôt ma vérité à moi. J'ai d'illustres contradicteurs mais aussi bien d'illustres prédé-cesseurs. Mais encore une fois je vous ai trompés, lecteurs et lectrices. Le personnage qui tient lieu d'Elpénor contemporain, cher matelot d'Ulysse à qui je fais changer de sexe, c'est Madame de Chou.

J'aurais voulu faire une symphonie ou plutôt une interminable rhapsodie avec variations; ce que j'ai fait est plutôt un poème symphonique... la forme est classique pourtant, les critiques seront d'accord : la chambre, le restaurant, la chambre, un-deux-un, le présent, le rêve où se mêlent présent et passé, retour au présent, ramassant tout : présent, rêves, passé. Je ne sais pas développer... pourtant, au piano, je sais, je développe, j'improvise, je suis même, tu le sais, assez cabotin, et me plais à brouiller les pistes, et auprès d'un petit auditoire chaleureux mais de connaissances musicales limitées, j'ai un certain succès. Seul, je réussis encore mieux, mais au moins je ne trompe personne. Quant à me tromper moi-même, c'est à voir... toi, qu'en dis-tu ? Mets-toi du bleu aux paupières et tu ressembles à l'ancienne Lotte Lenya de l'Opéra de Quat-Sous... Mais un livre est différent. Un poème symphonique avance d'un trait, une symphonie a plus de durée, elle joue avec le temps, elle a le temps pour elle. Mais supposons que... qu'est-ce que vous y auriez gagné ? c'est là la question... et moi, qu'y aurais-je gagné ?

N O T I C E   B I O G R A P H I Q U E

Réal Benoît, né en 1916, dirige le service des émissions sur film à Radio-Canada. Co-fondateur, en 1940, avec André Giroux, de la revue Regards, *à Québec, il fut cri-tique musical et de cinéma pour divers journaux; il*

voyagea dans les Antilles, au Brésil, en France, fut ci-
néaste à Haïti et producteur de films à Montréal. Quel-
qu'un pour m'écouter lui valut, en 1965, le premier Grand
prix de la ville de Montréal.

BIBLIOGRAPHIE

L'œuvre romanesque de Réal Benoît :

    Nézon, Montréal, Éditions Parizeau, 1945.

    Rhum-Soda, dans *Les Écrits du Canada français*, Montréal, H.M.H., 1961.

    Quelqu'un pour m'écouter, Montréal, Cercle du Livre de France, 1964.

Études sur Réal Benoît :

    Marcotte, Gilles, « Quelqu'un pour m'écouter », dans *Québec 64*, oct. 1964.

    Marsolais, Gilles, « Quelqu'un pour m'écouter », roman de rêverie créatrice, dans *Lettres et Écritures*, nov. 1964.

    Vachon, Georges-André, « Nouvelle prose », dans *Relations*, juillet 1964.

    Grandpré, Pierre de, « Quelqu'un pour m'écouter », dans *Dix ans de vie littéraire au Canada français*, Montréal, Beauchemin, 1966, pp. 180-183.

    Éthier-Blais, Jean, « Adorable moi », dans *Signets II*, Montréal, Cercle du Livre de France, 1967, pp. 185-194.

    Therrien, Vincent, « Quelqu'un pour m'écouter », dans *Livres et auteurs canadiens 1964*, avril 1965, p. 11.

    Robidoux, Réjean, et Renaud, André, *Le Roman canadien-français du XXe siècle*, Ottawa, Éditions de l'Université d'Ottawa, 1966, pp. 205-207.

V

JEAN BASILE
(né en 1933)

Après une tentative plus ou moins heureuse de récit poético-philosophique avec *Lorenzo,* Jean Basile semble avoir trouvé une forme qui lui convienne dans l'écriture très libre de *La Jument des Mongols,* où se mêlent l'ironie et la sensibilité.

Le roman se présente d'ailleurs comme la première partie d'une tétralogie, *Roma-Amor,* dont chaque tome serait consacré à l'une des valeurs que désigne explicitement un personnage: « Il y a quatre choses importantes dans la vie: l'amour, la création, l'enfance et la mort. ». Sur le thème de l'amour, *La Jument des Mongols* évoque un univers subtilement complexe et mouvant auquel sont d'ailleurs, aussi, intimement liées la création, l'enfance et la mort.

LA JUMENT DES MONGOLS (1964)

La Jument des Mongols se divise en six chapitres dont chacun forme un paragraphe d'une seule coulée. La narration demeure liée à une conscience en devenir, mais elle déborde fréquemment le présent pour instituer un état intemporel où s'associent le rêve, le passé et une durée prolongée. L'ensemble du roman est dominé par les mouvements hiératiques de quelques personnages: Jérémie, le narrateur; Armande, sa maîtresse; Jonathan, l'écrivain en puissance, qui attend toujours le grand œuvre en vivant aux crochets de Jérémie; Judith, l'amie d'enfance (peut-être la sœur) de Jérémie, que ses expéditions de nymphomane, en compagnie du narrateur, conduisent dans les bas-fonds de la ville.

« Mythologie quotidienne »

Les fonctions de chacun sont strictement délimitées et ses relations avec les autres personnages semblent régies par un code aussi nettement déterminé que le système de parenté dans certaines sociétés primitives. Autour de la trinité des J (Jérémie, Jonathan, Judith), dont Jérémie constitue le centre et par qui doivent passer tous les liens, gravite Armande. Et sur eux planent, comme en vertu d'une théologie occulte, les oracles de Victor qui, dix ans plus tôt, fut l'initiateur du trio.

Le roman lui-même pourrait se diviser en deux mouvements: d'abord la reconnaissance progressive de cet univers réglé comme un cérémonial baroque, puis le rétablissement de l'équilibre après la transgression du rituel par Jonathan et Armande. Le deuxième mouvement se termine avec la mort d'Armande, que l'on maquillera comme une déesse égyptienne pour qu'elle entre dans l'ordre mythologique des personnages; pendant ce temps, Anne s'apprête à la remplacer auprès du trio, qui a repris sa danse grotesque et sacrée.

La Jument des Mongols crée un univers à la fois léger et tragique. Sous des apparences folichonnes et bavardes, les accords du temps qui passe et de la mort inventent un langage à la fois douloureux et frivole. Malgré quelques passages gratuits ou un peu trop abstraits, Jean Basile réussit à manifester cette forme d'existence dans une totale incarnation des lieux et des personnages, créant ainsi ce que l'un d'eux appelle leur « mythologie quotidienne ».

LA « MAIN »

Comme le souligne Jonathan: « Nous sommes des créateurs de mondes et des inventeurs de mythes qu'un jour nous détruirons nous-mêmes dans un moment de lassitude ou de rage; nous épuisons à vivre comme nous le faisons notre réserve de grands sentiments; nous sommes fondamentalement des êtres religieux et nous ne pourrions vivre sans dogmes et sans rites; sous des apparences de futilité, qui peut prétendre que nous ne sommes pas sérieux? »

Victor disait: « Sans la « Main », mes enfants, je crois bien que je détesterais Montréal ». A l'époque nous ignorions tout d'elle sans trop vouloir l'avouer, aussi bien nous hochions la tête d'un air vaguement entendu mais pas plus que nous ne connaissions la topographie de ces lieux qui n'ont plus de secrets pour nous aujourd'hui, nous ne connaissions rien de la vie. Or je récite comme au caté-chisme en ânonnant et en fermant les yeux : « la Main-coupe-la-ville-en-deux-délimitant-ainsi-l'est-de-l'ouest-etc. ». En d'autres termes et sans qu'il faille y voir un quelconque procès social les quartiers populeux des maisons bourgeoises à pignon, après tout ça m'est bien égal, la Main du quai Victoria où elle naît avant de se perdre quelque part dans le nord, cette banlieue où je ne suis jamais monté parce que c'est trop loin et trop triste, remplie de ménagères hon-groises torchant leurs hongrois marmots, peut-être autrefois, mais n'exagérons pas ce n'est pas si ancien, quand nous allions en bande nous oxygéner les poumons à la campagne et, par la même occasion, perdre son temps et le faire perdre aux autres au beau milieu des conifères laurentiens qui sont bien les arbres les plus bêtes du monde, l'ai-je traversé cette banlieue mais très vite, de surcroît en fermant les yeux, car Judith conduit sa voiture comme une folle, quelques mots suffisaient en fait, dans sa partie nerveuse tout du moins que nous connaissons bien Judith et moi sans oublier notre chère Armande, entre Saint-Jacques et approximativement Sainte-Catherine, c'est quelque chose, des odeurs, des cris, si je n'emploie plus le mot sacré c'est qu'il signifie proprement gros faucon et non pas un quelconque tabernacle, des gargottes et des gargottiers qui vendent des frites, du maïs dit blé d'Inde cuit à l'eau et réchauffé à la vapeur pour lui enlever ce qui lui restait de goût, des chiens-chauds, des hamburgers, plus de nombreux sandwichs au fromage, au jambon, aux œufs, toastés ou non, avec moutarde, relish, salade verte ou rondelle de tomate selon que l'on aime ça ou non, des tartes aux pommes, bleuets, raisin, sucre, crème glacée, beignets grecs et autres friandises maison, des cafés crème sucre, diverses limonades, coke, seven-up, bière d'épinette, pepsi essentiellement, la vraie bière nous la trouvons dans d'autres établissements et je n'oublierai pas davantage les odeurs, celles-ci cor-porelles, qui varient entre l'odeur de pieds et d'aisselles plutôt mal soignées et celle de fiente qui provient, suintant à travers le moindre interstice des portes et des fenêtres du marché à volaille voisin, et tout ce qui est et restera indéfi-nissable et par là même curieusement tentateur et charmant, parfum de cinq-dix-quinze, haleine parfumée au life saver, brillantine non grasse genre Brylcream remplaçant bien connu du K-Y et autres lubrifiants ou pommade, dont on s'oint les cheveux plus particulièrement, cambouis, essence de voiture, pétrole lampant, tout cela dans une seule bouffée d'air et si intimement mêlé et secoué comme un coquetel dans un shaker que le nez d'un cochon bien éduqué, et le Midnight et le Savoy interdits à tous ceux qui gagnent plus de mille dollars et vingt-deux cents noirs par an.

LE GRAND KHAN (1967)

La même fusion kaléidoscopique de thèmes et de chatoiements du style se retrouve dans le roman *Le grand Khan*, paru en 1967; le récit est axé, cette fois, sur la création littéraire.

Je m'appelle Jonathan, six pieds deux pouces, presque aussi maigre qu'un cure-dent, rien qu'à me présenter je fais peur aux monstres, je ne suis pas un roseau pensant, grossier si j'ai mes élégances, je me propose nu, laid, égoïste, vaniteux, peut-être sans talent, je sens le fauve quand je transforme mes draps en tente de toile et que je m'enferme dedans, j'aime fuir mais j'irai malgré tout lentement, posément car dans ce pays situé sous des latitudes blanches, il n'est pas de bon ton de faire tout en trois mots, pourquoi aller si vite si les distances sont immenses et si l'avion ne fait en somme que rapprocher d'un point ce même point puisque la terre est ronde, qu'importe je serai, tout est silence, le prince de ma steppe et de ma chambre, de la rue Prince-Arthur, le grand Khan, tant pis si la planète est grosse, j'arrive à peine à jongler avec une orange, je ne pousse pas comme un champignon, et tant pis pour la complaisance, je me nomme immobile panique, je veux avoir un solide coup de dent, ne serait-ce que pour un hot dog, lorsque le sommeil me prend, je n'ai pas été philosophe mais je ronfle.

NOTICE BIOGRAPHIQUE

Né en 1933, d'origine russe, ayant longtemps vécu à Boulogne-Billancourt, aux portes de Paris, avant son installation au Canada vers sa trentième année, le chroniqueur Jean Basile est tôt devenu directeur des pages littéraires et artistiques du Devoir. *A l'endos de la couverture de* La Jument des Mongols, *aux éditions du Jour, son confrère Claude Jasmin le décrivait ainsi, en 1964: « Un enfant précoce ou un adulte enfantin. On ne sait pas. Il affirme. Beaucoup. Parce qu'il croit. Fort... Il me semble le type parfait de l'écrivain; il est audacieux et mesuré, secret et bavard, présomptueux et prudent, effrayant de cynisme et capable d'une grande bonté; il est fidèle et traître, d'une brutale franchise et d'une hypocrisie machiavélique; au fond il cherche, il doute, il se livre, il se cache, il vit et... il écrit ». Il a publié à ce jour trois romans, dont* Lorenzo *en 1963 et les deux premiers tomes de sa tétralogie « Roma-Amor »:* La Jument des Mongols *et* Le Grand Khan, *ainsi qu'un* Journal poétique *(1965) et une pièce de théâtre,* Joli tambour *(1966).*

BIBLIOGRAPHIE

L'œuvre romanesque de Jean Basile :

Lorenzo, Les Éditions du Jour, Montréal, 1963.

La Jument des Mongols (Roma-Amor, I), Les Éditions du Jour, Montréal, 1964; Grasset, Paris, 1966.

Le Grand Khan, Les Éditions Estérel, Montréal, 1967.

Études sur Jean Basile :

Robichaud, R., « Lorenzo », dans *Livres et auteurs canadiens-1963*, 1964, p. 12.

Bessette, Gérard, « La Jument des Mongols » dans *Livres et auteurs canadiens-1964*, 1965, pp. 13-14.

Marcotte, Gilles, « Jean Basile ou le goût de parler », dans *La Presse*, 9 janvier 1965.

Éthier-Blais, Jean, « La Jument des Mongols », dans *Le Devoir*, 28 nov. 1964.

Bosco, Monique, « Le Grand Khan », dans *Le Magazine Maclean*, novembre 1967.

Bosco, Monique, « Quand les critiques sautent la clôture », mars 1965.

Fréchette, Jean, « Tambour et fugue » (Jument des Mongols, Grand Khan, etc.), dans *L'Action nationale*, vol. 56, no 7, mars 1967, pp. 720-723.

Hertel, François, « Loisirs et lectures », dans *L'Information médicale et paramédicale*, vol. 19, no 4, 3 janvier 1967, p. 24.

Nourissier, François, « Le Grand Khan », dans *Les Nouvelles littéraires*, 22 février 1968.

Robidoux, Réjean, et Renaud, André, *Le Roman canadien-français du XXe siècle*, Ottawa, Éd. de l'Université d'Ottawa, 1966, pp. 207-208.

VI

JACQUES GODBOUT
(né en 1933)

Esprit lucide à l'affût de lui-même et des formes qui lui permettent d'effectuer sa propre reconnaissance, Jacques Godbout est écrivain radiophonique, poète, cinéaste et romancier. La liberté de facture qui caractérise ses romans correspond à une volonté manifeste d'écriture et de signification: chacun d'eux est construit de façon à mettre en œuvre une libération progressive, l'accès à un état de conscience où se rejoignent l'individuel et le social. Ce dernier trait d'une libération à la fois personnelle et collective, cette fois résolument joyeuse, a éclaté avec particulièrement de bonheur dans le troisième roman de Godbout, *Salut Galarneau!,* paru en 1967.

L'AQUARIUM (1962)

Un jeune artiste canadien s'est enfermé dans un hôtel cosmopolite, quelque part en Afrique, pour la durée de la saison des pluies, pendant qu'à l'extérieur se prépare une révolution. Quand arrive la maîtresse d'un personnage que ses compagnons ont laissé mourir dans un accident, le narrateur se lie avec la jeune fille et, avec elle, il réussira à quitter le pays.

« Essaie de te souvenir... »

La première partie du roman se développe selon la progression simultanée de deux temps. N'avançant que péniblement et de façon presque insensible, le présent constitue une nappe étale et uniforme où s'incrit le devenir des personnages de la Casa Occidentale, en particulier celui du narrateur[1]. La pluie, l'humidité, les images de l'aquarium et des escargots sont des leitmotive qui s'allient à la tonalité en sourdine d'une narration désabusée, pour créer le climat d'un ennui coupé de tout véritable avenir. Le temps n'avance réellement qu'à l'extérieur de la Casa, où se prépare l'aventure d'une révolution dans laquelle le narrateur ne peut se décider à entrer.

Le passé apparaît sans transition dans la conscience du narrateur par brefs affleurements, le temps d'une phrase, d'un ou de quelques paragraphes. Les bribes de souvenir reconstituent l'existence d'un personnage qui demeure, pendant tout le roman, innommé, mais qui hante l'univers de la Casa Occidentale: « Devenu statuette d'argent, fascinante comme les petits dieux de paille des samedis soirs où l'on pratique l'enchantement » (p. 66). Cet homme avait incarné la conscience dans le groupe des exilés. En évoquant la présence de cet individu que ses compagnons ont laissé s'enliser dans les sables mouvants, le narrateur, qui tente d'exorciser sa culpabilité, retrouve sa propre conscience et se dégage peu à peu du monde des « escargots ». Le rappel des événements passés s'accomplit à même le présent en devenir, mais selon un ordre contraire à celui dans lequel ils se sont produits. Par cette chronologie à rebours, nous connaissons d'abord les circonstances de la mort de l'innommé, puis son comportement à l'égard des autres personnages, sa participation au mouvement révolutionnaire, l'existence de son argent, puis, au début de la deuxième partie, ses liens avec Andrée.

---

1. Seuls les chapitres I, II, III et VII, ainsi qu'une partie du chapitre XXI, ne sont pas vécus dans la perspective du narrateur situé.

*« ... inutile de
se rappeler »*

Le début de la deuxième partie marque le point le plus éloigné dans le retour au passé, mais en même temps, parce que cette évocation a permis un éveil de la conscience, ce passé rejoint l'avenir: Andrée devient l'objet d'une invocation. Avec l'arrivée d'Andrée, le passé perd sa fascination et le décor se transforme. En acceptant de collaborer avec les révolutionnaires, le narrateur s'installe dans le temps en marche, qu'il avait jusqu'alors maintenu à l'écart. Coïncidant avec la fin de la saison des pluies, cette transformation de la durée s'accomplit de façon très explicite, au plan de la composition, dans le compte à rebours (une heure... cinquante neuf minutes ... quarante minutes ... trente ...) qui, par opposition au mouvement rétrospectif de la première partie, scande le rythme de plus en plus accéléré de la fin du roman.

LA SAISON DES PLUIES

Voici un passage où se télescopent de façon caractéristique passé et présent, soleil et pluie, action et conscience.

C'est comme une suie, comme une vapeur de mazout qui colle aux mains, aux vêtements. Les murs et les plafonds suintent à grosses gouttes d'humidité âcre. Plus rien ne sèche. Depuis deux semaines déjà qu'il pleut sans arrêt; interminable pluie, comme ces prières qu'égrènent les femmes du pays.

— Je vous emmerde...

qu'il criait en pleurant. Je vous emmerde ! Puis il est mort et la pluie a commencé de tomber, c'est la saison. Il y a des pays qui ont de grandes filles, ici ce sont les grandes pluies, les longues pluies. Deux mois peut-être.

Hier je suis allé en bas au salon vert; c'est une salle comme on en voyait jadis dans les châteaux suisses avec des plafonds trop hauts, des murs que la tapisserie cherche en vain à cacher — c'est une salle mise en commun — et c'est compris dans le prix: l'administration de la Casa Occidentale fait bien les choses.

Il y traînait des journaux comme traînent le dimanche matin détritus et papiers crasseux sur les champs de foire — en temps normal, c'est-à-dire quand le soleil pue la chaleur, les périodiques ont déjà deux mois de retard — quand il pleut ils n'arrivent plus. Alors les nouvelles ! les shahs qui se marient ou qui ont des enfants et les puits de pétrole qui sautent au Moyen-Orient et les ministres qui discutent de l'avenir des hommes !... l'avenir, c'est ridicule. Ici la pluie lave tout, les vitres, les cerveaux, les rues — elle emporte même les ponts d'un air indifférent comme il lui sied, comme il sied aux ânes qui transportent le bois, indifférents eux aussi.

— Je vous emmerde...

Il est mort bêtement. Mais c'est toujours con de mourir — s'il y avait un plus qu'absurde nous l'aurions cependant touché du doigt ce matin-là — c'était la saison chaude et sèche, avec ce ciel de carte postale en couleur, bleu à gueuler. Dire que je regrette sa mort ? Je ne sais même plus si ce fut un honnête accident ou si nous n'avons pas tous ensemble donné un coup de pouce au destin qui ne demandait pas mieux — peut-être même l'avions-nous mérité. Comme on dit à un enfant qui s'est coupé le doigt :

— Tu vois bien, je t'avais prévenu.

. . . mais ça continue de saigner.

Il vous intéresse de savoir que je suis debout devant une porte-fenêtre, dans un immeuble récemment construit qui craquelle déjà. Mais les lézardes, ça me connaît. J'ai une vie lézardée plus encore que ces murs, d'abord parce que j'ai une conscience comme il ne s'en fait plus. Une conscience de derrière les fagots: je me sens responsable de tout oui tout, merveilleux petit agneau sur commande.

LE COUTEAU SUR LA TABLE (1965)

Un jeune Québécois recherché par la police retrouve une jeune Canadienne anglaise qu'il a aimée dix ans auparavant. Avec elle il passe un hiver, évoquant le passé. Les liens renoués aboutiront à l'assassinat de la jeune fille, dans un geste apparemment injustifié mais rendu plausible et d'une certaine façon inéluctable par un long cheminement de la conscience et des événements.

On reconnaît dans *Le Couteau sur la table* à peu près les mêmes éléments de composition que dans *L'Aquarium:* une prise de conscience qui s'accomplit grâce à la reprise du passé dans le devenir d'un présent immobile et délimité par une saison. Malgré ces ressemblances, le deuxième roman de Golbout n'est aucunement une redite: il crée sa propre identité formelle et met en œuvre des significations qui prolongent celles de *L'Aquarium.*

« *Faire coïncider les réels* »

Le Couteau sur la table est fait de deux récits développés simultanément, l'un au passé, l'autre au présent; l'un en 1952-1953, l'autre dix ans plus tard; l'un en marche, l'autre presque immobile. Le présent dans lequel se situe la narration à la première personne est à peu près statique: seules quelques rares notations nous apprennent qu'un temps s'est écoulé. Tout s'accomplit en un hiver. A l'intérieur de ce récit au présent qui enregistre le devenir des personnages, l'évocation de la première liaison entre Patricia et le narrateur s'inscrit, au contraire, dans une véritable progression temporelle: le souvenir, jalonné de références précises au rythme des saisons, demeure étroitement lié au cycle qui va de l'été à l'été.

Une sorte d'immobilité temporelle étant ainsi installée dans la représentation spatiale, les lieux se suivent sans créer de véritable mouvement. Les personnages, toujours enclos par l'hiver, se retrouvent d'abord à Montréal, puis ils occupent une espèce de manoir dans l'Ouest canadien, rejoignant ainsi symboliquement le théâtre de leur première rencontre. Au rythme du retour au passé correspond un mouvement des personnages dans l'espace. Le début de leur amour se situe dans l'Ouest, en un lieu de villégiature aussi faux, aussi artificiel peut-être que leurs sentiments. Un long voyage en train déroule, en une interminable énumération de noms de villes et de villages, toute la diversité, toute la vaste monotonie du Canada. Ce voyage les conduit à Montréal où vont se compliquer les liens entre eux, qui finalement se disloqueront.

Dans ces durées superposées, évoquées sur un ton d'ironie souvent émue, parfois angoissée (c'est un style propre à Godbout que celui de l'émotion se transformant en ironie, ou de l'ironie frangée d'émotion), s'interposent d'autres bribes de passé venues de l'enfance ou de paysages exotiques. Mis en relief par une significative technique des parenthèses, ou de la phrase qui s'amplifie mais demeure finalement en suspens sur une conjonction ou une préposition, ces souvenirs isolés fournissent à la narration un prolongement aux accents douloureusement intimes.

La reprise du passé achemine le narrateur jusqu'à la rupture brutale, qui coïncide avec la fin de l'hiver et met un terme à l'absence d'identité. Le destin personnel qui s'accomplit ainsi demeure cependant inséparable des significations collectives qui marquent toute la narration et s'imposent en particulier avec éclat à la fin du roman. Ces valeurs apparaissent dans un certain caractère agressif des phrases et des expressions anglaises, dans les manchettes de journaux qui assaillent la conscience individuelle; elles s'affirment également dans l'opposition entre le décor factice de ce Lake où eut lieu la rencontre, et Montréal où se situe la première rupture.

Le conflit social éclate à la fin du roman dans le rapprochement entre la nouvelle d'un attentat terroriste et le couteau posé sur la table, mais il était présent dès l'origine dans l'amour et dans la distance entre le narrateur et Patricia, cette Patricia qui est « le moyen terme par lequel (il) entre en contact charnel avec les cent quatre-vingt dix millions d'individus qui (l') entourent ».

« POURQUOI ES-TU REVENU? »

Apparemment immobile dans le présent, le narrateur accomplit une conversion rendue inévitable par l'acte de revivre le passé. Comme l'arbitraire mais inéluctable I, Ni, Mi, Ni, Maï, Ni, Mo, leitmotiv de tout le roman, le présent et le passé, le collectif et l'individuel, forment l'indissociable motif de l'acte final, l'irrésistible force qui tout au cours du roman achemine vers cet acte.

— Pourquoi es-tu revenu ?

— Je ne sais pas encore. Pour toi. Pour la sécurité de l'argent peut-être, pour ta santé.

— Vrai ?

— Je ne sais pas : l'Amérique entière me semblait vide comme la paume de ma main.

— Pour la complicité ?

— Si tu veux... La complicité, le prestige...

Cela la rassure. Nous marchons côte à côte, nous supportant l'un l'autre, car la glace sous la neige défie l'équilibre à chaque pas. Dehors, dans son manteau de fourrure, il ne reste plus de Patricia qu'un visage heureux d'affronter le froid. Sa peau se tend sous le vent, s'affermit, c'est le retour à l'enfance, aux joues roses, aux écharpes de laine sur la bouche, aux lèvres gercées, aux yeux qui pleurent délicieusement.

Tout à l'heure une curieuse teinte bleue commencera de colorer les bancs, puis, à mesure que les maisons s'espaceront, la neige deviendra plus dure, plus haute aussi dans les champs.

Sur le sable du lac artificiel j'essayais de me laisser bronzer ou encore, quand le soleil se réfugiait derrière les arbres, je m'efforçais de m'intéresser au va-et-vient des enfants avec leurs seaux, leurs pelles, leurs ballons de polythène coloré, au lent cortège de vieilles bonnes femmes dont les jambes atrocement marquées par le travail et les cuisses striées de veinures crevées, presque glauques par endroits, semblaient jouer les colonnades décrépites d'un royaume disparu. Je ne m'ennuyais pas : je récupérais; n'étant pas tout à fait un athlète accompli, je dépensais facilement plus d'énergie qu'il en aurait fallu dans ces courses d'entraînement stupides où nous devions porter sur notre dos tout l'équipement nécessaire à un nid de mitraille, trébuchant dans les framboisiers sauvages pendant que le colonel roulait par les petites routes, assis dans sa jeep comme César dans les pages illustrées du dictionnaire. Je ne m'ennuyais pas, j'étais abruti peut-être; mais aussi les fillettes portaient toutes, dans la bouche, un appareil en métal blanc pour corriger l'élan des incisives, ce qui leur donnait malgré leurs treize ans parfois une allure ridicule de gosse qui refuse de vieillir; mais aussi les jeunes femmes n'étaient pas nombreuses, et celles, très rares, qui vivaient au camp ne se rendaient au Lake qu'avec leur mari. Seules des Suédoises venues étudier les dernières inventions de l'aviation américaine, auraient pu, certains dimanches, nous offrir une fête...

— Pourquoi revenir ici, alors ?

— Je t'aime. C'est simple. Et puis j'ai la mémoire courte: tu m'aides à tracer son portrait, à me rappeler la couleur des cravates horribles qu'il portait les samedis soirs, à décrire l'odeur de la boutique qu'il tenait dans le Summit Circle, tu te rappelles la Buick rouge ouverte qu'il...

— Bleue, je crois.

— Tu vois ? Et la lumière mauve qu'il faisait quand il vint nous prendre près du restaurant espagnol un jeudi soir.

— Tu n'es pas revenu pour cela seulement ?

— Non. Sans doute.

Nous marchons depuis si longtemps que la neige s'affadit dans la lumière, et le soleil qui blanchit semble se refroidir pour la fin du monde. La route, à présent, est à peine plus grise que l'horizon où l'œil déjà ne distingue plus rien.

SALUT GALARNEAU! (1967)

Salut Galarneau!, le troisième roman de Jacques Godbout, est un récit piaffant, verveux, truculent par endroits, d'une écriture rapide et toujours pleine d'éclat, de fermeté, d'invention; un style qui rappellera que Godbout est d'abord poète. Est-ce du reste un abus que de rapprocher non seulement les romans fantasmagoriques de Godbout, mais aussi les allégories de Réal Benoît, d'Anne Hébert, de Marie-Claire Blais et de quelques autres — plutôt peut-être que du « nouveau roman » de stricte obédience, ou de ce que l'on est généralement convenu de réunir sous cette étiquette — des grandes paraboles et des fabulations tragiques de Kafka, de Gracq, de Cayrol ou de Beckett, voire du Camus de *La Chute* et du Gide de *Paludes*?

ÉCRIRE ET VIVRE

Galarneau, héros populaire qui touche à tout avec aisance et détachement — il tient notamment un débit de « hot dogs » et de frites sans s'y sentir le moins du monde « tenu » — ambitionne, un peu la manière de son créateur, vrai homme-Protée de la jeune littérature québécoise, de *vivre* et d'*écrire* d'un même joyeux élan.

J'ai des visions comme ça, des tas de visions, des rêves qui se bousculent dans le grenier. Je sais bien que de deux choses l'une : ou tu vis, ou tu écris. Moi je veux *vécrire*. L'avantage, quand tu vécris, c'est que c'est toi le patron, tu te mets en chômage quand ça te plaît, tu te réembauches, tu élimines les pensées tristes ou tu t'y complais, tu te laisses mourir de faim ou tu te payes de mots, mais c'est voulu. Les mots, de toute manière, valent plus que toutes les monnaies. Et ils sont là, cordés comme du bois, dans le dictionnaire, tu n'as qu'à ouvrir au hasard :

DOMINER : avoir une puissance absolue. fig. l'ambition domine dans son cœur. Se trouver plus haut. Le château domine sur la plaine. Dominer sa colère. S'élever au-dessus de. La citadelle domine la ville; se dominer, se rendre maître de soi...

Tu voyages, tu t'instruis, chaque mot, c'est une histoire qui surgit, comme un enfant masqué, dans ton dos, un soir d'halloween; j'y passe des heures, de surprise en surprise. Quant à moi, Jacques peut bien garder ma femme, la

159

bichonner, la dorloter, lui faire des enfants blonds, les élever, écrire pour la télévision, faire de l'argent, il ne sait pas ce que c'est qu'un cahier dans lequel on s'étale comme en tombant sur la glace, dans lequel on se roule comme sur du gazon frais planté.

N O T I C E   B I O G R A P H I Q U E

Né à Montréal en 1933, Jacques Godbout a fait ses études secondaires chez les jésuites, notamment au collège Jean-de-Brébeuf. En 1951, il prenait la route des États-Unis et du Mexique. Après une thèse de M.A. sur Rimbaud, à l'Université de Montréal, il devint professeur à Addis Abeba (Ethiopie), de 1954 à 1957. Il parcourut l'Europe, l'Egypte, les Antilles. De retour au Canada en 1957, il entre au service de l'Office National du Film comme préposé aux adaptations françaises, puis comme scénariste et réalisateur. Il est parmi les fondateurs et directeurs de la revue Liberté, *du « Mouvement laïque de langue française » et de l'« Association professionnelle des cinéastes ». Jacques Godbout manifeste dans notre milieu un peu de la polyvalence de dons d'un Jean Cocteau. A la fois peintre et homme de théâtre, poète et romancier, journaliste et cinéaste, il touche à tout avec une grande dextérité.*

BIBLIOGRAPHIE

L'œuvre romanesque de Jacques Godbout :

> *L'Aquarium,* Éditions du Seuil, Paris, 1962.
>
> *Le Couteau sur la table,* Éditions du Seuil, Paris, 1965.
>
> *Salut Galarneau !,* Éditions du Seuil, Paris, 1967.

Études sur Jacques Godbout :

> Bessette, Gérard, « L'Aquarium », dans *Livres et auteurs canadiens-1962,* avril, 1963, pp. 17-18.
>
> Grandpré, Pierre de, « Quand le roman se fait vision et allégorie : L'Aquarium », dans *Dix ans de littérature au Canada français,* Montréal, Beauchemin, 1966, pp. 167-171.
>
> Éthier-Blais, Jean, « Romans », dans *University of Toronto Quarterly,* vol. 35, no 4, 1965-1966, pp. 509-523.
>
> Marcotte, Gilles, « Le Couteau sur la table », dans *La Presse,* 27 mars 1965.
>
> Beaulieu, Michel, « Le Couteau sur la table », dans *Livres et auteurs canadiens-1965,* avril 1966, pp. 42-43.

Sutherland, Ronald, "Twin Solitudes", dans *Canadian Literature*, no 31, hiver 1967, pp. 5-24.

Bosco, Monique, « Salut, Galarneau! », dans *Le Magazine Maclean*, vol. 7, no 12, décembre 1967, pp. 78-79. « Entretien avec Jacques Godbout », dans *Incidences*, no 12, printemps 1967, pp. 25-35.

Cluny, Claude-Michel, « Sacrement de Galarneau; rencontre avec Jacques Godbout », *Lettres françaises*, 11 octobre 1967.

Martin, Claire, « L'homme dans le roman canadien-français », dans *Incidences*, avril 1964.

Major, Jean-Louis, « Jacques Godbout, romancier », dans *Europe*, février-mars 1969.

VII

CLAUDE JASMIN
(né en 1930)

Les personnages-narrateurs du romancier Claude Jasmin, à la recherche, dans un univers tout en mouvement, d'une innocence perdue mais qu'ils croient retrouver au bout de leur longue course, monologuent plus qu'ils ne racontent.

L'univers de la fuite

Rêvant d'une enfance heureuse, sachant aussi qu'elle est la source de leur mal, ils tentent désespérément à la fois de la retrouver et de la rejeter. Victimes et criminels, ils ne peuvent accomplir leur destin que par la fuite et la violence. L'agression et le meurtre, accomplis dans le vertige de la haine ou de la peur, se présentent à eux comme une délivrance. Et dans leur fuite éperdue, alors que le rêve se surimpose aux événements, chaque chose se fait à la fois menaçante et protectrice, chaque rencontre est occasion d'amitié et de trahison.

Les défauts de composition et les négligences de style alourdissent considérablement des œuvres comme *Et puis tout est silence* (1959), *Délivrez-nous du mal* (1962) et *Pleure pas, Germaine* (1965). En revanche, les romans les mieux réussis de Jasmin, *La Corde au cou* (1960) et *Ethel et le terroriste* (1964), valent surtout par l'irrépressible mouvement qui soutient et justifie cet univers troublé. L'écriture désordonnée, le déséquilibre de la phrase, le choc des impressions contradictoires imposent alors un rythme hallucinant qui emporte tout le reste.

LA CORDE AU COU (1960)

Après le meurtre de son amie Suzanne, le narrateur de *La Corde au cou* s'oriente vers la ferme du père Ubald, seul lieu de tendresse de son enfance. Dans une errance qui va de Sainte-Agathe à Saint-Joseph-du-Lac, le souvenir des misères, des illusions et des révoltes qui l'ont conduit jusqu'au crime s'associe au mouvement même de la fuite, des rencontres de hasard et de la marche à travers les champs.

Les voix s'entendent de moins en moins :

« Ici gît le roi des buveurs, ici gît, oui, oui, oui, ici gît, non, non, non, ici gît, le roi des ivrognes... ». Ça y est : j'ai encore douze ans, mon père est le roi des ivrognes, il me cherche pour me battre un peu, à son habitude, mais moi, je marche chez Ubald, le fermier, celui qui est si doux, qui a le visage tout brun et qui semble toujours rire des yeux...

Saint-Joseph-du-Lac n'est pas tellement loin... je grimperai jusque-là, en marchant un peu vite j'y serai avant la tombée de la nuit. Il me reconnaîtra et il me gardera à coucher dans le haut de sa grange, puis demain matin, sans poser de questions, il me mènera dans ses vergers, sur sa charrette, et il me dira :

— Fais attention aux pommiers avec ta faux, fais le tour large, fais le tour large !

Mais Sainte-Monique est loin et je voudrais manger. Cette maison là-bas, la première, j'ai peur d'avoir peur ! Je cognerai à la porte du bas-côté comme font les quêteurs et... et je saurai bien me composer un visage qui n'effarouchera pas la paysanne. Je trouverai les mots. C'est une grande maison — et elle est encore loin. — J'ai donc le temps de m'asseoir, de m'effondrer au bord de ce chemin bleu et de rêver que je suis libre...

Là-bas, très loin, très loin, des ombres noires et courbées gesticulent en cadence, des hommes travaillent au soleil... Ils ont le cœur à chanter, eux, qui n'ont pas tué celles qu'ils aiment...

« Si je meurs, je veux qu'on m'enterre... ». Quoi ? J'ai bien le droit de fredonner ? Non ?

NOTICE BIOGRAPHIQUE

Né à Montréal en 1930, décorateur à Radio-Canada, critique d'art à La Presse *après avoir pratiqué divers métiers, Claude Jasmin demeure un écrivain jeune malgré ses cinq romans et ses nombreux textes dramatiques. La jeunesse tient chez lui au caractère impétueux et souvent provocateur qui marque son activité de journaliste et de polémiste et qui, malgré certains échecs assez évidents, trouve à s'accomplir dans la force et l'élan des œuvres romanesques.*

BIBLIOGRAPHIE

L'œuvre romanesque de Claude Jasmin :

La Corde au cou, Montréal, Cercle du Livre de France, 1960; Paris, Robert Laffont, 1961.

« *Délivrez-nous du mal* », Montréal, Éditions A la page, 1961.

Ethel et le terroriste, Montréal, Librairie Déom, 1964.

Et puis tout est silence, Montréal, Éditions de l'Homme, 1965 (texte d'abord paru dans *Les Écrits du Canada français*, Montréal, H.M.H., 1959).

Pleure pas, Germaine, Montréal, Éditions Parti pris, 1965.

Les Cœurs empaillés (nouvelles), Montréal, Éditions Parti pris, 1967.

Études sur Claude Jasmin :

Marcotte, Gilles, « Ethel et le terroriste », *Québec 64, octobre* 1964; *L'Aventure romanesque de Claude Jasmin*, Conf. De Sève, reprise dans *Littérature canadienne-française*, Un. de Montréal, 1969.

Gallays, François, « Claude Jasmin et le recours à l'innocence », dans *Livres et auteurs canadiens — 1967*, Montréal, 1968, pp. 191-197.

Mailhot, Camille, « Délivrez-nous du mal », dans *Livres et auteurs canadiens-1961*, Montréal, Éd. Jumonville, 1962, p. 17.

Vachon, Georges-André, « Nouvelle prose », dans *Relations*, juillet 1964.

Godin, Gérald, « Claude Jasmin : « On est les poubelles de la littérature », dans *Le Magazine Maclean*, juin 1964.

Lockquell, Clément, « Dans les romans de Claude Jasmin, la ville innombrable », dans *La Presse*, 3 avril 1965.

Thério, Adrien, « Ethel et le terroriste », dans *Livres et auteurs canadiens-1964*, Montréal 1965, pp. 17-19.

Martin, Claire, « L'homme dans le roman canadien-français », dans *Incidences*, avril 1964.

Grandpré, Pierre de, « Notre génération "beat" », dans *Dix ans de vie littéraire au Canada français*, Montréal, Beauchemin, 1966, pp. 184-195.

Barbeau, Victor, « La Face et l'envers », Montréal, Académie canadienne-française, 1966, p. 88.

Éthier-Blais, Jean, « Les romans de l'année », dans *University of Toronto Quarterly*, vol. 35, no 4, 1965-1966, pp. 509-523.

Major, Jean-Louis, « Pleure pas, Germaine », dans *Livres et auteurs canadiens-1965*, avril 1966, p. 40.

Folch, Jacques, « Claude Jasmin, Hubert Aquin », dans *Europe*, février-mars 1969.

VIII

GÉRARD BESSETTE
(né en 1920)

Résolument réalistes par les thèmes et le langage, les trois premiers romans de Gérard Bessette — *La Bagarre* (1958), *Le Libraire* (1960), *Les Pédagogues* (1961) — mettent en œuvre le conflit entre la lucidité personnelle et la société, alors que le dernier paru, *L'Incubation* (1965), suit l'émergence d'une conscience aux prises avec la condition même de l'humanité. Construit sur les différences de langage, *La Bagarre* s'attache simultanément à trois individus dont les particularités linguistiques manifestent des attitudes diverses à l'égard de la collectivité canadienne-française. Dans l'autre roman à la troisième personne, *Les Pédagogues*, le langage nettement descriptif et la facilité avec laquelle le narrateur voit les personnages de l'intérieur aussi bien que de l'extérieur empêchent le lecteur d'exister vraiment dans ce milieu particulier. Les deux romans à la première personne, *Le Libraire* et *L'Incubation*, accomplissent leurs significations dans des univers intensément vécus, grâce à une totale incarnation du langage et de la représentation formelle.

LE LIBRAIRE (1960)

Devenu commis à la librairie de Saint-Joachim, Hervé Jodoin rédige son journal pour tromper l'ennui des dimanches. Il ne dérogera à cette pratique qu'à la fin de son séjour dans la petite ville, quand les événements se précipiteront parce qu'il aura vendu à un collégien un livre au titre équivoque.

La perspective et le ton demeurent liés pendant tout le roman au tempérament du narrateur et à sa situation de témoin désabusé, qui décrit ainsi son entreprise: « Je n'ai pas commencé ce journal pour ressasser des souvenirs. Je l'ai entrepris pour tuer le temps le dimanche quand les tavernes sont fermées. »

UN JOURNAL POUR « TUER LE TEMPS »

Bien que très précise dans la description des lieux et des personnes, la narration, que domine le leitmotiv du « qu'importe », se neutralise en se maintenant toujours en deçà des expressions et des sentiments reçus. Amorphe et « nature », Hervé Jodoin est le dénonciateur innocent du petit monde où il vit. D'autre part, le contraste entre la simplicité de la phrase, qui manifeste les faits et les impressions vécus, et la complexité syntaxique des conversations rapportées sous la forme du discours indirect, met en relief le mensonge social et le refus que constitue l'inertie du narrateur.

A première vue, il pourrait sembler plus simple de ne pas boire, ou de boire moins. Car je ne suis nullement alcoolique. Avant de m'installer ici, je buvais en somme très peu, sauf quand j'assistais à des réunions d'anciens confrères. Elles n'avaient lieu heureusement qu'une fois par année. Peu importe. Je n'ai pas commencé ce journal pour ressasser des souvenirs. Je l'ai entrepris pour tuer le temps le dimanche quand les tavernes sont fermées... Mais j'étais en train d'expliquer le pourquoi de mes ingurgitations. Pour être juste, il me faut reconnaître que les garçons de *Chez Trefflé* n'y sont pour rien. Ils ne poussent pas à la consommation. Ils viennent chercher mon verre quand il est vide, mais ne me demandent jamais si j'en veux un autre. Je ne dis pas qu'ils agissent ainsi par altruisme. N'empêche que c'est moi qui, de mon plein gré, lève le doigt quand mon bock est terminé. Alors le garçon vient déposer deux autres verres devant moi. Je lui donne vingt-cinq cents (vingt pour la bière, cinq comme pourboire) et il s'en va après m'avoir remercié. C'est en partie la discrétion du personnel qui m'a fait adopter *Chez Trefflé* plutôt que *Le Baril* ou *Le Bon Buveur*.

En apparence, nulle pression extérieure ne s'exerce donc sur moi. Toutefois, il faut tenir compte des circonstances. J'occupe toujours une table à moi seul. J'ai averti les garçons que je voulais la paix. De plus, il ne faut pas oublier que je passe en moyenne sept heures par jour *Chez Trefflé*. Cela crée tout de même une certaine obligation morale de consommer raisonnablement.

De toute façon, j'en suis arrivé à une moyenne de vingt bocks par soirée sans autre malaise que celui ci-dessus mentionné. Naturellement, je n'ai pas atteint cette quantité le premier soir. Parti de six ou huit verres, j'ai mis trois semaines pour grimper progressivement au niveau actuel.

Mais en voilà assez là-dessus. Tous les raisonnements ne changent rien à l'affaire. Passons aux circonstances qui m'ont conduit à Saint-Joachim. Ou plutôt non. Pas aujourd'hui. Il se fait tard et j'ai le bras fatigué.

L'INCUBATION (1965)

Entreprise au moment où un drame vient de se dénouer (un suicide), la narration débute avec l'arrivée prochaine d'Antinéa, alors que Gordon tente d'expliquer la situation en faisant au narrateur le récit laborieux de sa liaison avec elle, à Londres, pendant la guerre. Après son installation dans le milieu universitaire de Narcotown, Néa s'achemine jusqu'au point où elle s'enlève la vie sous le regard impuissant de Gordon, du narrateur et du vieux professeur Weingerter.

« Renouer remailler tout ça »

Se déroulant simultanément sur plusieurs plans temporels et géographiques, la narration constitue l'acte même d'une pénible et presque involontaire tentative, de la part du narrateur, pour élucider sa culpabilité à travers celle des autres personnages. Mais découvrir sa culpabilité coïncide avec l'accession progressive à la conscience, avec l'émergence hors de l'univers souterrain qui menace d'engloutir chacun des personnages: Néa dans son passé, Gordon et Néa dans les abris de Londres, le narrateur dans les « rayons labyrintheux catacombeux » de la bibliothèque.

Ce difficile affleurement de la conscience ne progresse que par approximations successives, par reprises incertaines, afin de cerner de plus près le réel multiple. Dans ce cheminement de tout l'être par le langage, chaque récit, à l'intérieur de la narration, reproduit la forme et le débit du roman lui-même.

UNE DRÔLE D'ÉPOQUE

On remarquera dans cet extrait que les verbes, les épithètes, les adverbes se dédoublent inlassablement. La phrase reprend appui sur certaines expressions et certaines situations, dans un interminable déroulement dont le vaste mouvement rythmique correspond à celui de l'ensemble de l'œuvre.

...C'était une drôle d'époque — je saisissais plus ou moins à cause de son débit pâteux et du caractère syncopé de ses explications ou de ses confidences — une époque où les commérages et les cancans et les critiques sur la conduite individuelle ne comptaient plus ou plus guère parce que la solidarité tribale jouait maintenant dans une autre sphère plus essentielle (la défense de ce qu'on appelle la patrie) à cause de la guerre du danger collectif et des bombardements et où lui Gordon pour la première fois de sa vie s'était senti libéré il ne savait pas trop de quoi — de certains tabous je suppose ou de certains refoulements — mais j'ignorais avant ce soir-là qu'il eût sentimentalement poussé les choses si loin, il avait même songé à rester à Londres après la guerre à cause de cette femme de cette Anglaise précisément dont il me parlait pour la première fois et dont le souvenir semblait l'oppresser tout à coup le forcer à boire plus que de coutume et de raison, il avait même songé à se caser là-bas à se trouver un job quelconque simplement pour être avec elle, je ne comprenais pas trop pourquoi il ne l'avait pas fait, il me racontait ça d'une façon labyrintheuse fragmentaire à coups de décalages de sous-entendus comme s'il prenait pour acquis que je me trouvais moi-même à Londres à cette époque-là sous les bombardements et que je pouvais par conséquent combler par le souvenir les interstices, cicatriser les lacunes qui béaient dans son récit ou plutôt dans cette pénible laborieuse cahoteuse évocation de son passé militaire où d'ailleurs il n'avait jamais eu l'occasion de combattre, se bornant (comme les dix ou douze millions de Londoniens résidents ou de passage) à recevoir des bombes sur la tête ou plutôt à se terrer dans des abris anti-avions ou dans des caves pendant que les bombes crevaient éventraient pulvérisaient des monuments des édifices, c'était sans doute comme il le disait une expérience unique — je ne sais s'il parlait des bombardements ou de l'atmosphère psychologique qui régnait chez les quelque douze millions de troglodytes mégalopolitains blottis comme des taupes dans le ventre de leur ville ou si cette expérience unique c'était d'avoir fait la connaissance de cette femme de cette Anglaise dans un abri anti-bombe précisément...

Pauvres de nous, pauvres bipèdes nous n'aurions jamais dû nous dresser nous verticaliser sur cette terre quitter cette vase cette boue aux odeurs de purin, ça avait commencé à Londres dans une nuit fantomatique, des gens qui filent

courent piétinent affolés comme des rats, comme des fourmis affolées saisies de
panique dont on vient d'écraser de piétiner la fourmilière, qui courent à droite
et à gauche dans la nuit qui zigzaguent s'interceptent s'éloignent se recoupent se
marchent dessus parmi le fracas des sirènes qui hurlent des canons qui vomissent,
cherchant une issue un orifice pour s'enfoncer sous terre disparaître dans les
entrailles de la terre avec leurs maigres bagages leurs quelques minables transpor-
tables effets, se précipitant dans la nuit dans la rue le brouillard au pas de
course affolés des hommes des femmes saisis de panique fuyant la mort le danger,
des fourmis des rats, deux d'entre eux se croisant s'aheurtant fuyant ensemble se
palpant les antennes le museau, fuyant ensemble ayant l'illusion malgré tout de
penser entraînés talonnés par leurs instincts par la peur la panique un mâle une
femelle cherchant à fraterniser à s'unir s'imaginant parce qu'ils sont des bipèdes
des verticaux parce que leurs ancêtres au cours d'une fantaisie d'une mauvaise
plaisanterie de l'évolution ont peu à peu déplacé leur axe vertébral (du moins
durant le jour quand ils étaient éveillés) de quatre-vingt-dix degrés s'imaginant
qu'ils pensent qu'ils sont maîtres comme on dit de leur destinée n'ayant au fond
appris qu'une chose (à savoir qu'ils doivent mourir) en attendant circulant à la
surface du sol dans un demi-rêve un demi-sommeil un homme une femme
cherchant à s'unir à se réchauffer à fuir ensemble ce qu'on appelle penser, à
retourner ensemble à cette posture horizontale parallèle à la terre qu'ils n'auraient
jamais dû quitter dont leur ancêtre anthropoïde n'aurait jamais dû songer à
dévier, cette insensible catastrophique antibasculade homo erectus mulier erecta,
la colonne vertébrale peu à peu se désarquant se verticalisant les bras peu à peu
devenant trop courts les jambes trop longues cette ridicule pénible démarche
d'échassier à chaque pas cette retombée cette chute sur un membre trop grêle
démesuré ce loufoque perpétuel mouvement de ciseaux le ventre s'appesantissant
ballonnant les épaules s'affaissant tous les organes le foie la rate les intestins le
cœur les poumons (accrochés tant bien que mal à cette charpente désaxée
chavirée tiraillés flaccotants désorientés) tirant vers le bas vers cette terre dont
ils n'auraient jamais dû s'éloigner homo erectus, ce monstrueux cerveau cette
excroissance tératologique se balançant dodelinant au bout d'un cou grêle
dindonnesque se mettant à sécréter distiller cette moisissure épiphénoménale la
pensée homo sapiens, s'imaginant les hommes les femmes dans cette nuit encore
préhistorique maîtriser ayant l'illusion de maîtriser contrôler leur destin...

NOTICE BIOGRAPHIQUE

*Gérard Bessette est né à Sainte-Anne-de-Sabrevois, en 1920.
Menant de front une carrière d'universitaire et d'authentique créateur, il a publié en 1960* Les Images en poésie
canadienne-française, *une* Anthologie d'Albert Laberge
*en 1962, ainsi que de nombreux articles de psychocritique,
entreprise rare en littérature québécoise: il en a réuni les
meilleurs spécimens dans* Une littérature en ébullition,
en 1967. En tant qu'écrivain créateur, il publie d'abord
Poèmes temporels, *1954, puis quatre romans:* La Bagarre
(1958), Le Libraire *(1960),* Les Pédagogues *(1961),* L'Incubation *(1965).*

BIBLIOGRAPHIE

L'œuvre romanesque de Gérard Bessette :

La Bagarre, Montréal, Le Cercle du Livre de France, 1958.

Le Libraire, Paris, Julliard, et Montréal, Cercle du Livre de France, 1960. Trad. anglaise par Glen Shortcliffe : Not for Every Eye, Toronto, MacMillan, 1962.

Les Pédagogues, Montréal, Cercle du Livre de France, 1961.

L'Incubation, Montréal, Librairie Déom (coll. Nouvelle Prose), 1965.

Études sur Gérard Bessette :

Shortcliffe, Glen, « Evolution of a Novelist : Gérard Bessette », dans Queen's Quarterly, printemps 1967, pp. 33-60; Gérard Bessette, l'homme et l'écrivain, Conférence De Sève, reprise dans Littérature canadienne-française, Université de Montréal, 1969.

Tougas, Gérard, "Something or Nothing" dans Canadian Literature, printemps 1968, pp. 62-67.

Brochu, André, « La nouvelle relation écrivain-critique », dans Parti pris, janvier 1965.

Éthier-Blais, Jean, « Lire en français » dans University of Toronto Quarterly, juillet 1964; et vol. 35, no 4, 1965-66, pp. 509-523.

Lockquell, Clément, « L'Incubation », dans Le Soleil, 10 avril 1965.

Marcotte, Gilles, « Gérard Bessette à l'école du nouveau roman », dans La Presse, 10 avril 1965.

Bernard, Michel, « Montréal, exil et promesse », dans La Presse, 3 avril 1965.

« Témoignages des romanciers canadiens-français », dans Le Roman canadien-français, tome III et Archives des Lettres canadiennes, Montréal, Fides, 1964, pp. 337-339.

Hertel, François, « A chacun son dû », dans L'Information médicale et paramédicale, 18 oct. 1966. « L'Incubation », Ibid., 15 nov. 1966; « Loisirs et lectures », Ibid., 3 juin 1967; « Du misérabilisme intellectuel », dans L'Action nationale, avril 1967.

Sutherland, Ronald, « Twin Solitudes », dans Canadian Literature, no 31, hiver 1967, pp. 51-63.

Allard, Jacques, « Comment la parole vient au pays du silence », (Le Libraire), dans Cahiers de Sainte-Marie, no 4, avril 1967, pp. 51-63.

IX

HUBERT AQUIN
(né en 1929)

Prochain épisode, de Hubert Aquin, est une composition en abysse où apparaissent en indissoluble continuité un roman et ce qu'on pourrait considérer comme le journal du roman. Enfermé dans un hôpital psychiatrique après son arrestation pour activité révolutionnaire, le narrateur rédige un roman d'espionnage. La durée romanesque s'identifie à celle du personnage qui raconte au présent sa détresse d'interné et tente d'échapper à son échec et à son immobilité grâce au récit qu'il entreprend, dans lequel se confondent le souvenir et l'invention. Alternativement au présent et au passé, le récit imaginaire est raconté lui aussi à la première personne et constitue en quelque sorte un dédoublement mythique de la réalité vécue par le narrateur.

Trou de mémoire réalise une intrication plus complexe encore des données du réel et de leurs dédoublements multiples par l'imaginaire: le roman touche à la limite au-delà de laquelle le procédé et l'exercice de style risqueraient de contraindre la coulée naturelle de l'invention et de fausser jusqu'à l'expression de soi-même par la fiction.

PROCHAIN ÉPISODE (1965)

Héros de son propre récit, le narrateur retrouve à Lausanne une jeune fille qu'il désigne par l'initiale K. et qui participe avec lui à l'action révolutionnaire québécoise. Après une nuit d'ébats amoureux, le narrateur prend en chasse un dénommé Carl von Ryndt que K. lui a désigné comme un ennemi à abattre. Pendant qu'il file son homme, qui s'est transformé en professeur d'histoire sous le nom de H. de Heutz, le narrateur est assommé et fait prisonnier. Suit alors un chassé-croisé au cours duquel le héros réussit à désarmer son agresseur, mais il s'enfuit à l'arrivée d'une mystérieuse complice blonde avant d'avoir pu tuer de Heutz. Plus tard, il ira s'installer au château pour y surprendre son ennemi. Mais au cours de son attente, il se sent peu à peu écrasé d'angoisse après avoir été un moment fasciné par le décor, au point que, dans l'échange de coups de feu qui suivra l'arrivée de H. de Heutz et une conversation téléphonique avec sa complice, le héros n'aura même pas la certitude d'avoir blessé son ennemi. Après avoir manqué son rendez-vous avec K., le héros retournera à Montréal, où il sera arrêté. L'échec imaginaire rejoint alors le réel et le narrateur ne peut que projeter dans l'avenir historique une autre fin, d'autres actes qui le libéreraient.

« Oscillation binaire »

Jouant simultanément sur les registres historique et personnel, l'acte d'écrire se pose d'abord comme une projection compensatoire, puis renvoie de plus en plus le narrateur à sa propre durée à mesure qu'apparaissent la signification et les exigences de l'écriture. Dans le mouvement du récit aussi bien qu'en celui de la phrase s'établit une « mécanique ondulatoire » [1] qui va de la situation du narrateur à celle du héros qu'il invente. Ces flux et reflux de la narration atteignent leur point extrême au centre du roman, alors qu'une longue réflexion sur l'activité créatrice rend inéluctable l'échec qui s'accomplira jusqu'à la fin.

En s'engageant dans l'acte d'inventer une aventure imaginaire [2], le narrateur puise à même sa propre réalité avant d'y être rejeté. Le dédoublement du pronom personnel, la concordance des points perspectifs, l'alternance du passé et du présent marquent la progression simultanée du réel et de l'imaginaire. Le roman à double niveau incorpore à son développement la réflexion sur sa propre forme, de même que le thème de la noyade se juxtaposant à la représentation du lac Léman apparaît comme signification explicite de l'acte d'écrire.

Ce jeu de coïncidences et d'interférences s'accompagne d'ambiguïtés à l'intérieur même du récit imaginaire. Le banquier du nom de Carl von Ryndt se transforme en professeur d'histoire sous le nom de H. de Heutz, qui devient F.-M. de Saugy lorsque le narrateur le rejoint. Pourtant, le dédoublement le plus significatif à propos de ce personnage s'effectue entre le narrateur et de Heutz. Prisonnier au château, le narrateur invente une histoire de père-de-famille-déprimé pour échapper à son agresseur. Mais plus tard, dans la forêt de Coppet, alors que les rôles sont renversés, H. de Heutz reprend exactement le même mensonge. De retour au château de Coppet, le narrateur s'identifie de plus en plus à son ennemi et ressent le désir d'habiter son univers, à tel point qu'il se découvre prisonnier de son attente dans ce décor et ne peut tuer H. de Heutz, comme il l'avait résolu. Tout un jeu d'autos aux couleurs et aux marques différentes souligne ce transfert d'identité.

Le personnage féminin constitue une présence non moins complexe: tout un réseau de correspondances s'établit entre la blonde K. du récit d'espionnage et une jeune fille que le narrateur a aimée avant son internement. En même temps, l'évocation du pays accompagne toujours plus ou moins explicitement le retour à l'aimée. Ce symbolisme se complique du fait que H. de Heutz a pour complice une mystérieuse jeune femme blonde que le narrateur ne parvient jamais à identifier. Or, à l'intervention de cette ennemie se juxtapose à peu près toujours dans le récit une référence à K., blonde elle aussi.

---

1. Prochain épisode, p. 93.
2. Dans un article publié sous le titre: « Profession: écrivain », Hubert Aquin a refusé d'assumer le « rôle » de l'écrivain (*Parti pris*, 4 janvier 1964).

De façon assez troublante, le rendez-vous que prend H. de Heutz avec sa complice coïncide exactement, par l'heure et par le lieu, avec celui entre K. et le narrateur. Finalement, le narrateur arrivera trop tard à ce rendez-vous; or cette rencontre devait couronner son action, dont la mort de Heutz semblait une condition essentielle.

JE N'INVENTE PAS

> Au dédoublement qui régit la structure de *Prochain épisode* ainsi que les diverses représentations imaginaires de ce roman, correspond un procédé de style au niveau de la phrase elle-même. Dans les quelques passages où le récit exerce une fascination totale sur le narrateur, la phrase se fait linéaire, ajoutant les faits les uns aux autres en séries. Partout ailleurs, la composition syntaxique et lexicale constitue un subtil réseau de renvois réciproques.

Rien n'est libre ici: ni mon coup d'âme, ni la traction adipeuse de l'encre sur l'imaginaire, ni les mouvements pressentis de H. de Heutz, ni la liberté qui m'est dévolue de le tuer au bon moment. Rien n'est libre ici, rien: même pas cette évasion fougueuse que je téléguide du bout des doigts et que je crois conduire quand elle m'efface. Rien! Pas même l'intrigue, ni l'ordre d'allumage de mes souvenirs, ni la mise au tombeau de mes nuits d'amour, ni le déhanchement galiléen de mes femmes. Quelque chose me dit qu'un modèle antérieur plonge mon improvisation dans une forme atavique et qu'une alluvion ancienne étreint le fleuve instantané qui m'échappe. Je n'écris pas, je suis écrit. Le geste futur me connaît depuis longtemps. Le roman incréé me dicte le mot à mot que je m'approprie, au fur et à mesure, selon la convention de Genève régissant la propriété littéraire. Je crée ce qui me devance et pose devant moi l'empreinte de mes pas imprévisibles. L'imaginaire est une cicatrice. Ce que j'invente m'est vécu; mort d'avance ce que je tue. Les images que j'imprime sur ma rétine s'y trouvaient déjà. Je n'invente pas. Ce qui attend H. de Heutz dans ce bois romantique qui entoure le château de Coppet me sera bientôt communiqué quand ma main, engagée dans un processus d'accélération de l'histoire, se lancera sur des mots qui me précèdent. Tout m'attend. Tout m'antécède avec une précision que je dévoile dans le mouvement même que je fais pour m'en approcher. J'ai beau courir, on dirait que mon passé antérieur a tracé mon cheminement et proféré les paroles que je crois inventer.

CE LIVRE DÉFAIT ME RESSEMBLE

> Tous ces éléments — métaphoriques les uns par rapports aux autres — réalisent simultanément plusieurs niveaux de signification et maintiennent jusque dans le déroulement de la phrase la riche complexité d'une conscience qui tente de s'accomplir par l'acte d'écriture.

Le roman que j'écris, ce livre quotidien que je poursuis déjà avec plus d'aise, j'y vois un autre sens que la nouveauté percutante de son format final. Je suis ce livre d'heure en heure au jour le jour; et pas plus que je ne me suicide, je n'ai tendance à y renoncer. Ce livre défait me ressemble. Cet amas de feuilles est un produit de l'histoire, fragment inachevé de ce que je suis moi-même et témoignage impur, par conséquent, de la révolution chancelante que je continue d'exprimer, à ma façon, par mon délire institutionnel. Ce livre est cursif et incertain comme je le suis; et sa signification véritable ne peut être dissociée de la date de sa composition ni des événements qui se sont déroulés dans un laps de temps donné entre mon pays natal et mon exil, entre un 26 juillet et un 24 juin. Écrit par un prisonnier rançonné à dix mille guinées pour cure de désintoxication, ce livre est le fruit amer de cet incident anecdotique qui m'a fait glisser de prison en clinique et m'oblige, pendant des jours et des jours, à m'occuper systématiquement pour ne pas me décourager. Ce livre est le geste inlassablement recommencé d'un patriote qui attend, dans le vide intemporel, l'occasion de reprendre les armes. De plus, il épouse la forme même de mon avenir: en lui et par lui, je prospecte mon indécision et mon futur improbable. Il est tourné globalement vers une conclusion qu'il ne contiendra pas puisqu'elle suivra, hors texte, le point final que j'apposerai au bas de la dernière page. Je ne me contrains plus à pourchasser le sceptre de l'originalité qui, d'ailleurs, me maintiendrait dans la sphère azotée de l'art inflationnaire. Le chef-d'œuvre qu'on attend n'est pas mon affaire. Je rêve plutôt d'un art totalitaire, en genèse continuelle. La seule forme que je poursuis confusément depuis le début de cet écrit, c'est la forme informe qu'a prise mon existence emprisonnée: cet élan sans cesse brisé par l'horaire parcellaire de la réclusion et sans cesse recommencé, oscillation binaire entre l'hypostase et l'agression. Ici, mon seul mouvement tente de nier mon isolement; il se traduit en poussées désordonnées vers des existences antérieures où, au lieu d'être prisonnier, j'étais propulsé dans toutes les directions comme un missile débauché. De cette contradiction vient sans doute la mécanique ondulatoire de ce que j'écris: alternance maniaque de noyades et de remontées. Chaque fois que je reviens à ce papier naît un épisode. Chaque session d'écriture engendre l'événement pur et ne se rattache à un roman que dans la mesure illisible mais vertigineuse où je me rattache à chaque instant de mon existence décomposée. Événement nu, mon livre m'écrit et n'est accessible à la compréhension qu'à condition de n'être pas détaché de la trame historique dans laquelle il s'insère tant bien que mal. Voilà soudain que je rêve que mon épopée déréalisante s'inscrive au calendrier national d'un peuple sans histoire! Quelle dérision, quelle pitié!

NOTICE BIOGRAPHIQUE

Hubert Aquin est né à Montréal en 1929. Il a étudié les sciences politiques à Paris et en Suisse. A Montréal il fut tour à tour écrivain radiophonique, réalisateur, animateur d'émissions télévisées, homme d'affaires, courtier en valeurs mobilières et enfin prisonnier politique, puis détenu en clinique à la suite d'activités révolutionnaires. Ce n'est donc qu'après un tumultueux périple hors de l'ordre littéraire qu'il parvient à la réussite éclatante de son premier roman. Il vient de terminer Trou de mémoire *(1968), s'est engagé dans l'action politique au sein du R.I.N. et s'est remis dans les affaires. Depuis son article de janvier 1964 dans « Parti pris »: « Profession: écrivain », Hubert Aquin, rejetant pour sa part le rôle et le titre d'écrivain ou de romancier, a toujours professé que l'on ne s'adonne à la littérature qu'à la façon d'un pis-aller.*

BIBLIOGRAPHIE

L'œuvre romanesque d'Hubert Aquin:

Prochain épisode, Montréal, Le Cercle du Livre de France, 1965; rééd. chez Robert Laffont, Paris, 1966.

Trou de mémoire, Montréal, Cercle du Livre de France, 1968.

Études sur Hubert Aquin:

Éthier-Blais, Jean, « Hubert Aquin — Témoin à charge », dans *Signets II,* Le Cercle du Livre de France, Montréal, 1967, pp. 233-237.

Marcotte, Gilles, « Une bombe : Prochain épisode », dans *La Presse,* 13 nov. 1965.

Tranquille, Henri, « Prochain épisode », dans *Sept jours,* vol. 1, no 3, 1er octobre 1966, p. 47.

Sutherland, Ronald, "Twin Solitudes", dans *Canadian Literature,* no 31, hiver 1967, pp. 5-24.

Lockquell, Clément, « Prochain épisode », dans *Livres et auteurs canadiens, 1965,* avril 1966, pp. 41-42.

Hertel, François, « Loisirs et lectures », dans *L'Information médicale et paramédicale,* vol. 19, no 4, 3 janvier 1967, p. 24.

Bernard, Michel, « Prochain épisode » ou l'autocritique de l'impuissance, dans *Parti pris,* nov.-déc. 1966.

Legris, Renée, « Les structures d'un nouveau roman » (Prochain épisode), *Cahiers de Sainte-Marie,* mai 1966.

Folch, Jacques, « Claude Jasmin, Hubert Aquin », dans *Europe,* février-mars 1969.

X

RÉJEAN DUCHARME
(né vers 1940)

Malgré la parution de trois romans fort remarqués, *L'Avalée des avalés* (1966), *Le Nez qui voque* (1967), et l'*Océantume* (1968), Réjean Ducharme demeure un personnage énigmatique. En France, il fut l'objet d'une publicité tapageuse; au Canada, son identité, son existence même furent le sujet d'une controverse futile. Pendant ce temps, Réjean Ducharme évitait de se produire en public et de rencontrer les journalistes. Cependant, dans son registre particulier, son œuvre se situe déjà aux premiers rangs de la littérature québécoise.

L'AVALÉE DES AVALÉS (1966)
et LE NEZ QUI VOQUE (1967)

Chacun des roman de Réjean Ducharme présente un couple d'adolescents. Dans *L'Avalée des avalés,* tout le récit enregistre le monologue virulent et tourmenté d'une enfant, Bérénice Einberg, depuis l'âge de neuf ans jusqu'à celui de quinze ans. Autour d'elle gravitent son frère Christian, de plus en plus lointain, puis Constance Chlore, son amie d'enfance qui, après une brève présence physique, devient dans la mort la figure mythique de Constance Exsangue. Dans *Le Nez qui voque,* la narration s'accomplit par le journal de Mille Milles, qui déclare au début du roman: « J'ai seize ans et je suis un enfant de huit ans » [1]. Enfermé dans une chambre au cœur du Vieux-Montréal avec sa « sœur » Chateaugué, de deux ans sa cadette, le narrateur prépare l'heure du suicide. Enfin ce sont les fantasmagories pérégrinantes et conquérantes de deux fillettes qui forment la trame de *L'Océantume,* le premier, selon l'ordre de genèse, de ces épanchements du réel dans le songe.

« *Le rêve de n'être que des enfants* » [2]

La présence persistante de Nelligan dans les romans de Ducharme (sous la forme d'extraits de poèmes, d'évocations de sa vie ou du portrait physique du poète) n'est pas fortuite; elle indique une profonde affinité. A travers leur humour, noir parfois, un peu tiré par les racines, souvent juste, ces romans atteignent par moments la fulguration de certains vers de l'adolescent génial, poète de la jeunesse étouffée. Mais une différence essentielle s'impose: alors que Nelligan tentait d'échapper au monde par un vague idéal, les personnages de Ducharme, à la façon hautement caractéristique de la littérature québécoise actuelle, éclatent dans l'univers en même temps qu'ils visent à un éclatement de l'univers réel par celui du langage. La volonté opiniâtre de contraindre le langage, telle qu'elle se manifeste dans l'ensemble du style narratif de Ducharme, dans les décisions arbitraires de Mille Milles à propos du sens des mots ou de Bérénice à propos du « bérénicien », relève de la tentative de l'écrivain de fonder un monde à sa mesure: c'est l'art d'avaler pour n'être pas avalé.

---

1. *Le Nez qui voque,* Gallimard, 1967, p. 9.
2. *Le Nez qui voque,* p. 190.

A la revendication de la jeunesse contre le vieillissement sous toutes ses formes, Réjean Ducharme a donné une voix percutante. Dans *L'Avalée des avalés*, Bérénice Einberg incarne la révolte à l'état pur, révolte qui d'ailleurs doit s'exacerber pour préserver sa pureté; dans *Le Nez qui voque*, le narrateur maintient d'abord sa révolte au diapason de celle de Chateaugué et de Bérénice, mais il se laisse bientôt contaminer par le monde, comme l'avait fait Christian. La divergence dans les attitudes des narrateurs commande du même coup une différence importante dans la durée romanesque. *L'Avalée des avalés*, en s'accomplissant par la conscience inflexible de Bérénice, ne peut que se répéter en diverses étapes, qui correspondent à un durcissement de plus en plus volontaire et à des données géographiques précises: l'île familiale, New York et Israël. *Le Nez qui voque* se divise en deux versants qui marquent des différences nettement caractérisées dans l'attitude du narrateur. Par là même, ce roman incorpore plus intimement à sa structure la chronologie, qui transparaît dans les efforts plus ou moins fructueux de Mille Milles pour dater le récit dans son journal. Le temps extérieur demeure cependant soumis à une durée personnelle qui domine toute la première partie du roman, sous la forme particulière d'un compte à rebours par lequel le narrateur indique la somme d'argent qui lui reste et, ainsi, l'approche du moment fatidique.

Les romans de Ducharme dépendent beaucoup moins d'une unité anecdotique que d'une continuité verbale et rythmique; cela est apparu avec évidence lors de la publication du troisième récit, composé avant les deux autres, *L'Océantume*, très révélateur de la manière de l'auteur du fait qu'il a été composé avant les deux autres. Dans le ton même de la narration, dans les juxtapositions les plus fantaisistes mais aussi les plus significatives, s'insèrent la réflexion (parfois fastidieuse), les épisodes cocasses, les mots d'esprit. Dans ces récits où se déploie librement l'association sonore, Ducharme passe sans transition du calembour à la détresse la plus dépouillée.

IODE SSOUVIE ET ASIE AZOTHE (*L'Océantume*)

Une « épopée enfantine et délirante », comme chez l'Américain Salinger, dont les protagonistes refusent violemment et poétiquement l'univers adulte, tel apparaît *l'Océantume* et tels sont les deux autres romans de Ducharme. Iode Ssouvie, la narratrice (crétoise et canadienne-française, fille d'Ina Ssouvie) rêve en compagnie de sa nouvelle amie, Asie Azothe, d'origine scandinave: « Je me demande, dit Iode, où commence la rivière Ouareau, comment elle commence. Un jour, nous irons en excursion, voir. Ce sera notre premier voyage. Dans dix ans, nous aurons tellement voyagé que nous aurons les jambes usées jusqu'aux genoux. »

Nous rêvons. Non; nous ne resterons pas ici à gâcher du mortier. Nous ne bâtirons rien; nous n'aurons pas le temps. Nous nous répandrons sous tout l'azur, comme le vent et la lumière du soleil. Nous nous mêlerons au monde comme une goutte d'encre à l'eau d'un verre: à toute sa surface comme à toute son épaisseur. Nous nous diluerons en lui jusqu'à ce qu'il ne reste plus rien de nous que lui. Nous nous laisserons absorber par la création tellement qu'à la fin ce sera nous qui aurons absorbé. Nous ne sommes pas ici pour faire, mais pour prendre.

— Parle, Asie Azothe. Tu ne dis rien; n'as-tu donc rien dans le ventre?

— Que c'est haut ici! Que nous sommes bien ici! D'ici, la terre a l'air si grande que ma tête tourne!

Le monde est divisé en deux. D'une part, il y a nous sur notre terre; d'autre part, il y a tous les autres sur leur terre. Ils sont des milliards et chacun d'eux ne veut pas plus de nous qu'un serpent d'un serpentaire. Appelons-les la Milliarde.

— La quoi?

— La Milliarde. Nous ne les rencontrons qu'un par un, mais ils forment un tout, ils sont unis, syndiqués, et c'est contre nous qu'ils le sont...

...L'écume aux commissures des lèvres, je continue.

— Un jour, nous sortirons d'ici, un peu comme au printemps la rivière déborde. Mais nous n'inonderons pas quelques îlots et quelques maisons, nous couvrirons tout....

...Asie Azothe voit cela comme si elle y était.

— Et après nous pourrons pénétrer partout. Nous entrerons après avoir brisé les fenêtres dans les gares, les usines, les magasins, les couvents, les gratte-ciel, les bateaux et les banques, dont ils auront verrouillé les portes en partant. Ouvrant les maisons, nous trouverons les unes pleines de papillons et les autres pleines d'ânes. Nous visiterons les greniers, y emplirons des sacs de statues brisées et de voiliers embouteillés. Il fera un silence tellement grand que, d'une ville à l'autre, nous pourrons nous entendre chanter. En se retirant, nos eaux auront semé la terre de merveilles. Des algues géantes draperont les forêts blanchies de sel. Les rues des villes, comme des cassettes, regorgeront jusqu'aux toits de poissons de couleur, de barres de galions, de jambes de bois de pirates, de pièces d'or méconnaissables et de pierres précieuses. Marchant dans les marguerites, nous buterons contre des baleines.

— Ce n'est pas ce que je voulais dire. La Milliarde s'est organisée exprès pour que nous la haïssions et la combattions. Ils se vautrent sur nos territoires exprès pour que nous les en chassions. Ils mangent avec nos couteaux et nos fourchettes exprès pour que nous les leur enfoncions dans la gorge. C'est cela, la guerre de Troie, la guerre des Gaules, le traité d'Utrecht, la victoire de Aegos-Potamos. Ne crois pas ce qu'on se dit de soldat de la Milliarde à soldat de la Milliarde. Ne crois que moi: je suis la seule qui soit du même côté que toi. Il y a guerre, tout le temps. Si ce n'est pas toi qui vaincs, c'est toi qu'on vainc. Si tu ne te bats pas, tu es battue: tu les laisses jouir d'une victoire remportée sur personne. Tous ces nuages, cette herbe, toute cette eau, tout cela, à qui crois-tu que c'est? C'est à nous ou à la Milliarde. Ou es-tu, crois-tu? Chez nous ou chez elle?

Elle me répond que je suis méchante.

BÉRÉNICE

Les romans de Ducharme sont une quête de l'élémentaire, de la réalité à l'état élémentaire, avec toute une civilisation et une culture pêle-mêle à l'arrière-plan de cette prose de poète, lestée d'une fantaisie verbale à la Queneau. Voici un passage particulièrement significatif sur la révolte adolescente. Il se trouve au début de *L'Avalée des avalés*.

Tout m'avale. Quand j'ai les yeux fermés, c'est par mon ventre que je suis avalée, c'est dans mon ventre que j'étouffe. Quand j'ai les yeux ouverts, c'est parce que je vois que je suis avalée, c'est dans le ventre de ce que je vois que je suffoque. Je suis avalée par le fleuve trop grand, par le ciel trop haut, par les fleurs trop fragiles, par les papillons trop craintifs, par le visage trop beau de ma mère. Le visage de ma mère est beau pour rien. S'il était laid, il serait laid pour rien. Les visages, beaux ou laids, ne servent à rien. On regarde un visage, un papillon, une fleur, et ça nous travaille, puis ça nous irrite. Si on se laisse faire, ça nous désespère. Il ne devrait pas y avoir de visages, de papillons, de fleurs. Que j'aie les yeux ouverts ou fermés, je suis englobée: il n'y a plus assez d'air tout à coup, mon cœur se serre, la peur me saisit.

L'été, les arbres sont habillés. L'hiver, les arbres sont nus comme des vers. Ils disent que les morts mangent les pissenlits par la racine. Le jardinier a trouvé deux vieux tonneaux dans son grenier. Savez-vous ce qu'il en a fait? Il les a sciés en deux pour en faire quatre seaux. Il en a mis un sur la plage, et trois dans le champ. Quand il pleut, la pluie reste prise dedans. Quand ils ont soif, les oiseaux s'arrêtent de voler et viennent y boire.

Je suis seule et j'ai peur. Quand j'ai faim, je mange des pissenlits par la racine et ça se passe. Quand j'ai soif, je plonge mon visage dans l'un des seaux et j'aspire. Mes cheveux déboulent dans l'eau. J'aspire et ça se passe: je n'ai plus soif, c'est comme si je n'avais jamais eu soif. On aimerait avoir aussi soif qu'il y a d'eau dans le fleuve. Mais on boit un verre d'eau et on n'a plus soif. L'hiver, quand j'ai froid, je rentre et je mets mon gros chandail bleu. Je ressors, je recommence à jouer dans la neige, et je n'ai plus froid. L'été, quand j'ai chaud, j'enlève ma robe. Ma robe ne me colle plus à la peau et je suis bien, et je me mets à courir. On court dans le sable. On court, on court. Puis on a moins envie de courir. On est ennuyé de courir. On s'arrête, on s'assoit et on s'enterre les jambes. On se couche et on s'enterre tout le corps. Puis on est fatigué de jouer dans le sable. On ne sait plus quoi faire. On regarde, tout autour, comme si on cherchait. On regarde, on regarde. On ne voit rien de bon. Si on fait attention quand on regarde comme ça, on s'aperçoit que ce qu'on regarde nous fait mal, qu'on est seul et qu'on a peur. On ne peut rien contre la solitude et la peur. Rien ne peut aider. La faim et la soif ont leurs pissenlits et leurs eaux de pluie. La solitude et la peur n'ont rien. Plus on essaie de les calmer, plus elles se démènent, plus elles crient, plus elles brûlent. L'azur s'écroule, les continents s'abîment: on reste dans le vide, seul.

Je suis seule. Je n'ai qu'à me fermer les yeux pour m'en apercevoir. Quand on veut savoir où on est, on se ferme les yeux. On est là où on est quand on a les yeux fermés: on est dans le noir et dans le vide. Il y a ma mère, mon père, mon frère Christian, Constance Chlore. Mais ils ne sont pas là où je suis quand j'ai les yeux fermés. Là où je suis quand j'ai les yeux fermés, il n'y a personne, il n'y a jamais que moi. Il ne faut pas s'occuper des autres: ils sont ailleurs.

177

Quand je parle ou que je joue avec les autres, je sens bien qu'ils sont à l'extérieur, qu'ils ne peuvent pas entrer où je suis et que je ne peux pas entrer où ils sont. Je sais bien qu'aussitôt que leurs voix ne m'empêcheront plus d'entendre mon silence, la solitude et la peur me reprendront. Il ne faut pas s'occuper de ce qui arrive à la surface de la terre et à la surface de l'eau. Ça ne change rien à ce qui se passe dans le noir et dans le vide, là où on est. Il ne se passe rien dans le noir et dans le vide. Ça attend, tout le temps. Ça attend qu'on fasse quelque chose pour que ça se passe, pour en sortir. Les autres, c'est loin. Les autres, ça se sauve, comme les papillons. Un papillon, c'est loin, loin comme le firmament, même quand on le tient dans sa main. Il ne faut pas s'occuper des papillons. On souffre pour rien. Il n'y a que moi ici.

——————— MILLE MILLES ———————

Dans les romans de Ducharme, le loufoque est une défense extérieure qui se déchire pour laisser apparaître une âme exigeante, sauvage, avide de pureté, dont le regard neuf perçoit tout dans tout, comme elle demande au lecteur s'il a vu « rions » dans « prions », s'il a entendu la rime à l'intérieur de la phrase. Cette quête panique de l'or secret ne va pas sans le sentiment d'un échec et d'une solitude, sentiment qu'on trouve exprimé dans la page suivante de *Le Nez qui voque*.

Le soir de la reddition de Bréda, Roger de la Tour de Babel, avocat au Châtelet, prit sa canne et s'en alla. En 1954, à Tracy, Maurice Duplessis, avocat au Châtelet, mourut d'hémorragie cérébrale; célèbre et célibataire. J'ai seize ans et je suis un enfant de huit ans. C'est difficile à comprendre. Ce n'est pas facile à comprendre. Personne ne le comprend excepté moi. N'être pas compris ne me dérange pas. Cela ne me fait rien. Je m'en fiche. Moi, je reste le même. Je ne veux pas aller plus loin: je reste donc arrêté. Je ne veux pas continuer car je ne veux pas finir fini. Je reste comme je suis. Je laisse tout s'avilir, s'empuantir, se dessécher. Je les laisse tous vieillir, loin devant moi. Je reste derrière, avec moi, avec moi l'enfant, loin derrière, seul, intact, incorruptible; frais et amer comme une pomme verte, dur et solide comme une roche. C'est important comme le diable ce que je dis là. C'est tout pour moi. Il faut qu'il y ait quelqu'un avec moi l'enfant, quelqu'un qui le garde; qui le protège du tragique du monde, qui est ridicule et qui rend ridicule. Je ne peux pas laisser moi l'enfant seul dans le passé, seul présent dans toute l'absence, à la merci de l'oubli. Je le veille loin derrière. Je veille, le ventre dans toute la cendre, avec des cadavres qui me laissent tranquille, avec tout ce qui est cadavre, seul avec l'enfant moi, seul avec une image dont le tain s'use sous mes doitgs. Je ne veux pas changer. En secret, je continue de courir avec mes chiens, de porter la culotte courte, de pêcher des têtards avec Ivugivic. Je ne suis pas fou. Je sais ce que je fais et sais où je suis. Il est sept heures du soir. C'est le neuf septembre mille neuf cent soixante-cinq. Mais les hommes ont besoin des hommes, même de ceux qui sont morts. J'ai besoin des hommes. Je rédige cette chronique pour les hommes comme ils écrivent des lettres à leur fiancée. Je leur écris parce que je ne peux pas leur parler, parce que j'ai peur de m'approcher d'eux pour leur parler. Près d'eux je suffoque, j'ai le vertige des gouffres. Si j'ai peur de leur adresser directement la parole, ce n'est pas parce que je suis timide, mais parce que je ne veux pas rester embourbé dans leurs glaisières profondes, dans leurs abîmes marécageux. J'écris mal et je suis assez vulgaire. Je m'en réjouis. Mes paroles mal tournées et outrageantes éloigneront de cette table, où des personnes imaginaires sont réunies pour entendre, les amateurs et les amatrices de fleurs de rhétorique .

NOTICE BIOGRAPHIQUE

En son style facétieux et parfois déconcertant, voici comment Réjean Ducharme se présentait lui-même en 1966 (texte reproduit à l'endos de la couverture de L'Avalée des avalés *(Gallimard): « Je ne suis né qu'une fois. Cela s'est fait à Saint-Félix-de-Valois, dans la province de Québec [...] J'ai complété mes études secondaires à Joliette, avec les Clercs de Saint-Viateur. J'ai souffert six mois à l'École Polytechnique de Montréal. Enfin délivré, je me suis pris pour un commis de bureau et me prends encore aujourd'hui pour tel. Mais ceux qui embauchent des commis de bureau ne veulent pas me prendre pour un commis de bureau [...] J'ai été dans l'Arctique avec l'Aviation canadienne en 1962. Personne ne veut me croire. Je ne sais pas pourquoi [...] J'ai vingt-quatre ans. Je n'ai plus tous mes cheveux et toutes mes dents. Et cela m'écœure. »*

BIBLIOGRAPHIE

L'œuvre romanesque de Réjean Ducharme:

> *L'Avalée des avalés*, Paris, Gallimard, 1966.
>
> *Le Nez qui voque*, Paris, Gallimard, 1967.
>
> *L'Océantume*, Paris, Gallimard, 1968.
>
> *La Fille de Christophe Colomb*, Paris, Gallimard, 1969.

Études sur Réjean Ducharme:

> Van Schendel, Michel, *Ducharme l'inquiétant*, Montréal, U. de M., 1967 (Conférences De Sève, 8), reprise dans *Littérature canadienne-française*, Université de Montréal, 1969.
>
> Godin, Jean-Cléo, « L'Avalée des avalés », dans *Études françaises*, vol. 3, no 1, février 1967, pp. 94-101.
>
> Laurion, Gaston, « L'Avalée des avalés et le refus d'être adulte », dans *Revue de l'Université d'Ottawa*, juillet-septembre 1968, pp. 524-541.
>
> Pontaut, Alain, « L'Avalée des avalés », dans *Québec 1967*, vol. 4, février 1967, pp. 92-94.
>
> Hertel, François, « Loisirs et lectures », dans *L'Information médicale et paramédicale*, vol. 19, no 4, 3 janvier 1967, p. 24.
>
> Robidoux, Réjean, « L'Avalée des avalés », dans *Livres et auteurs canadiens — 1966*, avril 1967, pp. 45-46.
>
> Aury, Dominique, « L'Avalée des avalés », dans la *Nouvelle Revue française*, vol. 14, no 168, décembre 1966, pp. 1066-1070.
>
> Marteau, Robert, « L'Avalée des avalés », dans *Esprit*, no 362, juillet-août 1967, pp. 164-166.

Lockquell, Clément, « L'Avalée des avalés », dans *Le Soleil,* 8 août 1966.

Bosco, Monique, « Blais contre Ducharme », *Le Magazine Maclean,* vol. 7, no 2, février 1967, p. 54; « Un Ducharme génial » (Le Nez qui voque), dans *Le Magazine Maclean,* vol. 7 no 6, juin 1967, pp. 67-67; «Réjean Ducharme », dans *Europe,* février-mars 1969.

Godin, Jean-Cléo, « Le Nez qui voque », dans *Études françaises,* vol. 3, no 4, nov. 1967, pp. 447-449.

Bélanger, G., et Finney, J. de, « Le Nez qui voque » ..., dans *Revue de l'Université laurentienne,* février 1968, pp. 34-40.

Éthier-Blais, Jean, « L'Avalée des avalés », *Le Devoir,* 15 oct. 1966; « Le Nez qui voque », dans *Le Devoir,* 22 avril 1967.

Albérès, R.-M., « L'Océantume », dans *Les Nouvelles littéraires,* 24 octobre 1968.

Pontaut, Alain, « L'Océantume », dans *La Presse,* 19 octobre 1968.

Barberis, Robert, « Réjean Ducharme, L'Avalé de Dieu », dans *Maintenant,* mars-avril 1968, pp. 80-83; et avril-mai 1968 (« Affrontement avec le mal »), pp. 121-124.

Beauregard, Hermine, « J'ai rencontré Réjean Ducharme », dans *Châtelaine,* mars 1968, pp. 54-55.

Le Clézio, J.-M.-G., « Réjean Ducharme », dans *Le Monde,* janvier 1969.

Chapitre IV

LE THÉÂTRE, DE 1945 À NOS JOURS

par Georges-Henri d'AUTEUIL

C'est peu contestable, *Tit-Coq* a inauguré une ère nouvelle, au Québec, dans la production dramatique. Comme si un embâcle s'était soudain brisé sous l'effet d'une décharge de dynamite, le succès de Gratien Gélinas, avec une pièce strictement canadienne, produisit un réel déblocage chez nos dramaturges, qui s'élancèrent dans le courant enfin libre.

Tous connurent de nouvelles difficultés. Quelques-uns, vite lassés, abandonnèrent. D'autres eurent à surmonter l'échec qui étouffe l'enthousiasme. Des courageux, plus doués peut-être, surent s'imposer l'effort qui leur permit d'atteindre à une certaine réussite et ils parvinrent à intéresser le public. Les quinze dernières années auront été étonnamment fécondes, étant donné les premières lenteurs que mit ce genre à s'imposer au Canada français. [1] L'histoire littéraire doit particulièrement s'y arrêter.

1. La naissance de quelques solides compagnies professionnelles à Montréal et le pullulement de bonnes troupes d'amateurs dans tout le Québec, avec des répertoires allant des classiques à l'avant-garde, et dans une volonté assez générale d'y intégrer le meilleur de la jeune dramaturgie canadienne-française, aura beaucoup contribué à cet essor. Ce renouvellement en profondeur des institutions et des structures, qui a fait de notre pays un centre remarquablement important de production théâtrale dans le monde, a commencé, on l'a vu, aux dernières années de l'entre-deux-guerres, avec la fondation en 1938, par le père Emile Legault, des *Compagnons de Saint-Laurent.* Moralement soutenu pendant la guerre par d'éminentes présences, dont celle de madame Ludmilla Pitoëff, ce groupe pionnier a merveilleusement travaillé pendant près de quinze ans et il n'est disparu, en 1952, qu'après avoir essaimé. En 1951, en effet, Jean Gascon, Jean-Louis Roux, Georges Groulx et Guy Hoffmann, venus des *Compagnons,* mettaient sur pied le *Théâtre du Nouveau-Monde.* Cinq ans plus tard, Yvette Brind'amour réorganisait le *Rideau Vert,* issu en grande partie, en 1948, des effectifs de la troupe de Pierre Dagenais, *L'Equipe,* qui avait œuvré parallèlement aux *Compagnons* de 1943 à 1948. Entretemps, dès 1953, Monique Lepage et Jacques Létourneau avaient fondé le *Théâtre Club.* Vers la fin des années cinquante, nouvelle multiplication d'initiatives: les *Apprentis-Sorciers* de Jean-Guy Sabourin en 1956, le *Théâtre international de Montréal (La Poudrière)* de Jeanine Beaubien en 1958 et, la même année, la *Comédie canadienne,* de Gratien Gélinas; *L'Egrégore* de Françoise Berd en 1959. C'est l'année où Guy Beaulne crée l'ACTA pour les troupes d'amateurs. Plus tard viendront notamment *Les Saltimbanques,* le *Théâtre de la Place,* le *Théâtre de Quat-Sous; L'Estoc* à Québec, la *Nouvelle Compagnie Théâtrale* à Montréal; et c'est un début: avec le surgissement de centres culturels aux quatre coins du territoire québécois, les projets abondent.

I

GRATIEN GÉLINAS
(né en 1909)

Gratien Gélinas, comme comédien et comme auteur de revues humoristiques, s'est préparé pendant dix ans au métier de dramaturge. Le premier fruit de cette expérience a été *Tit-Coq*, en 1948.

Tit-Coq est le drame de l'enfant né hors du mariage. Sujet d'une valeur universelle; le fait que l'action se déroule pendant la guerre de 1940 est accessoire et il n'ajoute que des éléments de pittoresque.

Le soldat Arthur Saint-Jean — alias Tit-Coq — souffre de n'être qu'un bâtard, un sans-famille. Un premier amour, découvert un soir de Noël dans une bonne famille canadienne de Saint-Anicet, l'exalte et le réconforte: il pourra à son tour fonder un foyer et avoir des enfants, qui ne seront pas comme lui. L'éloignement prolongé outre-mer, causé par la guerre, brisera ce rêve. Tit-Coq rentrera dans sa solitude, plus désespéré que jamais.

Jean Béraud a eu raison d'écrire que « *Tit-Coq* est une forte, une belle pièce, d'un accent humain irrésistible » [1]. Certes, elle n'est pas parfaite. Formée d'une douzaine de sketches habilement juxtaposés, sa structure se ressent encore des dons et des procédés du revuiste. Pourtant les scènes s'enchaînent et s'appellent dans un ordre logique et naturel, les nombreux changements de lieu demeurent plausibles.

Dessinés d'un trait net et expressif, les caractères manquent souvent de nuances. Ainsi Tit-Coq est-il trop uniformément violent, emporté, tandis qu'au contraire son ami de régiment, Jean-Paul est manifestement sans ressort; le contraste est empreint d'une certaine facilité. En revanche, les silhouettes typiques des parents de Marie-Ange, la fiancée de Tit-Coq, sont fort savoureuses et bien représentatives de notre milieu campagnard.

Gélinas ne croit pas faire œuvre de haute littérature. Il revendique même le droit d'user d'une langue plus populaire que raffinée. En fait, il farcit abondamment son dialogue, direct et percutant, de canadianismes et de formules courantes dans le peuple, ce qui le rend très accessible aux spectateurs canadiens mais moins intelligible ailleurs.

---

1. Dans *350 ans de théâtre au Canada français*, Montréal, le Cercle du Livre de France, 1958, p. 226.

Sans être la plus parfaite représentation d'un théâtre original canadien, *Tit-Coq* est tout de même une manifestation typique du milieu québécois, qui a permis à la production dramatique au Canada français de « sortir du néant ».

TIT-COQ RÊVANT D'UNE FAMILLE

Tit-Coq a passé les fêtes de Noël dans la famille de son compagnon de régiment, Jean-Paul. Il y a rencontré, entre autres, la sœur de ce dernier, Marie-Ange, et l'amour. Tit-Coq se sent comblé, mais après quelques semaines de bonheur, le régiment de Tit-Coq et Jean-Paul doit partir pour l'Angleterre. Au premier tableau du deuxième acte, le Padre rencontre Tit-Coq sur le pont du bateau.

Tit-Coq est accoudé au bastingage, face au public. On entend la musique d'un harmonica venant de la coulisse. Le Padre traverse la scène: il se promenait sur le pont et il a vu Tit-Coq.

LE PADRE

Bonjours, Tit-Coq. *(Il vient s'appuyer près de lui.)*

TIT-COQ

(Sortant de sa rêverie.) Allô, Padre.

LE PADRE

Alors, ça y est: on s'en va...

TIT-COQ

On s'en va.

LE PADRE

Je t'empêche peut-être de t'ennuyer de ta Marie-Ange?

TIT-COQ

Oui... mais c'est égal: j'aurai le temps de me reprendre à mon goût.

LE PADRE

Ce doit être nouveau pour toi, l'ennui?

TIT-COQ

Tellement nouveau que j'aime presque ça. Ce qui est triste, je m'en rends compte, c'est pas de s'ennuyer...

LE PADRE

C'est de n'avoir personne de qui s'ennuyer?

TIT-COQ

Justement... et personne qui s'ennuie de toi. Si je ne l'avais pas rencontrée, elle, je partirais aujourd'hui de la même façon, probablement sur le même bateau. Je prendrais le large, ni triste ni gai, comme un animal, sans savoir ce que j'aurais pu perdre.

LE PADRE

Tu ferais peut-être de la musique avec le gars là-bas?

TIT-COQ

Peut-être, oui. Tandis que là, je pars avec une fille dans le cœur... Une fille qui me trouve beau, figurez-vous!

. . . .

LE PADRE

Tu n'as pas été tenté de l'épouser, ta Marie-Ange, avant de partir?

TIT-COQ

Tenté? Tous les jours de la semaine! Mais non. Épouser une fille, pour qu'elle ait un petit de moi pendant que je serais parti au diable vert? Jamais en cent ans! Si mon père était loin de ma mère quand je suis venu au monde, à la Miséricorde ou ailleurs, ça le regardait. Mais moi, quand mon petit arrivera, je serai là, à côté de ma femme. Oui, monsieur! Aussi proche du lit qu'il y aura moyen.

LE PADRE

Je te comprends.

TIT-COQ

Je serai là comme une teigne! Cet enfant-là, il saura, lui, aussitôt l'œil ouvert, qui est-ce qui est son père. Je veux pouvoir lui pincer les joues et lui mordre les cuisses dès qu'il les aura nettes; pas le trouver à moitié élevé à l'âge de deux, trois ans. J'ai manqué la première partie de ma vie, tant pis, on n'en parle plus. Mais la deuxième, j'y goûterai d'un bout à l'autre, par exemple!... Et lui, il aura une vraie belle petite gueule, comme sa mère.

LE PADRE

Et un cœur à la bonne place, comme son père?

TIT-COQ

Avec la différence que lui, il sera un enfant propre, en dehors et en dedans. Pas une trouvaille de ruelle comme moi! [...] Moi, je ne m'imagine pas sénateur dans le parlement, plus tard, ou ben millionnaire dans un château. Non! Moi, quand je rêve, je me vois en tramway, un dimanche soir, vers sept heures et quart, avec mon petit dans les bras et, accrochée après moi, ma femme, ben propre, son sac de couches à la main. Et on s'en va veiller chez mon oncle Alcide. Mon oncle par alliance, mais mon oncle quand même! Le bâtard tout seul dans la vie, ni vu ni connu. Dans le tram, il y aurait un homme comme les autres, ben ordinaire avec son chapeau gris, son foulard blanc, sa femme et son petit. Juste comme tout le monde. Pas plus, mais pas moins! Pour un autre, ce serait peut-être un ben petit avenir, mais moi, avec ça, je serais sur le pignon du monde!

Tant à la radio que dans ses « Fridolinades », Gratien Gélinas s'était fait une spécialité du monologue où l'esprit caustique, l'observation judicieuse de la vie et l'émotion faisaient bon ménage. La tante de Marie-Ange, Clara, s'en permet un d'assez bonne veine dans *Tit-Coq*.

LA SOLITUDE DE TANTE CLARA

Au deuxième tableau de l'Acte II de *Tit-Coq*, Clara est en visite chez Marie-Ange, à son appartement de Montréal. Pendant que la jeune fille essaie d'écrire une lettre à Tit-Coq, Clara se berce vigoureusement au milieu de la pièce, tout en dévidant sa triste histoire de vieille fille.

... Si quelqu'un est en mesure de sympathiser avec toi, ma pauvre enfant, c'est bien moi. Je peux te l'avouer, d'autant plus que tout le monde le sait: j'en ai attendu, moi aussi, un oiseau rare, pendant la guerre de 1914. Quand il est revenu, au bout de quatre ans et demi, il a passé tout dret, l'escogriffe, et il est allé s'établir sur une terre dans l'Alberta!

Je veux pas insinuer que le tien va faire de même. Ah, p'en tout'! Au contraire, ça se pourrait qu'il te revienne, ton Tit-Coq. Pour le peu que j'en sais, il m'a l'air d'un petit gars de promesse. Quoique ces enfants-là, conçus directement dans le vice, ça me surprendrait qu'ils deviennent du monde aussi fiable que les autres. Autrement, il n'y aurait pas de justice pour les gens faits dans le devoir comme toi et moi.

Je le répète: une fille est libre de courir le risque, mais à condition d'y penser à deux fois.

Parce que si tu savais, ma belle, ce que ça passe vite, notre jeune temps. Ça passe vite! Il faut être rendu à mon âge pour le savoir. Tu t'endors un beau soir, fraîche comme une rose, sans te douter de rien: le lendemain matin, tu te réveilles vieille fille. Et c'est là que tu commences à te bercer toute seule le dimanche soir, sur le coin du perron!

Et tu peux me croire: la vie de vieille fille, c'est rose par bouts seulement. Et plus ça va, plus les bouts roses sont courts. Tu traînes tes guenilles d'une pension à l'autre. Si tu ne veux pas tomber à la charge des tiens, il faut que tu gagnes ton sel en dehors jusqu'à la fin de ton règne, ton lunch sous le bras, toujours avec la crainte dans le maigre des fesses d'en trouver une neuve à ta place un bon matin! [...] Tu tâches de te payer une petite assurance pour te faire enterrer. Et, si tu veux quelques messes pour le repos de ton âme, vois-y toi-même avant de lever les pattes, parce que les neveux et les nièces t'oublieront une demi-heure après le *libera*. Pourtant, tu te seras tourmentée pour ces enfants-là comme s'ils étaient à toi, au risque de t'entendre traiter de vieille achalante ! (*Devançant une protestation qui ne vient pas.*) Vieille achalante, oui. Ah! je sais ce que je dis: si tu es gauche au point de vouloir te dépenser pour les autres comme n'importe quelle femme, tu te fais rembarrer d'un coup sec et tu te rends compte que personne n'a besoin de toi sur la terre!

Gélinas n'est pas prolifique. Après le succès de *Tit-Coq* à la scène, en tournée, au cinéma, il attendra douze ans pour mettre au jour sa deuxième pièce, *Bousille et les justes*.

Animée du même souffle satirique et de la même verve populaire que *Tit-Coq*, *Bousille* est mieux composée. Toute l'action de ses quatre actes tourne autour de ce thème central: le procès, pour une rixe grave, d'un membre de la famille Grenon, famille connue à Saint-Tite de Champlain. L'intrigue se développe logiquement jusqu'à la crise et à son dénouement tragique. Il s'agit d'un drame par moments assez sordide, qu'égayent le pittoresque de certains personnages et leur langage.

BOUSILLE ET LES JUSTES (1961)

Bousille et les justes est un réquisitoire féroce contre l'hypocrisie, l'égoïsme jouisseur, la cupidité, la folle prétention, la fausse respectabilité s'affublant des oripeaux de la superstition religieuse. Mais c'est aussi un plaidoyer pour l'homme déshérité, faible, rejeté de la société ou dédaigné par elle que représente éminemment Bousille. Celui-ci, peu intelligent, bourré de complexes, mais vrai et sincère, est en butte à la faune d'imbéciles ou de brutes qui compose sa parenté. Il n'est soutenu que par de bien faibles appuis: le frère Nolasque, d'une naïveté tellement appuyée qu'elle en devient caricaturale, et sa cousine Noëlla, douce et compréhensive, la seule vraiment juste de la famille, qui sait apprécier avec une rare lucidité les iniques projets de son sinistre mari, Henri, à qui elle dit tristement: « J'ai tellement besoin de garder un peu d'estime pour toi ». (Acte III, sc. 1).

L'INTIMIDATION

Dans un interrogatoire hors-cour par l'avocat de la défense, Bousille, seul témoin de la rixe qui a entraîné le procès d'Aimé Grenon, a dévoilé un fait qui incrimine de façon certaine ce dernier, et l'avocat doute de la possibilité de sauver son client. Pour éviter la condamnation de son frère et, par ricochet, le déshonneur de la famille Grenon, Henri veut amener Bousille à édulcorer son témoignage. Cette scène — la deuxième de l'Acte III — est certainement la plus importante de la pièce.

HENRI
(change de ton, approche une chaise et s'assoit près de Bousille.)
As-tu pensé à ce que je t'ai dit, hier soir ?

BOUSILLE
Hier soir ?

HENRI
Avant que tu partes pour Saint-Tite.

BOUSILLE
(commençant à comprendre.)
Ah ! oui...

HENRI

Vois-tu, dans ce que tu as raconté à l'avocat, il y a un petit point qui manque un peu de précision. Une bagatelle, remarque bien, mais qui pourrait être prise par le jury dans un sens comme dans l'autre et faire toute la différence du monde pour le verdict. Alors, si tu veux, on va tâcher de jeter un peu de lumière sur le sujet.

BOUSILLE

Moi, je ne demande pas mieux que tout soit clair et net.

HENRI

Il s'agit de ta version de la bataille entre Aimé et Bruno. Le commencement a du bon sens, mais la fin est embrouillée en diable : un deuxième coup de poing — donné, pas donné — avec une phrase abracadabrante de la part d'Aimé. *(Il exagère à dessein.)* Tu aurais l'impression de l'avoir entendu marmotter une menace bien vague au sujet d'une lettre . . .

BOUSILLE
(l'arrête.)

Excuse-moi, une seconde : il ne s'agit pas d'une impression, je suis sûr, malheureusement.

HENRI

Voyons donc !

BOUSILLE

Il l'a dit clairement, je regrette.

HENRI

Ouais ! Seulement, tu aurais avantage à m'écouter, au lieu de me radoter ce que tu as vu en rêve. Comprends-tu ? *(il met lourdement la main sur le genou de Bousille.)*

BOUSILLE
(gémit et soustrait son genou.)

Attention !

HENRI

Tiens ! Il est sensible à ce point-là ?

BOUSILLE

Je ne peux pas le dire assez.

. . . .

PHIL
(qui marche de moins en moins avec Henri.)

Écoute, Bousille : j'admets qu'Henri est une de nos belles natures de brute. Mais de ton côté avoue que tu as la comprenure difficile. C'est pourtant simple ce qu'il te demande.

BOUSILLE
(la tête basse.)

Je ne suis pas intelligent, je le sais. Prenez-en donc votre parti. Moi, je m'en rends compte depuis que j'ai l'âge de raison. A l'école, immanquablement, j'étais le dernier à comprendre au fond de la classe. Heureusement que la maîtresse était patiente. Elle savait que je m'appliquais au possible et que mon père allait me flanquer une autre râclée si je redoublais mon année une fois de plus. Alors, au lieu de se fâcher et de me bousculer comme vous le faites, elle me gardait après quatre heures. On faisait une petite prière au Saint-Esprit. Et puis, ensemble, on donnait un coup de collier pour que je comprenne. Et des fois on y arrivait !

PHIL

(apitoyé plus qu'il ne veut le laisser paraître.)

Écoute, mon Bousille : il n'est pas question de te taper dessus, mais...

HENRI

(déjà face à Bousille, l'œil dur.)

Tu veux une leçon particulière ? Entendu, mon petit bêta : sors ton ardoise, je vais te dicter ton devoir de la journée. Prends-le mot à mot, si tu ne veux pas revoir le fantôme de ton père ! *(L'empoignant par le revers de son veston.)* Quand l'avocat te demande s'il s'est passé quelque chose après la chute de Bruno, tu réponds non. *(Il continue, malgré l'ahurissement de Bousille.)* Il ne s'agit pas d'inventer un roman policier pour que tu t'embrouilles : tout ce que tu as à dire là-dessus, c'est non. N, o, n, non ! C'est clair ?

BOUSILLE

Mais je ne peux pas répondre non, quand...

HENRI

(le gifle.)

Veux-tu que je te l'écrive sur le front ?

PHIL

Une minute, Henri ! *(Il intervient entre les deux et tâche de le calmer.)* Laisse-moi lui parler un peu. J'ai l'habitude avec lui.

. . . .

(Après l'intervention de Phil qui a essayé de la persuasion, Henri revient à la manière forte.)

PHIL

(terrifié lui aussi.)

Cède, Bousille : c'est mieux pour toi.

BOUSILLE

(complètement perdu.)

Je ne sais plus...

HENRI

Je sais, moi. *(Plaçant la main de Bousille au-dessus du missel.)* Tu jures de faire ce que je t'ai dit ? *(Non satisfait du vague signe d'acquiescement de Bousille.)* Dis oui, ma tête de pioche !

PHIL

Dis oui, Bousille, vite !

HENRI

(le genou sur celui de Bousille)

...ou je te-le casse en deux !

PHIL

Il va le faire, Bousille !

BOUSILLE

(dans un souffle.)

Oui.

PHIL

(crie.)

Lâche-le, Henri ! Lâche-le, il a juré !

188

HENRI

(laisse retomber la main de Bousille et déplace son genou.)

Tu sais ce que tu viens de faire ? Tu te rends compte que tu n'as plus le choix maintenant ? *(Il a consulté sa montre.)* Lève-toi : c'est le temps de partir.

PHIL

(aidant Bousille à se relever.)

Viens-t'en, Bousille.

BOUSILLE

(murmure, hébété.)

Le bon Dieu m'est témoin que je ne voulais pas.

PHIL

(l'aidant à remettre son imperméable.)

T'avais pas le choix, Bousille, je te le dis, moi.

HENRI

Tu viens de te conduire comme un homme, si tu veux le savoir, pour la première fois de ta vie. *(Le poussant vers la porte.)* Avance !

BOUSILLE

Le bon Dieu m'est témoin...

HENRI

(qui a déjà ouvert la porte et attend.)

Grouille-toi !

PHIL

Viens, mon Bousille. *(Il l'entraîne vers la sortie.)*

Gratien Gélinas signait il y a quelques années sa troisième pièce, *Hier, les enfants dansaient* (1966), tardivement et un peu trop directement inspirée de la vague de terrorisme séparatiste qui l'avait précédée. Le thème en est le conflit des générations dans le Québec des années soixante. C'est un témoignage honnête et ambitieux, qui obtint plus de succès auprès du public qu'auprès de la critique.

NOTICE BIOGRAPHIQUE

Comme son Bousille, Gratien Gélinas est né à Saint-Tite, dans le comté de Champlain (en 1909). Sa famille s'étant très tôt fixée à Montréal, c'est au Collège de Montréal qu'il a fait ses humanités classiques avant d'entrer à l'École des Hautes Études commerciales. Pendant quelque temps agent d'assurances, il ne tarda pas à se révéler comme comédien de la radio, notamment dans Le curé de village. *C'est à son propre programme* Fridolin, *et dans des sketches de cabaret, qu'il mit au point le type de gavroche québécois, sensible et gouailleur, qui allait alimenter et animer, de 1938 à 1947, ses revues annuelles les* Fridolinades. *Celles-ci réunirent en dix ans quelque 60,000 spectateurs. Homme de théâtre complet: comédien, auteur dramatique et metteur en scène, Gratien Gélinas interprète ses propres œuvres. Depuis 1958, il dirige les destinées de la Comédie canadienne de Montréal.*

BIBLIOGRAPHIE

L'œuvre dramatique de Gratien Gélinas:

Tit-Coq, Montréal, Éd. Beauchemin, 1950; Montréal, Éditions de l'Homme, 1968.

Bousille et les justes, Québec, Institut littéraire de Québec, 1960; Montréal, Éditions de l'Homme, 1967.

Hier les enfants dansaient, Montréal, Éditions Leméac, 1968.

Études sur Gratien Gélinas:

Bertrand, Théophile, « Tit-Coq et Séraphin », dans *Lecture,* mars 1949, pp. 385-388.

Laurendeau, Arthur, « Pour la 150e de Tit-Coq » dans l'*Action nationale,* vol. 33, pp. 173-182.

Robillard, Claude, « Gratien Gélinas en pantoufles », dans *Le Digeste français,* mai 1950, pp. 66-71.

Laurent, Édouard, « Tit Coq, un conscrit qui passera à l'histoire », *Culture,* décembre 1948, pp. 378-383.

Leclerc, Rita, « Bousille et les justes », dans *Lectures,* octobre 1959, pp. 57-58.

Marie-Jean du Cénacle, sœur, *Bio-bibliographie,* Montréal, École des Bibliothécaires de l'Université de Montréal.

Barbeau, Victor, *La Face et l'envers,* Académie canadienne-française, Montréal, 1966, p. 69.

II

MARCEL DUBÉ
(né en 1931)

Un soir de 1952, au Gesù, dans le cadre du Festival régional d'art dramatique, devant un simple fragment de palissade, sous la faible et triste lumière d'une ampoule électrique accrochée à un poteau de bois, un nouvel auteur dramatique est né au Canada français. Avec une pièce en un acte: *De l'autre côté du mur*, Marcel Dubé faisait ses premières armes de dramaturge, aux applaudissements des spectateurs et du juge anglais du Festival.

Par la suite — après *Zone,* qui fut une sorte de reprise en trois actes, amplifiée et approfondie, de *L'autre côté du mur* — Dubé a écrit une quinzaine de pièces qui furent jouées sur différentes scènes, après avoir été présentées, pour quelques-unes d'entre elles, au petit écran de la télévision.

Comme Gratien Gélinas, Marcel Dubé s'est d'abord appliqué à peindre le milieu social du Canada français contemporain, en particulier le milieu populaire, celui des petites gens des quartiers ouvriers, besogneux et délaissés. Il mettait l'accent, en outre, sur le comportement des adolescents — il avait presque cet âge, en fait! — en opposition souvent avec les adultes, avec leurs idées sur la vie et avec leurs institutions qui paraissent inadaptées.

Dans cette veine, il faut nommer *Zone, Chambres à louer, Un simple soldat* et *Florence.* Les personnages-clés de ces pièces, des jeunes, sont taillés, dans leur structure psychologique essentielle, sur un patron passablement identique; à des degrés divers, il ont les mêmes goûts et les mêmes besoins: souci irrépressible d'évasion manifesté par le désir de l'indépendance, revendication contre la vie terne ou misérable de leur milieu, lutte agressive des générations, défi à toutes les contraintes sociales.

Le style est à l'avenant: langue directe, dure, incisive, visant à dire l'essentiel sans fioriture, mais aussi d'un réalisme quotidien et populaire appuyé.

On comprend que ces œuvres aient rapidement valu au jeune auteur de devenir un favori des spectateurs de la scène ou de la télévision: plusieurs se reconnaissaient dans l'un ou l'autre de ses personnages.

Après cette première expérience, Dubé s'est risqué à reproduire un monde qui lui était moins familier, la bourgeoisie: celle des affaires et de l'industrie avec le *Barrage,* des modestes rentiers avec *Le Temps des lilas,* des parasites inutiles et jouisseurs avec *Les Beaux Dimanches,* des cruelles réalités masquées sous les façades blanchies de l'ordre dans *Au retour des oies blanches, Pauvre Amour* et *Bilan.*

Le ton, encore ici, est satirique, et il manifeste les visées sociales de l'auteur. Mais les personnages, montés d'un cran dans l'échelle des fonctions et des rôles, parlent à présent une langue assez correcte, réagissent moins violemment ou avec plus de distinction. Ils ne brillent pourtant pas par leur élévation morale ni par leur conception de la vie, qui est mesquine. Matérialistes, ils ne forment certes pas une galerie plus avantageuse que celle des premières pièces. Certains portraits attirent l'œil par une nouvelle coloration: l'hypocrisie.

Une exception toutefois, unique à ce jour dans le théâtre de Dubé: le couple idyllique des deux vieillards, dans *Le Temps des lilas.* Parvenus à l'âge de la sérénité, ils sont compréhensifs, bienveillants, sans révolte amère même contre le progrès qui menace d'étouffer leur tranquille bonheur.

En général, le regard que projette Marcel Dubé sur la société canadienne-française est peu favorable, voire pessimiste. Un titre conviendrait bien à l'œuvre entière, déployée comme une vaste fresque en plusieurs épisodes: la tragédie de l'échec. Aucune de ces pièces qui ne mérite cette étiquette. Depuis l'échec pitoyable du chef de « gang » Tarzan qui avoue sa défaite et son impuissance dans *Zone,* jusqu'à celui, lamentable, du Victor des *Beaux dimanches* dans le sentiment qui le lie à sa femme et dans l'éducation de sa fille, sans oublier l'échec du jeune ingénieur du *Barrage,* mal orienté dans une profession contraire à son tempérament d'artiste, l'échec des pauvres espoirs de bonheur des pensionnaires de Virgile, dans *Le Temps des lilas,* l'échec de l'inadapté Joseph et celui, d'ailleurs, de toute sa famille, dans *Un simple soldat,* l'échec de *Florence,* celui de Simon dans *Octobre,* ceux nombreux encore du *Retour des oies blanches,* de *Pauvre Amour* et de *Bilan,* c'est toujours le même sombre dénouement d'un même thème! Il y a là une véritable hantise.

D'où cette jonchée de cadavres qui borde l'œuvre de Dubé. L'auteur semble ne pouvoir dénouer autrement l'intrigue d'un grand nombre de ses pièces. C'est une solution de facilité dont la répétition finirait, à la longue, par mettre en cause les qualités de dramaturge de Dubé, du moins son habileté à imaginer une action logiquement et graduellement développée jusqu'à un dénouement naturel et chaque fois différent.

Marie-Claire
BLAIS
chez elle

ène
UVRARD

Diane
GIGUÈRE

Monique
BOSCO

Louise
MAHEUX-FORCIER

Minou
PETROWSKI

Michèle MAILHOT

Paule SAINT-ONGE

Alice PARIZEAU

Yolande CHÉNÉ

Claire MONDAT

Claire FRANCE

Geneviève
DE LA TOUR FONDUE

Adrienne
CHOQUETTE

Andrée MAILLET

Madeleine
FERRON

Il y a quelque monotonie dans le thème d'un irréaliste refus de la vie chez ses personnages, refus d'accepter la vie telle qu'elle est et non telle qu'on l'avait rêvée ou désirée. Ils sont de successives incarnations du drame de l'adolescence; jamais ils ne s'attaquent à l'obstacle réel pour le surmonter. Aussi en dépit d'une grande pitié pour l'homme et l'incontestable don de sympathie qu'on retrouve dans toutes ces pièces, l'œuvre de Marcel Dubé, dans son ensemble, parlant de désenchantement et de défaite, laisse elle-même une impression d'inachèvement.

L'HEURE DE MOURIR (Zone)

Tarzan, jeune chef de « gang » qui faisait de la contrebande de cigarettes américaines, a été pris par la police, ainsi que ses complices. Il est accusé spécialement du meurtre d'un douanier, ce qu'il a avoué à l'interrogatoire de la police. Mais il vient de s'évader de la prison où il attendait son procès et il est venu retrouver sa bande, dans laquelle se trouve une adolescente, Ciboulette. Tarzan, se sachant poursuivi, distribue une partie de l'argent à ses compagnons qu'il renvoie ensuite pour rester seul avec Ciboulette.

CIBOULETTE — Pourquoi que t'as fait ça ?

TARZAN — Le restant, c'est pour toi ... je t'ai jamais rien donné ... Ce sera mon premier cadeau. Avec, t'achèteras tout ce que tu veux ... donne rien à tes parents ... tu t'achèteras une robe, un collier, un bracelet ... tu t'achèteras des souliers neufs et un petit chapeau pour le dimanche. (*Il lui prend la main et dépose l'argent dedans : il lui ferme les doigts autour*).

CIBOULETTE — T'as beaucoup changé depuis une minute.

TARZAN — Je suis pas venu ici pour avoir de l'argent, je suis venu pour t'embrasser et te dire que je t'aimais.

CIBOULETTE — Faut que tu partes alors et que tu m'amènes avec toi si c'est vrai que tu m'aimes. L'argent ça sera pour nous deux.

TARZAN — Je peux pas faire ça, Ciboulette.

CIBOULETTE — Pourquoi ?

TARZAN — Parce que je suis fini. Tu t'imagines pas que je vais leur échapper ?

CIBOULETTE — Tu peux tout faire quand tu veux.

TARZAN — Réveille-toi, Ciboulette, c'est passé tout ça ... je m'appelle François Boudreau, j'ai tué un homme, je me suis sauvé de la prison et je suis certain qu'on va me descendre.

CIBOULETTE — Pour moi, t'es toujours Tarzan.

TARZAN — Non, Tarzan est un homme de la jungle, grand et fort, qui triomphe de tout : des animaux, des cannibales et des bandits. Moi je suis seulement qu'un orphelin du quartier qui voudrait bien qu'on le laisse tranquille un jour dans sa vie, qui en a par-dessus la tête de lutter et de courir et qui aimerait se reposer un peu et être heureux. (*Il la prend dans ses bras.*) Regarde-moi ... vois-tu que je suis un peu lâche ?

CIBOULETTE — Mais non, t'es pas lâche. T'as peur, c'est tout. Moi aussi j'ai eu peur quand ils m'ont interrogée; j'ai eu peur de parler et de trahir, j'avais comme de la neige dans mon sang.

TARZAN — Je vous avais promis un paradis, j'ai pas pu vous le donner et si j'ai manqué mon coup c'est seulement de ma faute.

CIBOULETTE — C'est la faute de Passe-Partout qui t'a trahi.

TARZAN — Si Passe-Partout m'avait pas trahi, ils m'auraient eu autrement, je le sais. C'est pour ça que j'ai pas puni Passe-Partout. C'est pour ça que je veux pas de votre argent. Ça serait pas juste et je serais pas capable d'y toucher. C'est de l'argent qui veut plus rien dire pour moi puisque tout est fini maintenant. J'ai tué. Si je t'avais aimée, j'aurais pas tué. Ça, je l'ai compris en prison. Mais y est trop tard pour revenir en arrière.

CIBOULETTE — Veux-tu dire qu'on aurait pu se marier et avoir des enfants ?

TARZAN — Peut-être.

CIBOULETTE — Et maintenant, on pourra jamais ?

TARZAN — Non.

CIBOULETTE — Tarzan ! Si on se mariait tout de suite ! Viens, on va s'enfermer dans l'hangar et on va se marier. Viens dans notre château; il nous reste quelques minutes pour vivre tout notre amour. Viens.

TARZAN — Tu serais deux fois plus malheureuse après.

CIBOULETTE — Ça m'est égal. Je suis rien qu'une petite fille, Tarzan, pas raisonnable et pas belle, mais je peux te donner ma vie.

TARZAN — Faut que tu vives toi. T'as des yeux pour vivre. Faut que tu continues d'être forte comme tu l'as toujours été même si je dois te quitter... pour toujours.

CIBOULETTE — Quand un garçon et une fille s'aiment pour vrai, faut qu'ils vivent et qu'ils meurent ensemble, sans ça, ils s'aiment pas.

MÉLANCOLIE DES DÉPARTS (*Le Temps des lilas*)

Cette pièce, d'un ton sensiblement différent des autres, évoque un monde apparemment serein, replié sur un bonheur quiet, à l'abri des orages de la vie. Pourtant, dans le petit jardin où se déroule l'action, enclos et protégé par les hauts murs des édifices voisins, embaumé par le fort et précaire parfum des derniers lilas qui y pourront pousser, le drame s'est installé, traînant sa séquelle de larmes et de ruines. Après quoi se fanent les fleurs et disparaissent, l'un après l'autre, les hôtes du petit jardin. Il ne reste qu'un couple charmant, un peu anachronique, de vieillards, seuls maintenant face à la menace d'expropriation du domaine étroit où ils ont été heureux tout de même et dont le progrès veut — à leur tour — les arracher. La petite Johanne aura été la dernière à les quitter.

VIRGILE

Nous parlions justement de toi, ma petite fille.

BLANCHE

Nous disions combien nous étions heureux de t'avoir avec nous.

JOHANNE
(qui s'approche et tend une enveloppe à Virgile)

C'est un télégramme que j'ai reçu cet après-midi. Voulez-vous le lire, Monsieur Virgile ?

(Virgile prend le télégramme et lit pendant que Johanne monte à sa chambre. Une fois qu'il a lu le télégramme, Virgile le tend à Blanche.)

BLANCHE
(lisant)

« Ta mère... très malade... Reviens Québec... Papa. »

VIRGILE
(après un long temps)

Tu vois ce que je disais ? Ça ne pouvait pas, ce n'était pas possible.

BLANCHE

Elle aussi ! Elle aussi !

VIRGILE

Il ne faut pas pleurer, ma vieille. Pas devant elle, la vie nous demande d'être courageux une dernière fois.

BLANCHE

Où est-ce, en soi, qu'on puise du courage, Virgile ? Tu t'en souviens, toi ?

VIRGILE

Au fond du cœur. Tant qu'il bat Dieu est censé nous en laisser.

BLANCHE

Dieu... Il nous a peut-être un peu oubliés depuis quelque temps.

VIRGILE

Il s'est occupé de nous pendant si longtemps... Il faut bien qu'Il pense aux autres parfois. Tous les autres... tous ceux qui vivent en dehors de ce jardin et que nous avons oubliés.

BLANCHE
(elle acquiesce d'un signe affirmatif de la tête)

Attends, je reviens.

(Puis elle se lève et entre dans sa maison. Virgile la suit des yeux, et, une fois qu'elle est entrée, se dirige vers une touffe de muguet. Il se penche et en cueille quelques petites tiges. Paraît Johanne au deuxième étage, vêtue d'un léger manteau et une valise à la main. Elle descend au jardin.)

VIRGILE

Tu n'as rien oublié ?

JOHANNE

Non.

VIRGILE

As-tu ton billet de train ?

JOHANNE

Oui. Je l'ai acheté après le bureau.

VIRGILE

Tu vas revoir tes parents. Ça va leur faire plaisir.

JOHANNE

Si ma mère n'était pas gravement malade, je ne retournerais pas à Québec, je resterais auprès de vous.

VIRGILE

Après tout ce qui s'est passé, ça ne serait pas bon pour toi. Tu n'arriverais pas à oublier.

JOHANNE
(jetant les yeux vers l'arbre)
Il n'y a déjà plus de lilas. J'aurais voulu m'en couper une branche.

VIRGILE

Le temps des lilas passe vite. Ça a permis au muguet de fleurir.
(Il lui tend le petit bouquet de muguet qu'il cachait derrière son dos.)
Des fois dans les trains, ça sent le charbon... Tu respireras ton muguet, ma poulette.

JOHANNE

Merci... Tout ce qui est arrivé en si peu de jours. On vivait heureux, on ne s'attendait pas à ça.

VIRGILE

On se croyait à l'abri dans notre petite cour. Mais tu sais, le malheur passe facilement à travers les portes et les murs...

JOHANNE

Si au moins on avait fait quelque chose pour l'attirer !
(Blanche paraît tenant dans ses mains le portrait que Vincent a peint d'elle. Elle l'apporte à Johanne et le lui présente.)

BLANCHE

J'ai pensé que tu pourrais le garder plus longtemps que moi.

JOHANNE
(qui le regarde avec de grands yeux)
S'il avait eu le temps, je sais qu'il aurait peint des lilas au fond... C'était un drôle de garçon, hein, Madame Blanche? On aurait dit qu'il n'arrivait pas à trouver sa place sur la terre.
(Elle se jette dans les bras de Blanche. Celle-ci l'embrasse vivement sur les cheveux et l'éloigne d'elle pour ne pas s'attendrir davantage. Johanne va embrasser Virgile mais le vieux lui caresse maladroitement la tête à bout de bras et se détourne d'elle. Johanne les regarde rapidement, émue, et sort.)

VIRGILE

Ce que nous avions de jeune vient de s'en aller... Il reste l'hospice...

BLANCHE

Si nous avions notre fils, il nous prendrait avec lui. Il y aurait encore quelques bonnes années à vivre.

VIRGILE

Ils sont tous morts, ils sont tous partis... Maintenant, nous sommes seuls pour toujours.

BLANCHE

C'est vite passé une vie.

VIRGILE

Ça te paraît court, le chemin qu'on a fait ensemble?

BLANCHE

Si court... si court, mon vieux, que j'aurais envie de recommencer.

(Acte III, 7e tableau, Scène 2)

UN SIMPLE SOLDAT (1958)

Cette pièce est probablement la plus humaine et la plus émouvante de Dubé. Conçue d'abord pour la télévision, son adaptation à la scène laisse paraître cette origine: nombreux tableaux, diversité des lieux de l'action. Elle pose le problème de la réadaptation d'un soldat à la vie civile, une fois la guerre terminée. Mais à vrai dire, pour Joseph, le héros, le problème à affronter existait bien avant la guerre. Instable chronique, il n'a jamais su s'intégrer dans son milieu, gagner sa vie de façon utile. L'armée ne l'a pas guéri, et la démobilisation le renvoie dans un foyer incapable de l'aider, celui d'où il avait espéré fuir pour toujours en s'engageant: une belle-mère, un demi-frère et une demi-sœur qu'il déteste et qui ne l'aiment pas; un père de petite envergure, sans instruction, faible, usé par sa vie et impuissant à guider son fils; une jeune sœur née du second mariage, charmante et affectueuse mais trop jeune. Voilà le cadre impossible où il tentera de s'introduire, non sans tout y briser encore une fois, jusqu'à ce qu'il en ressorte enfin pour redevenir simple soldat et se faire trouer la peau en Corée.

RÉVOLTE ET IMPUISSANCE (Un simple soldat)

Joseph rentre chez lui, ivre. Il a bu sa paye de la semaine — la première! — qu'il devait rapporter en remboursement partiel d'une dette dont son père avait bien voulu se porter garant. Il entre en trébuchant, en chantant et en riant dans la maison où son père l'attend, très droit, près du vestibule.

JOSEPH — (enfin debout) B'soir p'pa ... B'soir p'pa.
(Son père le regarde et ne répond pas.)

JOSEPH — Tu pourrais me dire bonsoir le père! C'est vrai! Je suis poli, moi! Tu pourrais être poli, toi aussi!.. Penses-tu que je suis surpris de te voir? Je suis pas surpris une miette!... Je savais que tu serais debout pis que tu m'attendrais... Je l'ai dit à Émile, tu peux y demander; j'ai dit: Émile, je te gage cent piastres que le père va m'attendre.
(Éveillé par les voix, Armand paraît dans sa porte de chambre. Il fait de la lumière.)

JOSEPH — Pis Armand aussi, je le savais! Je savais que vous seriez pas capables de vous endormir avant que j'arrive. Je me suis pas trompé, je me suis pas trompé, le père. On aurait dit que c'était tout arrangé d'avance. Ouais! Parce que vous deviez avoir hâte de savoir si j'apporterais mon quarante piastres... Parlez! parlez, maudit!... Dites quelque chose! Restez pas là, la bouche ouverte comme des poissons. Vous m'attendiez ou bien vous m'attendiez pas?

. . . .

JOSEPH — La vérité, c'est que j'ai pas tenu ma promesse, le père ! La vérité, c'est que j'ai bu la moitié de ma paye pis que j'ai flambé le reste dans une barbotte ! ... Es-tu content ? Es-tu content, là ? ... Pis ça, c'est toi qui l'as voulu, le père ! C'est de ta faute. Rien que de ta faute. T'avais rien qu'à pas me faire promettre. T'avais rien qu'à pas me mettre de responsabilités sur les épaules. T'avais rien qu'à me laisser me débrouiller tout seul, y a deux mois, quand je me suis ramassé à l'hôpital avec ma jambe cassée ... Tu devrais pourtant être assez vieux pour savoir qu'on rend pas des services à un gars comme moi. Qu'un gars comme moi, c'est pas fiable pour cinq « cennes » ! ... Tu le savais pas, ça ? Tu le sais pas encore ? Réveille-toi donc ! Je m'appelle pas Armand, moi, j'ai pas d'avenir, j'ai pas de « connection », j'ai pas de protection nulle part ! Je suis un bon-à-rien, un soldat manqué qui a seulement pas eu la chance d'aller crever au front comme un homme ... Parle ! C'est ton tour ! Parle !

ÉDOUARD — (*d'une voix basse, pesant bien chaque mot.*) Je réglerai ton cas demain matin.

(*Il lui tourne le dos et se dirige vers sa chambre où il s'enferme. Joseph, décontenancé d'abord, puis hors de lui marche désespérément vers la porte fermée.*)

JOSEPH — (*Frappe à coups de poings dans la porte.*) C'est ça ! C'est ça ! Va te coucher avec la grosse Bertha. Ça fait vingt ans que tu couches avec elle pis que tu l'aimes pas ... Tu l'as mariée parce que t'étais pas capable de rester tout seul, parce que t'étais lâche ... (*Il s'effondre à genoux par terre.*) J'en avais pas besoin de Bertha, moi. Toi non plus, le père. On aurait pu continuer notre chemin ensemble, tous les deux, tout seuls ... Non, le père ! A fallu que tu la prennes avec nous autres, que tu la rentres dans notre maison ... jusque dans le lit de ma mère ... C'est ça que je voulais te dire depuis longtemps, c'est ça ... Mais fais attention, le père ! Moi, je suis là ! Je suis là pour te le faire regretter toute ta vie ! Tu me comprends ? Toute ta vie ?

(*Et il éclate en sanglots comme un enfant. Il s'éloigne de la porte de chambre en titubant et vient s'écraser sur le divan du living-room. Paraît Fleurette. Elle sort de sa chambre et s'approche avec inquiétude de Joseph. Son visage est bouleversé. Joseph se relève avec beaucoup de difficulté et tente de fuir le regard de Fleurette. Il fait quelques pas et s'effondre par terre.*)

FLEURETTE — (*se penche sur lui.*) Joseph ! ... Y a pas grand'chose de beau dans le monde, hein ? Y a pas grand'chose ... On dirait que c'est tout le temps vide. [...] Dors. Dors quand même. T'as tellement l'air fatigué. T'as tellement l'air d'être malade. Faut pas que tu boives comme ça, aussi ! (*douce*) Espèce de vaurien ... Espèce d'ivrogne ... Si j'étais ta mère, je te chicanerais ...

(Acte V, 12e tableau)

LA GRANDE CONTESTATION (*Florence*)

De tous les personnages du théâtre de Marcel Dubé, Florence est celui qui dit le plus fortement non à son milieu, qu'elle trouve médiocre, figé dans sa routine, abrutissant. Comme elle se sent incapable de le changer, elle décidera de s'en échapper, en quête du confort, de la liberté, de la joie de vivre. A la fin de la première partie de la pièce, elle s'en explique avec ses proches: son père, Gaston, sa mère, Antoinette, et son jeune frère aux études, Pierre.

GASTON

Si tu penses quelque chose qu'on sait pas à notre sujet, je veux que tu le dises, je vais t'écouter, t'as pas besoin d'avoir peur.

FLORENCE

Non, papa, demande-moi pas de parler.

GASTON

Ce soir, on a la chance de se parler et de se comprendre. Faut la prendre parce que ça se représentera peut-être plus.

ANTOINETTE

Es-tu malheureuse parce que tu voudrais te marier et que tu trouves personne de ton goût ? Es-tu malheureuse parce que t'as découvert que t'aimais plus Maurice ?

FLORENCE

Je souhaiterais me marier, maman, mais pas avec le genre de garçons qui sont intéressés à moi. Pas avec Maurice.

ANTOINETTE

Pourquoi ?

FLORENCE

Parce que je serais pas heureuse. Je veux pas devenir une machine à faire des enfants, je veux pas devenir une machine à faire du ménage, une machine à engraisser et à vieillir.

ANTOINETTE

Autrement dit, tu veux pas me ressembler ?

FLORENCE

J'ai pas dit ça.

ANTOINETTE

Mais tu le penses !

FLORENCE

Oui. C'est peut-être beau de faire son devoir de mère, mais je me sens pas d'aptitudes à ça.

PIERRE

Tu devrais avoir honte de parler de même !

FLORENCE

C'est papa qui l'a voulu !

ANTOINETTE

C'est vrai que j'ai passé ma vie à faire des enfants, à faire du ménage, c'est vrai que j'ai sacrifié tout mon temps pour la maison, mais t'oublies une chose : avec ton père, j'ai été heureuse.

199

FLORENCE

Moi, je le serais pas. Je me contenterais pas de ce bonheur-là.

ANTOINETTE

Florence !

GASTON

Laisse-la finir, je veux tout savoir.

PIERRE

Une vraie folle !

FLORENCE

Tu pourrais te regarder dans un miroir, des fois !

PIERRE

J'ai pas tes idées de grandeur, moi.

FLORENCE

Non, mais t'agis comme si t'étais supérieur à tout le monde.

PIERRE

C'est pas vrai ! J'ai pas changé parce que je vais au collège.

FLORENCE

Menteur ! Espèce de p'tit hypocrite ! Dis-le donc ce que tu penses de ton père et de ta mère au fond de toi-même, dis-le ! T'as peur, hein ! T'as peur d'avouer que des fois t'en as eu honte.

PIERRE

T'es rien qu'une... t'es rien qu'une...

(Il ne trouve pas le mot. Il lève la main vers Florence mais son père la lui rabat durement en le regardant dans les yeux avec sévérité. La mère a eu juste le temps de crier.)

ANTOINETTE

Fais pas ça, Pierre !

GASTON

(lentement à Florence.)

Continue...

FLORENCE

Pourquoi que tu me forces à dire tout ça ?

GASTON

Quand on est un homme, on doit être capable de faire face à la vérité. Si c'est la vérité que tu dis, je veux y faire face. Pourquoi que tu serais pas heureuse d'avoir la vie que ta mère a eue ?

FLORENCE

Je le sais pas, j'ai dit ça sans penser, questionne-moi plus, papa.

GASTON

T'as accusé ta mère, maintenant je veux que tu m'accuses.

PIERRE

Tu devrais pas attacher d'importance à ses paroles.

GASTON

(qui pour la première fois se fâche.)
Ferme-toi, Florence veut me parler, je veux qu'on la laisse me parler.

FLORENCE

Regarde papa, regarde tout ce qu'il y a autour de nous autres. Regarde les meubles, les murs, la maison : c'est laid, c'est vieux, c'est une maison d'ennui. Ça fait trente ans que tu vis dans les mêmes chambres, dans la même cuisine, dans le même living-room. Trente ans que tu payes le loyer mois après mois. T'as pas réussi à être propriétaire de ta propre maison en trente ans. T'es toujours resté ce que t'étais : un p'tit employé de Compagnie qui reçoit une augmentation à tous les cinq ans. T'as rien donné à ta femme, t'as rien donné à tes enfants que le strict nécessaire. Jamais de plaisirs, jamais de joies en dehors de la vie de chaque jour. Seulement Pierre qui a eu la chance de s'instruire : c'est lui qui le méritait le moins. Les autres, après la p'tite école c'était le travail; la même vie que t'as eue qui les attendait. Ils se sont mariés à des filles de rien pour aller s'installer dans des maisons comme celle-là, grises, pauvres, des maisons d'ennui. Et moi aussi, ça va être la même chose si je me laisse faire. Mais je veux pas me laisser faire, tu comprends papa ! La vie que t'as donnée à maman ça me dit dit rien, j'en veux pas ! Je veux mieux que ça, je veux plus que ça. Je veux pas d'un homme qui va se laisser bafouer toute sa vie, qui fera jamais de progrès, sous prétexte qu'il est honnête; ça vaut pas la peine d'être honnête si c'est tout ce qu'on en tire...

ANTOINETTE

Tu vas trop loin, Florence !

FLORENCE

J'aime mieux mourir plutôt que de vivre en esclave toute ma vie.

ANTOINETTE

Tu sais plus ce que tu dis. Tu sais plus ce que tu dis parce que tu connais rien de la vie. Mais moi je vais t'apprendre ce que c'est un peu. Pour avoir parlé de ton père comme tu viens de le faire, faut pas que tu l'aimes beaucoup, faut pas que tu le connaisses. Je vais te le dire ce que c'est ton père, moi !

GASTON

Je te demande pas de me défendre, ma vieille. Ce que Florence a dit de moi est vrai.

ANTOINETTE

C'est peut-être vrai dans un sens mais ça l'est pas dans un autre... Ton père, Florence, était d'une génération qui va mourir avec lui... Pas un jeune d'aujourd'hui pourrait endurer ce qu'il a enduré. A vingt ans, c'était un homme qui avait déjà pris tous les risques qu'un homme peut prendre. Avoir une situation stable, sais-tu ce que ça pouvait représenter pour lui ? T'en doutes-tu ? Ça représentait le repos, la tranquillité, le droit de s'installer et de vivre en paix. Ton père, Florence... c'est pas un grand homme. Jamais été riche mais toujours resté honnête. Deux fois il aurait pu gagner beaucoup d'argent à travailler pour des élections... Il aurait achetée sa maison s'il l'avait voulu mais il a refusé... Tu peux lui en vouloir pour ça, tu peux encore lui faire des reproches ?... Parle ! Réponds !
(Accablée, Florence penche la tête et est incapable de répondre.)

PIERRE

T'avais pas le droit de parler comme ça, Florence.

FLORENCE

J'ai seulement dit ce que t'auras jamais le courage de dire... Je te connais, toi. Les matins que tu refuses de t'en aller au collège avec lui, c'est parce que t'en a honte ! parce que ça te gêne de marcher à côté de lui.

PIERRE

T'as menti !

FLORENCE

C'est toi qui mens parce que t'as peur d'admettre la vérité. Mais tout ce que tu fais t'accuse.

(Il voudrait encore lutter contre elle mais il sait trop bien qu'elle a raison. Et il ne sait plus très bien quoi lui répondre. Il préfère se ressaisir et se taire.)

GASTON

Florence... T'as eu la franchise d'exprimer ce que tu pensais tout à l'heure, si tu veux continuer, je suis encore prêt à t'écouter.

FLORENCE

(Complètement dépassée par l'humanité de son père. Elle lève la tête vers lui, ses yeux sont mouillés de larmes. Elle fait non de la tête.)

J'ai plus rien à dire... j'ai trop parlé maintenant... je suis allée trop loin... t'aurais pas dû me laisser faire non plus...

Dans son ouvrage *Le Théâtre au Canada français*, Jean Hamelin écrit que *Florence* est « une dénonciation violente d'une certaine vie fondée sur la peur du risque, la routine quotidienne, l'abdication totale devant tout effort vers un salut possible ». Mais voilà: Florence, comme tous les autres, espère en vain et s'acharne à la poursuite d'une chimère, car Roger Lemelin nous l'apprend: « Le thème de Dubé, c'est l'impossible évasion. »

NOTICE BIOGRAPHIQUE

Né à Montréal en 1930, Marcel Dubé fit ses études au collège Sainte-Marie et à la faculté des Lettres de l'Université de Montréal. Il a commencé à écrire pour le théâtre alors qu'il était étudiant, inaugurant ainsi une carrière qui allait devenir celle du plus prolifique des nouveaux dramaturges du Canada français. Depuis 1951, il a écrit pour la scène et la télévision plusieurs pièces qui comptent parmi les succès les plus assurés du répertoire canadien. Le Temps des lilas a été joué à Paris. Dubé est également l'auteur de quelques nouvelles et de poèmes.

BIBLIOGRAPHIE

L'œuvre dramatique de Marcel Dubé:

Zone, dans *Écrits du Canada français,* no 2, pp. 197-339, Montréal, H.M.H., 1956; Montréal, Leméac, 1968.

Un simple soldat, Québec, Institut littéraire du Québec, 1958.

Le Temps des lilas, Québec, Institut littéraire du Québec, 1958.

Florence, dans *Écrits du Canada français,* no 4, pp. 113-193, Montréal, H.M.H., 1958.

Les Beaux Dimanches, Montréal, Leméac, 1969.

Bilan, Montréal, Leméac, 1968.

Virginie, dans *Écrits du Canada français,* no 24, Montréal, H.M.H., 1968.

Pauvre Amour, Montréal, Leméac, 1969.

Études sur Marcel Dubé:

Laroche, Maximilien, *Marcel Dubé,* Montréal, Fides (Coll. « Écrivains canadiens d'aujourd'hui »), 1969.

Vanasse, Jean-Paul, « Le théâtre de Marcel Dubé », dans *Liberté,* novembre-décembre 1959.

Grandpré, Pierre de, « Théâtre populaire », dans *Dix ans de vie littéraire au Canada français,* pp. 206-208.

Élie, Robert, « Le Temps des lilas », dans *Journal musical canadien,* avril 1958.

Marcel, Gabriel, « Le Temps des lilas », dans *Les Nouvelles littéraires,* 19 juin 1958.

Moisan, Jean-Luc, « Un simple soldat », dans *Littérature canadienne,* « Cahiers de Sainte-Marie », I, avril 1967, p. 21.

Amyot, Michel, « Le théâtre de Marcel Dubé », thèse dactylographiée, Université de Montréal, 1962.

D'Auteuil, Georges-Henri, « Un simple soldat », dans *Relations,* no 317, juin 1967, pp. 188-189; « Au retour des oies blanches »,; dans *Relations,* no 311, décembre 1966, pp. 344-346.

Carroll, Daniel, « Au retour des oies blanches », dans *Littérature canadienne,* « Cahiers de Sainte-Marie », I, avril 1967, p. 20.

Dubé, Marcel, *Textes et documents,* Montréal, Leméac, 1968.

III

PAUL TOUPIN
(né en 1918)

D'un tout autre caractère que celui de Gélinas et de Dubé est le théâtre de Paul Toupin, nettement anti-populaire et très littéraire dans sa forme. Il s'en est expliqué plusieur fois et franchement, en particulier dans son essai *L'Écrivain et son théâtre* (1964).

Sur son œuvre de début, *Le Choix*, dont l'action se passe en France sous l'occupation allemande, Jean Béraud a porté le jugement suivant: « Paul Toupin a voulu être, dès sa première pièce, notre auteur classique de théâtre, aussi bien par la conduite de l'action, par le dialogue, par le style, que par son manque absolu de concessions au public: action nette et pleine d'économie, dialogue sans bavure, style sobre et toujours de haute tenue littéraire. » [1]

Cette appréciation d'un critique averti paraît valable pour tout le théâtre de Toupin; aucune de ses œuvres subséquentes ne l'a démentie: ni *Brutus*, ni *Le Mensonge*, ni *Chacun son amour*. Son refus, en particulier, de chercher à plaire au public en répondant à tous ses goûts et en parlant sa langue, a toujours été catégorique. Sa position est résolument prise sur ce point. Il écrit: « Le public est une corporation à laquelle je n'ai jamais tenu. Écrire, c'est ne compter que sur soi-même. Même au théâtre? Oui, même au théâtre dont le véritable se lira toujours « dans un fauteuil », car le théâtre est quelque chose de très plastique et sa langue, non la scène, lui donne de l'étendue. » [2]

Cette attitude détachée, un tantinet olympienne, va à l'encontre, il faut bien le dire, de toute la tradition des dramaturges et des critiques, de Molière à nos jours. Et le théâtre de Musset lui-même, quand il a sauté de son « fauteuil » sur les tréteaux, a pris une autre dimension, que nous sommes bien aises d'admirer.

Au reste, Toupin aurait mauvaise grâce à bouder un public qui, en somme, fit bon accueil à son *Brutus* lors de sa création au Gesù, de même qu'à sa reprise — phénomène rare chez nous — huit ans plus tard.

BRUTUS (1951)

En fait, jusqu'à maintenant, *Brutus* est la pièce majeure de Paul Toupin. C'était presque une gageure que de vouloir renouveler la représentation d'un événement historique aussi connu que la mort de César. Toupin l'a tenue d'une façon fort originale, en établissant sa tragédie sur le conflit entre l'amitié qui lie César à Brutus et le souci de la grandeur de Rome. En effet, passablement désabusé de tout — de l'amour, de la gloire, des hommes — César s'accroche à l'amitié comme au seul bien encore valable dans la vie, mais pour

---

1. Jean Béraud, *350 ans de théâtre au Canada-français*, p. 281.
2. Paul Toupin: *Théâtre*, Avertissement, p. 7.

le patriote illuminé et idéaliste qu'est Brutus, la gloire de Rome l'emporte sur toutes choses. Alors il complote contre César et il le tuera au nom de l'intérêt supérieur de la patrie.

Précision de la pensée, densité de la forme, élévation des sentiments, concentration de l'action, voilà les principales qualités de cette pièce, qui se classe certainement aux premiers rangs dans notre production théâtrale.

L'AMITIÉ ET LA MORT (*Brutus*)

César, bien au fait pourtant de la conspiration de Brutus qui veut l'assassiner, s'est rendu au Capitole, à la séance du Sénat où Cicéron fait un grand discours. A la première scène du troisième acte, César et Brutus sortent de la salle du Sénat. César déclare ne plus pouvoir supporter l'éloquence verbeuse de Cicéron. Entretemps, des conjurés de Brutus sont entrés: sans bruit ils attendent l'ordre de frapper César, que protègent ses gardes. A ce moment, César interpelle Brutus.

CÉSAR

Tu ne connais pas ces gens? Ils sont bien indiscrets...

BRUTUS

Non, César, je ne les connais pas.

CÉSAR

Je n'aime pas que tu mentes, Brutus. Ce sont tes amis?

BRUTUS

Eh bien, oui, César, je les connais! Et ce sont mes amis. Et ce sont aussi les conjurés de Rome, de Rome qui ne vous veut plus, qui en a assez de votre tyrannie. Gardez votre projet d'Ibérie; et devinez, à votre tour, celui qui nous rassemble ici!

CÉSAR

Par les dieux, Brutus, serais-tu devenu homme d'action?

BRUTUS

Regardez-moi! Regardez-moi, César! Les portes sont fermées. Elles ne s'ouvriront plus!

CÉSAR

Elles s'ouvriront quand Cicéron aura terminé son discours.

BRUTUS

Elles s'ouvriront sur votre cadavre!

CÉSAR

Ah! (*Jouant au naïf.*) Car, toi... eux... vous avez décidé de mettre fin à mon destin?

BRUTUS

L'ami n'existe plus, César. Et l'empereur n'en a plus que pour quelques instants.

CÉSAR

Tu me parles sur un ton, Brutus! Oublies-tu que devant ces gens, je suis ton empereur? Mon cœur qui est trop faible peut devenir de pierre, si je le veux! Et si je le veux encore, tu peux cesser de vivre. Tes pauvres pièges évidents...

BRUTUS

Votre destin s'achève ici.

CÉSAR

Toujours les mots sombres, Brutus?... Tu te crois donc bien fort pour mettre la main à mon destin? Dis-moi plutôt pourquoi tu trembles.

BRUTUS

Je ne tremble pas!

CÉSAR

Tu trembles! Tu me fais pitié, Brutus. Tes gens te regardent. Quel exemple tu leur donnes!

BRUTUS

Que je lève ce bras et Rome n'aura plus d'empereur!

CÉSAR

As-tu prévu mon successeur?

BRUTUS

J'ai prévu seulement que la nouvelle de votre mort plongera Rome dans le délire le plus joyeux. Je n'aurai pas d'ordre à donner pour que votre mort soit célébrée comme vous le désiriez... avec du vin... de la danse...

CÉSAR

J'aurai donc prévu comment Rome apprendra ma mort? *(Il sourit.)* Grâce à moi, Brutus, ton coup réussirait! C'est moi qui suis venu en ce lieu, c'est moi qui ai donné l'ordre de ne plus rouvrir ces portes, qui ai laissé par deux fois tes gens entrer...

BRUTUS

Hier, j'étais hésitant. Aujourd'hui...

CÉSAR

Tu n'hésites plus?

BRUTUS

Je n'hésite plus.

CÉSAR

Mais tu n'es pas certain.

BRUTUS

Je suis décidé d'agir.

CÉSAR

Décidé d'agir! Cela sonne curieux que tu le dises. Décide d'agir!...

BRUTUS

Alors, César, à moi de commander. Recueillez-vous au lieu de vous moquer de moi. Dites un adieu à Rome que vous ne reverrez plus.

CÉSAR

Je ne suis pas sentimental, Brutus. Et Rome me ressemble. Rome a la mémoire courte. Quel sage a dit: « Avant de quitter ce monde, je me regrette! »? *(Brutus a fait un signe aux conjurés.)* Tu es heureux qu'enfin on t'obéisse? N'est-ce pas que le pouvoir enivre? Déjà, toi-même, Brutus, tu titubes! Brutus à la veille d'achever son rêve... Prends garde! J'ai rêvé, moi aussi, qu'après moi, si je meurs, tu mourras... Et de mort très douce... par une nuit sans lune, sans qu'aucun loup ne hurle, alors que dans tout l'Empire, les loups hurleront à ma mort. Ainsi que ces gens... *(Il désigne les conjurés.)* silencieux comme des statues... Car vous avez tous décidé de ne me point parler?... Me craignez-vous tant que cela?

BRUTUS

Nul ici ne vous craint!

CÉSAR

Nous sommes donc entre braves?

BRUTUS

Achevez de vous moquer, César!

CÉSAR

Et toi, achève de rêver! Tu me crois cerné, mais je t'échappe, Brutus... Ces portes, ces gens, et toi-même, vous ne m'êtes de rien. Tu es seul, Brutus, seul à seul avec moi. Et je te le dis encore. Ta cause est perdue, parce qu'elle était trop belle. Toutes les belles causes sont vouées à l'échec. Pour réussir, tiens, voilà mon testament et publie-le avant que de mourir. Pour réussir, il ne faut rien vouloir, ni rien faire. Toi, Brutus, tu voulais tout faire et tu faisais quoi? Dépêche-toi, Brutus. Cicéron en est à sa péroraison... Il est tout en sueur comme un porc qu'on égorge. Brutus! Réveille-toi! c'est moi qui suis ton rêve! Qu'attends-tu donc?

BRUTUS

Que ces gens vous connaissent!

CÉSAR

Dis-leur donc qui je suis, puisque, toi, tu me connais! Dis-leur qui est César! Et puis, lève ton bras. Était-ce celui de gauche, était-ce celui de droite? J'ai oublié lequel. Peut-être, les deux ensemble, comme le fait notre grand homme derrière ces murs! Allons, Brutus... l'histoire te regarde! *(Il éclate de rire.)* Surveille ton geste... Ton nom à mon nom est désormais lié... Ne laisse pas s'échouer cette conspiration à deux pas du Capitole... Rome t'observe...

La tragédie de *Brutus* nous reporte par son sujet au temps de la Rome païenne. Des deux autres pièces publiées de Toupin, *Le Mensonge* se passe en Bretagne, au XVe siècle, et *Chacun son amour* de nos jours, mais en un lieu imprécis. Aucune de ces pièces ne traite donc de thèmes spécifiquement canadiens. On ne doit pas, en conséquence, s'attendre à y trouver la couleur locale si chère à Gélinas et à Dubé. Aucune allusion à nos mœurs, à nos coutumes particulières; seulement une étude lucide et nuancée de l'homme universel. D'une concision hardie, les pièces de Toupin sont remarquablement courtes, rédigées dans une langue rigoureuse et raffinée.

LE MENSONGE (1960)

Bâtie sur un thème cher aux chevaliers du Moyen Âge: la franchise, la pièce *Le Mensonge* raconte les aventures assez romanesques d'une châtelaine, Bretonne farouchement obstinée, seule gardienne d'un château et d'un domaine que le roi de France convoite et qu'il obtiendra, grâce à la supercherie d'un timide seigneur amoureux de la belle. Le « faux honneur du monde » comme dit Bossuet — qui s'appelle souvent orgueil — séparera et fera souffrir de la sorte, trois longues années, deux êtres profondément loyaux, fidèles et faits pour s'aimer.

CHACUN SON AMOUR (1957)

Un amour neuf, ardent et ombrageux, voilà *Le Mensonge*; l'amour fané d'un Don Juan désabusé que guette une crise cardiaque, voilà *Chacun son amour*. C'est en effet le vieux sujet du donjuanisme que rajeunit Toupin dans cette troisième pièce. Le jeu de l'amour qu'y introduit l'auteur ne tourne heureusement pas à la tragédie pour Fernand et sa fiancée, Céleste, mais on en peut voir, une fois de plus, les dangers. La désinvolte attitude de Stéphane, le Don Juan de Toupin, rebute et paraît peu sympathique, même si le personnage sort victime de l'aventure.

On pourra, par l'extrait que nous citons, apprécier le style nerveux, sobre et toujours élégant de Toupin.

LE SÉDUCTEUR (*Chacun son amour*)

Fernand, secrétaire de Stéphane, vient d'apprendre à ce dernier son prochain mariage. Stéphane réclame la faveur de connaître la fiancée de son secrétaire. Celui-ci hésite, puis — nous sommes à la première scène du deuxième acte — se décide à la lui amener.

FERNAND

Je suis en retard?

STÉPHANE

Cinq minutes environ.

FERNAND

Ma fiancée n'était pas prête. (*La fiancée de Fernand paraît.*)

FERNAND

Monsieur... Céleste, ma fiancée. Céleste, Monsieur.

STÉPHANE

(*Il s'est incliné.*) Si j'ai bien entendu, vous vous appelez Céleste? (*Il va lui baiser la main.*) Quel prénom admirable! Vous êtes la première Céleste que je rencontre. En langage de théâtre, vous avez le physique de votre nom, mademoiselle.

FERNAND

Elle n'en est pas contente.

STÉPHANE

Comment s'appeler Céleste et n'être pas contente de son nom!

CÉLESTE

On dit que ce n'est pas chrétien.

STÉPHANE

Qu'allez-vous chercher là? Votre prénom est divin, mademoiselle. Toutes les Gabrielles, les Michelles doivent vous l'envier. Fernand, tu es impardonnable de m'avoir tu jusqu'au prénom de Céleste. Il ne m'a parlé de vous que ce matin.

CÉLESTE

Il ne m'a parlé de vous que cet après-midi.

STÉPHANE

Je vous en prie. *(Il indique à Céleste un canapé sur lequel elle ira s'asseoir, Fernand à côté d'elle, alors que Stéphane s'assied vis-à-vis, dans son fauteuil Voltaire.)* Eh bien, chère enfant, que pensez-vous de moi?

CÉLESTE

(Troublée.) De vous? Mais... *(Elle regarde Fernand.)*

STÉPHANE

Fernand vous a dit qui j'étais?

CÉLESTE

Mais je ne vous vois que pour la première fois.

STÉPHANE

La première impression est toujours la meilleure.

CÉLESTE

Je pense de vous, monsieur, ce que... *(Hésitant.)* l'on pense.

STÉPHANE

Ne vous gênez pas, mademoiselle. Rien ne m'offusque, rien ne m'outrage. J'ignore précisément ce que l'on pense de moi. Je sais néanmoins qu'on en raconte de belles sur mon compte. Réputation peu recommandable, égoïsme monstrueux. Etc., etc.

CÉLESTE

Les gens chez qui vous fréquentez...

STÉPHANE

(L'interrompant.) Je ne fréquente chez personne, mademoiselle. Je ne suis pas mondain. Oh, du temps que j'étais jeune et beau, car je fus jeune et beau, j'allais quelquefois dans le monde, sans m'y attarder. Mais ce temps est passé. Maintenant que je vieillis, mes souvenirs sont mes seules fréquentations.

CÉLESTE

Vous n'êtes pas si âgé!

STÉPHANE

(A Fernand.) Ta fiancée est fort aimable, Fernand! *(A Céleste.)* Si, mademoiselle, je suis vieux. Vous qui êtes jeune, quel âge me donnez-vous?

CÉLESTE

Cinquante ans ...

STÉPHANE

J'en ai cinquante-cinq.

CÉLESTE

Fernand vous en donnait cinquante-huit.

STÉPHANE

Fernand me voit tous les jours, mademoiselle. Et je n'ai pas tous les jours bonne mine. C'est peu que de me vieillir de trois ans. Le compte y est presque.

CÉLESTE

Votre angine...

STÉPHANE

Ce que vous appelez par son nom m'oblige à beaucoup de prudence et de retenue. La vie a beau être un voyage, on tient à le finir avant d'en commencer un autre.

CÉLESTE

On vous défend beaucoup de choses?

STÉPHANE

N'exagérons rien. On me défend certaines choses... Les aventures galantes, par exemple. Elle me sont plutôt rationnées que défendues. D'ailleurs, ai-je jamais mené celles qu'on me prête? Là aussi, on ne donne qu'aux riches, mademoiselle. On commet l'erreur de me prendre pour Casanova. Suis-je volage? Suis-je frivole? J'exècre le mensonge, j'abomine l'adultère, je vomis l'imposture, j'ai en horreur le viol, je respecte les mineurs, autant que les vieillards. Je n'ai jamais éprouvé de véritables difficultés avec l'opinion publique. J'ai pour métier mes passions, mais elles sont réglées comme du papier à musique. Je suis un homme rangé, un bourgeois. Vous sursautez?

CÉLESTE

Contrairement à ce que vous me dites, je vous croyais mondain...

STÉPHANE

Mondain? Mais qu'irais-je faire dans le monde? Il est trop rempli de ces sortes de personnes qui jouent à la distinction des manières, mais qui ne sont que des vulgaires parfois bien mal habillés.

FERNAND

Céleste va s'imaginer que vous vivez comme un moine. Au fond, vous vous moquez...

STÉPHANE

Si je me moquais de quelqu'un, ce serait de Fernand. Est-ce que je vous scandalise, mademoiselle?

CÉLESTE

(*Timidement.*) Pas encore, monsieur.

STÉPHANE

Fernand m'a dépeint comme un vieillard lubrique, dont le premier geste eût été de vous courir après?

CÉLESTE

Nullement, monsieur! Fernand m'a surtout laissé entendre que vous ne preniez guère au sérieux les jugements que l'on porte sur vous, que le trait dominant de votre personne était de changer et de changer si subitement que ce qui vous paraissait blanc hier, vous paraît noir aujourd'hui, enfin que vous étiez capricieux, contradictoire.

STÉPHANE

Soyez mon juge, mademoiselle. Fernand a pu altérer les traits de mon caractère. Je change souvent d'avis et d'opinion. Je me contredis du jour au lendemain, c'est vrai. Cela implique-t-il que j'ai fatalement tort? Il doit bien m'arriver, comme à n'importe qui, d'avoir raison lorsque je vais d'un extrême à l'autre! Mais je me figure que mes qualités mêmes doivent vous décevoir.

CÉLESTE

Les qualités ne déçoivent jamais, monsieur. Fernand ne m'a pas énuméré que vos défauts. Je me rends compte, comme il me l'a rapporté, que vous êtes aimable, poli, que vous n'êtes pas méprisant, ni cynique, en un mot que vous êtes...

FERNAND

(Ironique.) Charmant?

CÉLESTE

(Piquée de ce que Fernand l'ait interompue.) Pourquoi pas?

FERNAND

Dis-le lui! Il te trouvera bien naïve.

CÉLESTE

Le plus naïf des deux, Fernand, c'est toi.

STÉPHANE

Mes enfants, mes enfants, n'allez pas vous quereller à mon sujet. Attendez d'être mari et femme pour devenir chien et chat.

N O T I C E   B I O G R A P H I Q U E

Né à Montréal en 1918, Paul Toupin a fait ses études classiques au collège Jean-de-Brébeuf. Étudiant à la Sorbonne, il a eu des contacts avec Henry de Montherlant, contacts qu'il vient de renouer dans le but de rédiger un ouvrage sur la personnalité et l'œuvre du maître-dramaturge. Toupin a également étudié à l'Université Columbia. Il enseigne aujourd'hui au Loyola College après l'avoir fait à l'Université de Sherbrooke. Il fut journaliste et il a été à l'emploi du Conseil des Arts du Canada. Lauréat du prix du Gouverneur général pour la littérature en 1961, il est membre de l'Académie canadienne-française. On retrouvera le nom de Paul Toupin au chapitre consacré aux essayistes.

BIBLIOGRAPHIE

L'œuvre dramatique de Paul Toupin:

> *Théâtre*, 1 volume, Montréal, Cercle du livre de France, 1963.
>
> Le volume réunit *Brutus* (1951), *Chacun son amour* (1957), et *Le Mensonge* (1960); Toupin n'y a pas retenu sa première pièce, *Le Choix* (1951).

Études sur Paul Toupin:

> Éthier-Blais, Jean, *Signets II*, Cercle du livre de France, Montréal, 1967.
>
> Barbeau, Victor, *La Face et l'envers*, Académie canadienne-française, Montréal, 1966.
>
> Kempf, Yerri, *Les Trois coups à Montréal*, pp. 333-334: « Brutus », Librairie Déom, Montréal, 1965.
>
> Beaulne, Guy, « Brutus », « Le Mensonge », « Chacun son amour », dans *Livres et auteurs canadiens, 1961*, 1962, pp. 29-30.
>
> Bessette, Gérard, « L'Écrivain et son théâtre », dans *Livres et auteurs canadiens, 1964*, 1965, pp. 103-104.

IV

JACQUES LANGUIRAND
(né en 1930)

Dans une récente interview, Jacques Languirand disait: « J'ai compris qu'il n'y a pas de « pièces de théâtre » de nos jours, mais des « textes pour spectacles ». [1] Avant d'avoir compris cela et d'avoir composé *Klondyke*, grande machine en effet spectaculaire, Languirand avait écrit et fait jouer des « pièces de théâtre » qui ont fait parler d'elles. Toutes ces pièces sont nées sous le signe de l'insolite, depuis la première qui a lancé Languirand comme dramaturge, et qu'il a justement intitulée *Les Insolites*.

LES INSOLITES (1955)

Au Festival régional d'art dramatique de 1955, où l'œuvre fut distinguée par un premier prix, Mme Françoise Rosay loua l'auteur pour son « goût de la farce, de celle qui rapproche des classiques par sa truculence, son comique poussé, et qui est en même temps tragique »: « Ce jeune auteur sera un merveilleux écrivain », concluait-elle. [2]

---

1. *Le Devoir*, Supplément littéraire, 30 octobre 1965, article « Pas d'étiquette ». Dans cette optique se situent les expériences d'un Claude Péloquin.
2. Citations dans Jean Béraud: *350 ans de théâtre au Canada français*, p. 301.

Avec *Les Insolites,* le théâtre dit d'avant-garde, spécialement celui de l'absurde à la mode d'Ionesco ou de Beckett, trouve, chez nous, son parangon. La suite de son œuvre verra Languirand creuser avec constance le même sillon, et ce seront *Les Grands Départs, Le Gibet,* puis des *Violons de l'automne* qui n'ont aucun rapport avec ceux de Verlaine.

En plus d'une imagination inventive et souvent loufoque, Languirand est doué d'un sens du dialogue remarquable. Celui-ci, cependant, ne laisse pas de tomber chez lui, parfois, dans la facilité et le bavardage. Mme Rosay trouva précisément que *Les Insolites* n'avaient pas « la substance de trois actes. Deux actes suffiraient. » Juste remarque, applicable aux autres pièces. Languirand manque encore de l'économie et de la concision du verbe.

On ne peut s'empêcher de remarquer aussi, dans son goût de l'étrange, une certaine recherche qui côtoie l'artifice. Le dramaturge s'évertue à introduire de l'exceptionnel dans les situations: *Le Gibet,* par exemple, fait assister à la performance d'un bonhomme, juché sur un poteau, en quête d'un record mondial d'endurance, et fait constater, en définitive, la laideur du monde et ses mesquineries sordides; les trois vieillards des *Violons de l'automne* se donnent la comédie d'un imaginaire premier amour sous la forme d'un jeu futile, dérisoire, qui finit par tourner au tragique.

LES GRANDS DÉPARTS (1958)

Des pièces échafaudées selon cette formule, *Les Grands Départs* reste la plus forte et la mieux construite. Bien que conçue pour la scène, elle fut créée pourtant à la télévision, non sans soulever une vive controverse. Comédie burlesque, pour les uns; avant tout tragédie, pour les autres. Louis-Georges Carrier, qui en fit la mise en scène, explique qu'« une terrible solitude referme les personnages sur eux-mêmes; ils poursuivent un monologue interminable, ne s'entendent pas et ne se répondent pas; ils se regardent comme des choses transparentes, observant au-delà des autres leurs rêves et leurs désirs frustrés. » [1]

Voilà le mot ! Car ces grands départs n'auront lieu, ratés comme les personnages de cette famille vivant dans l'attente de déménageurs qui ne viennent pas. Pour tuer le temps, perdus au milieu du bric-à-brac des meubles et des caisses entassées pêle-mêle dans la pièce, ils bavardent. Mais bientôt la conversation s'éparpille

---

1. Louis-Georges Carrier, « Avant-propos », *Les Grands Départs,* Le Cercle du Livre de France, p. 11.

parmi les boîtes, les paquets, les objets hétéroclites qui attendent reproches, plaintes, souvenirs amers, désillusions, projets avortés. Chacun apporte son lot, et cela fait un tas sordide et misérable. Ainsi s'écoulent les heures sans aucun changement quand soudain le grand-père rhumatisant, couché jusque-là sur un matelas entre les meubles et geignant de temps à autre pour rappeler sa présence, réussit à se lever, va prendre une petite valise parmi les bagages et, sans un mot, part en faisant claquer la porte. Dénouement, tout à fait dans le goût fantaisiste de Jacques Languirand, d'une pièce qui aurait pu s'éterniser et à laquelle il fallait mettre un point final: pourquoi pas celui-ci?

DÉMÉNAGEMENTS *(Les Grands Départs)*

Le personnage central de cette pièce, Hector, parasite prétentieux et raté, rumine depuis dix ans un roman qu'il ne parvient jamais à mettre au monde. Outre sa femme Margot et sa fille, Sophie, il a auprès de lui sa belle-sœur Eulalie qu'il héberge et le père de Margot, malade. Au premier acte, Hector affronte, l'un après l'autre, les membres de sa famille. Dans la scène suivante, il est en conversation avec sa femme lorsque survient Sophie, sa fille. Le grand-père est là, quelque part, muet et gisant sur son matelas.

SOPHIE

J'étais avec tante Eulalie.

MARGOT

Et alors ?

SOPHIE

Elle ne veut pas bouger de son lit. Elle prétend qu'on ne l'a pas consultée au sujet du déménagement. Elle refuse de partir.

HECTOR

Hé bien ! qu'elle reste ! La vie est courte ! Le moment est venu de trancher dans le vif.

MARGOT

Elle a raison. Nous aurions dû la consulter. Pour la forme.

HECTOR

Je veux bien la consulter maintenant ! qu'est-ce que je risque ? Ou bien elle est favorable à l'idée de déménager et tout va pour le mieux dans le meilleur des mondes, ou bien elle s'y oppose et nous l'abandonnerons dans son lit, son lit dans sa chambre noire, sa chambre noire dans la maison vide — voilà ! Tranchons dans le vif !

MARGOT

Ma parole ! Tu es inconscient ! Oublies-tu que ma sœur a consacré sa vie à prendre soin de mon père...

HECTOR

Qui nous est finalement tombé sur les bras.

MARGOT

Laisse-moi finir ! Et que, de ce fait, tu as eu ta large part des économies familiales.

HECTOR

Moi ou l'hospice, quelle différence ?

SOPHIE

Tante Eulalie prétend qu'elle n'est pas le chien de la famille.

HECTOR

Heureusement ! les nouveaux propriétaires interdisent les enfants en bas âge et les chiens; c'est écrit en toutes lettres dans le bail.

MARGOT

Tes plaisanteries sont de mauvais goût !

HECTOR

Je plaisante parce que j'en ai par-dessus la tête de tante Eulalie.

MARGOT

Maintenant que le citron n'a plus un sou, qu'il n'en reste plus que l'écorce !

HECTOR

Encore la révolte des fruits et légumes !

MARGOT

Ma sœur est malade, Hector !

HECTOR

Toute ta famille est malade ! Fondez un hôpital !

MARGOT

Tu devrais avoir honte.

HECTOR

La honte est un sentiment que je refuse d'éprouver désormais. Je vais entrer bientôt dans ma grande époque de création, et j'ai décidé de me protéger; à l'avenir, je serai égoïste pour sauver l'essentiel. Tante Eulalie, c'est l'accessoire ! Et j'en ai par-dessus la tête de son univers intime, comme elle le dit si bien. Je m'en balance de son univers intime. A-t-on idée de vivre au lit quand on n'est pas malade, et dans le noir encore ! A-t-on idée d'avoir peur à ce point de la lumière ! Fiat lux, madame Eulalie ! Fiat lux et lux fuit ! Non, mais ! Elle se conduit comme si elle couvait une œuvre philosophique. Elle vit comme un penseur ! Je vais lui en faire voir des pensées, moi, et de toutes les couleurs...

MARGOT

J'ai honte pour toi !

HECTOR

C'est une excellente idée !

SOPHIE

Je vous remercie, papa.

HECTOR

Me remercier ? Pourquoi ?

SOPHIE

Je voulais savoir quel était le sort de ceux qui refusent de faire leur vie, de ceux qui se sacrifient pour les autres. Maintenant, je sais: ils finissent comme des chiens. Je vous remercie de m'avoir appris.

(Elle sort.)

MARGOT

C'est du propre. Malheur à ceux par qui le scandale arrive !

HECTOR

Le scandale ? Je ne comprends pas...

MARGOT

Tu vas prendre dix ans pour assimiler cette expérience, je suppose ?

(Elle sort par la porte empruntée par sa fille.)

HECTOR

Qu'est-ce qu'ils ont tous? Si seulement je pouvais faire le tour de tous ces problèmes — un véritable chapelet de problèmes !

(On entend une plainte déchirante.)

Ah, vous ! Je vous en prie ! la paix ! vous comprenez, la paix ! Si ce mot a encore une signification pour vous...

Je sens confusément naître en moi une grande énergie créatrice; de la matière grise de mon cerveau à l'encre de mon stylo, je veux une ligne droite — le plus court chemin entre deux points. Et désormais, tout ce qui va menacer ma muraille de Chine, je vais l'écarter, le repousser violemment: je ne veux plus rien entre ma véritable identité et mon œuvre. Vous avez compris ? Vous vous taisez, bien sûr. Vous réalisez que je suis maintenant en possession de tous mes moyens... J'interprète votre silence comme une soumission à la force qui émane de moi. Je suis comme la femelle qui prépare le nid où déposer son œuf; je vais pondre, monsieur mon beau-père ! Je suis sur le point de !...

Vous avez raison de garder le silence. Il vaut mieux s'incliner devant la force que de se raidir et d'être cassé par elle comme une éclisse de bois sec.

(Entre Sophie.)

J'ai l'œuf dans les tripes ! Arrière ! Je deviens méchante ! Je protège mon petit ! Le sang de mon sang ! La chair de ma chair !

Jacques Languirand n'a pas fini, semble-t-il, de nous montrer les différentes facettes de son talent. Après un théâtre sans doute insolite de ton, de facture traditionnelle cependant, il s'oriente maintenant vers ce qu'on appelle le théâtre épique, peut-être sous l'influence du dramaturge allemand, maintenant en vogue, Bertold Brecht. Dans cette veine, Languirand a déjà produit *Klondyke*, spectaculaire évocation de la grande aventure des chercheurs d'or au Yukon, à la fin du siècle dernier, pièce qui veut être du théâtre total, c'est-à-dire une réunion, ou mieux une intégration de tous les arts constituant une action dramatique parfaitement homogène: poésie du texte, de la musique, de la chorégraphie, de la décoration et même de certaines interventions du cinéma.

L'entreprise n'est pas nouvelle. Wagner, sous d'autres formes, en avait déjà préconisé l'idée pour son théâtre lyrique. Mais la formule est neuve dans notre jeune dramaturgie. Cela est toutefois d'une réalisation difficile. D'autre part, si l'élément primordial, dans l'opéra, est la musique, au théâtre, cet élément demeure le texte. Selon la nouvelle formule qu'adoptent aussi des dramaturges plus jeunes, l'élément spectacle devient majeur, et il est obtenu par une entière fusion des autres moyens d'expression artistique. Pour légitime que soit pareille aspiration, elle tendrait à une forme de théâtre relevant assez peu de la littérature.

Avouons que la première expérience de *Klondyke,* d'autre part, n'a pas été en tout point convaincante. Un texte souvent médiocre et banal, une musique trop uniforme, des décors pauvres, n'ont pas permis l'éclosion d'une œuvre suffisamment représentative de l'idéal cherché. Et puis, en fin de compte, n'est-ce pas une gageure, pour le théâtre, avec ses moyens fatalement réduits, que de vouloir concurrencer le cinéma, alors qu'il lui reste tant à faire dans son ordre propre d'excellence?

NOTICE BIOGRAPHIQUE

Né en 1930, animateur d'émissions de radio et de télévision, Jacques Languirand a fait une entrée assez sensationnelle dans le monde clairsemé de la dramaturgie québécoise en livrant coup sur coup, de 1956 à 1960, quatre pièces d'un ton neuf, assez indifférentes aux tourments canadiens-français; et il en a composé huit depuis lors. Des œuvres comme Les Insolites *(révélation du premier Festival d'art dramatique),* Les Grands Départs, *le* Gibet *ou* Les Violons de l'automne, *ont été conçues dans une perspective universelle et selon la sensibilité propre au milieu du XXe siècle. A Paris où il séjourna pour ses travaux radiophoniques, Languirand prit vite et dextrement le tour de main des auteurs de cabarets de la rive gauche et du théâtre de l'absurde dont la popularité ne faisait alors que poindre: Beckett, Ionesco, Vauthier, Ghelderode. Il est aussi l'auteur d'un roman dans cette même tonalité de l'étrange et du désabusé:* Tout compte fait. *Plus récemment, habité à 36 ans d'un grand malaise devant le théâtre comme on l'a jusqu'ici conçu, Languirand s'est épris d'art audio-visuel et de spectacle total. C'est ce qu'eût apporté son projet, malheureusement avorté, de* Centre culturel du Vieux-Montréal.

BIBLIOGRAPHIE

L'œuvre dramatique de Jacques Languirand:

>   *Les Insolites* et *Les Violons de l'automne,* Montréal, Le Cercle du Livre de France, 1962.

>   *Les Grands Départs,* Montréal, Le Cercle du Livre de France, 1958.

>   *Le Gibet,* Montréal, Le Cercle du Livre de France, 1960.

Études sur Jacques Languirand:

>   Grandpré, Pierre de, « La comédie d'avant-garde: Jacques Languirand », « Les Insolites », dans *Dix ans de vie littéraire au Canada français,* Montréal, Beauchemin, 1966, pp. 214-215.

>   Barbeau, Victor, *La Face et l'envers* (« Les Violons de l'automne »), Académie canadienne-française, Montréal, 1966.

>   Kattan, Naïm, « Jacques Languirand », dans *Bulletin du Cercle juif de langue française,* vol. 13, no 117, nov. 1966; « Où va le théâtre? », dans *Bulletin du Cercle juif de langue française,* vol. 13, no 119, janvier 1967.

>   Beaulne, Guy, « Les Insolites », « Les Violons de l'automne », dans *Livres et auteurs canadiens, 1962,* pp. 35-37.

>   Julien, Bernard, « Les Cloisons », dans *Livres et auteurs canadiens — 1966,* avril 1967, pp. 64-65.

>   Bérubé, Rénald, « Les grands Départs » de J. Languirand, ou la mise à l'épreuve de la parole », dans *Voix et images du pays — II (Cahiers de Sainte-Marie,* no 15), 1969.

>   Roy Hewitson, Lucille, « J. Languirand, — De la nostalgie à l'impuissance », dans *Études françaises,* mai 1969.

V

JACQUES FERRON
(né en 1921)

C'est une opinion courante que, de tous nos professionnels, les médecins semblent les plus intéressés, en dehors de leur spécialité, aux arts et à la culture. Plusieurs s'occupent de musique, de peinture, de littérature, de théâtre même, comme le docteur Jacques Ferron. Celui-ci, non satisfait de sa réputation de conteur, s'est voulu auteur dramatique.

Comme chez Félix Leclerc, la fantaisie hante l'œuvre de Ferron. Mais elle est ordinairement plus caustique chez ce dernier; la langue, aussi, est plus nerveuse et plus incisive. On sent l'homme habitué au jeu de la seringue et des piqûres sous-cutanées! A vrai dire, à le juger sur des pièces comme *Le Dodu* ou *L'Ogre,* Jacques Ferron pourrait paraître un peu bien farfelu. En fait, il y a quelques reliquats du carabin farceur chez ce médecin arrivé, mais la recherche du bizarre et de l'inusité, comme chez Languirand, cache un certain sérieux des intentions. Le danger serait que ce *sérieux* ne soit pas toujours... pris au sérieux, car Ferron est aussi un homme d'action. Dans ses deux dernières pièces, *Les Grands Soleils* et *La Tête du roi,* il prend clairement une position nationaliste et même séparatiste. C'est du vrai théâtre engagé. Constatation qu'il convient d'enregistrer: il semble que l'on revienne à une littérature qui avait cours au milieu du siècle dernier, et que naguère encore on appelait avec mépris « patriotarde ». Plus madrée et colorée de modernité, de quel nom la désignera-t-on cette fois?

LES GRANDS SOLEILS (1958)

Les Grands Soleils évoquent le glorieux épisode de Chénier à Saint-Eustache, lors des troubles de 1837; le pendant, en somme, du *Papineau* de Fréchette, dont l'action rappelait les événements de Saint-Denis. On ne saurait s'attendre dans cette pièce à la rigoureuse objectivité de l'historien. Non, le docteur Ferron chante au contraire sa vive admiration pour le docteur Chénier, patriote convaincu; il réhabilite les Iroquois par un personnage important qu'il nomme Sauvageau et il trouve même place pour quelques coups de griffe à Dollard. Il est clair que pour Jacques Ferron, 1837 est la date capitale de l'histoire des Canadiens français, ce que *Les Grands Soleils* veulent démontrer.

L'HOMME COMME GIBIER

L'attaque de Saint-Eustache par les troupes anglaises, est imminente. A la première scène du troisième acte, Chénier en discute avec Elisabeth, jeune fille à son service, et avec Sauvageau.

CHÉNIER

Va chercher le prisonnier, François. J'espère qu'il aura eu le temps de se confesser.

(François sort)

ÉLISABETH

Vous me garderez avec vous, n'est-ce pas ?

CHÉNIER

Non, Elisabeth, tu partiras avec le curé.

ÉLISABETH

Moi ?

CHÉNIER

Je t'envoie en pèlerinage. On attend de mes nouvelles ici et là dans les comtés; chemin faisant, tu les apporteras.

ÉLISABETH

C'est un prétexte pour m'éloigner !

CHÉNIER

Nous sommes aujourd'hui le 14 décembre 1837, date mémorable; l'ennemi nous attaquera dans quelques heures. A partir du 20, j'aurai besoin de renfort.

(Sauvageau entre)

SAUVAGEAU

Salut !

CHÉNIER

Sauvageau ! Je te croyais mort !

SAUVAGEAU

J'ai vu le général Colborne. Il est monté sur un cheval blanc. Six canons le précèdent. Et il n'est pas seul.

CHÉNIER

Combien d'hommes as-tu comptés ?

SAUVAGEAU

Deux mille.

CHÉNIER

Et moins ?

SAUVAGEAU

Et plus.

CHÉNIER

Sauvageau, tu me redonnes la vie !

ÉLISABETH

Je ne vois rien de réjouissant: deux mille hommes, c'est plus qu'il n'en faut.

CHÉNIER

Nous les persuaderons d'être moins nombreux.

SAUVAGEAU

Ils pourraient nous retourner l'argument... Combien sommes-nous ?

CHÉNIER

Deux cents. Les morts laisseront des fusils à ceux qui n'en ont pas. Deux mille hommes, comprends-tu, Élisabeth: c'est toute la garnison anglaise ! En les attirant ici, nous avons libéré le pays.

ÉLISABETH

Papineau est en exil, Nelson en prison: que reste-t-il de Saint-Denis ? On n'entend plus que la voix des curés, qui prêchent la résignation.

CHÉNIER

Les cendres sont encore rouges; au moindre souffle, la révolte reprendra. Qui l'empêchera désormais de se propager si Colborne est retenu à Saint-Eustache ?

ÉLISABETH

(Faiblement.) Ne parlez pas de feu, docteur Chénier !

CHÉNIER

Les Anglais ont des canons, nous manquons de fusils. Ils viennent dix contre un. Ils ont des uniformes, la guerre est leur métier; nous sommes des braconniers remplis d'étonnement : c'est la première fois que nous prenons l'homme pour gibier. A un général qui était à Waterloo, sur ce continent de la mort qu'on appelle l'Europe, j'oppose un capitaine qui ne connaît que le sang des accouchées. La situation est meilleure que jamais. Dis-moi, Sauvageau : comment était le visage de Colborne ?

SAUVAGEAU

Ses officiers riaient. Lui, il était soucieux.

CHÉNIER

Tu vois, Élisabeth ! Le pauvre homme !

ÉLISABETH

Vous avez pitié de lui !

CHÉNIER

Je ne voudrais pas être à sa place.

ÉLISABETH

Il n'aura pas, lui, pitié de vous.

CHÉNIER

Il est le plus faible. C'est la force qui me rend généreux. Nous nous dressons sur une terre familière; nos pères y dorment; ils nous attendent; mourir n'est pas difficile. Nous sommes au cœur d'un pays qui est le nôtre, qui nous enveloppe de sa sympathie. Colborne est à mille lieues des siens, Noël approche, il s'en éloigne dans une plaine grise; son cheval blanc voit la neige s'abîmer sous ses pas dans la boue. Plus il avance, plus la haine l'enserre. Comme la mer est loin, et le bateau qui l'aurait ramené en Angleterre !

ÉLISABETH

Ses officiers riaient.

CHÉNIER

Ils sont jeunes, ils ne comprennent pas. Ils croient venir à Saint-Eustache donner le coup de grâce à une rébellion expirante. Dans une semaine, ils riront moins quand ils verront derrière leurs feux de bivouac s'allumer d'autres feux plus nombreux d'une nuit à l'autre et qu'ils entendront hurler les loups; des feux qui seront nôtres et qu'ils confondront parfois avec ceux des étoiles. Alors le ciel leur semblera hostile; ils chercheront en vain les astres de leur Noël perdu. Nous tiendrons, Élisabeth !

LA TÊTE DU ROI (1967)

Le prétexte de *La Tête du roi,* Jacques Ferron l'a trouvé dans les récents dynamitages par les indépendantistes: occasion magnifique de se moquer avec un humour parfois féroce de plusieurs personnes et institutions; occasion aussi d'un rappel — à vrai dire assez inattendu — de l'affaire Riel, par l'entremise d'un vieil aventurier fort verbeux et sentencieux qui paraît être, de temps à autre, le porte-parole de l'auteur. Au milieu d'une demi-douzaine de personnages masculins assez disparates, qui bavardent beaucoup et pas toujours sensément, deux silhouettes féminines intéressantes: la veuve d'un juge passablement malmené dans la pièce, et surtout une sympathique et intelligente jeune fille, Elisabeth (encore une fois!), que l'auteur a peinte équilibrée, sereine et simple: parmi tous ces mâles bien compliqués, un personnage réellement attachant.

ELISABETH ET SON FRÈRE

La scène est dans une petite ville de province: la demeure d'un Procureur du roi dont le fils, Pierre, a découvert par hasard la tête de la statue du roi Édouard VII, décapitée dans la nuit, qui avait roulé sur la Place Phillips, à Montréal; et il l'a apportée à la maison. Cette tête de roi a déjà suscité bien des commentaires quand, à la quatrième scène du troisième acte, Pierre et Elisabeth se retrouvent seuls, la veuve Fiset se retirant sur ces mots:

LA VEUVE

Pour une fois, laisse-moi surveiller les préparatifs du repas. Le Sieur Scott-Machinchouette n'y perdra rien. Tu connais mon cri de guerre : de la viande, beaucoup de viande, et que ça saigne !

(Elle sort)

PIERRE

Je ne savais pas que les dames avaient des cris de guerre.

ÉLISABETH

Les hommes sont si peu entreprenants.

PIERRE

Cette viande, pour qu'elle saigne bien, madame Fiset la découpera sans doute vivante ?

ÉLISABETH

Non, mais elle`y a pensé. C'est une femme très intelligente à qui rien n'échappe. Elle m'intimide un peu, me plaît beaucoup... Découper une viande vivante, comment faire sans l'assentiment du fournisseur ?

PIERRE

Surtout dans une assiette de porcelaine... Ce Scott-Machinchouette, qui est-ce ?

ÉLISABETH

Ton ami, Pierre.

PIERRE

Scott Ewen ?

ÉLISABETH

Oui, il a téléphoné. Ton père l'a invité. Tu dormais. Il a dit qu'il s'amenait. Il ne devrait plus tarder maintenant.

PIERRE

Quelle drôle d'idée il a eue ! Charmant garçon d'ailleurs, tu verras. Mais il aurait pu choisir une autre occasion pour venir se montrer.

ÉLISABETH

Ce ne sont pas les idées saugrenues qui manquent aujourd'hui. Ici, par exemple, pourquoi nous avoir apporté cette tête ?

PIERRE

Je l'avais oubliée... Les bons gros yeux qu'elle a ! Elle va très bien, tu sais, sur cette cheminée... Pourquoi ? Pour rien. Je passais, elle traînait, je l'ai ramassée, tout simplement.

ÉLISABETH

Avec pour résultat que ta famille en a perdu le nord : tous les canons à babord ! Feu à tribord ! La guerre jusque dans les cuisines ! Et ton ineffable ami qui s'amène là-dessus ! Laisse-moi te dire qu'il sera drôlement reçu.

PIERRE

Je ne pouvais pas deviner qu'il viendrait. Il s'intéresse aux insectes, aux petits mammifères, aux oiseaux. C'est un savant, paraît-il, un biologiste, qu'on dit. Mais je ne lui ai jamais appris que tu élevais des perruches. Je ne lui ai même pas parlé de toi.

ÉLISABETH

De quoi parlez-vous ?

PIERRE

De tout sauf de nos familles. Nous cherchons à nous accorder. Il n'est pas né du vent. Il doit avoir, lui aussi, des parents. Il ne m'en a jamais touché un mot. Nous causions de tout ce qui unit deux étrangers, de romans russes, de films italiens, d'aventures espagnoles, de musique, bien sûr, et de folklore, et de peinture. Il était curieux de poésie, moi de sciences précises; il pratiquait son français, je lui parlais en anglais. Nous projetions des voyages. La Chine nous paraissait plus proche que nos pays respectifs. Comment aurais-je prévu qu'il entreprenne de venir jusqu'ici ?

ÉLISABETH

On ne lui laissera guère l'occasion de parler des petits mammifères. Pense donc : on aura un Anglais sous la main ! Israël exigera de ce Gentil qu'il réponde de tous les péchés de Rome.

PIERRE

Cela sera ennuyeux, bien sûr.

ÉLISABETH

Cela sera pénible.

PIERRE

Mais que veux-tu ? On ne peut tout de même pas le renvoyer. Pour être surpris, oui, il sera surpris. D'autant plus que mon père s'en mêlera. Je l'ai croisé, celui-ci, en descendant. Il était accompagné de Simon, du Père Taque et de son Français. Il m'a paru plutôt extravagant. S'il ne sombre pas dans la bouteille avant de se mettre à table, le dîner grâce à lui sera pittoresque.

ÉLISABETH

J'aurai honte.

PIERRE

Qu'en sais-tu, Élisabeth ? Il se peut que notre hôte, dans ses petits souliers et les yeux tout grands, trouve quand même à se complaire. C'est un biologiste; après les insectes, les oiseaux, les petits mammifères, il est bien capable — et je lui en saurai gré — de se passionner pour ma famille. Simon manque peut-être de poil, mais les autres ont de la force et de la rondeur dans le personnage : Taque, vieux compagnon des Amériques, la veuve du juge félon, Émond, le Français qui a fui la France et que la France n'a point quitté, et le Procureur du roi, mon père, comme un baron au milieu de sa cour. Il y a là les éléments d'une faune.

ÉLISABETH

Justement, de tels éléments ne relèvent pas une table.

PIERRE

Ils animeront une représentation. Tant pis pour le dîner et pour la politesse ! Il y aura théâtre. Et le jeune étranger se rendra compte que ma belle cousine, dans sa confusion, ne lui est pas hostile.

ÉLISABETH

Toi, Pierre, quel rôle joueras-tu ?

PIERRE

Tout dépendra du vent. Tantôt je serai d'un côté, tantôt de l'autre, lié que je suis aux deux partis. Je te verrai aussi avec plaisir plaire à mon ami.

ÉLISABETH

Je suis presque ta sœur, mon cousin. Si je plais, c'est qu'on te retrouvera en moi. Une fille n'est bonne à un garçon que si elle évoque un autre garçon. De qui serais-je la créature : de toi ou de ton ami ? Des deux ? Alors il y en aurait un de trop parce que, moi, vois-tu, je suis seule. Les garçons n'aiment que l'amitié.

PIERRE

Et les filles ?

ÉLISABETH

Elles aiment l'amour. Elles recherchent un garçon qui leur échappe ou bien qui les meurtrit. Pourquoi le monde n'est-il pas simple ? Pourquoi ne peut-on pas s'aimer d'amour comme on s'aime d'amitié ?

PIERRE

Mon Dieu, si le monde est difficile et compliqué, c'est peut-être pour mettre en valeur la simplicité et la douceur des filles. [...]

ÉLISABETH

Pourquoi ne veux-tu pas être heureux, toi aussi, Pierre ?

PIERRE

J'aurais peur de m'ennuyer.

ÉLISABETH

Tu parles pour ne rien dire. Je sais, moi, que tu t'ennuies déjà. Et pourtant tu ne m'aimes pas.

PIERRE

Si, je t'aime.

ÉLISABETH

Comme j'aime mes perruches. Je voudrais que tu ne sois pas mon frère, mon cousin !

PIERRE

Ma cousine, un frère, ça ne change pas. Une sœur non plus. Leur amitié dure toute la vie.

ÉLISABETH

Peut-être bien.

PIERRE

Moi, je ne voudrais pas que tu cesses d'être ma sœur. Je ne suis pas malheureux auprès de toi. Tu me retiens. Étrangère, je te fuirais sans doute... Toi aussi, tu parles pour ne rien dire !

ÉLISABETH

Quoi, nous bavardons ! Ce n'est pas permis ! Et puis, veux-tu savoir ? J'ai bien envie d'aller mettre de l'ipéca dans le jus de la viande pour qu'ils repartent au plus vite, ces Anglais, ces Français, ces Zoulous, ces intrus !

PIERRE

Va, je ne t'en empêche pas.

ÉLISABETH

Je ne sais pas ce qui me retient.

PIERRE

Mon ami Scott peut-être.

ÉLISABETH

Pauvre Pierre ! Son ami Scott ! As-tu déjà pensé que j'étais captive dans cette maison ? Que je suis obligée à ton père ? Je ne parle plus pour ne rien dire. Ton père abandonné serait à la merci de sa rage. De sa rage, je dis bien. Cette haute et grande maison tient à peu. Et le pays aussi, peut-être. Sans moi tout sombrerait. Y as-tu déjà pensé ? Si je cherche un amoureux dans mon frère, c'est que sans doute je ne dispose pas de moi.

PIERRE

Élisabeth, ma sœur, est-ce que je ne fais pas comme toi ? Je viens, je viens, je n'ai pas d'idée fixe, je prends celle qui passe, je feins d'être libre comme le vent. Pourtant je ne me laisse pas distraire. Je reste en dehors de la rancœur qui corrompt les miens. Je ne partage pas leur animosité. Ils ont raison, j'ai tort. Leurs ennemis me plaisent. J'admire les uns et les autres; à aucun je ne m'attache. On dit que je suis poète. La poésie, quel alibi, quel merveilleux moyen de n'être nulle part, d'échapper aux poursuites et de n'être à personne, pas même à soi ! Élisabeth, est-ce que je dispose de moi ? Ne suis-pas ton frère, ton amoureux, séparé de toi par un grand cristal froid, définitif, au travers duquel je te vois, je t'aime et je te suis fidèle ? Ne l'as-tu pas compris ? Pourquoi parler ? Et pourquoi m'as-tu obligé à dire ce qu'il eût été préférable de taire ?

ÉLISABETH

Tu n'as rien dit, Pierre. Si tu as parlé, je ne t'ai pas entendu. Je te remercie quand même; qu'est-ce que tu as pu bien dire, mon frère, pour que je sois si heureuse ?

PIERRE

Les filles sont changeantes. Tu étais triste, te voilà rassérénée. Je n'y suis pour rien. Le vent a tourné.

ÉLISABETH

Le vent, voilà tout ! Et qu'il t'emporte, le vent ! Va te faire beau, Pierre. J'ai monté une chemise propre dans ta chambre. Et n'oublie pas de te peigner. Quelle tête vous avez, mon pauvre ami !

(Et ils sortent, chacun de leur côté.)

NOTICE BIOGRAPHIQUE

Jacques Ferron avait quarante-deux ans lorsque ses **Contes du pays incertain** *ont solidement établi son renom (aussi est-ce au début du chapitre sur le roman qu'on trouvera l'essentiel de sa biographie). Il a fait ses études classiques au Séminaire de Trois-Rivières et ses études de médecine à l'Université Laval. Médecin, il a d'abord exercé sa profession dans l'armée, puis en milieu rural gaspésien avant de s'installer à Ville Jacques-Cartier. Aussi bien dans les lettres que dans la vie politique, où il ne dédaigne pas de s'engager, Ferron apporte un curieux anarchisme qui semble l'héritage d'un très ancien esprit d'indépendance campagnarde. L'humour de Ferron, aussi bien dans ses contes qu'au théâtre, contient toujours un « grain de folie » des plus divertissants, mais il se fonde sur l'observation la plus avertie et la plus mordante de nos mœurs. Le docteur Ferron est socialiste et séparatiste.*

BIBLIOGRAPHIE

L'œuvre dramatique de Jacques Ferron :

> *L'Ogre*, Montréal, Cahier de la file indienne, 1950.
>
> *Le Dodu*, Montréal, Éditions Orphée, 1956.
>
> *Tante Élise ou le Prix de l'amour*, Montréal, Éditions Orphée, 1956.
>
> *Le Cheval de Don Juan*, Montréal, Éditions Orphée, 1957.
>
> *Le Licou*, Montréal, Éditions Orphée, 1958.
>
> *Les Grands Soleils*, Montréal, Éditions Orphée, 1958.
>
> *La Tête du roi*, Montréal, Éditions de l'A.G.E.U.M., 1967.
>
> *Théâtre I* (*Les Grands Soleils, Tante Élise, Le Don Juan chrétien*), Montréal, Déom, 1968.

Études sur Jacques Ferron :

> Grandpré, Pierre de, « Style et fantaisie » (Le Licou, Tante Élise, Le Cheval de Don Juan), dans *Dix ans de vie littéraire au Canada français*, Montréal, Beauchemin, 1966, pp. 209-213.
>
> Beaulne, Guy, « La Tête du roi », dans *Livres et auteurs canadiens, 1963*, avril 1964.
>
> Béliveau, André, « Les Rhinocéros, un parti pris de dérision », dans *Le Magazine MacLean*, avril 1964.
>
> Lesage, Germain, « Une éruption surréaliste », dans *Revue de l'Université d'Ottawa*, juillet-septembre 1964.
>
> Lavoie, Michelle, « Jacques Ferron ou le prestige du verbe », dans *Études françaises*, mai 1969.

VI

FÉLIX LECLERC
(né en 1914)

Auprès d'un large public, Félix Leclerc est très prisé. Il est en quelque sorte, ici, un pionnier de la chanson, et ses œuvres poétiques en prose lui ont valu, chez les jeunes d'il y a vingt ans, un accueil enthousiaste. Il devait par la suite s'essayer au théâtre. Inaugurée par un *Maluron* sans prétention, sa carrière d'auteur dramatique prend peu à peu de l'importance avec *Le Petit Bonheur, La Caverne des splendeurs, Sonnez les matines, L'Auberge des morts subites, Les Temples.*

Fait assez curieux, si Leclerc voit ses pièces applaudies par un public fidèle, en revanche il n'a pu encore convaincre la critique de ses qualités de dramaturge. On lui concède de la fantaisie, des bouffées de poésie, même des trouvailles heureuses, parfois une verve populaire plaisante. Mais la vérité est qu'il manque de souffle, de l'art des développements, de la construction logique et harmonieuse d'une action dramatique. La fantaisie du poète l'emporte sur une certaine rigueur, nécessaire au théâtre; elle lui fait battre la campagne, témoin ce long récit du comédien dans *Les Temples,* qui relate les étapes diverses de sa vie d'artiste et dont le rapport avec l'intrigue de la pièce est encore à trouver.

D'un autre côté, les propos de Félix Leclerc collent à la réalité de chez nous, ils répondent aux préoccupations plus ou moins confuses du peuple, ce qui vaut à ses œuvres une audience chaleureuse et sympathique.

NOTICE BIOGRAPHIQUE

Né à la Tuque en 1914, Félix Leclerc a vécu une merveilleuse enfance dans des pays aussi variés que sa ville natale, Rouyn-Noranda, Lotbinière et Vaudreuil. Après ses études à Ottawa, une carrière de "speaker", puis de scripteur l'amène peu à peu aux contes poétiques, à la chanson et au théâtre. Il était déjà réputé au Québec pour ses textes radiophoniques lorsque, armé d'une guitare, le « vagabond chantant » à la voix grave et chaleureuse, « le Canadien » fit brillamment la conquête de Paris et obtint, en 1951, le Grand Prix du disque français (voir tome III sur la poésie, chapitre VII).

BIBLIOGRAPHIE

L'œuvre dramatique de Félix Leclerc :

> *L'Auberge des morts subites,* Montréal, Beauchemin, 1964.
>
> *Sonnez les matines,* Montréal, Beauchemin, 1964.
>
> *Le P'tit Bonheur,* 12 saynètes, Montréal, Beauchemin, 1966.
>
> *Théâtre de village,* Montréal, Éditions Fides, 1967.

Études sur Félix Leclerc :

> Legault, Émile, c.s.c., *Confidences,* Montréal, Fides, 1955.
>
> Grandpré, Pierre de, « Théâtre populaire » (Sonnez les matines), dans *Dix ans de vie littéraire au Canada français,* Montréal, Beauchemin 1966, pp. 204-206.
>
> Barbeau, Victor, *La Face et l'envers,* Montréal, Académie canadienne française, 1966.
>
> Kempf, Yerri, *Les Trois coups à Montréal* (p. 321 : « L'Auberge des morts subites », p. 323, « Au P'tit bonheur »), Montréal, Librairie Déom, 1965.
>
> Charland, Roland-M., Montréal, *Félix Leclerc,* Dossiers de documentation sur la littérature canadienne-française, Fides, 1967, 88 pp.
>
> Le Pennec, Jean-Claude, *L'Univers poétique de Félix Leclerc,* Montréal, Fides, 1967.

VII

AUTRES DRAMATURGES

Depuis quelques années — peut-être à cause de l'apprentissage acquis pour la radio et la télévision, sans doute aussi à cause de la vogue nouvelle du théâtre au Québec, des facilités plus grandes d'accéder à une scène — plusieurs romanciers et journalistes se sont essayés à écrire des œuvres dramatiques, certains avec succès.

Le roman n'est pas souvent la bonne école pour apprendre à composer une bonne pièce. La fondamentale exigence du théâtre est une action dramatique vivante. Habillée, bien sûr, de la forme la plus littéraire possible. Faire vivre devant des spectateurs, de façon à les faire réagir et entrer dans le jeu, des personnages de chair et de sang, animés de passions diverses, qui s'affrontent, luttent, rient, pleurent et meurent, voilà le théâtre. Raconter, interroger, expliquer, discuter, disserter, tout cela peut fort bien être *dramatique,* ce n'est pourtant pas du théâtre: et c'est la tentation bien naturelle, souvent, du romancier qui veut écrire pour la scène.

Fait assez étonnant, à l'inverse, parmi les professionnels de la scène, rares sont ceux qui écrivent. Outre Gratien Gélinas, deux ou trois noms à peine émergent. PIERRE DAGENAIS, ancien directeur de l'Équipe, qui, il y a presque vingt ans, avait représenté — sans grand succès — *Le Temps de vivre,* puis *Le Diable s'en mêle* (mieux accepté), nous est revenu, fort heureusement, avec *Isabelle.*

JEAN-LOUIS ROUX, adaptateur recherché à la télévision, a récemment porté à la scène le drame de Louis Riel dans la série de tableaux historiques des *Bois-Brûlés;* il avait auparavant écrit une fantaisie folklorique, *Rose Latulippe,* comédie très littéraire et de ton romantique.

Enfin, madame JEAN DESPREZ, célèbre par ses romans radiophoniques, a entrepris de construire une *Cathédrale* qui a été, en fait — c'est bien le cas de le dire — un monumental échec.

Il semble que l'accaparement de nos comédiens, qui passent sans cesse des plateaux de nos diverses compagnies théâtrales aux studios de télévision ou de radio, les empêche de trouver le loisir de se recueillir et de faire éclore les œuvres dramatiques qui, sans doute, germent dans leur esprit. Ils laissent ainsi la route libre à des écrivains moins bousculés, mais peut-être aussi moins avertis de la chose théâtrale.

En remontant un peu le cours du temps, on rencontre quelques auteurs qui, après un essai au théâtre, n'ont pas récidivé: CARL DUBUC avec une féerie symbolique: *La Fille du Soleil,* où le fantastique s'unit au réel pour créer une atmosphère poétique certaine; LOMER GOUIN, trop tôt disparu, avec un *Polichinelle* fort original malgré l'âge du thème, fantaisie poétique bien réussie où l'on décèle encore, toutefois, l'influence de Rostand, spécialement dans la recherche de l'effet verbal; YVES THÉRIAULT, le prolifique romancier que le scène, un moment, a tenté et qui, pour elle, a écrit *Le Marcheur,* fresque paysanne âpre et violente où des personnages trop longtemps écrasés sous l'autorité oppressive d'un père, le marcheur, se libèrent finalement de leur agressivité; FRANÇOIS HERTEL enfin, qui a publié en 1954 *Claudine et les écueils.*

Plus près de nous, le romancier JEAN FILIATRAULT vit couronner, au Festival d'art dramatique national, son drame biblique en vers *Le Roi David,* fondé sur les amours de David et de Bethsabée. La pièce remporta tous les principaux trophées. À la Comédie canadienne, un jeune auteur, GUY DUFRESNE, plus connu à la radio et à la télévision, présenta *Le Cri de l'engoulevent,* drame canadien où s'affrontent l'attachement à la terre et le progrès industriel. La pièce est d'une tessiture assez lâche malgré de bonnes scènes. Il donna deux autres pièces: une farce, *Docile,* et un tableau d'histoire: *Les Traitants.* Un autre romancier, esthète et critique d'art, ROBERT ELIE, a écrit dans une langue pure et dépouillée le drame, fréquent à la fin de la guerre de '40, de *L'Étrangère* fuyant un monde ravagé et source d'indicibles souffrances, mais qui ne rencontre ici ni le repos ni le bonheur cherchés. Depuis ce premier essai, Elie a publié une très courte mais virulente satire de la tyrannie: *Le Silence de la ville,* et une fantaisie symbolique, *La Place publique.*

Les Taupes, de FRANÇOIS MOREAU, encore un romancier, pièce primée au concours du Théâtre du Nouveau-Monde, a fait un peu sensation en raison, pour une part, de son écriture, mais surtout à cause du procès qu'elle intente à une certaine bourgeoisie conformiste, d'une très douteuse respectabilité. *Les Taupes* est un brillant exemple de ces pièces, assez à la mode du jour, où il ne se passe à peu près rien si ce n'est le cruel déballage de ce qui s'est déjà accompli de petitesses, de mesquineries, de lâchetés, d'infidélités entre les personnages, et que chacun d'eux s'efforçait d'ignorer ou de ne pas voir. La figure de l'homme apparaît rarement empreinte de grandeur dans des œuvres comme *Les Taupes.*

Avant de collaborer avec LOUIS-GEORGES CARRIER à la composition de *La Soif d'aimer,* parodie amusante et qui connut un succès considérable, ÉLOI DE GRANDMONT avait fait jouer *Un fils à tuer,* drame familial situé en Nouvelle-France avant la conquête, qui mettait en conflit un père et son fils, colons français: le père, fort attaché à sa nouvelle patrie, combat avec une violente opiniâtreté le désir du fils, né pourtant au Canada, d'aller s'établir en France. Le sujet est austère et la pièce trop statique. Du même auteur, le Théâtre du Nouveau-Monde a représenté, en outre, une farce folklorique, *La Fontaine de Paris.*

Le romancier ANDRÉ LANGEVIN a donné sa première œuvre dramatique avec *Une Nuit d'amour,* dont l'action se déroule en Acadie après sa prise par les Anglais. La pièce est bien écrite, mais faute, chez l'auteur, d'un peu plus de métier, l'action languit. D'un tout autre genre est la seconde pièce de Langevin, *L'Oeil du peuple,* satire de mœurs politiques municipales; malgré ses mérites, l'œuvre a échoué à la scène.

Un jeune auteur qui semble avoir ralenti son élan, ROGER SINCLAIR, a produit, en trois ans, trois pièces qui toutes contenaient une belle intensité dramatique. L'action de chacune de ces œuvres se déroule en différentes provinces canadiennes: *Ceux qui se taisent,* en Nouvelle-Écosse, *La Boutique aux Anges,* en Alberta et *Quand la moisson sera courbée,* en Saskatchewan. De ces œuvres se dégage une atmosphère tragique assez diffuse, mais prenante.

Le brillant journaliste ANDRÉ LAURENDEAU [1] a fait une fugue, lui aussi, derrière les coulisses et après quelques expériences à la télévision, surtout avec *La Vertu des chattes* (un acte), il a composé *Deux femmes terribles,* pièce gagnante à l'un des concours du Théâtre du Nouveau-Monde. Après un début lent et assez banal, l'œuvre prend sa réelle valeur dramatique au deuxième acte, dès l'affrontement attendu des deux femmes (terribles) ; le reste se perd dans le fait divers. Laurendeau, délicat et réservé, tranche rarement dans le vif; il nuance, évoque, suggère, plus qu'il n'exprime clairement son propos. Il laisse aux interprètes — par des indications de mise en scène — le souci de donner un sens précis au texte qu'il leur abandonne.

Ce mot: « Tu aimes souffrir pour contempler tes souffrances », lancé au *Dernier Beatnik* d'EUGÈNE CLOUTIER dans sa pièce du même nom, caractérise au mieux l'artifice de certaines attitudes et prises de position aujourd'hui des plus communes. Il y a en effet le snobisme de la pauvreté et de la misère, comme il y a celui du luxe. Il y a le snobisme propre au raté qui se glorifie de l'être: le seul, parfois, qu'il puisse se permettre. C'est la conclusion qui se peut dégager du *Dernier Beatnik,* du romancier et journaliste Cloutier, où un imprudent jeu de cache-cache entre la vérité et le mensonge s'achève brusquement en tragédie.

MARIE-CLAIRE BLAIS s'est exprimée au théâtre avec *L'Exécution* (dont le sujet rappelle *Les Désarrois de l'élève Torless*), avec moins de succès que dans ses romans.

Dans *Une Maison — un jour,* FRANÇOISE LORANGER, décrivant à son tour le déchirement des départs, touche, elle aussi, un aspect spirituel de la vie de l'homme: cela se produit surtout quand le personnage central de la pièce, le grand'père, affronte la pensée de la mort proche, le seul grand départ, définitif. Et c'est le moment le plus pathétique et le plus humain de cette pièce que le succès a couronnée, en dépit de certaines longueurs et du chevauchement sur l'intrigue principale d'une seconde vraiment parasitaire.

Toute autre est la pièce énigmatique de GILLES DEROME, *Qui est Dupressin?* On nous plonge dans le monde inquiétant de la psychiatrie, ce qui donne à coup sûr beaucoup de latitude à l'imagination d'un auteur. L'anomalie des personnages, des situations et du

1. Décédé en 1968; voir chapitre VI.

dénouement de l'action est dans la note, elle apparaît tout à fait...
normale! Gilles Derome en profite copieusement et nous offre un psy-
chodrame d'un intérêt certain, même si nous n'y voyons pas toujours
parfaitement clair.

Bien loin du parc grillagé d'un hôpital psychiatrique, le poète
PIERRE PERRAULT nous convie, dans *Au cœur de la rose*, à entendre l'appel des grands espaces, particulièrement de la mer, porte
ouverte vers l'évasion, l'aventure, mais qui peut devenir aussi une
barrière, la barrière d'une prison qui isole et étouffe. Le drame de
la solitude qu'on subit ou dont on voudrait s'échapper, voilà le sujet
de cette pièce, écrite dans une langue somptueuse, imagée et sonore,
stylisation de « parlures » populaires. Populaire également par son
thème tout autant que par sa langue, la farce que ce même auteur
a intitulée: *C'est l'enterrement de Nicodème, tout le monde est invité.*

C'est encore la nature — la forêt, cette fois, accrochée à la montagne — qui sert de cadre à l'action imaginée par un autre poète,
ANNE HÉBERT, pour sa pièce intitulée *Le Temps sauvage*. Là, dans
la solitude toujours, mais une solitude voulue et imposée, Agnès Joncas cache les siens « à l'abri du monde entier, dans une longue enfance
sauvage et pure ». Le joug de cet isolement, certains veulent le secouer. L'un, Sébastien, cherche à fuir par la voie de la peinture,
fruste et spontanée; l'autre, Lucie, par l'étude, grâce à des livres
qu'un jeune curé compréhensif lui procure. Le père Joncas lui-
même, boiteux par suite d'un accident, sollicite à soixante ans le
poste d'instituteur à la petite école de la paroisse. Mais Agnès, mère
vigilante, protège sa nichée, et plus âprement encore après l'intru-
sion dans le nid d'un élément étranger, la belle Isabelle. En dépit
de sérieuses alertes, rien en définitive ne changera: le temps sauvage
continuera de régner. Une originalité de cette pièce d'Anne Hébert,
c'est qu'on y pose — fait étrangement rare dans notre littérature dramatique — le problème de la croyance religieuse et de sa pratique
en milieu québécois. Il y a un drame de conscience chez Agnès: le
drame de la culpabilité, qui influence tout son comportement et
celui de la famille qu'elle domine. Drame religieux, bien normal
au reste en un pays baigné depuis son origine dans l'atmosphère chrétienne, mais que pourtant, trop souvent, on a tendance à oublier ou
à traiter par le biais de l'ironie facile, qui n'explique rien. De ce
point de vue, *Le Temps sauvage* amorce une analyse plus complète de
l'âme canadienne-française.

Le talent proprement poétique, nous le retrouvons chez un excellent écrivain, le chantre attitré du royaume du Saguenay, l'abbé
FÉLIX-ANTOINE SAVARD. Outre ses romans connus et admirés de

toute une génération, l'abbé Savard a écrit, pour le théâtre, d'abord un court poème dramatique inspiré d'une légende acadienne, *La Folle*, puis tout récemment un drame plus considérable, *La Dalle-des-Morts*, où nous retrouvons le grand style fortement coloré et musical de l'auteur de *Menaud*. Au lancement en librairie de *La Folle*, l'auteur faisait part de son profond désir et de la pressante nécessité de voir éclore au Canada français un théâtre bien à nous, « un grand théâtre autochtone, c'est-à-dire sorti du sol, un théâtre de vérité, de grandeur et de vraie poésie ».

Ce qu'il faut dire, à contempler dans son ensemble notre production dramatique, c'est qu'après un très lent départ, elle demeure fortement marquée d'amateurisme. Depuis à peine quelques décennies, un effort vers un art plus conscient et plus exigeant a produit déjà d'heureux fruits et nous fait espérer, pour les prochaines années, une dramaturgie authentiquement nôtre et d'un étiage artistique honorable. [2]

BIBLIOGRAPHIE

Ouvrages et articles sur le théâtre contemporain :

Hamelin, Jean, *Le Renouveau du théâtre au Canada français*, Cercle du Livre de France, Montréal, 1958.

Le Théâtre au Canada français, collection « Arts, Vie et Sciences », ministère des Affaires culturelles du Québec, Québec, 1964.

Kempf, Yerri, *Les trois coups à Montréal*, 1959-1964, Librairie Déom, Montréal, 1965.

Béraud, Jean, *350 ans de théâtre au Canada français*, Cercle du Livre de France, Montréal, 1958.

Beaulne, Guy, *Le Théâtre, conscience d'un peuple*, publication du ministère des Affaires culturelles, Québec, 1967.

2. Parmi les jeunes dramaturges et metteurs en scène qui se sont essayés, avec des succès divers, aux exercices, parfois ingénieux et nourris de véritable invention, du théâtre de l'absurde, citons: Claude Péloquin, Claude Levac, Jacques Duchesne (*Le Quadrillé*), Denys Saint-Denys (*Le Monde est une machine qui marche bien*), Robert Gauthier, Andrée Maillet (*Le Meurtre d'Igouille*), Michel Tremblay (*Les Belles-sœurs, Lysistrata*), Anthony Phelps (*Le Conditionnel*), Antonine Maillet (*Les Crasseux*), Robert Gurik (*Le Pendu, Hamlet, prince du Québec, Les Louis d'or*), Jean Basile (*Joli tambour*), Claude Jasmin (*Blues pour un homme averti*), Jean Morin (*Vive l'empereur*), Marc-F. Gélinas (*Qu'on l'écoute*), Roger Dumas (*Les millionnaires*) et Réjean Ducharme, ce dernier, qu'on retrouve du reste, comme Basile et Jasmin, parmi les romanciers (chapitre III), nous paraissant plus intéressant pour quelques passages privilégiés d'*Inès Pérée et Inat Tendu* que pour *Le Cid maghané*, où l'auteur ne se méfie pas suffisamment des abus du calembour. Certaines des tentatives dramatiques que nous venons d'énumérer n'ont subi que l'épreuve d'une lecture publique avant d'être publiées dans la revue *Théâtre vivant*. Dans *Equation pour un homme actuel*, Pierre Moretti rejoint, sur scène, la poésie mise au laboratoire des Claude Péloquin ou des Jean Baudot. On peut également rappeler, se situant dans le sillage d'Antonin Artraud, les poèmes pour la scène de Claude Gauvreau.

Piazza, François, « Présence du théâtre québécois », dans *Théâtre vivant*, no 3, juin 1967, pp. 3-8.

Théâtre-Québec, no spécial de *La Barre du Jour*, juillet-décembre 1965.

Pontaut, Alain, « La nouvelle dramaturgie au Canada français », dans *Montréal 66*, août 1966.

Gélinas, Marc-F., « Orientations de la dramaturgie nouvelle », dans *Culture vivante*, no 9, 1968, pp. 11-15.

Dumouchel, Thérèse, « Levac... Loranger: théâtre, événement vécu par la collectivité », dans *Parti pris*, février 1968, pp. 52-57.

Germain, J.-C., « Robert Gurik, l'auteur qui n'a rien à enseigner », dans *Digeste Éclair*, novembre 1968, pp. 17-20; « Michel Tremblay, le plus joual des écrivains ou vice-versa », dans *Digeste Éclair*, octobre 1968, pp. 15-19.

« Chronologie des pièces québécoises jouées à la Société Radio-Canada de 1950 à nos jours », dans *La Barre du jour*, juillet-décembre 1965, pp. 142-164.

Legault, P.-Émile, c.s.c., *Confidences*, Montréal, Fides, 1955.

Raymond, Marcel, *Le Jeu retrouvé*, Montréal, L'Arbre, 1943.

Mercier-Gouin, Ollivier, *Comédiens de notre temps*, Montréal, Éd. du Jour, 1967.

(Consulter également l'entière collection des revues *La Scène au Canada/ The Stage in Canada* et *Théâtre vivant*.)

Chapitre V

L'HISTOIRE, DE 1945 À NOS JOURS

par Pierre SAVARD

L'historiographie québécoise d'expression française connaît, au cours des années 1940, un développement décisif. Deux historiens se révèlent, qui prendront la tête du mouvement des études historiques: GUY FRÉGAULT et MARCEL TRUDEL.

Les progrès
de l'historiographie

En 1946, les Universités Laval et de Montréal fondent des Instituts d'Histoire. Jusque-là, il y a eu des cours publics, comme ceux de l'abbé Ferland, puis de Chapais à Québec, de l'abbé Groulx à Montréal, mais point d'enseignement organisé en vue de former des spécialistes de l'histoire. A partir de 1947, les historiens canadiens-français peuvent acquérir une formation fondamentale sur place, et l'histoire est de moins en moins une discipline laissée aux autodidactes et aux amateurs. En même temps, les possibilités accrues d'études à l'étranger, en France et aux États-Unis surtout, permettent aux jeunes historiens de se familiariser avec les maîtres de l'historiographie. La fondation de la *Revue d'Histoire de l'Amérique française,* en 1947, fournit une tribune où anciens et nouveaux historiens communiquent les fruits de leurs travaux; ce périodique respecté et répandu témoigne à lui seul de la fécondité de ces années. Si le démarrage des Instituts a été lent, l'accroissement considérable du nombre des apprentis historiens, surtout à partir de 1960, laisse présager de brillantes carrières et des œuvres remarquées.

Les jeunes historiens Frégault et Trudel, qui ouvrent la voie vers 1945, réagissent contre une histoire trop proche du genre oratoire et qui tient souvent plus du discours patriotique que de l'analyse rigoureuse. Ces lignes de Marcel Trudel, dans l'introduction de *Louis XVI, le Congrès américain et le Canada,* ont une valeur de manifeste:

> « Nous avons voulu appliquer à cette étude les méthodes de l'érudition, bien qu'en certains milieux on considère encore l'histoire comme une œuvre d'art, comme une représentation dramatique au cours de laquelle on serait choqué de voir le jeu des coulisses et des cordages. Il est étrange qu'un historien en soit réduit à s'excuser d'avoir accumulé des références et une nomenclature bibliographique : l'histoire, au Canada français, est toujours confortablement assise dans la chaire de rhétorique et regarde de bien haut l'historien-chercheur qui veut être scientifique. La première s'appuie sur les belles phrases, ce dernier s'appuie sur des sources et c'est lui, malgré tout, qui pourra atteindre plus sûrement la vérité historique. »

Les ébranlements qui secouent l'idéologie monolithique du Canada français dans les années 1950 ont leurs répercussions sur l'historiographie. Le professeur MAURICE SÉGUIN, de Montréal, dans ses cours et dans une thèse restée inédite, propose une explication de l'histoire du Canada toute axée sur la condition des Canadiens français comme peuple conquis en 1760, et sur les conséquences de ce fait. Les idées du professeur Séguin ont été reprises dans l'étude de DENIS VAUGEOIS, *L'Union des deux Canadas* (1962) et surtout dans les études et conférences de MICHEL BRUNET, professeur à l'Institut d'Histoire de Montréal. Brunet a réuni ses articles les plus remarqués dans deux recueils intitulés *"Canadians" et Canadiens* et *La Présence anglaise et les Canadiens.* Dans la conclusion de *La Guerre de la Conquête,* Guy Frégault souscrit aux postulats du professeur Séguin. Certains historiens ont émis des réserves au sujet de ces théories. JEAN HAMELIN dans *Économie et société en Nouvelle-France* (1960), FERNAND OUELLET, dans son *Histoire économique et sociale du Québec, 1760-1860* (1966), ont essayé de démontrer que la bourgeoisie canadienne n'a jamais existé sous le régime français, ce qui aurait pour conséquence de réduire les démolitions de la Conquête, et ce qui amènerait à chercher ailleurs que dans l'accaparement du commerce par les Anglo-Canadiens l'explication de l'infériorité économique des Québécois francophones [1].

---

1. Ajoutons à ces noms ceux de Jean Blain, Jean-Pierre Wallot, Robert-Lionel Séguin, Roland Lamontagne, Louis-Philippe Audet, sans oublier — il en faudrait nommer vingt autres — ceux de nos deux collaborateurs: CLAUDE GALARNEAU, qui enquête depuis de longues années (il publiera sous peu) sur l'image de la France dans l'opinion publique canadienne-française (on lui doit, notamment, des études sur Edmond de Nevers, la mentalité religieuse au XIXe siècle, etc., et la préparation du colloque « France et Canada français, du XVIe au XXe siècle » (P.U.L., 1966); et PIERRE SAVARD, qui vient de se révéler comme historien des idées par un maître-ouvrage: *Jules-Paul Tardivel, la France et les Etats-Unis* (1851-1905), P.U.L., Québec, 1967. — P. de G.

Pour la première fois depuis Garneau et Sulte, le rôle du clergé dans l'histoire du Canada est librement discuté. Certes, le chanoine Groulx avait porté quelques rudes jugements sur le loyalisme de l'épiscopat après la Conquête; mais dans l'ensemble, le même auteur insistait sur l'apport essentiel des clercs dans la survivance et l'épanouissement du Canada français. Brunet a manifesté de la sévérité quant au rôle du clergé dans l'élaboration des dominantes de la pensée canadienne-française: l'anti-étatisme, l'agriculturisme et le messianisme; Ouellet regrette qu'un mouvement réactionnaire d'origine religieuse ait pris naissance aux environs de 1840, tandis qu'André Labarrère-Paulé, dans ses travaux sur les instituteurs laïcs et la presse pédagogique au XIXe siècle, rend le clergé responsable, pour une bonne part, de l'échec de l'établissement, chez nous, d'une classe d'instituteurs libre et forte. Cependant d'autres chercheurs, comme l'historien oblat Carrière et le jésuite Léon Pouliot, continuent de faire revivre les grandes heures de l'Église canadienne: le premier retrace minutieusement les travaux de sa congrégation au Canada, tandis que le second a entrepris une monumentale biographie de Mgr Bourget.

La bourgeoisie canadienne-française, alliée traditionnelle du clergé depuis le milieu du XIXe siècle, est aussi sur la sellette. Dans son *Papineau*, Ouellet explique comment, de libéral qu'il était, le leader canadien-français a glissé irrésistiblement vers le conservatisme social, pareil en cela à la plupart des membres des professions libérales de son temps.

I

GUY FRÉGAULT

(né en 1918)

Le nom de Guy Frégault domine les études historiques, de 1944 à 1962. C'est en 1944 que cet historien, formé à Chicago, publie coup sur coup deux ouvrages qui deviennent vite célèbres: *Iberville le conquérant* et *La Civilisation de la Nouvelle-France*. Dans le premier, il retrace la carrière et le caractère d'un Canadien du régime français. L'historien s'impose par ses dons d'écrivain autant que par la rigueur de sa méthode. Son second ouvrage est un essai audacieux de synthèse de la vie matérielle et morale de nos ancêtres, de la paix d'Utrecht à la veille de la Guerre de Sept Ans. Quatre ans plus tard, Frégault donne un copieux *François Bigot, administrateur français,* autre mise au point remarquable par l'analyse autant que par la netteté des conclusions. La carrière louisianaise du Canadien Pierre Rigaud de Vaudreuil fait l'objet d'un autre volume en 1952, *Le Grand Marquis*. L'œuvre maîtresse, celle qui couronne en quelque sorte les études antérieures, consacrées pour la plupart, comme celle-ci, au XVIIIᵉ siècle, reste *La Guerre de la Conquête* (1955). Souvent neuf dans la documentation, riche de jugements personnels, toujours supérieur par l'art de structurer la matière et par la qualité du style, cet ouvrage représente incontestablement l'un des sommets de l'historiographie canadienne-française. Les jugements nets et neufs de Frégault sur l'identité fondamentale des colonies nord-américaines, françaises ou anglaises, sur la déportation des Acadiens, sur la supériorité de Vaudreuil par rapport à Montcalm, et la conclusion « pessimiste » de l'œuvre n'ont pas fini de faire discuter historiens et lecteurs.

Malgré une technique historique des plus rigoureuses, Guy Frégault ne croit pas que l'historien puisse être « détaché de son époque », car dans ce cas il écrirait « un ouvrage sans signification ». Les hypothèses de travail, les questions que l'historien pose à la documentation « changent d'une génération à l'autre, selon la participation de l'historien contemporain ». Voilà pourquoi, surtout, on récrit l'histoire. L'histoire bien faite éclaire le présent, et l'historien doit répondre aux questions de ses contemporains. Plus qu'un prophète ou un spécialiste de la prévision, c'est un chercheur qui introduit la dimension temporelle dans les problèmes.

UNE DÉFAITE

L'auteur de *La Guerre de la Conquête*, au chapitre de la déportation des Acadiens, rompt avec l'historiographie traditionnelle. Il dégage ici le sens du « Grand dérangement ». On rapprochera ces pages de celles où est contenue la conclusion de l'ouvrage et qui portent sur la Nouvelle-France tout entière.

Il n'arrive pas souvent que l'histoire présente un exemple aussi net de la façon dont une société peut être émiettée. Non pas que ces exemples soient rares. Toutes les sociétés se construisent sur les ruines d'autres créations humaines. Un remplacement ne saurait s'opérer qu'à la suite d'un déplacement. Le déplacement, toutefois, peut s'effectuer sans projeter ses victimes hors de leurs cadres territoriaux. Dans ce cas, on assiste à l'absorption plus ou moins lente du groupe subjugué, brusquement privé de moyens et de direction, par le groupe victorieux qui doit précisément son triomphe à la supériorité de son outillage et à ses possibilités d'organisation; on observe aussi l'édification d'une économie nouvelle à laquelle s'inféodent les éléments désarticulés d'un ancien système que rien ne soutient plus; on voit enfin le développement d'une puissante structure sociale que le vaincu commence par parasiter, en attendant de se fondre en elle : alors, on est témoin d'une défaite qui ne s'accomplit certes pas sans crises, mais qui se complique de tant d'épisodes et s'étale si largement sur une suite de générations qu'il en devient impossible de la reconnaître autrement qu'à ses conséquences très diverses, et ces dernières peuvent comporter des aspects tellement déroutants qu'on n'arrive pas sans un immense effort d'analyse à en toucher l'explication de fond : le déplacement, l'assimilation, le remplacement d'une civilisation par une autre. Autrement dit, la défaite d'un groupe humain organisé peut s'achever au moyen d'une transformation. C'est ce qui se produit le plus souvent. Exceptionnellement, elle se réalise par voie d'éradication. C'est ce qui s'est passé en Acadie. Nous l'avons remarqué, les auteurs de la dispersion acadienne prononcent fréquemment le mot « extirper ». Littéralement, et ils en ont conscience, ils arrachent du sol une population. Pourquoi ? Pour le plaisir de la déraciner ? Mais, nous le savons, ce fut tout autre chose qu'un plaisir.

Pourquoi donc ? Pour que la Nouvelle-Écosse joue son rôle dans l'empire britannique. Ce rôle, il aurait été absurde de prétendre qu'elle eût pu le tenir lorsque, pour reprendre les termes d'une brochure anglaise de 1755, les trois quarts de son territoire étaient occupés par les Français et que les trois quarts de sa population n'étaient même pas britanniques d'allégeance. Il fallait qu'elle devînt une véritable colonie anglaise et, vu les circonstances, qu'elle le devînt rapidement. Or, pas de colonie sans colonisation. La colonisation anglaise se heurte à un obstacle : le vieux peuplement français de l'Acadie. Elle manœuvre d'abord pour l'absorber. L'espace et, plus encore, le temps lui manquent pour mener cette tâche à bonne fin. Il ne lui reste alors qu'à supprimer l'Acadie. Elle y procède. Pas de colonie sans colonisation. Pas de colonisation sans colonisateurs. Ces colonisateurs, ce sont Lawrence et Belcher, le conseil de la Nouvelle-Écosse et le Board of Trade and Plantations, la maison Apthorp et Hancock, le gendre de Shirley, Erving, Baker et son agent, Saul, et d'autres encore : des politiciens, des marchands, des hommes qui sont à la fois marchands et politiciens; les uns ont des idées, d'autres des ambitions, plusieurs des convoitises. C'est dire qu'ils sont semblables à tous les personnages qui se mêlent de colonisation. »

GOUVERNEUR ET INTENDANT AU XVIIIᵉ SIÈCLE

Dans le treizième volume des *Écrits du Canada français*, Guy Frégault a donné un article sur la politique et les politiciens au XVIIIe siècle. Avant de se pencher sur les hommes, il reconstitue les rouages métropolitains et coloniaux de la politique canadienne. On retrouve ces pages dans *La Nouvelle-France au XVIIIe siècle* (1968).

Par le milieu social auquel ils appartiennent, mais plus encore par la carrière dans laquelle ils sont engagés, le gouverneur général et l'intendant représentent deux types de dirigeants coloniaux. Au XVIIIᵉ siècle, le premier a toujours un passé militaire; au prestige de ses campagnes ou de ses commandements s'ajoute celui de son âge : Callières dépasse la cinquantaine quand il est promu gouverneur général, et Vaudreuil a probablement plus de soixante ans lorsqu'il recueille sa succession; enfin, l'un et l'autre sont de vieille noblesse provinciale. Fait qui ne se répétera pas avant les dernières années du régime français, les deux représentants du roi ont servi de longues années dans la colonie avant d'accéder à la dignité suprême. Vaudreuil, qui épouse une Canadienne, s'allie par sa femme à l'aristocratie locale. Rien de tel chez les intendants. Aucun d'entre eux n'a occupé de poste subalterne dans le pays avant de s'en voir confier l'administration.

Le milieu social auquel gouverneurs et intendants appartiennent les distingue presque aussi fortement que les années de service qu'ils ont derrière eux. Champigny « est d'une des plus illustres Maisons de Robe qui soient en France ». Beauharnois, son successeur, compte parmi ses aïeux des hommes de guerre et des officiers de marine, mais aussi plusieurs hauts magistrats; il a trente-six ans lorsqu'il reçoit sa charge. Issus d'une famille de parlementaires et d'officiers de finances, les Raudot, père et fils, se partagent ensuite les fonctions attachées à l'intendance; l'un est âgé de 58 ans et l'autre de 26 au moment de leur nomination. Michel Bégon, qui vient après eux, appartient à une « dynastie » de fonctionnaires de la Marine et il n'a pas encore quarante ans à son arrivée à Québec, en 1712. Contrairement au gouverneur, qui ne saurait aspirer à un emploi plus important dans la métropole, l'intendant prend du service dans la colonie en vue d'arriver à un rang supérieur dans l'administration de la Marine en France. L'un est un vieux soldat; l'autre, un fonctionnaire jeune encore et en pleine ascension.

Si le gouverneur possède plus d'autorité, l'intendant détient des pouvoirs plus étendus. Celui-ci éprouvera la tentation bien naturelle de briller plus qu'il ne lui convient et celui-là, le désir compréhensible de s'affirmer plus qu'il ne doit dans l'administration. Tout pousse donc les deux personnages à entrer en conflit : leur formation, leurs ambitions, leur mentalité et la division imprécise des fonctions qui leur sont attribuées. La Cour tient apparemment à ce qu'ils se fassent contrepoids, mais ne cesse de leur recommander de vivre en bonne intelligence, « rien ne pouvant estre plus contraire au bien de la Colonie que la division de deux hommes comme eux, cela donnant lieu d'agir aux mauvais esprits qui trouvent leurs avantages dans les desordres de la Colonie ». En 1700, il y a vingt-cinq ans que le gouverneur et l'intendant se querellent. Aussi, à la disparition de Frontenac, le ministre de la Marine a-t-il déclaré à Callières que sa nomination tient à ce qu'il paraît plus propre que personne à rétablir l'harmonie dans le pays. Son premier devoir, lui écrit Pontchartrain, sera de s'appliquer à « faire cesser toutes les contestations qu'il y a eu par le passé entre le Gouverneur General et l'Intendant ». De plus, il devra laisser aux magistrats la liberté d'exercer leurs fonctions et ne se mêler « de ce qui regarde la Justice que pour faire executer les Arrests que ces juges rendront ». Quand il confie à Beauharnois l'intendance de la Nouvelle-France, le ministre prévient Callières que le nouvel administrateur a l'ordre de mériter son « amitié », après quoi il souligne : « ...Et comme je m'intéresse a ce qui le regarde, ...je vous prie de bien la luy donner et de luy rendre les honneurs qui pourront dependre de vous ».

N O T I C E   B I O G R A P H I Q U E

Né à Montréal en 1918, Guy Frégault a fait ses études classiques aux collège Saint-Laurent et Jean-de-Brébeuf. Licencié ès Lettres de l'Université de Montréal, c'est à l'Université Loyola de Chicago qu'il obtint un doctorat en histoire, en 1942. A vingt-quatre ans, il est pendant quelques mois fonctionnaire aux Archives du Québec, puis il devient professeur d'histoire et très bientôt, en 1946, directeur de l'Institut d'Histoire de l'Université de Montréal. Vice-doyen de la faculté des Lettres en 1950, il le demeurera jusqu'en 1959, date où il ira diriger le département d'Histoire de l'Université d'Ottawa. Deux ans plus tard, il accepte de devenir le premier sous-ministre du jeune ministère des Affaires culturelles du Québec. Guy Frégault a reçu en 1961 la médaille Tyrrell de la Société royale du Canada; dès 1944, il s'était mérité le Prix Duvernay. Il est membre de l'Académie canadienne-française. En 1968, il a été nommé haut-commissaire de la Coopération avec l'extérieur au ministère québécois des Affaires intergouvernementales.

BIBLIOGRAPHIE

L'œuvre d'historien de Guy Frégault :

Iberville, le conquérant, Montréal, Société des Éditions Pascal, 1944.

La Civilisation de la Nouvelle-France, Montréal, Société des Éditions Pascal, 1944.

François Bigot, administrateur français, Montréal, Institut d'histoire de l'Amérique française, 1948, 2 vol.

Le Grand Marquis, Montréal, Fides, 1952.

La Guerre de la Conquête, Montréal, Fides, 1955.

Histoire du Canada par les textes (avec Michel Brunet et Marcel Trudel), Montréal, Fides, 1952; éd. révisée et augmentée, tome 1 (1534-1854) tome II (1855-1960), Montréal, Fides, 1963.

Frontenac (avec Lilianne Frégault), Montréal, Coll. Classiques canadiens, Fides, 1956.

La Nouvelle-France au XVIII⁰ siècle, Montréal, Éditions H.M.H., 1968.

Études sur Guy Frégault :

Barbeau, Victor, *La Face et l'envers,* Montréal, Académie canadienne-française, 1966, pp. 66-68.

Éthier-Blais, Jean, « L'histoire — Pourquoi pas vous ? », dans *Signet II,* Montréal, Le Cercle du Livre de France, 1967, pp. 37-41.

Cook, Ramsey, « L'historien et le nationalisme », dans *Cité libre,* janvier 1965, pp. 5-14.

Duhamel, Roger, « La rentrée de Guy Frégault », dans *Le Droit,* 23 nov. 1968.

Lucier, Juliette, « Bio-bibliographie de Guy Frégault », École des Bibliothécaires de l'Université de Montréal.

II

MICHEL BRUNET
(né en 1917)

Michel Brunet, avons-nous dit, s'est fait largement connaître par des articles et des conférences sur des problèmes qui passionnent ses contemporains. Il apparaît ainsi comme un historien doublé d'un essayiste.

LA DÉCHÉANCE DE LA BOURGEOISIE CANADIENNE

A la fin de l'un des ses plus importants articles, publié en 1955 et reproduit dans l'ouvrage *La Présence anglaise et les Canadiens* (Montréal, 1958), il résume une thèse fameuse sur l'une des principales conséquences de la Conquête anglaise.

Les Canadiens de 1790 se savaient soumis à une autorité politique étrangère et reconnaissaient la supériorité commerciale des nouveaux habitants que la Conquête avait amenés dans leur pays natal. Toutefois, ils ne pouvaient pas prévoir les conséquences ultimes d'une telle situation. Ils sentaient confusément leur dépendance. Plusieurs en souffraient même. Cependant, il était impossible pour eux de comprendre ce que signifiaient leur incorporation à un empire étranger et la décapitation sociale dont ils avaient été victimes. La prospérité matérielle du pays, due à l'initiative de la bourgeoisie anglaise, maintenait parmi eux un état presque général de contentement. Ils avaient appris, d'ailleurs, à se contenter de peu. De plus, se sachant la majorité numérique, ils croyaient sincèrement que le temps travaillait pour eux.

L'historien contemporain du Canada français voit ce que les dirigeants canadiens de la fin du XVIIIᵉ siècle ne voyaient pas. C'est son devoir. A moins d'être un aveugle volontaire ou involontaire. Il constate que les Canadiens, éliminés du haut commerce, n'ont pas pu acquérir l'habitude des grandes affaires. Tenus en minorité et aux postes subalternes dans l'administration publique, ils ont été privés d'hommes de gouvernement et de traditions politiques. La nationalité canadienne ne possédait plus, trente ans après la conquête, les cadres nécessaires à une société du monde atlantique pour se développer normalement. C'était l'un des résultats de la Conquête : un phénomène sociologique nullement dû à la malignité des hommes. Ce peuple colonial avait prématurément perdu sa métropole nourricière. Réduit à ses seules ressources, il était voué à une survivance collective anémique. Il ne bénéficierait plus de la direction éclairée et dynamique d'une bourgeoisie économiquement indépendante, totalement dévouée à ses intérêts comme groupe ethnique et capable de lui bâtir un ordre politique, économique, social et culturel entièrement à son service. Il ne lui restait plus que quelques institutions d'importance secondaire et la force relative et inerte que donnent le nombre et l'instinct grégaire. L'accroissement démographique, à l'intérieur de la province de Québec, sera sa seule victoire. Victoire dont la révolution industrielle et la prolétarisation massive des Canadiens français au service d'un ordre économico-social qu'ils n'ont pas créé eux-mêmes ont démontré la précarité.

L'absence de cette classe dirigeante laïque et bourgeoise, dont le rôle a été si important dans l'évolution des sociétés du monde atlantique, demeure le grand fait de l'histoire du Canada depuis la Conquête.

N O T I C E   B I O G R A P H I Q U E

Né à Montréal le 24 juillet 1917, Michel Brunet a fait ses études au collège Saint-Laurent, à l'École normale Jacques-Cartier où il eut son diplôme supérieur d'enseignement; à l'Université de Montréal (maîtrise en histoire, licence en sciences sociales, économiques et politiques) et à l'Université Clark comme boursier de la Fondation Rockefeller (Ph.D.). Chargé de cours en 1939 à l'Institut d'Histoire de la faculté des Lettres de l'Université de Montréal, il y devint professeur titulaire en 1959, année où il prit également la direction de l'Institut d'Histoire. Il est membre de la Société historique de Montréal et de la Société historique du Canada.

BIBLIOGRAPHIE

L'œuvre de Michel Brunet :

> *Canadians et Canadiens : études sur l'histoire et la pensée des deux Canadas,* Montréal, Fides, 1952.
>
> *La Conquête anglaise et la déchéance de la bourgeoisie canadienne* (1760-1793), Montréal, Amérique française, cahier de juin 1955.
>
> *Trois dominantes de la pensée canadienne-française : l'agriculturisme, l'anti-étatisme, le messianisme,* dans *Écrits du Canada français,* III, Montréal, 1957.
>
> *Histoire du Canada par les textes* (avec Guy Frégault et Marcel Trudel), Montréal, Fides, 1952, rééd., 1963.
>
> *La Présence anglaise et les Canadiens,* Montréal, Beauchemin, 1958, rééd. 1964.

Études sur Michel Brunet :

> Éthier-Blais, Jean, « L'Histoire — Pourquoi pas nous ? », dans *Signets II,* Montréal, Le Cercle du Livre de France, 1967, pp. 37-41.
>
> Gagnon, Serge, « Pour une conscience historique de la révolution québécoise », dans *Cité libre,* vol. 16, no 83, janvier 1966, pp. 4-19 (Brunet, Trudel, Frégault...).
>
> Desrosiers, Léo-Paul, « Le fond du problème » dans *Monde nouveau,* mars-avril, 1964.
>
> Ouellet, Fernand, « Le nationalisme canadien-français, de ses origines à l'insurrection de 1837 », dans *Canadian Historical Review,* décembre 1964, pp. 277-292.

III

MARCEL TRUDEL
(né en 1917)

Pendant que les Séguin, les Frégault et les Brunet formaient à l'Université de Montréal des générations d'étudiants à une histoire renouvelée dans ses méthodes, Marcel Trudel faisait de même à l'Institut d'Histoire de l'Université Laval, auquel il fut attaché de 1947 à 1963.

Marcel Trudel est venu à l'histoire par la littérature. En préparant une thèse de doctorat confinant à l'histoire littéraire sur *L'Influence de Voltaire au Canada* (2 vol., 1945), il écrit un roman, *Vézine*, qui a connu l'honneur de la réédition. Il passe deux ans à Boston et en rapporte une étude d'histoire diplomatique rigoureuse et fort éclairante sur *Louis XVI, le Congrès américain et le Canada* (1949). L'auteur s'y montre bien au fait des sources et des études sur la question. Trudel donne en 1952 un de ses meilleurs ouvrages, celui sur le *Régime militaire dans le Gouvernement des Trois-Rivières, 1760-1764*. Il y fait justice des jugements sévères de Garneau sur l'occupation militaire. Cette période décisive fait l'objet d'une autre étude fort copieuse, *L'Église canadienne sous le régime militaire* (2 vol., 1956-1958). Dans un livre sur l'esclavage au Canada où figure un dictionnaire d'esclaves, Trudel, grâce à des investigations minutieuses et patientes, cerne de près la condition des esclaves au Canada français et la question des liens de consanguinité, longtemps niés ou minimisés entre Indiens et Français.

Depuis lors, Trudel a publié les deux premiers tomes d'une monumentale synthèse de l'histoire de la Nouvelle-France. *Les Vaines Tentatives* (1960) portent sur les explorations et les essais de colonisation françaises en Amérique du Nord au XVIe siècle, tandis que *Le Comptoir* traite de l'histoire canadienne entre 1604 et 1627. L'auteur collabore activement, en outre, au grand *Dictionnaire biographique canadien,* dont le premier tome a paru en 1966.

Marcel Trudel n'a rien de l'historien désireux d'apporter de grandes explications. Il avoue ne pas avoir « la tête aux théories ». S'il aime scruter et raconter l'histoire, c'est essentiellement, dit-il, « parce que je tiens à retrouver le passé autant que peuvent le permettre les documents et une certaine sensibilité ». L'historien, pour lui, n'a rien d'engagé: « En écrivant l'histoire, je ne songe pas aux préoccupations de mon milieu, car alors je ne serais plus historien; il me satisfait de retrouver le passé. Au reste, une œuvre date dans la mesure où elle répond à un milieu »

DEUXIÈME VOYAGE DE CARTIER

L'auteur des *Vaines Tentatives* retrace minutieusement et avec un sens critique aigu les explorations et les essais de colonisation de la France en Amérique du Nord, au XVIe siècle. Il utilise largement l'apport de la cartographie historique. Dans les lignes suivantes, il dresse le bilan du deuxième voyage de Jacques Cartier, qui marque une étape décisive dans la reconnaissance du pays canadien.

En 1534, Cartier était revenu en France sans l'or ni l'Asie qu'il cherchait; toutefois, il avait exploré une grande baie derrière Terre-Neuve, pris possession d'une contrée au nom de la France, établi une liaison avec des Iroquois qui venaient de l'intérieur et ramené deux des leurs pour qu'ils apprennent le français et guident ensuite la prochaine exploration. Voyage de 1534 qui n'était donc pas sans quelques avantages. En 1535, Cartier part pour un second voyage; quand il revient, en 1536, les résultats dépassent de beaucoup ceux du précédent.

Au point de vue géographique, le progrès est énorme. Cartier a inauguré une nouvelle voie d'accès au golfe, celle du détroit qui sépare de Terre-Neuve le Cap-Breton, et prouvé du même coup que Terre-Neuve est une île. Sa cartographie du golfe est plus au point : il s'est rendu compte que les Araines ne sont pas terre ferme, mais archipel; l'Anticosti, péninsule en 1534, devient ce qu'elle est en réalité, une île.

Ce qui est bien plus important, et qui fait d'ailleurs la gloire de Cartier, il a découvert un fleuve qui va devenir l'axe essentiel de la pénétration française en Amérique du Nord. Il a remonté ce fleuve en découvrant des affluents qui demeureront des voies stratégiques : le Saguenay, le Saint-Maurice et le Richelieu. Il se rend jusqu'à Hochelaga, où des rapides barrent la route, mais il apprend que, au-delà de ces rapides, on peut naviguer sur ce fleuve encore trois mois; que, par ce fleuve et par une rivière qui s'y jette, on peut aller très loin vers l'ouest et atteindre une mer douce. On s'était cru en présence d'un littoral américain d'une largeur négligeable : or, plus on y pénètre, plus la terre prend les proportions d'un continent. Cartier se pensait-il en un prolongement de l'Asie ? Nulle part dans la relation, on n'établit de comparaisons avec l'Asie, et, à la différence de Verrazano, l'auteur de la relation ne se livre à aucune spéculation cosmographique. La commission de 1540 portera que les terres de Canada et d'Hochelaga font « un bout de l'Asie ». Était-ce l'avis de Cartier ? François 1er en était-il persuadé, malgré ce que Verrazano lui en avait écrit ? ou n'est-ce là qu'une affirmation pour rassurer l'Espagne et le Portugal sur leurs Indes ? En tout cas, en 1535-1536, Cartier marque le sommet des découvertes françaises en Amérique du Nord au seizième siècle; toute la cartographie laurentienne de ce siècle s'inspire de Cartier : pour en savoir davantage sur l'intérieur de l'Amérique à ces latitudes, il faudra attendre, soixante-quinze ans plus tard, les découvertes de Champlain.

NOTICE BIOGRAPHIQUE

Né en milieu rural, dans la région des Trois-Rivières, le 9 mai 1917, Marcel Trudel a d'abord étudié au Collège séraphique des franciscains des Trois-Rivières et au séminaire de cette ville, marques d'une première attirance pour l'état clérical. Après avoir également montré son goût pour les lettres par le roman de mœurs villageoises Vézine, dont on a fort loué la vérité et l'écriture, et par une thèse de littérature comparée sur L'Influence de Voltaire au Canada *(de l'histoire, déjà), Marcel Trudel opte de plus en plus résolument pour la tâche d'historien, à laquelle il s'est préparé, de 1945 à 1947, par ses études à l'Université de Harvard. Docteur ès lettres, il a longtemps occupé la chaire d'histoire à l'Université Laval, où il dirigea en outre l'Institut d'Histoire. Il poursuit son enseignement depuis peu, à Ottawa, aux universités Carleton et d'Ottawa. Il est président du Conseil des Arts du Québec.*

BIBLIOGRAPHIE

L'œuvre d'historien de Marcel Trudel :

L'Influence de Voltaire au Canada, Montréal, Fides, 1945 (2 vol.).

Louis XVI, le Congrès américain et le Canada, Québec, Éditions du Quartier Latin, 1949.

Le Régime militaire dans le Gouvernement des Trois-Rivières, Trois-Rivières, Éditions du Bien Public, 1952.

Chiniquy, Trois-Rivières, Éditions du Bien Public, 1955.

L'Église canadienne sous le régime militaire, Montréal, Institut d'histoire de l'Amérique française, 1956.

Histoire de la Nouvelle-France, tome I, *Les Vaines Tentatives,* Montréal, Fides, 1963; tome II, *Le Comptoir,* Montréal, Fides, 1966.

Dictionnaire biographique du Canada (collaboration en tant que directeur général adjoint de l'entreprise), Québec, Les Presses de l'Université Laval, 1967.

Champlain, dans la collection « Classiques canadiens », Montréal, Fides, 1956.

Études sur Marcel Trudel :

Hamelin, Jean, « Histoire de la Nouvelle-France, I, Les Vaines Tentatives », dans *Livres et auteurs canadiens, 1963*, pp. 106-197.

Lachance, André, « Histoire de la Nouvelle-France, II, Le Comptoir », dans *Livres et auteurs canadiens 1966*, avril 1967, pp. 144-145.

Blain, Jean, « Histoire de la Nouvelle-France, II, dans *Revue d'Histoire de l'Amérique française*, juin 1966, pp. 108-109.

Ouellet, Fernand, « Dictionnaire biographique du Canada », dans *The Canadian Historical Review*, mars 1967, pp. 60-61.

Desrochers, Guy, *Bio-bibliographie de Marcel Trudel*, Québec, Cours de Bibliothéconomie de l'Université Laval, 1948.

IV

ROBERT SYLVAIN
(né en 1915)

Les efforts des historiens canadiens-français, peu nombreux et sollicités par des considérations régionalistes ou nationalistes, se sont trop exclusivement fixés sur l'histoire de leur collectivité. Certes, quelques étudiants canadiens dans les universités étrangères ont préparé des thèses sur des sujets étrangers à leur nationalité, mais le plus souvent sans continuer dans cette voie. L'œuvre du frère Robert Sylvain, e.c., comble une lacune dans notre historiographie. Le frère Sylvain est venu des sciences à l'histoire. De sa formation première, il a gardé le souci de l'information minutieuse. Dans des articles fouillés, il a étudié les relations religieuses franco-canadiennes au XIXᵉ siècle. Sa thèse de doctorat de l'Université de Paris sur *La Vie et l'œuvre de Henry de Courcy, premier historien de l'Église aux États-Unis*, publiée en 1955, l'a révélé comme l'un des bons connaisseurs des relations religieuses entre l'Ancien et le Nouveau Monde. Dans sa biographie de Alessandro Gavazzi (2 vol., 1962), il éclaire le destin d'un prêtre déchiré entre le *Risorgimento* et l'attachement au pouvoir pontifical. Classique par sa méthode et par son style, le frère Sylvain continue, chez nous, la tradition de ceux pour qui l'histoire est toujours à la fois une science par la rigueur de l'enquête et un art par l'élégance de l'exposition.

UN RÉVOLUTIONNAIRE ROMAIN

L'auteur de *Alessandro Gavazzi* excelle à brosser des portraits de personnages hauts en couleur, comme cet Angelo Brunetti, surnommé Ciceruacchio à cause de son visage rose et joufflu, un des agitateurs les plus puissants dans la Rome pontificale des années 1840.

Brunetti était le type accompli du *popolano* romain, de cet homme du peuple qui, en 1843, suscitait l'admiration de Paul de Musset : « Avec son chapeau pointu roussi par le soleil, son manteau d'une couleur inexprimable, sa chaussure de buffle, ses jambes ornées de bandelettes rouges, son large cou découvert, son teint basané, son nez aquilin et les belles lignes de sa stature, il provoque à la fois le coloriste et le dessinateur. »

Né en 1800 au Champ de Mars, dans une rue qui porte aujourd'hui son nom, à proximité du petit port pittoresque de *Ripetta* qui recevait les barques chargées de vin, d'huile, de blé, de bois et de charbon venant de la Sabine et de l'Ombrie, il s'identifiait par ses humbles origines, l'éducation rudimentaire qu'il avait reçue, la modicité des ressources paternelles qui l'obligea de bonne heure à gagner sa vie, à cette population qui constitue la couche sociale infime, mais nullement la moins fière, de Rome.

Ciceruacchio avait rapidement rompu son corps aux fatigues qui sont le partage du travailleur manuel. De haute taille, robuste, vigoureusement trempé, le torse bombé, les épaules larges et carrées, le cou musculeux, la tête volumineuse percée de deux yeux bleus et surmontée d'une chevelure peu abondante, dont la couleur châtain s'harmonisait avec son teint rosé, il semblait coulé pour ainsi dire tout d'une pièce dans un moule antique.

Doué d'une intelligence vive, débordant d'activité, il avait fait sa trouée. D'abord charretier, puis loueur de chevaux, il devint marchand de vin, de bois et de fourrage. Sa situation lui permit bientôt d'étendre ses relations et d'utiliser ses exceptionnelles facultés d'organisation comme son éloquence — une éloquence brève, sentencieuse, lapidaire — grâce à quoi « il fut à Rome, pendant deux ans, un personnage de premier plan ». La politique l'avait conquis tout entier.

A vrai dire, elle le tenait depuis longtemps. Dès 1830, si ce n'est plus tôt, il devenait carbonaro en s'affiliant à la « vente » du Transtévère, et en 1833, membre de la jeune Italie. En 1846, il faisait encore partie de l'association fondée par Mazzini.

On devine l'influence que pouvait exercer un tel homme sur le peuple romain, surtout sur les *popolani* du Transtévère.

N O T I C E   B I O G R A P H I Q U E

Né à Saint-Elzéar de Beauce le 27 juin 1915, licencié ès lettres, Philippe Sylvain, frère Robert des Écoles chrétiennes, est docteur de la Sorbonne. En 1957, il obtenait le prix Raymond Casgrain. Professeur d'histoire religieuse contemporaine à l'Université Laval et auteur de plusieurs

*articles et communications savantes sur les mouvements
libéraux et ultramontains, au XIXᵉ siècle, au Québec,
Robert Sylvain a surtout pratiqué l'histoire universelle,
s'intéressant en particulier à l'histoire religieuse en Italie
(il est membre de l'Istituto per la storia del Risorgimento
italiano, de Rome). Robert Sylvain est membre de la
Société royale du Canada.*

BIBLIOGRAPHIE

L'œuvre de Robert Sylvain :

> *La Vie et l'œuvre de Henry de Courcy*, Québec, Éditions du Centre pédagogique, 1955.
> *Alessandro Gavazzi*, Québec, Éditions du Centre pédagogique, 1962, 2 vols.

Étude sur Robert Sylvain :

> Savard, Pierre, ‹ Alessandro Gavazzi ›, dans *Livres et auteurs canadiens, 1962*, 1963, pp. 43-44.

V

FERNAND OUELLET
(né en 1926)

Il n'est pas exagéré de dire que les travaux de Fernand Ouellet marquent le début d'un nouveau cours de l'historiographie canadienne-française. Sa méthode, inspirée de l'école française d'Ernest Labrousse et de celle des *Annales,* ses conclusions, qui remettent en question l'interprétation la plus répandue sur la Conquête et ses séquelles, ne manquent ni de vigueur ni d'originalité.

Dans sa récente *Histoire économique et sociale du Québec, de 1760 à 1850,* la perspective de l'auteur est avant tout, bien sûr, celle de l'histoire économique, mais il se donne pour but l'explication totale, globale de la société, soulignant à tout moment la solidarité entre l'économique, le social, l'idéologique et le politique. On ne saurait insister assez sur la richesse de l'analyse quantitative des phénomènes économiques. Ce travail considérable nous fournit pour la première fois une vue d'ensemble continue et valable sur cette matière.

Si l'étude innove assez peu sur le plan de l'histoire politique, la tentative de l'auteur d'établir des liens entre le social et l'économique apparaît, elle, riche et neuve. Des remarques judicieuses sur les mentalités et un effort constant de percevoir globalement la réalité historique rangent cette enquête parmi les ouvrages aux préoccupations vraiment historiques, par opposition aux recherches de pure érudition.

L'évolution du Québec pendant la période décrite par l'auteur constitue d'abord une montée, une poussée de prospérité, suivie, à partir de 1815, d'un ralentissement accompagné de sursauts et de crises. La Conquête n'a rien changé de fondamental. La persistance d'un cadre colonial, la stabilité des structures économiques, sociales et idéologiques expliquent que la rupture ne se produira pas avant le début du XIXᵉ siècle. Décisive apparaît la décennie 1802-1812, avec sa crise économique qui entraîne des réalignements dans tous les ordres. L'élite des professions libérales prend le relais des élites seigneuriales et cléricales traditionnelles. Son idéologie d'apparence libérale masque ses aspirations fondamentalement réactionnaires devant la conjoncture industrielle et commerciale, conjoncture acceptée par la bourgeoisie anglo-saxonne. Le nationalisme sécrété et répandu par cette élite « libérale » ne constitue aux yeux de l'auteur que « l'expression et le support d'une profonde résistance des mentalités au changement. » Les premières années de l'Union voient cette bourgeoisie canadienne-française opérer quelques réaménagements essentiels dictés par la conjoncture. Ainsi, une sourdine est mise au libéralisme et le régime seigneurial est aboli (bien tardivement et partiellement).

Au chapitre des reproches qu'on peut faire à l'auteur, signalons que la lecture de son livre n'est pas toujours facile. Il est vrai que le sujet ne se prête pas souvent à des morceaux de bravoure.

Il faut regretter aussi des affirmations massives sans indication de sources ni démonstration. Ainsi l'auteur soutient que « les générations qui se sont succédées entre 1741 et 1840 furent formées contre les valeurs politiques existantes ». Le lecteur est porté à voir là un raisonnement *a posteriori* destiné à étayer la thèse économico-sociale. L'auteur nous apparaît généreux en parlant d'« école de Québec ». S'il y a eu une école québécoise, c'est celle des chercheurs formés aux méthodes du professeur Marcel Trudel, qui n'a jamais proposé, lui, d'explication totalitaire de l'histoire canadienne.

FERNAND OUELLET

RESPONSABILITÉ DES PROFESSIONS LIBÉRALES

Le maître-ouvrage de Fernand Ouellet présente d'abord une analyse de l'économie québécoise, de la Conquête au milieu du XIXe siècle. Cette analyse a pour objet de faire comprendre l'évolution sociale et, partant, politique. Pour l'auteur, la Conquête ne marque pas une brisure. Les jeux se font au début du XIXe siècle. Si les Canadiens français manquent le tournant, c'est en bonne partie la faute de leur nouvelle bourgeoisie issue des professions libérales. Fernand Ouellet retrace ici, à grands traits, la montée de cette classe et souligne des contradictions dans ses aspirations.

La montée des professions libérales, phénomène tout récent, se poursuit pendant cette décennie à un rythme accéléré. De 1791 à 1799, leurs effectifs s'étaient accrus de 15%. A partir de 1800, malgré les difficultés économiques, cette progression s'accentue. Tandis que la population affiche une augmentation de 32%, les professionnels voient leur nombre passer de 173 à 274, soit un gain de 58%. Cette évolution rapide n'est pas seulement significative au niveau quantitatif, elle l'est davantage sur la plan qualitatif. Disons d'abord que la majorité des membres de ces professions viennent du milieu paysan. L'espoir d'une vocation sacerdotale au sein des familles, le désir des clercs d'assurer la croissance de leurs effectifs et d'opérer leur recrutement sur place sont à l'origine de beaucoup de ces migrations de jeunes ruraux. Cela posait cependant un sérieux problème d'adaptation. Le passage du milieu originel, grâce aux séminaires dont l'objectif premier était le recrutement sacerdotal, au milieu bourgeois devait être particulièrement ardu. Malgré l'accès à une culture littéraire, au reste fort abstraite, le jeune professionnel ne rompait pas aisément avec la mentalité héritée de la société paysanne. Par conséquent, l'annexion aux valeurs bourgeoises risquait de demeurer pendant longtemps très partielle. De là ce décalage entre la mentalité réelle de cette élite et son outillage intellectuel; de là aussi des contradictions profondes de pensées et d'attitudes. La promotion sociale effective reste donc incomplète. Qu'arrive une conjoncture défavorable et l'adaptation risque d'être compromise au profit d'options qu'on peut qualifier de réactionnaires. Pour étonnant que cela paraisse, cette bourgeoisie apparaîtra réformiste en matière politique et particulièrement conservatrice dans les domaines économique, juridique et social. Comment expliquer cette ambivalence ? Les professions libérales ont-elles, en fin de compte, choisi de devenir l'élite d'une société rurale et refusé d'appartenir sans restrictions aucune à l'élite bourgeoise ? Les choix ne sont pas aussi clairement définis et exprimés. Même si l'option fondamentale se situe du côté de la tradition, la nécessité d'une certaine articulation aux valeurs nouvelles n'est pas écartée. D'ailleurs la tradition elle-même était multiple. Elle était certes rurale mais aussi aristocratique. On peut même se demander si finalement les professions libérales n'ont pas surtout songé à ériger sur les ruines de l'ancienne noblesse seigneuriale et à l'encontre de la bourgeoisie capitaliste, une aristocratie de « l'esprit » destinée, sous le couvert d'un prétendu désintéressement et d'une supposée vue objective des choses, à diriger la société du Québec. Certaines prises de conscience dans l'immédiat l'indiquent. Certaines attitudes qu'on observe pendant la période agitée qui suit, le prouveraient. La constatation de l'ignorance régnant dans la masse et les critiques mettant en lumière les projets intéressés des capitalistes et leur manque de culture, tendaient à situer le rôle primordial des professions libérales dans cette perspective.

NOTICE BIOGRAPHIQUE

Né le 6 novembre 1926 au Lac-Bouchette, dans la région du Lac-Saint-Jean, Fernand Ouellet a fait ses études universitaires à l'Université Laval de Québec où il a successivement obtenu une licence et un doctorat en histoire. Diplômé du Stage international (Paris, 1953), de l'"Archives Administration" (American University, 1956), du "Records Management" (American University, 1957), membre de la Société royale du Canada, il est actuellement professeur d'histoire à l'Université Carleton. Il a publié une trentaine d'articles dans diverses revues, et quelques monographies, avant de livrer, avec son **Histoire économique et sociale du Québec, 1760-1850,** *qui lui valut le prix David en 1967, le fruit de plusieurs années de recherches.*

BIBLIOGRAPHIE

L'œuvre de Fernand Ouellet :

> *Histoire de la Chambre de Commerce de Québec, 1806-1959,* Québec, 1959.
>
> *Papineau : textes choisis, Québec,* Cahiers de l'Institut d'histoire de l'Université Laval, no 1, 1959.
>
> *Julie Papineau. Un cas de mélancolie et d'éducation janséniste,* Québec, Cahiers de l'Institut d'histoire de l'Université Laval.
>
> *Papineau, un être divisé,* brochure de la Société historique du Canada, no 11.
>
> *Histoire économique et sociale du Québec, de 1760 à 1850 — Structures et conjonctures,* Montréal, Fides, 1967.

Étude sur Fernand Ouellet :

> Vaugeois, Denis, « Histoire économique et sociale du Québec », dans *Livres et auteurs canadiens-1966,* avril 1967, pp. 139-141.

Chapitre VI

LE JOURNALISME, DE 1945 À NOS JOURS

par Jean-Louis GAGNON

A quel moment faut-il situer la naissance du journalisme d'information au Canada français? Comme aux États-Unis et en Europe occidentale, la mutation aura été lente et naturellement conditionnée par le progrès scientifique et la révolution industrielle. L'idée même de considérer l'information comme une matière première, d'en faire une denrée ou un produit d'échange, ne pouvait se faire jour qu'à la condition de posséder les moyens requis pour en assurer le transport ou la diffusion. En d'autres termes, l'agence de presse ne pouvait exister qu'à partir du télégraphe et du rail. Mais pour que le journal d'opinion puisse se transformer en quotidien d'information, qu'à l'idée d'allégeance politique se substitue le désir de s'adresser à tous, au plus grand nombre, il faudra, par surcroît, que la publicité devienne la règle du commerce.

L'épanouissement d'une presse d'information

S'il est difficile de suivre de façon tout à fait méthodique l'évolution de la presse française au Canada, d'en rationaliser le processus au point de déterminer avec précision le moment auquel le journal d'opinion a fait place au quotidien d'information, il paraît assuré cependant que c'est *La Patrie* qui donna le coup de barre décisif dans cette direction, quelques mois après sa fondation, le 24 février 1879, en ouvrant largement ses portes à la publicité. Son premier numéro, rappellent André Beaulieu et Jean Hamelin dans *Les Journaux du Québec de 1764 à 1964*, « ne contenait que deux petites colonnes d'annonces; le numéro du 17 mars en contenait neuf; celui du 21 avril, treize; celui du 29 septembre, seize. » On eut tôt fait de se rendre compte des avantages inhérents à ce mode de financement et, du même coup, qu'il existerait dorénavant une sorte de rapport de cause à effet entre la recette publicitaire et le tirage. L'évolution, encore qu'on ne puisse généraliser, fut néanmoins si rapide que vingt ans plus tard, Israël Tarte, face à la concurrence, se trouva dans l'obligation de dépolitiser partiellement ses pages d'information, comme l'ont encore noté Beaulieu et Hamelin: « Le journalisme canadien subissait depuis quelques années une évolution essentielle dans sa forme. Cette transformation se manifestait principalement par l'importance grandissante attachée aux nouvelles, aux faits divers, aux grands et aux petits événements de chaque jour. Le public paraissait ne plus goûter le journal exclusivement militant, mais voulait aussi trouver dans ses pages une lecture variée, offrant plus de place aux faits qu'aux dissertations et aux commentaires. »

Faut-il préciser que la plupart des journaux québécois ont mis des années à s'affranchir de la tutelle des partis politiques ou de l'idéologie qui les identifiait? On ne renonce pas du jour au lendemain à sa raison d'être, comme en témoigne l'évolution du *Soleil*: après s'être affiché durant soixante ans « organe du parti libéral », ce n'est qu'après l'élection générale de 1936 que ce quotidien devint « organe libéral » et, vingt ans plus tard, exactement en 1957, que la direction coupa court à ses attaches politiques. Dans ce domaine comme dans beaucoup d'autres, les transitions sont lentes entre les époques, les styles ou les modes de pensée, et les coupures sont rarement aussi nettes que les frontières des États sur une carte géographique.

Grands reporters

Le quotidien d'information, par nature, ne peut être conçu à la façon d'un organe politique dont l'influence tient avant tout au prestige de son directeur. Car son succès dépend davantage de la qualité de son équipe rédactionnelle et des moyens techniques et financiers dont elle dispose, que de la *signature* du rédacteur en chef. Tant mieux si celle-ci fait autorité et vaut son pesant d'or! Mais l'augmentation du tirage obéit à d'autres impératifs et, tout compte fait, la publication d'un journal d'information ressemble beaucoup plus à une production cinématographique qu'à une œuvre littéraire.

Dans ces conditions, comment établir le palmarès du journalisme canadien-français pendant le dernier quart de siècle? Certes, des noms s'imposent. Mais s'en tenir aux têtes d'affiche serait fausser complètement l'histoire de la presse d'information et se montrer injuste à l'égard de ceux qui en ont été les véritables artisans. Le reportage est aujourd'hui le pain quotidien de la presse écrite et parlée. Et après avoir dirigé cinq quotidiens, dont *Le Nouveau Journal*, l'auteur de ces pages est persuadé que les bons reporters sont moins nombreux chez nous que les bons éditorialistes — encore que ceux-ci ne courent pas les rues!

Depuis les années 1920, EDMOND CHASSÉ fut incontestablement le plus brillant des grands reporters québécois. C'est lui qui mit à jour cette histoire peu commune d'un homme qui assassina vingt-quatre personnes pour se défaire de sa femme. Mais si je retiens son nom, c'est avant tout parce que son écriture avait une qualité journalistique qui se rencontre peu souvent. Cette race de reporters est-elle en train de s'éteindre? La crise et la guerre aidant, disons que, seul durant de longues années, ROGER CHAMPOUX aura réussi à maintenir vivante la tradition du grand reportage. Après la grève de l'automne '58, il fut possible d'y revenir, à *La Presse*, et de faire la preuve que ce type de journalisme était l'honneur des salles de rédaction.

Mais quelques bons reporters ne suffisent pas à satisfaire aux exigences d'un journal moderne. Celui-ci a besoin de techniciens, c'est-à-dire de titreurs, de maquettistes et de cadres, comme de journalistes compétents qui sachent faire l'interview et mener une enquête, de correspondants politiques informés, enfin de collaborateurs ou de *columnists* qui aient de la patte.

Si Edmond Chassé fut le plus authentique de nos reporters, de même je n'ai connu aucun journaliste québécois qui sache faire l'interview avec plus de talent et d'intégrité que JEAN-MARC LÉGER. Et parmi les correspondants parlementaires dont les noms resteront parce qu'ils le méritent, comment ne pas placer en tête de liste Léopold Richer, Georges Langlois, René Garneau et Lorenzo Paré?

Sans doute parce que le journal d'information, le quotidien à grand tirage, est un phénomène récent, peu de journalistes au Québec sont des techniciens de presse de premier ordre. Les cadres, bousculés par le temps et ne disposant que de moyens limités, ne se sont guère préoccupés des questions de production et de formation professionnelle. Il serait difficile d'en nommer plus de quelques-uns qui soient des techniciens de première mouture: un Paul-Marie Lapointe, un Antoine Desroches, un Michel Roy.

*Commentateurs
de l'histoire en marche*

Asselin, Bourassa, Fournier furent de la première grande génération des journalistes du XXᵉ siècle. Pelletier, Francœur, Harvey appartenaient à celle de l'entre-deux-guerres. De tous les éditorialistes qui, depuis lors, se sont fait une signature, nul ne semble avoir eu les qualités de l'emploi plus que Gérard Filion et André Laurendeau. Dirigeant le même journal, *Le Devoir*, travaillant le plus souvent en tandem, ils avaient cependant, au temps où ils faisaient équipe, si peu en commun qu'on a pu dire qu'ils se complétaient admirablement.

Différents, ayant rarement recours aux mêmes armes, parfois même à la recherche de solutions divergentes, Filion et Laurendeau ont toujours eu soin de coller à ce qui leur apparaissait comme la *réalité*. C'était pour eux une règle d'action. Mais alors que cette réalité, pour Filion, prenait la forme de forces concrètes, d'éléments stables, de situations d'autant plus respectables que leur pérennité était le fruit de la raison et qu'elle découlait de la nature des choses, pour Laurendeau, elle avait un autre visage: intégrité inviolable des êtres, nécessité de ne pas rompre les liens qui font de l'homme le gardien de son frère, volonté constante de substituer aux lois implacables de la nature celles de la civilisation, continuité dans l'effort malgré les échecs et les chutes. Filion, ou le sens de la terre; Laurendeau, ou le sens de l'humain. Au total, un tandem qui nous a permis de gagner bien des courses.

I

GÉRARD FILION

(né en 1909)

Taillé dans un bloc de bois franc, au fond très paysan, s'embarrassant peu de distinctions, persuadé qu'on ne peut changer la vie, même s'il est possible d'influencer les hommes, Gérard Filion est un animal de race qui sent sa route d'instinct. Dru dans l'exposé, habile aux raccourcis qui résument en quelques lignes une situation qu'un sociologue mettrait vingt pages à décrire, il a toujours cru que le bon « papier » est celui qui mène directement à l'action parce qu'il débouche sur un mot d'ordre.

Réal BENOIT

Robert GURIK

Hubert AQUIN

Monique LEYRAC

Jacques GODBOUT *au premier plan*

Jean BASILE   Claude JASMIN

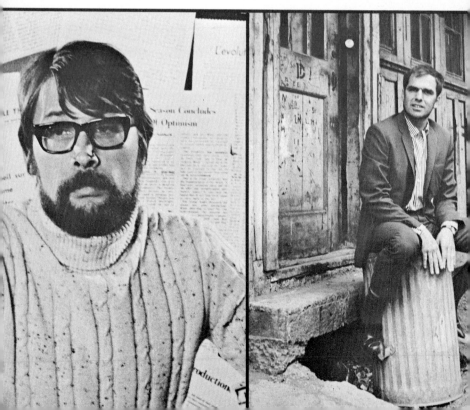

Robert CHARLEBOIS

Gérald GODIN

Réjean DUCHARME

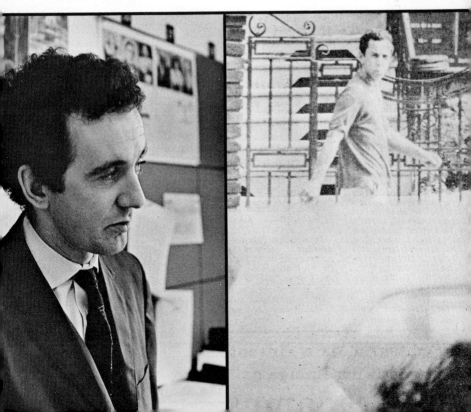

« *LES SINNERS* »

Monique MILLER

LES SYNDICATS DE CADRES

Pour amener ses lecteurs à saisir le problème de fond soulevé par une grève des réalisateurs de Radio-Canada, Gérard Filion commence son éditorial, le 10 janvier 1959, par un tableau des transformations de l'entreprise moderne, « d'abord une société de capitaux ou un service public » : « L'autorité n'est plus concentrée dans la volonté d'un seul homme... Elle s'incarne pleinement dans le directeur général pour s'amenuiser graduellement jusqu'au niveau du contremaître ». D'autre part, « l'importance croissante des fonctions intermédiaires (vente et publicité, trésorerie et finance, comptabilité et contrôle, recherche, etc.) correspond à une diminution égale des fonctions proprement productives ». Il faut donc réviser et compléter la notion d'un syndicalisme conçu seulement comme « instrument de libération contre le despotisme des patrons ».

Le syndicalisme que nous connaissons en Amérique est un syndicalisme de travailleurs au sens d'exécutants, qu'il s'agisse d'hommes en salopettes ou de collets blancs. Toute notre législation, autant américaine que canadienne, se limite à reconnaître et à protéger les syndicats de travailleurs sans responsabilité de direction. Il existe bien aux États-Unis quelques unions de contremaîtres groupés dans la *Foremen Association of America,* mais la loi ne leur reconnaît aucun pouvoir de négociation collective.

Les pays européens, beaucoup plus avancés que nous en ce domaine, ont créé il y a déjà longtemps des syndicats de cadres. Que sont-ils ? Ils groupent les salariés qui participent d'une façon plus ou moins immédiate à la direction de l'entreprise. Ils jouissent du droit de négociation collective et participent aux ententes qui se discutent et se concluent sur le plan de l'industrie. Mais ils sont fort différents des syndicats de travailleurs. Ils ne sont reliés à aucune fédération syndicale mais ont formé leurs propres fédérations de syndicats de cadres. En France, le groupement porte le nom de Fédération générale des Cadres.

Qui adhère à de tels syndicats ? Des ingénieurs, des chefs de service, des directeurs de personnel, des contremaîtres d'usine, des surintendants, bref, tous ceux qui, à un titre ou à un autre, détiennent une part plus ou moins grande d'autorité. Dans les conseils d'usines, ils siègent tantôt du côté des patrons, tantôt du côté des employés, selon questions à débattre.

L'association des réalisateurs de Radio-Canada est, croyons-nous, une des premières tentatives d'organisation de salariés qui participent à la fois à l'autorité et à l'exécution. Dans le contexte européen, elle serait considérée comme syndicat de cadres et jouirait des privilèges réservés à un tel groupement.

Pour entrer un peu plus profondément dans le sujet du litige, il semble bien que Radio-Canada et l'association des réalisateurs ont tour à tour raison selon le point de vue auquel on se place.

Le droit d'association est un droit naturel qui existe pour les réalisateurs comme pour n'importe quel autre groupe de personnes. L'exercice de ce droit ne doit sans doute pas se faire de la même façon quand il s'agit d'un groupement qui participe à la direction de l'entreprise, mais c'est là une autre question. Donc Radio-Canada ne peut décemment nier aux réalisateurs le droit de former un groupement syndical ou professionnel.

D'autre part, Radio-Canada ne peut pas accepter de traiter avec l'association des réalisateurs sur la même base qu'elle négocie avec l'Union des Artistes, qui représente de simples exécutants. Sa position juridique est solide, de même sa position philosophique, si on tient compte du principe que l'autorité dans une entreprise ne peut se diviser contre elle-même.

Mais se retrancher derrière un tel principe pour refuser toute négociation équivaudrait à un simple prétexte pour briser l'association des réalisateurs. Car rien n'empêche Radio-Canada de traiter avec ses réalisateurs selon la formule de syndicat de cadres, c'est-à-dire association faisant partie de la direction mais groupant quand même des hommes libres, des hommes qui ont des problèmes à discuter, qui ont des suggestions à faire, qui ont des améliorations à introduire dans l'exécution de leurs fonctions. Cette approche du problème nécessiterait évidemment toute rupture de droit ou de pure sympathie avec la C.T.C.C. L'affiliation d'un syndicat à la C.T.C.C. n'est pas une tache originale, mais dans le cas présent, elle donne à l'association des réalisateurs un caractère que Radio-Canada ne peut pas accepter.

La formule de syndicats de cadres est peut-être nouvelle dans notre milieu; ce n'est pas une raison pour refuser d'en tenter l'application.

NOTICE BIOGRAPHIQUE

Né à l'Île-Verte, le 18 août 1909, Gérard Filion a fait ses études au Séminaire de Rimouski et à l'École des Hautes Études commerciales de Montréal, dont il fut licencié en 1934. Rédacteur et directeur de « La Terre de chez nous » de 1935 à 1947, il fut, de 1937 à 1947, secrétaire général de « L'Union catholique des Cultivateurs ». En 1947, il prend la succession de Georges Pelletier comme directeur du journal « Le Devoir » qu'il ne quittera que pour assumer la direction, à la demande du gouvernement du Québec, de la Société générale de Financement. Depuis lors, sa carrière est celle des grandes affaires (Marine Industries, etc.). Maire de Saint-Bruno à partir de 1960, il a publié, cette année-là, ses Confidences d'un commissaire d'école. *On lui doit plusieurs ouvrages et brochures sur l'économie politique, le syndicalisme et la coopération agricole, ainsi que* Denrées périssables (1950), Rideau de fer et rideau de préjugés (1953), Splendeurs et misères de l'Inde (1953), *témoignages issus de son activité de journaliste et de ses voyages.*

II

ANDRÉ LAURENDEAU
(1912-1968)

Là où Filion travaillait à la hache, André Laurendeau travaillait, lui, au couteau. Écrivain sensible et nuancé, il a été, depuis Asselin et Bourassa, le journaliste canadien-français le plus écouté. Toujours réfléchi, résolu à défendre sa liberté de pensée, il a parfois donné l'impression d'être hésitant. En réalité, il ne changeait pas d'idée facilement. Il n'a jamais composé avec sa vérité. Mais si forte fut sa volonté de comprendre, qu'à l'instant même du combat il chercha toujours à s'expliquer les mobiles de l'adversaire, à rationaliser son comportement, à le deviner. Parce qu'il avait horreur des choses faciles et que l'honnêteté le veut ainsi, il s'est toujours appliqué à démontrer, fût-ce par l'absurde, qu'il n'existe pas de moyens simples de transformer des situations compliquées.

LA THÉORIE DU ROI NÈGRE

André Laurendeau, ou *la faculté de comprendre*. Lorsqu'on lit un éditorial de Laurendeau, on est amené à tout moment à songer aux diverses définitions possibles de l'une des vertus fondamentales de l'homme: l'intelligence. Voici des extraits de l'éditorial que publiait *le Devoir*, le 4 juillet 1958.

Vendredi dernier M. Maurice Duplessis mettait brutalement à la porte de son bureau un journaliste du DEVOIR, M. Guy Lamarche.

Le reporter assistait à la conférence de presse du premier ministre. Il n'avait pas fait un geste, pas prononcé une parole. Simplement, il était là. C'en fut assez pour déclencher la colère de M. Duplessis. *Dehors,* lui a crié le premier ministre. Estimant qu'il exerçait un droit normal dans un pays démocratique, le journaliste du DEVOIR a refusé d'obéir. Alors M. Duplessis l'a fait expulser par un agent de la police provinciale.

Trois groupements de journalistes ont depuis protesté contre ce geste. Ils en reconnaissent spontanément la gravité. Un reporter « dûment mandaté par son journal pour assister à (la) conférence de presse » du premier ministre doit pouvoir « exercer librement son métier »: ce sont les termes de la mise au point la plus modérée.

Par contre les journaux eux-mêmes se sont montrés très philosophes en rédaction. A deux exceptions près, ils n'ont rien dit. Nous ne leur ferons pas l'injure d'en conclure qu'ils n'ont rien ressenti.

[...] Il s'agissait cette fois d'une conférence de presse : en vertu du même postulat, il pourrait s'agir demain des débats parlementaires.

Et quel est ce postulat ? L'arbitraire. M. Duplessis considère, sincèrement croyons-nous, le pouvoir comme une propriété personnelle. Il en dispose à son gré. Ses amis obtiennent des faveurs. Les comtés amis reçoivent un traitement particulier. Les députés de l'opposition n'ont en Chambre à ses yeux que des moitiés de droits : il les traite comme s'ils n'avaient pas été élus aussi légitimement que les majoritaires.

M. Duplessis paraît croire juste et légitime d'affamer l'opposition: qu'il s'agisse de situations ou de routes, d'écoles ou de ponts, seuls ses favoris sont servis. Il vient d'appliquer ce principe aux journaux : un adversaire à son gré n'est pas digne de l'entendre. Il choisit parmi les journaux ceux qu'il regarde comme loyaux, et il commence d'exclure les autres.

Cet arbitraire va contre la démocratie et les coutumes d'un régime parlementaire.

D'habitude les anglophones sont plus sensibles que nous aux atteintes à toutes les formes de liberté. [...] D'habitude, écrivons-nous.

[...] L'expulsion de Guy Lamarche vendredi dernier est dure à avaler. Les journaux anglais commencent par se taire. La *GAZETTE* émet avant-hier, au milieu d'un article sympathique au gouvernement, la protestation la plus froide qui se puisse imaginer. Hier le *STAR* déclare le geste de M. Duplessis maladroit mais ne parvient pas à le juger mauvais. Pourquoi ?

Les journaux anglophones du Québec se comportent comme les Britanniques au sein d'une colonie d'Afrique.

Les Britanniques ont le sens politique, ils détruisent rarement les institutions politiques d'un pays conquis. Ils entourent le roi nègre mais ils lui passent des fantaisies. Ils lui ont permis à l'occasion de couper des têtes : ce sont les mœurs du pays. Une chose ne leur viendrait pas à l'esprit : et c'est de réclamer d'un roi nègre qu'il se conforme aux hauts standards moraux et politiques des Britanniques.

Il faut obtenir du roi nègre qu'il collabore et protège les intérêts des Britanniques. Cette collaboration assurée, le reste importe moins. Le roitelet viole les règles de la démocratie ? On ne saurait attendre mieux d'un primitif...

Je ne prête pas ces sentiments à la minorité anglaise du Québec. Mais les choses se passent comme si quelques-uns de ses chefs croyaient à la théorie et à la pratique du roi nègre. Ils pardonnent à M. Duplessis, chef des naturels du pays québécois, ce qu'ils ne toléreraient pas de l'un des leurs.

On le voit couramment à l'Assemblée législative. On l'a vu à la dernière élection municipale. On vient de le vérifier à Québec.

Le résultat, c'est une régression de la démocratie et du parlementarisme, qui règne plus incontesté de l'arbitraire, une collusion constante de la finance anglo-québécoise avec ce que la politique de cette province a de plus pourri.

NOTICE BIOGRAPHIQUE

Né à Montréal en 1912 de parents musiciens, fils d'Arthur Laurendeau, André Laurendeau a fait ses études au collège Sainte-Marie, à l'Université de Montréal et à l'Institut catholique de Paris, où il a eu des contacts précieux (Mounier, Berdiaev...). De retour au Canada, il y prit, de 1937 à 1943, la direction de la revue L'Action nationale, *ce qui ne l'empêchait pas d'avoir des affinités avec le groupe de* La Relève. *Avocat, il n'a cessé de se préoccuper des problèmes généraux et de l'avenir du Canada français. Député au Québec de 1944 à 1948, chef du Bloc populaire, il entra en 1947 à la rédaction du* Devoir, *dont il devint rédacteur en chef en 1959. Il a fait de la critique musicale (de disques), de la critique radiophonique; puis il a donné à la radio de beaux textes, textes qui ont été publiés sous le titre* Voyage au pays de l'enfance *(1960). Pour la télévision, il a écrit* Marie-Emma *(Écrits du Canada français, vol. XV) et la* Vertu des chattes *(Écrits du Canada français, vol. V). Sa pièce intitulée* Deux femmes terribles *(Écrits du Canada français, vol. XI) a reçu un grand Prix du Théâtre du Nouveau-Monde et a été représentée par cette troupe. André Laurendeau a exprimé ses vues politiques notamment dans* Notre Nationalisme *(1935) et* La Crise de la conscription, 1942 *(1962). Il a présidé jusqu'à sa mort, en 1968, avec M. A. Davidson Dunton, la* Commission royale d'enquête sur le bilinguisme et le biculturalisme. *Romancier, André Laurendeau est l'auteur de* Une vie d'enfer *(1965).*

III

JEAN-LOUIS GAGNON
(né en 1913)

J'avais vingt ans quand, pour la première fois, je me suis relu en caractères d'imprimerie. Jean-Charles Harvey, qui était à l'époque rédacteur en chef du *Soleil,* fut le premier à me témoigner de l'amitié et à me montrer la voie. Par la suite, Jos Barnard et Edmond Chassé devaient m'enseigner patiemment comment faire un « papier » destiné à la une et, plus tard, un journal. C'est au contact d'Olivar Asselin et dans les livres de Victor Barbeau que, pour toutes fins pratiques, j'ai refait mes classes de grammaire, que j'ai appris le français ou du moins à le respecter. Et enfin c'est Valdombre qui m'initia au combat en m'apprenant qu'une plume bien taillée vaut un stylet. Je leur dois tout, puisque je leur dois la connaissance de mon métier.

De l'agence de presse au magazine illustré, du journalisme écrit au journalisme parlé, j'ai vécu dans je ne sais combien de salles de rédaction. J'y ai pris quelques leçons de réalisme. Quel est le vice fondamental de la presse québécoise? J'emprunterai la réponse au *Pays,* numéro du 3 juillet 1855:

« Chez nous, on prend la direction d'un journal quand on n'est qu'apprenti dans le métier, et l'on quitte le fauteuil éditorial quand on commence à devenir maître. On passe ministre, employé du gouvernement, ou tout autre chose, sans s'inquiéter si le poste qu'on abandonne sera bien rempli. Nous ne conservons point de vieux journalistes, des journalistes-maîtres, dans la presse canadienne-française... Nous voudrions voir les ministres devenir journalistes après avoir commencé par être ministres, au lieu de voir les journalistes devenir ministres après avoir commencé par être journalistes. »

CE MATIN NE RESSEMBLE À AUCUN AUTRE

L'on est au 21 juin 1962. Après une carrière brève mais fulgurante, *Le Nouveau Journal* disparaît. Jean-Louis Gagnon, qui a été l'âme de l'entreprise, signe cet éditorial, éloquent dans son laconisme et dont plusieurs se souviendront (Pierre de Grandpré).

Faut-il s'excuser de mourir quand la rumeur publique vous à déjà enterré?

Les bonnes manières exigent tout au plus qu'on prenne congé de ses amis et de ses clients. Mais quand c'est un journal qui disparaît des kiosques, ses artisans ne sauraient se contenter d'un simple coup de chapeau. Chaque quotidien qui meurt diminue d'autant les chances de libération intellectuelle données à chacun. Mais davantage encore quand il s'agit d'un journal dont la vie brève mais féconde a été un acte de foi.

Certes, nous y avons cru. Et d'autres — sans lesquels nous n'aurions duré qu'une saison.

Qu'on me permette de rendre à chacun ce qui lui appartient.

Je voudrais, au nom de la direction, remercier tous ceux qui, jusqu'au dernier jour, nous ont donné la preuve de leur amitié. Encore aujourd'hui, quand chacun savait que ce journal allait être le dernier, nous avons reçu un volume substantiel de publicité. Et la *Gazette Printing Company Limited* a tenu à ce que cette dernière édition soit aussi soignée que chacun des 243 numéros précédents. Au fait, exception faite du 5 septembre (1961) il est probable que *Le*

Nouveau Journal connaîtra aujourd'hui son plus fort tirage. Sympathie d'office ? Non pas. Plus justement, fidélité d'hommes et de femmes qui, chaque jour ou à l'occasion, ont été les témoins du *Nouveau Journal*.

Mais un quotidien, c'est d'abord une équipe.

Le *Nouveau Journal* avait un style qui le distinguait de l'ensemble des journaux canadiens. Né libre, il voulut faire usage de sa liberté. Qu'il ait eu des ennemis, apparaîtra demain comme la preuve de son indépendance face aux pouvoirs.

Est-ce là la raison de son échec ?

Sans doute, nous avions misé sur un tirage qui n'a pas été atteint. Beaucoup y verront une sorte de condamnation à l'effet qu'on ne peut sans péril s'écarter des techniques de presse qui ont fait la fortune de tels journaux. Mais il reste que, durant les derniers mois, la vente moyenne, au jour le jour, aura été de 43,000 et que ce résultat nous plaçait déjà au 5e rang des onze quotidiens du Canada français. Nous tombons parce que nous n'avons pu donner suite au programme que nous nous étions tracé. On ne saurait établir un quotidien en quelques mois. La nature a ses lois et aucune impatience ne saurait accélérer le jeu des saisons ou faire naître les moissons avant terme.

Au niveau des entreprises, le manque d'argent est une maladie mortelle : on peut y résister quelque temps, mais un jour vient où il faut rendre les armes. Les journaux n'échappent pas à cette règle — hélas ! Mais précisément parce qu'ils sont faits par des hommes dont la signature, quand elle est valable, survit au quotidien forcé de fermer ses portes, il arrive que l'ivraie ne peut jamais complètement envahir le sillon tracé.

Dans la mesure où Le *Nouveau Journal* aura marqué un progrès pour l'ensemble du journalisme canadien de langue française, sa disparition marquera un recul. Nous avons fait proprement notre métier en traitant nos lecteurs en adultes. En même temps qu'un élément de comparaison, nous avons fourni à beaucoup de nos camarades une arme essentielle qui, dans le combat engagé, leur a permis de rompre en visière ou si l'on veut, d'être eux-mêmes. Soit dit en tout bien tout honneur, il n'est pas prouvé que si Le *Nouveau Journal* n'avait pas été fondé, les choses seraient maintenant ce qu'elles sont dans les salles de rédaction du Québec.

Depuis trente ans que j'exerce ce métier, j'ai dirigé beaucoup de publications, dont quatre quotidiens. Mais jamais pareille équipe n'avait été rassemblée. Dans tous les services, un tel dévouement animait chaque personne que nous avions tous l'impression d'une sorte de vie unanime.

On comprendra que je veuille, au moment de leur donner la main, rendre à mes camarades de la rédaction un témoignage mérité. Beaucoup auront fait au *Nouveau Journal* leur apprentissage de la liberté. Tous avaient rêvé d'un quotidien d'information qui fût à la fois élégant et articulé. Pour avoir tenu cette gageure 244 fois, il est normal que leur effort soutenu, victorieux, fasse aujourd'hui mon orgueil.

NOTICE BIOGRAPHIQUE

Né le 21 février 1913 à Québec, ayant fait ses études aux collèges Brébeuf et Sainte-Marie, Jean-Louis Gagnon devint, dès l'âge de vingt-trois ans, rédacteur en chef de L'Événement-Journal, *de Québec. Grand voyageur, il a aussi pris des emplois à l'étranger. Il a notamment dirigé un poste radiophonique en Afrique noire (à Accra), il a été chef de poste de l'Agence France-Presse à Washington et directeur des services de la publicité de la Brazilian Traction, Light and Power, à Rio de Janeiro. Revenu au Canada en 1949, il fonda à Montréal les* Écrits du Canada français, *puis* La Réforme. *Nommé rédacteur en chef de* La Presse *en octobre 1958, son influence ne tarda pas à s'exercer sur l'ensemble du journalisme canadien-français. A compter du 5 septembre 1961, il assuma avec un exceptionnel brio la direction du* Nouveau Journal, *qu'il avait contribué à fonder et qui vécut moins d'un an. Jean-Louis Gagnon fut l'un des commissaires chargés d'enquêter, sous la présidence de MM. Laurendeau et Dunton, sur le bilinguisme et le biculturalisme au Canada; quelques mois après la mort de Laurendeau, il lui succéda à la co-présidence de cette Commission. Il est l'auteur d'ouvrages relevant de plusieurs genres littéraires, notamment d'un court et saisissant roman,* La Mort d'un nègre.

BIBLIOGRAPHIE

Beaulieu, André, et Hamelin, Jean, *Les Journaux du Québec, de 1764 à 1964,* Québec, dans « Cahiers de l'Institut d'histoire, no 6 », Les Presses de l'Université Laval, 1966.

Chapitre VII

L'ESSAI, DE 1945 À NOS JOURS

par Jean MARCEL, Jean-Charles FALARDEAU,
Pierre de GRANDPRÉ et Michel BROCHU

Comme le théâtre, l'essai a mis du temps, en littérature québécoise, à emboîter le pas aux autres genres. Il y a un siècle que l'histoire, le journalisme et l'éloquence (genre qui, paradoxalement, s'estompe avec les progrès de l'audio-visuel) ont frayé la voie; et le dernier demi-siècle a marqué un rapide épanouissement de la poésie et du roman. Il a manqué, jusqu'aux environs de 1950, l'abondance et la variété d'œuvres de pensée qui fussent en même temps des écrits de haut style.

VUE D'ENSEMBLE

par Pierre de GRANDPRÉ

On comprend la distinction qu'il importe d'établir entre l'essai proprement littéraire et les œuvres de doctrine, de formation ou de directives. Ce n'est pas de cette dernière catégorie d'ouvrages, au vingtième aussi bien qu'au dix-neuvième siècle, qu'il y eut jamais lieu de déplorer la rareté au Canada français. Depuis Edmond de Nevers jusqu'aux Bourassa, Asselin, Groulx, Montpetit et Barbeau, des essayistes d'envergure, mais trop disséminés, n'ont cessé d'ouvrir la marche; ils furent cependant, dans l'excès même de l'autorité qu'on leur conférait, des solitaires; leurs préoccupations, souverainement utilitaires et collectives, ne furent soutenues par la qualité du verbe, comme elles l'étaient chez eux, que chez un petit nombre de leurs épigones dans toute la première moitié de ce siècle. Depuis peu, fort heureusement, un nombre beaucoup plus considérable d'esprits éclairés se sont mis à appliquer les compas, les équerres et les règles d'une pensée informée et mûre aux réalités qui nous confrontent [1], au-delà souvent des préoccupations du groupe ou de la visée pratique, afin au contraire, comme s'exprime Malraux, de « transformer en conscience une expérience aussi large que possible ».

Pour la commodité de l'exposé, nous distinguerons quatre catégories d'écrivains voués à une littérature de réflexion, parmi ceux dont il n'est parlé dans cet ouvrage ni au chapitre du journalisme, ni à ceux de la critique littéraire et de l'histoire: il y a d'abord ceux — au premier rang desquels VICTOR BARBEAU (étudié au tome II) ; *La Face et l'envers,* en 1967, a révélé en maints chapitres la verdeur et la causticité d'une pensée critique toujours actuelle — qui maintiennent au sein de la réflexion contemporaine le meilleur de l'héritage classique français et de la pensée humaniste. Nous faisons ici place à Ringuet (Philippe Panneton) — dont les *Confidences* sont bien de la période qui nous occupe, si *Trente arpents* lui est antérieur — et nous groupons en un même faisceau, pour leur valeur représentative, les œuvres de méditation, de souvenirs ou de réflexion morale de Pierre Baillargeon, Paul Toupin, Roger Duhamel, François Hertel, Maurice Lebel et Jacques Lavigne.

Un autre groupe d'essayistes ressortit davantage à une pensée que nous pourrions qualifier d'« opératoire » par rapport à la révolution intellectuelle vécue par le Québec depuis 1945, et plus intensément encore depuis une quinzaine d'années. Mais il conviendrait de rappeler ici les noms de plusieurs écrivains étudiés à un autre titre; il faudrait renvoyer en particulier aux chapitres sur la poésie pour retrouver, à l'origine, BORDUAS et les co-signataires du *Refus global,* ainsi que des poètes comme SAINT-DENYS GARNEAU pour maintes pages de son *Journal* — celles notamment sur le nationalisme et l'humain — ou comme EDMOND LABELLE pour l'aimable nuance d'existentialisme chrétien exprimée — en moins grave que chez Jacques Lavigne — dans *La Quête de l'existence* (1944). Nous n'avons pu retenir qu'une dizaine de noms dans une équipe fourmillante qui travaille toujours à nos côtés et n'a certes pas dit son dernier mot: Jean Le Moyne, Pierre Trottier, Jean Simard, Pierre Vadeboncœur, Jean-Paul Desbiens (le frère Untel), Ernest Gagnon, Pierre Angers, Fernand Dumont.

---

1. Dans la lignée des Gérin, Bouchette, Asselin, Groulx et Montpetit qui firent office d'orientateurs ou d'éducateurs des élites intellectuelles ou sociales, qui furent apôtres du culte de la compétence dans tous les ordres, citons encore l'économiste ESDRAS MINVILLE pour son *Invitation à l'étude,* FRANÇOIS-ALBERT ANGERS, HERMAS BASTIEN (voir tome II) et les Pères dominicains GEORGES-HENRI LEVESQUE et LOUIS LACHANCE (1899-1963).

Ce dernier nom est à un point de jonction, et il opère une transition; il y a lieu en effet de réserver une importante troisième section aux praticiens des sciences de l'homme à qui il arrive souvent, depuis peu, dans notre milieu, de compter parmi les écrivains les plus précis et les plus vigoureux, les mieux aptes à un maniement subtil et acéré de leur plume [2]. Nous passerons en revue l'œuvre de sept représentants de la pensée politique et sociale: Marcel Rioux, Pierre Elliott Trudeau, Maurice Blain, Gérard Pelletier, Maurice Tremblay, Gérard Bergeron et Jean-Charles Falardeau.

L'on fera enfin une étude à part d'œuvres en général trop négligées par l'histoire littéraire: celles des purs écrivains scientifiques lorsqu'ils ont soin d'allier au savoir une bonne langue, une pensée ferme, la préoccupation du style.

I — LA RÉFLEXION HUMANISTE
par Jean MARCEL

RINGUET (PHILIPPE PANNETON)
(1895-1960)

Ringuet, auteur du désormais classique *Trente arpents*, nous est surtout connu comme romancier, mais il a aussi écrit un certain nombre d'essais. Son recueil posthume, *Confidences*, peut être considéré comme un livre important en littérature québécoise.

---

2. Mentionnons, faute de pouvoir faire le tour du sujet: Maurice Lamontagne, Arthur Tremblay, Vincent Lemieux, Yves Martin, d'Iberville Fortier, Pierre Lefebvre, André Patry, René Lévesque, Pierre Laporte, Jean-Marc Léger, et il faudrait aligner bien d'autres noms qui pourraient aussi se retrouver, parfois, sous d'autres rubriques; soulignons en tout cas qu'un Jean-Charles BONEN-FANT prend tout naturellement place dans cette section, même s'il s'est peu soucié encore de consigner en volumes les articles parfaitement informés et pondérés qu'il disperse à tous vents; on lui doit cependant un *Thomas Chapais*, dans la collection des Classiques canadiens (Montréal, Fides, 1957). D'autre part, sans viser, bien entendu, à un palmarès complet, qui n'aurait pas ici sa place, citons encore quelques importants ouvrages où la philosophie est abordée avec une particulière rigueur: *La Nature et la portée de la méthode scientifique* et *Communisme et science* d'Emile Simard, *Psychanalyses d'hier et d'aujourd'hui* du R.P. Henri Gratton, *Théologie de la Révélation* du R.P. René Latourelle, *L'Etre et la vérité chez Heidegger et saint Thomas* de Bertrand Rioux, *L'Objet de la métaphysique selon Aristote* de Vianney Décarie, *L'Odyssée de la métaphysique* du R.P. Louis-Marie Régis; et ajoutons aux noms de psychologues, sociologues, économistes et juristes déjà nommés ceux du R.P. Noël Mailloux, de Thérèse Gouin-Décarie, Françoise Cholette-Pérusse, Francine Laurendeau, Philippe Garigue, Léon et Gérard Dion, Louis O'Neil, Roland Parenteau, Gérard et Jacques Parizeau, Jacques Brazeau, Gérald Fortin, Louis Baudouin, Jean-Marie Nadeau, François Vézina, Marie-Louis Beaulieu, André Morel, Léo et Marcel Cadieux, Louis Sabourin, et rappelons l'œuvre des linguistes Roch Valin, Jean-Denis Gendron, Jean-Paul Vinay, Jean Darbelnet, Pierre Daviault, Gérard Dagenais, Jean-Marie Laurence et René de Chantal.

Ringuet a été en tous points l'homme d'une fin d'époque et l'homme d'un nouveau départ. Notre histoire intellectuelle n'oubliera donc pas cet écrivain et humaniste de bonne trempe.

LA CURIOSITÉ

Dans tous ses écrits, Ringuet déborde d'humanité. On décèle facilement chez lui le goût des rencontres, une joie simple manifestée parfois par une tendre ironie et toujours par de l'humour et de la compréhension, comme en témoigne cette page de *Confidences*.

Vous dirai-je que la curiosité est pour moi une qualité; et des plus utiles ?

Il est vrai que c'est par curiosité que notre mère Eve mangea le fruit défendu. Avec le résultat qu'il nous est désormais interdit de passer nos journées à nous promener dans le jardin d'Eden, vous, moi et la jeune fille du coin, en costume de nudiste; et de manger des bleuets et des catherinettes en caressant négligemment les gentils petits tigres et les éléphanteaux domestiques. Au lieu de cela, du fait de notre première mère nous habitons les rives du Saint-Laurent, mangeons notre pain à la sueur du boulanger et sommes soumis aux attaques des bêtes féroces telles que moustiques, brûlots, frappe-d'abord et inspecteurs du Revenu. Dans la page consacrée à la curiosité, cela, je l'admets, est à inscrire côté passif.

Mais côté actif, quelle richesse ! Sans curiosité, l'homme eût-il jamais développé blé, pêches ou coton que la nature ne fournit que sous une forme guère utilisable ? Plastique, nylon, pâtisserie, avion, toutes ces choses sont issues de la curiosité humaine. Curiosité ! qui poussa l'homme primitif à sortir de sa vallée natale; ou à franchir le détroit devant lui. C'est ainsi que quelque curieux, il y a vingt-cinq mille ans, passa d'Asie en Amérique. Et que nos ancêtres quittèrent les rives aimables de la Loire pour celles, majestueuses, du Saint-Laurent.

Curiosité ! qui nous pousse à voyager, à Percé ou à Calcutta. Curiosité ! qui nous fait nous arrêter en de petites villes d'un abord hermétique et pénétrer dans les cours, à la recherche de vieux escaliers. Je plains les abonnés d'agence. Leurs déplacements ne leur réservent aucune surprise. Tout pour eux est catalogué, fixé, décidé. Onze heures: palais ducal du XVIe restauré au XVIIIe. Une heure : déjeuner au bord de la rivière. Trois heures : musée. Fragonard, LeNain et deux Corots première époque. En fait, dès avril ils savent ce qu'ils feront à six heures du soir, le 7 juillet.

Mais quitter à l'improviste le train parce qu'une vieille tour de bourgade vous fait signe ! Lâcher la grande rue pour le passage dont le bout invisible cache peut-être quelque chose ! Trouver par hasard une boulangerie où le patron vous sert sur la table de marbre un poulet bonne-femme inespéré. Voilà les aimables récompenses de la curiosité.

NOTICE BIOGRAPHIQUE

Né aux Trois-Rivières en 1895, Philippe Panneton (Ringuet) étudia dans divers collèges et aux universités Laval, de Montréal et de Paris. Médecin, il exerça sa profession à Montréal, à Joliette et aux Trois-Rivières. Il fit maints voyages en Europe, au Mexique et en Amérique du Sud, et il participa à de nombreuses émissions de radio et de télévision. En 1957, il devint ambassadeur du Canada au Portugal. Il est décédé en 1960 à Lisbonne. Ringuet était membre de l'Académie canadienne-française.

BIBLIOGRAPHIE

L'œuvre d'essayiste de Ringuet : [1]

L'Amiral et le facteur, ou Comment l'Amérique ne fut pas découverte, Montréal, Librairie Dussault, 1954.

Un monde était leur empire, Montréal, Éditions Variétés, 1924.

Confidences, Montréal, Fides, 1965.

Études sur Ringuet essayiste :

Éthier-Blais, Jean, « Ambassadeur avant la lettre (Confidences) », dans *Signets II,* Montréal, Le Cercle du Livre de France, 1967, pp. 125-129.

PIERRE BAILLARGEON
(1916-1967)

Pierre Baillargeon fut un des maîtres-écrivains de sa génération. Retrouvant chez les grands classiques: Montaigne, Pascal, Saint-Simon, Chamfort, La Rochefoucauld, les sources de la prose française, il fut un initiateur de l'écriture néo-classique au Québec. Styliste de grande classe, il fut aussi penseur. Ses premiers livres, où il dénonçait certains vices intellectuels de ses compatriotes, demeurent aujourd'hui des œuvres profondément actuelles. Mi-roman, mi-essai, *Les Médisances de Claude Perrin* est désormais un classique de nos lettres. L'intelligence de Pierre Baillargeon s'est exercée dans une critique impressionniste des œuvres des maîtres. Il fut également un moraliste de belle qualité et il a excellé dans l'aphorisme et dans la maxime.

---

1. Pour plus de renseignements biographiques, pour la bibliographie des romans de Ringuet et des études sur Ringuet romancier, voir au tome II (chapitre X) du présent ouvrage, les notes qui suivent l'étude de son œuvre de romancier.

L'ART DE LIRE

Dans le texte présenté ici, l'on voit Pierre Baillargeon préoccupé des questions d'écriture et de vitalité créatrice qui fondent la vraie littérature. Ce passage, tiré de *Commerce*, représente une assez fidèle synthèse de sa pensée.

En entrant en littérature, nous faisons vœu d'obéissance. D'avance nous renonçons à nos propres impressions. Admirable est tout ce que d'autres ont jugé admirable, et mauvais ce que d'autres ont déclaré être tel. Nous lisons sans originalité, sans esprit et sans courage. Pourtant les auteurs ne sont point des autorités; au contraire, ce ne sont que des serviteurs.

Ce serait par trop restreindre le sens de la lecture que de la faire consister dans le fait de suivre la pensée de l'auteur. On peut aussi la combattre et même la dépasser, plutôt qu'en être seulement une sorte de réédition. Un texte n'est après tout qu'un prétexte à une conversation infinie entre deux esprits.

Ce qui pis est, devant les chefs-d'œuvre, maints lecteurs se disent par une fausse modestie: cela n'est pas pour moi: comme devant les très belles femmes; alors qu'il s'agit des œuvres les plus faciles, les plus claires et les plus amusantes. Les grands auteurs n'ont écrit que pour nous élever jusqu'à eux; mais, parce que nous négligeons de les lire, ils ne font que nous dominer.

Si je néglige de les lire, dis-tu, c'est qu'ils sont anciens. Mais l'actualité d'un livre, c'est la lecture que nous en faisons. En ce sens, il n'y a point d'anciens livres. Leur vie est notre vie, ou plutôt c'est une symbiose. D'ailleurs, les livres les plus jeunes, comme pensait Anatole France, seraient les premiers écrits de l'histoire; c'est nous qui sommes vieux.

Il y a danger à lire lentement: c'est de s'arrêter aux mots; d'où l'utilité de la lecture courante, qui n'est pas la lecture inattentive. Il faut prendre l'habitude d'aller tout de suite au sens; comme celui qui traverse un ruisseau en sautant de roche en roche.

C'est une faute commune aux illettrés, de s'attacher aux mots. Pour eux, il n'y a pas de phrases parce qu'il n'y a pas de sens. Il arrive aussi qu'en admirant une image, on perde la piste de l'auteur. Alors, du moins, la faute est partagée: « Rien de plus dangereux que la métaphore, à moins que l'écrivain ne sache ramener sur la notion l'attention qui s'égare sur l'objet sensible. » Dalle ou pierre d'achoppement.

J'insiste sur ces deux fautes parce qu'elles ont été souvent commises par nous, et qu'elles ont eu une suite fâcheuse dans notre production littéraire. Dans nos livres, nous n'avons mis d'abord que des mots; maintenant nous les bourrons de choses. Nous serons nos propres maîtres quand, pour ainsi dire, nous ferons entrer mots et choses en composition.

NOTICE BIOGRAPHIQUE

Né à Montréal en 1916, Pierre Baillargeon étudia au collège Jean-de-Brébeuf. Il avait entrepris des études de médecine à Poitiers, lorsque la guerre le ramena au Canada. En 1941, il fonda la revue littéraire Amérique française, *qu'il dirigea jusqu'en 1943. La paix revenue, il retourna en France. Il a épousé l'écrivain français Jacqueline Mabit, auteur d'un excellent roman,* La Fin de la joie *(1945). Après avoir occupé en France divers postes, il est rentré au pays en 1960 et il y est redevenu journaliste. Il fut élu à la Société royale du Canada en 1962. Il venait d'assumer la présidence de la* Société des écrivains canadiens *lorsqu'il est décédé en 1967.*

BIBLIOGRAPHIE

L'œuvre de Pierre Baillargeon :

> *Hasard et moi,* Montréal, Éditions Beauchemin, 1940.
> *Églogues,* Montréal, Revue Amérique française, 1943.
> *Les Médisances de Claude Perrin,* Montréal, Parizeau, 1945.
> *Commerce,* Montréal, Éditions Variétés, 1947.
> *La Neige et le feu,* Montréal, Éditions Variétés, 1948.
> *Le Scandale est nécessaire,* Montréal, Éditions du Jour, 1963.

Études sur Pierre Baillargeon :

> Légaré, Romain, « Trois récents romans canadiens-français » (La Neige et le feu), dans *Culture,* 10 (1949), pp. 3-12.
> Gagnon, Evelyn, « A vingt ans de distance, M. Pierre Baillargeon reprend ses médisances », dans *Le Devoir,* vol. 55, no 276, 23 nov. 1964.
> Archambault, Gilles, « Le Scandale est nécessaire », dans *Livres et auteurs canadiens, 1962,* pp. 56-57.

PAUL TOUPIN

(né en 1918)

Paul Toupin est le solitaire des lettres québécoises. Son œuvre, conçue dans le silence et l'isolement, a tiré de lui sa substance jusqu'à en vivre. Dans un essai de jeunesse, *Au-delà des Pyrénées,* l'auteur, nourri de Montherlant, découvre, comme son maître, la belle sévérité de l'âme espagnole. Ce qui ne manquera pas d'influencer considérablement les œuvres subséquentes. *Souvenirs pour demain* est un des plus beaux livres de prose de notre littérature; les trois parties consacrées respectivement à la littérature, à l'amour et à la mort sont empreintes d'une gravité rarement vue dans nos lettres. *L'Écrivain et son théâtre* est une série d'essais portant sur le théâtre américain, le théâtre canadien et quelques problèmes d'esthétique et d'éthique littéraires. Enfin, dans un livre plus récent, *Paradoxes d'une vie et d'une œuvre,* qui est en fait sa thèse de doctorat, Paul Toupin présente, dans un style désormais bien reconnaissable, la vie et l'œuvre de son ami, l'écrivain Berthelot Brunet, qui fut aussi un peu son maître.

ÉCRIRE

Comme styliste et pour la dignité du ton qu'il adopte, Paul Toupin peut être considéré comme l'un des écrivains majeurs de sa génération. Le passage suivant est tiré de *L'Écrivain et son théâtre.*

Ce que je suis, je l'accorde avec ce que j'aspire à être. Écrire est-il autre chose ? J'accepte d'écrire mais sans m'y résigner car si je m'y résignais, je me vouerais à un autre genre de littérature, celui par exemple qui m'assurerait tout le confort matériel et moral voulu. En m'exprimant comme je le fais, je n'exécute aucune corvée. Ce n'est sans doute pas là travailler pour ma gloire et pour mes intérêts. J'écris pour moi et c'est là le scandale impardonnable. Qu'on ne me parle surtout pas de littérature engagée, de message à délivrer. Je ne tiens pas au rôle de témoin. J'ai assez d'être le mien sans me charger d'être celui de l'époque. Oh ! si j'avais soigné l'éclairage de ma publicité, je serais installé au sommet de la renommée. J'ai manqué du tact le plus élémentaire en ne me prenant ni pour un génie, ni pour un autre. Je connais mes limites. Car si j'avais donné à l'amour le temps passé à écrire, comme je serais aimé ! Mais je manque d'argent — autre aveu qui en fera rougir — d'amis, d'amour. Heureusement que je n'ai pas de fille à marier, car sa dot serait constituée de manuscrits. Tel que prévu, mes enfants sont en papier. Cette absence d'enfant, de femme ne me frustre en rien. Je ne tire vanité ni de mon célibat ni de ma profession d'écrivain. Mon ambition n'est pas de faire la vedette. J'y réussirais gauchement. Je tiens seulement à écrire un bon livre.

Là est ma vie. Quant à l'autre, celle de tous les jours, je la laisse se débrouiller comme elle peut. Elle ne peut pas grand'chose et j'entretiens avec elle des relations tantôt tendues, tantôt cordiales. Il m'arrive de la maltraiter. Elle ne me comprend pas toujours. Pourquoi me critiquer parce que j'écris ? Il peut sembler anormal d'écrire pour qui n'écrit pas.

BIBLIOGRAPHIE[1]

L'œuvre de Paul Toupin essayiste :

Au delà des Pyrénées, Montréal, s.é., 1949.
Rencontre avec Berthelot Brunet, Montréal, Fides, 1950.
Souvenirs pour demain, Montréal, Le Cercle du Livre de France, 1960.
L'Écrivain et son théâtre, Le Cercle du livre de France, 1964.
Les Paradoxes d'une vie et d'une œuvre, Le Cercle du livre de France 1965.

Études sur Paul Toupin :

Bessette, Gérard, « L'Écrivain et son théâtre », dans *Livres et auteurs canadiens-1964*, 1965, pp. 103-104.

ROGER DUHAMEL
(né en 1916)

On ne peut manquer de remarquer chez Roger Duhamel une très visible facilité d'écrire. Il a toujours su éviter les pièges du faux régionalisme ou du provincialisme, et demeurer fraternel par son universalisme. Personnalité sereine, son érudition accorde un intérêt soutenu aux auteurs tout au long de critiques au ton amical, parfois un peu trop modéré.[2] On observe chez lui un humour toujours actuel, bien qu'un peu académique. *Bilan provisoire* et *Lettres à une provinciale* sont des livres où le moraliste l'emporte sur le critique littéraire. Dans le dernier, l'auteur adresse à une jeune Violaine, femme des rêves et des confidences, quelque soixante-dix billets où il émet ses réflexions sur les sujets les plus divers: la publicité, la censure, l'amour, l'humour, aussi bien que sur Pic de la Mirandole ou le surréalisme. C'est en créateur plus qu'en critique que l'auteur aborde ces sujets. Deux autres livres récents ramènent cependant l'auteur à la chronique de littérature: *Aux sources du romantisme français* et *Lecture de Montaigne*.

LE VICE IMPUNI

Honnête, toujours bien documenté, Roger Duhamel se révèle un maître de la prose au Canada français. Sa sensibilité littéraire est en outre de la plus fine qualité. Dans *Bilan provisoire*, voici ce qu'il écrit sur la passion de lire.

Valéry Larbaud a pu définir, avec justesse, la lecture comme *ce vice impuni.* Il arrive un âge où l'on cède à une véritable boulimie de lectures, prolongeant et élargissant, en des directions souvent imprévues, l'enseignement forcément sage

1. On trouvera une notice bio-bibliographique sur Paul Toupin à la suite de l'étude qui lui est consacrée au chapitre VI, sur le théâtre.
2. Duhamel critique est présenté plus loin par Gilles Marcotte (Chapitre VIII).

et mesuré dispensé dans les salles de cours. On va répétant que Pascal lisait très peu; n'est pas Pascal qui veut. Le génie se suffit à soi-même, il tire de son propre fonds ses plus substantielles nourritures. Hélas, le génie n'est pas aussi équitablement réparti que le bon sens cartésien. Les gens du commun ressentent le besoin de rechercher chez d'autres esprits l'excitation ou l'information dont ils ne peuvent assurer par eux-mêmes la découverte.

Je dois avouer sans la moindre hésitation que pendant mes années de collège et d'université, les livres, *ces gardiens silencieux de trésors amassés,* selon Henri de Régnier, ont été mes compagnons fidèles. Aussi étrange que cela puisse paraître en un pays où de pareils pèlerinages immobiles ne sont pas fréquents, certains maîtres regardaient d'un œil soupçonneux les élèves peu enclins à se limiter aux délices de leurs manuels scolaires. Redoutaient-ils d'y déceler une volonté d'affranchissement ?

Il me souvient à cet égard d'une discussion, si l'on peut désigner ainsi un monologue inspiré, chez le Préfet des études et de la discipline. Il voulait me convaincre de substituer aux différents ouvrages que je lisais avidement ce qu'il nommait le grand livre de la nature. A son avis, tous les imprimés ne valaient pas l'examen amoureux des fleurs et des pierres. J'aurais souhaité pouvoir lui faire observer que les études botaniques et minéralogiques, si intéressantes et fécondes qu'elles soient dans leur ordre, qui est circonscrit, ne remplaceraient jamais la connaissance de l'univers immense des passions humaines et l'histoire des civilisations se déroulant au fil des siècles. S'étant sans doute aperçu que son éloquence n'ébranlait guère mes convictions, il eut alors recours à un argument inattendu, dont je ne devais pas perdre le souvenir. « Ah ! vous savez, me dit-il, la littérature, c'est beau, c'est exaltant ! » Je croyais avoir partie gagnée. Il ajouta aussitôt, sur le ton de la confidence : « Tenez, sur mon bureau, j'ai toujours cet exemplaire de Péguy. Je ne l'ai jamais lu, mais ça m'inspire ! » Je n'ai pas osé lui répliquer que le bottin du téléphone me paraissait aussi apte à remplir cet office de thérapeutique spirituelle.

N O T I C E   B I O G R A P H I Q U E

Né à Hamilton en 1916, Roger Duhamel a étudié au collège Sainte-Marie, puis à l'Université de Montréal dont il est licencié en droit. Secrétaire du maire Camilien Houde de 1938 à 1940, il opta ensuite pour le journalisme et fut rédacteur au Canada *(1940-1942), au* Devoir *(1942-1944), et à* La Patrie *(1953-1959). Il fut imprimeur de la Reine à Ottawa (à Hull, plus précisément) de 1960 à 1969. Président de la Société Saint-Jean-Baptiste de Montréal de 1943 à 1945, il fonda le Prix Duvernay. Il fut président de la Société des Écrivains canadiens de 1955 à 1958. Membre de l'Académie canadienne-française depuis 1949, il a aussi été élu à la Société royale du Canada en 1959.*

BIBLIOGRAPHIE

L'œuvre de Roger Duhamel :

Un manuel d'histoire unique, Montréal, s.é., 1944.

A French Canadian Speaks, Montréal, L'Action nationale, 1945.

Les Cinq grands, Montréal, Pilon, 1947.

Littérature, Montréal, Pilon, 1947.

Les Moralistes français, Montréal, Éditions Lumen, 1948.

Bilan provisoire, Montréal, Beauchemin, 1958.

Lettres à une provinciale, Montréal, Beauchemin, 1962.

Aux sources du romantisme français, Éditions de l'Université d'Ottawa, 1964.

Lecture de Montaigne, Éditions de l'Université d'Ottawa, 1965.

Études sur Roger Duhamel :

Falardeau, Jean-Charles, « Lettres à une provinciale », dans *Livres et auteurs canadiens, 1962*, 1963, p. 58.

Lundlie, Marshall, « Aux sources du romantisme français », dans *Livres et auteurs canadiens, 1964*, 1965, pp. 99-101.

Parmentier, Francis, « Lecture de Montaigne », dans *Livres et auteurs canadiens, 1965*, p. 119.

Rolland, Paule, *Bio-bibliographie de Roger Duhamel* (préface d'Alain Grandbois), École des Bibliothécaires de l'Université de Montréal, 208 pp., 1954

FRANÇOIS HERTEL
(né en 1905)

On peut diviser l'œuvre et la vie de François Hertel en deux périodes bien délimitées: celle de son activité intellectuelle en terre québécoise et celle qui couvre son installation à Paris. De la première période, il faut surtout retenir *Pour un ordre personnaliste*, qui certes ne représente plus la pensée actuelle de l'auteur, mais constitue néanmoins un moment important de son évolution intellectuelle et de l'évolution des idées au Québec. Au cours de la seconde période, le *Journal philosophique et littéraire*, la *Méditation théologique* et *Vers une sagesse* dominent une série de petits essais.

François Hertel est aussi l'auteur de nombreux recueils de poésie et de romans, il s'est en outre essayé au théâtre, mais il se pourrait que ce soit l'œuvre de l'essayiste, chez cet écrivain prolifique, qui se détache du reste et ait le plus de chances de durer. *Pour un ordre personnaliste* marquait en son temps la naissance, au Canada français, de la pensée personnaliste telle qu'elle s'exprimait alors chez Emmanuel Mounier et le groupe de la revue *Esprit*. *Vers une sagesse* constitue une synthèse de la pensée de l'auteur depuis qu'il a quitté le Canada; les thèses scientifiques teilhardiennes y voisinent avec les postulats éthiques de la philosophie existentialiste. Il ne s'agit d'ailleurs pas de l'existentialisme tel qu'élaboré par Sartre. François Hertel est un penseur trop personnel pour emprunter des systèmes tout faits. Il a inventé lui-même son existentialisme, qui est « une conscience et ce dont elle prend conscience ». *Méditation théologique* est une profession de foi athée, où l'auteur fait le point de ses études sur le développement du christianisme historique.

CONFESSION D'UN PHILOSOPHE

L'itinéraire intellectuel de François Hertel est l'un des plus singuliers qui se soient vus dans toute la littérature contemporaine du Québec. Il y a loin de l'accent de ses premiers écrits doctrinaux à celui des nombreux essais récents dans lesquels il tente toujours, cependant, de « se rejoindre ». Tout cérébral qu'il demeure dans le passage suivant de *Jérémie et Barabbas*, on notera l'acuité de l'émotion, corrigée par l'humour, qui soulève et anime la série des aveux.

On croit les êtres plus intenses et plus solides qu'ils ne sont. Les moins hypocrites des hommes, à cause des nécessités de la vie sociale, et ne serait-ce que pour se faire respecter des autres, arborent une surface qui ne cadre pas avec le tréfonds d'eux-mêmes. Au fond de nous-mêmes, que nous l'admettions ou non, nous sommes tous des froussards, des épouvantés...

Ceux qui ne craignent rien sont des idiots ou des pauvres en imagination et en sensibilité. Ils ne sont pas des humains normaux.

Concédons toutefois que le type héros et le type fier-à-bras craignent moins que les autres; ils sont plus bornés. Mais venons-en à ce qu'on appelle la vie intense. On croit que l'ascète, le philosophe et le poète en particulier vivent toute leur vie dans une intensité dévorante. Il n'en est rien. Ces êtres sont sujets comme les autres à la débilité congénitale de l'homme. Nous sommes encore dans l'enfance de l'humanité à ce point de vue. Un bon repas devait éloigner aussi sûrement Descartes et Bergson de leurs théories, s'ils étaient le moindrement gourmands, que les autres hommes...

Nous sommes des êtres lamentables.

Ainsi parlait à un auditoire de jeunes disciples, imberbes pour la plupart, Louis Préfontaine, philosophe chevronné, mais esprit atteint d'un maladif sens critique. Et il fallait entendre les protestations des têtards qui l'écoutaient. Ceux-ci étaient attirés chez Préfontaine, qui recevait tous les lundis soirs, par je ne sais quel snobisme qui pousse ceux qui ne savent rien et qui n'apprendront jamais quoi que ce soit, vers ceux qui ont beaucoup peiné pour apprendre et ont réussi à sortir assez de l'ornière humaine pour admettre notre condition de pègre et l'accepter en la jugeant.

Au cours de ces entretiens, où ils demeuraient à cent lieues de la pensée du maître, les jeunes gens ne manquaient pas en eux-mêmes de se dire que ce noir bilan de l'humain ne s'appliquait qu'à Préfontaine et aux autres, mais jamais à aucun d'entre eux en particulier.

Le snobisme qui porte les jeunes esprits vers ceux qui ont lutté pour conquérir l'intensité, sans d'ailleurs y parvenir, a quelque chose de démoniaque. Ces gens sentent pour la plupart qu'ils n'ont dans toute leur vie qu'un moment à tendre vers l'intensité. Ils savent obscurément qu'ils rentreront bientôt dans le rang des humains normaux, c'est-à-dire qu'ils redeviendront vite ceux qui ne cherchent rien. S'ils ont l'occasion de fréquenter celui qui cherche quelque chose — je parle surtout pour les milieux français ou latins — ils ricanent volontiers leur mépris infantile. Ils apprennent dès maintenant ce qui sera leur seule force plus tard: l'art du persiflage. Dans les milieux anglo-saxons, il en va tout autrement. Tout le monde est béat d'admiration dès que le moindre idiot vaticine.

... Mais en quoi Louis Préfontaine et ses disciples ont-ils la prétention d'intéresser ? D'où vient cet homme ? Il est né dans un pays du nord et il ne s'est jamais guéri d'être frileux. Quant à ses disciples... En fait, il n'a point de disciples. Il n'est pas assez dogmatique pour pratiquer la discipulation.

Puis il respecte trop cette humanité qu'il méprise. Ses affirmations les plus massives se présentent toujours avec une allure de question...

Louis Préfontaine est par-dessus tout un solitaire. Oh ! il exècre être seul; mais il y est forcé par son tempérament. Ses amis les plus chers, il ne pourrait les supporter s'il était forcé de vivre avec eux. La moindre mesquinerie l'agace. Il est lui-même capable de toutes; mais il lui semble qu'il ne les exercerait qu'en guise de représailles.

Il ne peut tolérer d'une part qu'on ne l'aime pas. D'autre part, il ne sait pas se laisser aimer. On veut toujours l'embrasser au moment où il prend son mouchoir ou son journal. A noter que Préfontaine met volontiers ces deux torchons sur le même plan. L'intuition tant vantée des femmes lui semble leur faire complètement défaut. Il se demande ce qui leur reste.

D'ailleurs Préfontaine est tout en contrastes. Lorsqu'il est seul, il ne rêve que de compagnies idéales, lorsqu'il est avec quelqu'un il a hâte d'être seul pour travailler. Il y a une chose cependant qui tient au cœur de Préfontaine, ce en quoi il est bien Occidental, c'est la conversation. Il a besoin toutefois d'un genre spécial d'interlocuteurs. Il ne les lui faut ni trop bavards ni trop muets. Comme il parle beaucoup, il n'aime guère les parleurs; toutefois il soupçonne les muets d'être des imbéciles et par suite de médiocres auditeurs. Celui qu'il aime en conversation, c'est l'interlocuteur qui a l'air intelligent et qui l'amorce. Une fois amorcé, il est intarissable. A moins qu'un imbécile ne vienne lui faire perdre l'inspiration par des réflexions saugrenues. Préfontaine ressemble à Flaubert sur ce seul point: l'horreur des imbéciles. Pour le reste, il n'est pas flaubertien pour deux sous...

Préfontaine est d'ordinaire aimable, parce qu'il est patient. Il patiente environ douze fois. La douzième fois, il dit pis que pendre à celui pour lequel il a échafaudé ce magnifique édifice de patience. C'est pourquoi il devient de plus en plus solitaire.

La patience de Préfontaine prend une tournure particulière en ce qui concerne son œuvre philosophique. Il a écrit jusqu'ici tout ce qu'un philosophe qui se respecte écrit normalement: des études, les unes claires, les autres tarabiscotées, sur un certain nombre de graves problèmes. Il prépare pourtant son œuvre essentielle, son discours de la méthode. Autrefois, il piochait consciencieusement dans cette direction. Il était impatient d'en finir avec cette œuvre dont il n'arrivait

277

pas à accoucher. Ces dernières années, il a changé. Il laisse l'ouvrage se construire, peu à peu, à l'intérieur de lui-même. Il se résigne même à priver l'humanité du secret de Préfontaine si la parturition met plus de temps à venir que la mort.

Il en est là de son évolution philosophique. Quand il se compare, il est relativement satisfait de lui-même; quand il se regarde... mais il ne se regarde même plus... »

N O T I C E   B I O G R A P H I Q U E

Né à Rivière-Ouelle en 1905, Rodolphe Dubé (François Hertel) a étudié au collège de Sainte-Anne de la Pocatière et au Séminaire des Trois-Rivières, puis il est entré chez les Pères jésuites, obtenant ses licences en philosophie et en théologie au Scolasticat de l'Immaculée-Conception, à Montréal. Ordonné prêtre, il a enseigné les lettres et la philosophie au collège Jean-de-Brébeuf. Il est sorti de la compagnie de Jésus et il habite depuis 1949 à Paris où il dirige les Éditions de la Diaspora française. Membre de l'Académie canadienne-française, il collabore à divers journaux canadiens. Du Beau risque, *en 1939, à ses récits postérieurs:* Mondes chimériques *(1940),* Anatole Laplante, curieux homme *(1944),* Journal d'Anatole Laplante *(1947),* Six femmes, un homme *(1949),* Un Canadien errant *(1953),* Jérémie et Barrabas *(1959), François Hertel conteur a incliné vers l'humour, la blague et le paradoxe, qui sont aussi des traits de sa poésie.* [1]

B I B L I O G R A P H I E

L'œuvre d'essayiste de François Hertel:

Leur inquiétude, Montréal, Éd. Albert Lévesque, 1936.

Pour un ordre personnaliste, Montréal, L'Arbre, 1942.

Nous ferons l'avenir, Montréal, Fides, 1945.

Journal philosophique et littéraire, Paris, Éditions de la Diaspora française, 1961.

Méditations philosophiques, 1952-62, Paris, Éditions de la Diaspora française, 1962.

Du séparatisme québécois, Paris, Éditions de la Diaspora française, 1963.

Méditation théologique, Paris, Éditions de la Diaspora française, 1964.

Vers une Sagesse, Paris, Éditions de la Diaspora française, 1966.

1. Sur François Hertel poète, voir au tome II, l'étude sur la poésie, de 1930 à 1945.

Études sur François Hertel:

Éthier-Blais, Jean, « Le train sifflera trois fois », dans *Signets II*, Montréal, Cercle du Livre de France, 1967, pp. 159-174;

« François Hertel », dans *L'Action nationale*, mai 1947.

Tétreau, Jean, « François Hertel », dans *Livres et auteurs canadiens, 1966*, avril 1967, pp. 205-208.

Lockquell, Clément, « Méditations philosophiques », dans *Livres et auteurs canadiens, 1693*, 1964, pp. 89-90.

MAURICE LEBEL
(né en 1909)

Maurice Lebel se recommande de la tradition helléniste quand il préconise des transformations, ou du moins des modifications sérieuses et variées dans nos méthodes d'éducation, afin de former une « tête bien faite » et un corps sain. Tous ceux qui s'occupent de la formation intégrale des étudiants, sans oublier leur éducation physique, pourraient tirer profit de ses réflexions et de ses conseils. Maurice Lebel a aussi fait de la critique littéraire et l'on trouve toujours chez lui une phrase souple, agréable, bien ajustée à la pensée, un peu hâtive parfois, insistante, volontiers répétitive: une langue de professeur alerte et disert [1].

RÉFLEXIONS SUR L'ENSEIGNEMENT

Les conseils que prodigue Maurice Lebel en matière d'humanisme et d'éducation, dans ses *Suggestions pratiques sur notre enseignement*, sont d'une actualité brûlante; ils dénotent beaucoup de clairvoyance et un sentiment toujours renouvelé des exigences du présent.

Encouragez beaucoup vos élèves, ils n'ont que faire de vos critiques. Inspirez-leur confiance; car ils doutent d'eux-mêmes, ils craignent, ils n'osent pas. Commencent-ils un mouvement, ils vous disent *tout de go*: et si cela ne réussissait pas ? Ils n'ont même pas encore tenté un effort qu'ils s'avouent déjà incapables de le faire. Le manque de confiance en soi, qui est un défaut inhérent à la race, il faut l'extirper de l'âme de nos jeunes. Entraînons-les à oser, à faire fi des commérages de vieilles grand'mères, à mépriser les esprits négateurs, puérils, qui brisent les courages, exaspèrent les cœurs et n'achèvent rien... Il faut qu'ils pren-

---

1. C'est ici le lieu de souligner la parution récente du *Virgile* de VIATEUR BEAUPRÉ (Montréal, Centre de Psychologie et de Pédagogie, 1968), qui, en un style remarquable, va dans le même sens d'une vulgarisation élégante, ingénieuse, ouverte à la modernité, de la sagesse et du goût légués par le monde antique. A signaler également d'ingénieuses utilisations contemporaines du savoir et de l'universalisme médiévaux chez BENOÎT LACROIX (*Vie des Lettres et Histoire canadienne*, Montréal, Ed. du Lévrier, 1954).

nent confiance en leurs forces. Sans passé ni avenir, ils ne vivent que dans le présent. Alors incitez-les à travailler au jour le jour au collège même. Gardez-vous bien de leur dire: « Quand vous serez ... dans la vie ». Ça, c'est du gâtisme ou de la rhétorique plus nuisible qu'utile. Leurs études secondaires terminées, ils ne sont guère différents de ce qu'ils étaient au collège. Exigez d'eux tout ce que vous pouvez. Qu'ils donnent un rendement intégral, et l'avenir se chargera de couronner leurs efforts. Le succès n'est pas la mesure de l'élève, pas plus que de l'homme. En définitive, la formation seule compte; la réussite ne vient que par surcroît. Mais encore faut-il commencer par le travail et l'effort...

Ce qui reste du cours classique ou, plus exactement, ce qui devrait en rester, c'est précisément ce qu'on ne peut oublier, c'est-à-dire une tournure d'esprit et quelques vérités fondamentales: l'amour de la lecture et du travail, la curiosité de l'esprit, le goût des beaux vers et de la réflexion, la hiérarchie des valeurs, la confiance en soi et en la vie, un optimisme mousseux et dansant, le sens de la discipline et du règlement, la pondération, la nuance, le tact, la douceur, la conscience du prix du temps et la volonté de servir.

N O T I C E   B I O G R A P H I Q U E

Né le 23 décembre 1909 à Saint-Lin, comté de L'Assomption, Maurice Lebel, professeur de langue et de littérature grecque à l'Université Laval, qui a fait ses études au collège Bourget, de Rigaud, aux Universités de Montréal, de Québec, de Paris et d'Athènes, est l'humaniste par excellence, celui qui sait rendre sa matière vivante et réutiliser dans le présent les plus valables enseignements de l'Antiquité. Licencié ès lettres de l'Université Laval, diplômé d'études supérieures à la Sorbonne, "B.A. Honours" à Londres, docteur en pédagogie et docteur ès lettres, titulaire du prix David, du prix Théodore Reinach et de la médaille P.-J.-O. Chauveau, il compte à son crédit quelque dix ouvrages, douze brochures substantielles et de nombreux articles de revues et de journaux. Il a fait d'importantes traductions (Un plaidoyer pour la poésie, de Philip Sidney, le grand œuvre de Guillaume Budé sur la Renaissance; et il prépare une traduction de l'histoire littéraire du Canada anglophone, par Klinck et ses collaborateurs); il a présenté nombre de communications à des sociétés savantes, dont la Société royale du Canada, la société Guillaume Budé de Paris. Il collabore à des revues canadiennes, américaines et européennes. A l'Université Laval où il enseigne depuis 1937, il fut tour à tour secrétaire (1938-1952) et doyen (1957-1963) de la faculté des Lettres.

BIBLIOGRAPHIE

L'œuvre de Maurice Lebel:

Suggestions pratiques sur notre enseignement, Ottawa, Éditions du Lévrier, 1939.

L'Enseignement et l'étude du Grec, Montréal, Fides, 1944 (Prix Reinach).

Explications de textes français et anglais, Québec, Presses universitaires Laval, 1953.

Lettres de Grèce, Québec, Librairie de l'Action catholique, 1955.

La Langue parlée, Québec, Imprimerie franciscaine, 1959.

La Tradition du nouveau, Québec, Imprimerie franciscaine, 1962.

D'Octave Crémazie à Alain Grandbois, Québec, Éditions de l'Action, 1963.

Éducation et humanisme, Éditions Paulines, 1966.

Étude sur Maurice Lebel:

Cotnam, Jacques, « Éducation et humanisme », dans *Livres et auteurs canadiens — 1966,* avril 1967, p. 165.

JACQUES LAVIGNE
(né en 1919)

L'Inquiétude humaine [1] de Jacques Lavigne est sans nul doute l'un des essais philosophiques les plus importants écrits au Québec depuis une génération. Participant de la philosophie de saint Augustin et de Maurice Blondel, l'auteur recrée, avec sa sensibilité de Nord-Américain, les principes de l'existentialisme chrétien. Sa philosophie est proprement créatrice et fait appel à une très large culture non seulement philosophique mais artistique, littéraire et scientifique. Récemment fasciné par l'interprétation psychanalytique des symboles et par les théories freudiennes, Jacques Lavigne dirige maintenant ses travaux du côté de la recherche philosophique appliquée à l'interprétation des archétypes moraux qui hantent l'esprit humain.

L'HOMME ET LA SOCIÉTÉ

A la fois psychologue et philosophe, Jacques Lavigne a réussi, dans *L'Inquiétude humaine,* une originale et attachante synthèse des énergies créatrices propres à la psychologie et à la réflexion philosophique.

L'homme, dans tout ce qu'il entreprend, procède d'un élan qui vient d'au-delà de l'homme et ne peut se satisfaire de ce que l'homme produit. Aussi bien travailler la matière, organiser des sociétés n'est possible que par le secours cons-

1. Paris, Éditions Montaigne, 1953.

tant de quelque chose de caché mais d'infiniment supérieur à tout ce qu'on édifie. C'est pourquoi lorsqu'on tente de s'enfermer dans ses œuvres, c'est la sécheresse et l'asservissement que l'on choisit. En fait, toutes les activités humaines ne sont que la matière d'une vie spirituelle qu'elles peuvent bien nous dissimuler à l'occasion, mais dont elles empruntent pour naître, grandir, et à laquelle nous renvoient leurs limites. Ainsi, la vie sociale implique-t-elle une aspiration à une fraternité de personnes autonomes, à une communion des âmes dans le même amour d'une vérité et d'un bien impérissables. Traînant avec elle le perpétuel conflit des personnes et des communautés, l'éternelle déception d'une histoire qui n'avance qu'en détruisant, la société ne se peut sauver qu'en développant en elle une vie spirituelle qui s'alimente d'un au-delà.

Ainsi l'homme, qui est venu à cette société avec l'espoir de voir par elle toutes ses possibilités s'accomplir, redécouvre en elle et par elle, multipliée, concentrée et plus pressante, cette inquiétude qui partout a fait de lui un pèlerin. Sa voix n'est plus la voix d'un seul mais d'une multitude; son appel n'est plus celui de sa faiblesse et de son ignorance, mais de cette humanité séculaire où il se prolonge et qui, malgré sa science et sa richesse, n'en demeure pas moins indigente et malheureuse. Si j'ai reçu le don de la pensée, un autre a reçu celui de l'action; si j'ai reçu le don de l'enseignement, un autre a reçu celui de construire; si j'ai reçu le don du succès, un autre a reçu celui de la souffrance, de telle sorte que moi par les autres et les autres par moi nous réussissons à surmonter nos déficiences. Mais après cela, et maintenant sans pouvoir y échapper, nous retrouvons cette inquiétude essentielle de l'homme que rien de la terre ne peut apaiser.

GILLES LECLERC (né en 1928) figure assez bien l'intellectuel angoissé de la dernière décade, et son défi persiste. On parle d'angoisse et de défi, car il a eu le cran d'écrire le trop peu connu *Journal d'un Inquisiteur* (Montréal, Éditions de L'Aube, 1958), œuvre de pamphlétaire hantée par la pensée de Spengler et du *Déclin de l'Occident*. Gilles Leclerc n'hésite pas à opérer à froid sur la civilisation et l'âme canadiennes-françaises. Dans les conjonctures historiques actuelles, il porte résolument témoignage, non sans une pointe d'ironie désespérée, en faveur de l'esprit lucide, souffrant et libérateur, contre les vanités guerrières et les mesquineries politiques. Aux hommes de bonne volonté à la recherche d'une authenticité véritable, Gilles Leclerc offre ce témoignage certes virulent, mais près de nous par sa recherche avide d'une vérité libératrice. Il est des blessures qui ne réclament pas la pitié mais une reconnaissance de leur réalité, prélude à leur guérison: l'œuvre de Gilles Leclerc (*La Chair abolie*, Éd. de l'Aube, 1957; *L'Invisible Occident*, Éd. de l'Aube, 1958) accomplit cette reconnaissance.

Né en 1930, **JEAN-CLAUDE DUSSAULT** appartient à la génération des plus jeunes de nos essayistes et son avenir est prometteur. Dès ses premières publications, sa pensée s'ouvrait à des domaines peu familiers, telle la lyrique de la poésie orientale. Dans ses *Dialogues platoniques* (Montréal, Orphée, 1956), il aborde sous la forme d'un dialogue rigoureux certains problèmes d'éthique et d'esthétique. C'est là son premier essai de maître; l'écriture y est ferme et la pensée originale, empreinte d'une sérénité toute classique. Son récent ouvrage *Pour une civilisation du plaisir* (Éd. du Jour, 1968) faisait suite à l'*Essai sur l'Hindouisme* (Orphée, 1965), recueil de textes où l'auteur nous initiait aux mystères de la philosophie et de la religion hindoues. Jean-Claude Dussault connaît bien l'Inde, où il a d'ailleurs séjourné; il s'est fait adepte, et interprète fervent, de la mystique et de la sagesse de ce continent mystérieux de la pensée, comme en témoignent les lignes suivantes, tirées de cette œuvre, sur le sens du « pathétique »:

> « Nous avons dû apprendre avec la vie la richesse et la vanité de toute chose, et n'en pouvons sacrifier la richesse à la vanité ni la vanité à la richesse. Chaque geste doit se vivre dans la tragique confrontation, notre connaissance nous interdisant la séparation des mouvements contradictoires. Ainsi, à l'exaltation de l'esprit ou du vin succède la lassitude et le désœuvrement. Notre connaissance unit ces moments en un seul: d'un seul agir, vivre à la fois l'attente anxieuse, le désir, la réalisation et son anéantissement dans la lassitude et le regret... Le pathétique, c'est aussi le refus de vivre le désir en dehors du désir lui-même; c'est la soif des mirages, c'est un peu la soif de la soif. C'est de ne vivre que loin de la vie. »

ANDRÉ DAGENAIS (né en 1917) est un des principaux défenseurs de la philosophie scotiste au Québec (voir ses *Vingt-quatre défauts thomistes*, Montréal, Éditions du Lys, 1964). Il ne s'est toutefois pas borné à interpréter les thèses du franciscain Duns Scot, puisqu'il a lui-même élaboré, à partir de la donnée scotiste du *a parte rei*, une philosophie originale qu'il appelle « triadisme ». Le triadisme consiste à opérer philosophiquement la réconciliation des contraires; aussi, aux notions antagonistes de collectivité et d'individualité, il ajoutera un moyen terme qui réunira dans leur point commun les pôles du collectif et de l'individuel. André Dagenais a aussi été tenté par la philosophie sociale et ses thèses, énoncées dans *Vers un Nouvel Âge* (Fides, 1949) et *Dieu et Chrétienté* (s. éd., 1955), se situent dans la lignée des sociologies chrétiennes fondées sur la notion de famille.

JEAN TÉTREAU (né en 1923) se situe, lui, dans la lignée des moralistes français. Sa connaissance du cœur et des passions de l'homme en font un psychologue de bonne classe. Tous les sujets l'intéressent: les arts comme la science, la politique comme la philosophie. C'est sur ces sujets qu'il exerce avec beaucoup d'acuité une intelligence plus intéressée à l'homme universel qu'aux problèmes locaux. Il est peut-être le moins régionaliste de nos écrivains. Classique de goût et de forme, il excelle dans la frappe de maximes justes et originales. Il a publié à Paris, sous le pseudonyme de Rex, *Essais et mélanges* (1950), *Le Journal d'un célibataire* (1952) aux Éditions Renée Lacoste, et *Le Moraliste impénitent* (1965) aux Éditions de la Diaspora française de François Hertel. Le romancier des *Nomades* (1967) a livré à Montréal ses *Essais sur l'homme* (Atelier Pierre Guillaume, 1960).

II — THÉORICIENS D'UN RENOUVEAU QUÉBÉCOIS
par Jean MARCEL et Pierre de GRANDPRÉ

JEAN LE MOYNE
(né en 1913)

Jean Le Moyne n'a écrit qu'un livre, *Convergences,* mais il lui a valu d'être immédiatement reconnu comme un écrivain de premier ordre et des plus respectés. Membre du groupe de *La Relève,* il avait été l'ami personnel de Saint-Denys Garneau; déjà, à ce moment, il exerçait une influence sur le groupe étroit des intellectuels de sa génération. Imbu de la philosophie de Teilhard de Chardin, il a ébauché une esquisse assez intéressante d'une philosophie cosmique de la « réconciliation ». Ses idées, quoique parfois contestables et souvent contestées, lui ont rallié bon nombre d'adeptes qui le tiennent pour un maître. Jean Le Moyne est aussi le critique théologien des vieux mythes dualistes de la pensée occidentale (saint Augustin, Dante, Pascal, Baudelaire). Ses réflexions sur la civilisation canadienne-française ruminent avec pénétration et originalité d'assez vieux préjugés masochistes. Son écriture, chatoyante, fortement imagée, manque peut-être de sobriété et confine même à une certaine préciosité, à une sorte de baroquisme. Un grand nombre de sujets lui sont familiers: littérature, musique, théologie, philosophie, histoire, sociologie.

L'ATMOSPHÈRE RELIGIEUSE AU CANADA FRANÇAIS

Jean Le Moyne manie les idées avec une souplesse peu commune chez les intellectuels de sa génération. Discuté par les uns, fortement loué par les autres, c'est au total un prodigieux écrivain dont la pensée ne laisse jamais indifférent. Nul n'aura oublié son réquisitoire contre la mentalité dont a souffert jusqu'à l'écrasement un Saint-Denys Garneau; toujours est à incriminer, selon lui, un *dualisme* dislocateur de l'être intime, dont il a décelé les sources dans une analyse impitoyable, et qui fit date, de notre religion québécoise.

Issue de celle même qui, depuis l'Ancien Régime, se survit en France dans les pieux enclos de province, notre religion est aujourd'hui un cléricalisme fortement caractérisé. Elle possède sur sa glorieuse et sombre ancêtre l'avantage d'être ici l'unique lieu religieux. Nos coreligionnaires français jouissent de la présence rayonnante d'un catholicisme métropolitain qui est l'honneur et la lumière de l'Église contemporaine et qui peut être pour eux une libre incarnation, une habitation normale de salut. Ils disposent en outre d'une tradition révolutionnaire qui leur a valu un droit d'aînesse sur les peuples européens et qui est à elle seule une très noble demeure humaine. Chez nous, pas de contre-partie organique et positive aux dominantes officielles, même pas un au-delà habitable, car hors de notre archaïsme catholique il faudrait choisir entre le protestantisme amorphe et l'irréligion trotte-menu. Ne serait-ce que pour l'intérêt du drame, on se réfugierait plutôt dans le catholicisme espagnol, voire l'italien. Cent fois ! Mais la question ne se pose pas...

Caractériser par le cléricalisme notre atmosphère religieuse, c'est reconnaître l'évidence, c'est exposer une situation dramatique faite de scandale, d'aliénation, de désaffection, d'amoindrissement, d'ennui, d'usure et de solitude. Cependant l'imposition cléricale semble incapable de rendre d'elle-même un compte exact ou d'expliquer certaines singularités du comportement collectif et l'effrayante perfection de son emprise sur les esprits. Elle n'explique pas que ceux d'entre nous qui réussissent à se libérer aillent si rarement au delà de la conscience de leur libération; que la liberté nous soit une violence tellement épuisante et qu'elle s'affecte d'un exposant négatif de révolte et de remords qui l'empêche de s'oublier à la façon des vraies vertus. Notre éducation a été un bain de clergé, mais nous avions affaire à de si petites gens ! Nous sortons d'entre les mains de personnages individuellement si insignifiants (sauf quelques exceptions inconnues de la majorité pour leur propre bien), si inoffensifs ! Et pourtant ils nous ont si bien possédés que la solitude à laquelle oblige le simple salut humain, le non-conformisme le plus élémentaire et le plus discret est à peine vivable. La solitude et la liberté ne devraient être que pénibles: elles sont empoisonnées par la corruption presque indéracinable de la culpabilité.

Ah ! elle connaît son affaire à merveille notre vieille religion française ! Elle a beau radoter, ceux qu'elle infecte de culpabilité jusqu'aux sources de l'être et divise à la jointure de la chair et de l'esprit le sont tôt, au bon moment de la tendre raison sans défense. Culpabilité maudite, voix perçue depuis la conscience première, tonnerre de malheur sur le paradis de l'enfance, venin de terreur, de méfiance, de doute et de paralysie pour la belle jeunesse, saleté sur le monde et la douce vie, éteignoir, rabat-joie, glace autour de l'amour, ennemie irréconciliable de l'être, on l'a respirée comme l'air, on l'a toujours entendue comme le vent, on l'a mangée comme une cendre avec toutes les nourritures, et les terrestres et les célestes. Elle parle bien la culpabilité, pour qui toute parole autre que la sienne est malice et vaine excuse absolument: elle troublerait les élus si possible. Elle récuse d'avance tout témoignage et prétend intimer le silence à quiconque veut se faire entendre.

Par son extension, cette culpabilité donne au drame de notre conscience religieuse ses vraies dimensions, par ses accents elle nous en indique la cause: analysée dans sa tradition et son actualité, la proposition religieuse faite aux Canadiens français révèle une conception du monde et de l'homme nettement dualiste. Ce dualisme n'a rien d'exceptionnel en soi, il est seulement remarquable par son caractère exclusif. Un catholicisme psychologiquement contaminé est notre unique religion: en l'absence d'antidote il s'exaspère en maître et aggrave librement ses ravages.

Hérésie fondamentale, névrose planétaire, le courant dualiste est universel, et il est presque impossible d'échapper à sa souillure. Le dualisme comporte invariablement une attitude défectueuse devant la matière et la chair qui le jugent. En effet, il dérive du mystère de la chute originelle et correspond à une dissociation de la totalité temporelle, la tentative luciférienne visant la jonction ontologique de la matière et de l'esprit: l'homme, lieu de leur union substantielle et instrument de la future assomption de la matière. Ayant péché, Adam a compromis son unité et troublé son harmonieuse ordonnance par rapport au plus, c'est-à-dire à l'esprit. Voici que la chair et l'esprit ont acquis une mortelle autonomie. Or la chair, inférieure dans l'ordre de l'être et qui participait de l'obscurité propre au moins, c'est-à-dire à la matière, perd en l'esprit égaré la lumière qui l'éclairait, la comprenait et l'assumait en conscience et en sainteté; son opacité s'accroît et l'esprit désincarné la prend en horreur et loge en elle la peur de sa solitude. Enténébrée, elle est rejetée dans les ténèbres extérieures et avec elle la matière innocente qui gémira jusqu'à la Parousie son aspiration à la totalité.

L'ÊTRE DOUBLE DE L'AMÉRICAIN DU NORD

Parmi les lectures essentielles de Le Moyne: Rabelais, Dickens, Henry James... En tête d'un remarquable article sur « Henry James et *Les Ambassadeurs* », Jean Le Moyne a écrit quelques pages d'un caractère très général sur la civilisation péri-atlantique et l'espèce de permanent déchirement auquel nous participons; elles apparaissent parmi les mieux nourries de culture et d'observation qui existent sur le sujet, aussi bien à l'étranger qu'au Canada.

S'interroge-t-on sur le sens de la vie et de l'œuvre d'Henry James qu'on découvre de vastes implications où viennent s'inscrire prophétiquement les éléments du destin nord-américain, s'éclairer le drame profond de notre histoire et se formuler nos réalités actuelles. La réussite paradoxale de James est la géniale expression d'une singularité historique. En effet, l'aventure américaine offre ceci de particulier qu'elle s'est en somme jouée contre la seule nature: tout se passe ici entre Européens.

Trop primitif et trop faible pour offrir la coïncidence d'une féconde résistance, l'homme indigène est graduellement refoulé, mis hors de combat, mis hors de question, et ses restes, momifiés en folklores inoffensifs ou cloîtrés dans les réserves, n'entreront jamais en ligne de compte. Les Blancs occupent un riche désert. L'unique groupe hétérogène qui posera ironiquement son problème un jour, ils l'auront importé eux-mêmes, confondu avec les bêtes de somme parmi leur bagage. Dès le début, notre Amérique est donc une affaire exclusivement européenne: n'ayant personne avec qui compter, c'est-à-dire sur qui compter pour ces initiations, ces échanges, ces transformations mutuelles dont bénéficia tant de fois l'ancien monde, l'Européen se trouve ici devant rien; il risque totalement son avoir humain; il sème sans réserve; il est lui-même son propre grain confié à un sol inconnu; il consent à une pauvreté sans compensation. Sa mutation initiale, genèse d'une évolution encore bien loin de son terme aujourd'hui, il ne la doit qu'aux puissantes nourritures d'une terre démesurée.

A ce décisif enracinement succède une transplantation massive: l'Européen ne cessera plus d'arriver. L'Europe invente constamment l'Amérique et c'est confronté à son type originel, contemporain et toujours en devenir, que se fera l'Américain. Les techniques ayant raccourci le temps, la dialectique de son histoire le mène très tôt à la dissociation de sa conscience et de son expérience; plus il s'affirme et se distingue, moins il paraît coïncider avec lui-même. Race et civilisation en formation, il se sait tel grâce à un indispensable, inestimable, fascinant et dangereux critère.

D'une part, l'occupation d'un territoire immense et sauvage livre la masse au moule irrésistible de la nature. La tâche absorbe les énergies jusqu'à l'héroïsme et ce dépouillement accroît la plasticité de l'homme et le rajeunit incroyablement; des défis aussi terribles que prometteurs exaspèrent en lui de prodigieuses ingéniosités et une monstrueuse vocation de possession. Quand le processus est suffisamment avancé, l'Amérique semble acquérir dans l'hinterland des bois, des prairies, des affaires et de la technique un nouvel indigène, un nouveau primitif qui élabore inconsciemment ses styles.

D'autre part, là où l'occupation a suffisamment progressé pour réduire à une échelle humaine la constante pression de la nature, dans un loisir et une aisance assurés par les précoces réussites et stimulés par les échanges internes que provoque le nombre, les alluvions permanentes de l'influx européen formeront des centres d'équilibre où l'évolution culturelle et sociale se précipitera. Là, sur les rivages privilégiés de l'Atlantique, là se reconstituera la vie de l'esprit, là auront lieu les premières manifestations gratuites de l'Européen d'Amérique. Car tel se découvre l'Américain à la faveur des ascensions intérieures enfin possibles, à la saveur des libertés gracieuses enfin goûtées. Certes, il se fait différent de l'Européen, mais il n'a pas eu le temps de devenir réellement, complètement autre, il est plus « ailleurs » qu'autre et sa différence, c'est comme si elle s'amenuisait jusqu'à devenir indiscernable à mesure qu'une ressemblance en lui se fait plus nette et impérieuse. Certes, il se sait lié par la communauté de destin à son concitoyen le nouvel indigène, le primaire entreprenant, pullulant, formidable et enfantin, mais n'y a-t-il pas un abîme entre les professeurs d'Harvard et les shérifs du Far-West, les « gens bien » de Boston et les « affreux » de Chicago, Washington Square et Main Street ?

Ses affinités supérieures libérées, qui le polarisent invinciblement vers son type originel et cœxistant, se présentent à l'Américain évolué à la fois en tant que source d'être et en tant que tentations et vertiges de démission. Homme de formation ancienne, prêt à de hautes satisfactions, il a conscience d'être aussi un homme extrêmement jeune, inexpérimenté et engagé dans l'information d'un fantastique amas d'informe; semblables à un avenir immédiat, les lumineuses plénitudes d'un passé vivant et contemporain s'offrent à ses intimes supériorités, tandis qu'à travers un fruste présent le sollicite en ses nouvelles profondeurs un avenir obscur et sacré. Héritier de tous les âges, selon le mot d'Henry James dans sa préface à *The Wings of the Dove*, va-t-il se trahir au contact du patrimoine irrécusable ? Au milieu du siècle dernier, alors même que le nouveau monde exalte sa nouveauté, les Américains entreprennent leur longue pérégrination européenne. Millionnaires, intellectuels, artistes, ladies et misses à l'aise et mal à l'aise, ils partent en quête de la richesse de leurs fortune et de l'achèvement de leurs réussites, avides de savoir et d'expression, d'idéal, d'élégance, de beauté, de danger, de raffinement, de liberté, de délectation. Ils veulent prendre des vacances du sérieux et de la sévérité; ils n'en peuvent plus de leur *grimness*. Ils ne se doutent pas à quel point ils sont las, las de la grande fatigue des peuples pionniers. Ils partent méfiants, timides, fiers, hésitants, remplis de scrupules, soulagés. Ils ne savent pas trop. Ils ne le savent guère, mais ils s'en vont apprendre l'art de vivre, ils s'en vont renouer connaissance avec l'Histoire.

Ils étaient mûrs pour la science du bien et du mal et pour un certain jeu vital. Évidemment, on ne joue bien que son propre jeu, mais ils n'en avaient pas en propre et ils rapportaient de là-bas de quoi en formuler un. Ils rapportaient ce qui leur manquait, ce qui allait combler leur patrie insuffisante, presque intolérable, et ce que leur primitif des innombrables Main Streets temporaires attendait justement d'eux. Ils ont meublé l'Amérique de trésors féconds; ils ont été des instruments de filiation et à mesure que se rompaient ou se sclérosaient les liens politiques avec l'Europe, ils contribuaient à rétablir et à multiplier entre elle et nous les cordons nourriciers. Ils ont pris là-bas conscience de leur être double et mesuré la solidité de leur originalité.

NOTICE BIOGRAPHIQUE

Né à Montréal en 1913, Jean Le Moyne a étudié au collège Sainte-Marie. Il a participé en 1934 à la fondation de La Relève *(1934), a fait quatre voyages en Europe et en 1941, devint journaliste d'abord à* La Presse *puis au* Canada, *où il créa une page littéraire. Il passa ensuite à la* Revue canadienne *avant de devenir rédacteur en chef de* La Revue moderne *de 1953 à 1959. Il fut par la suite scénariste à l'Office national du Film. Avec Robert Elie, il a préparé la publication des* Poésies complètes *et du* Journal *de leur ami Saint-Denys Garneau. Il a fait plusieurs conférences, des causeries radiophoniques, et il a collaboré à de nombreuses revues, dont surtout* La Revue dominicaine *et* Cité libre.

BIBLIOGRAPHIE

L'œuvre de Jean Le Moyne:

Convergences, Montréal, H.M.H., 1961.

Études:

Bergeron, Léandre, « Convergences », dans *Livre et auteurs canadiens, 1961,* pp. 43-44.

Lesage, Germain, « Convergences » de Jean Le Moyne, dans *Revue de l'Université d'Ottawa,* juillet-septembre 1962.

*... et notre
Québécois
se trouve
bon*

*Gratien
GÉLINAS*

288 — III

Marcel DUBÉ

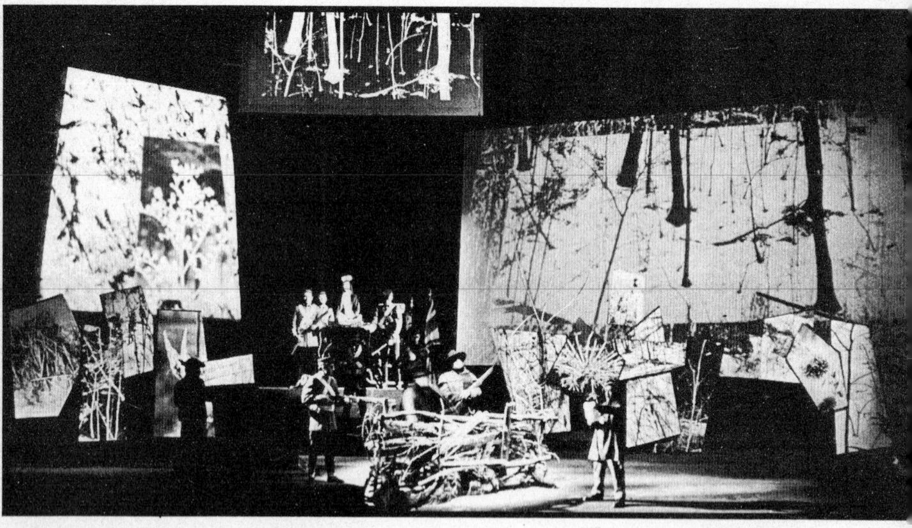

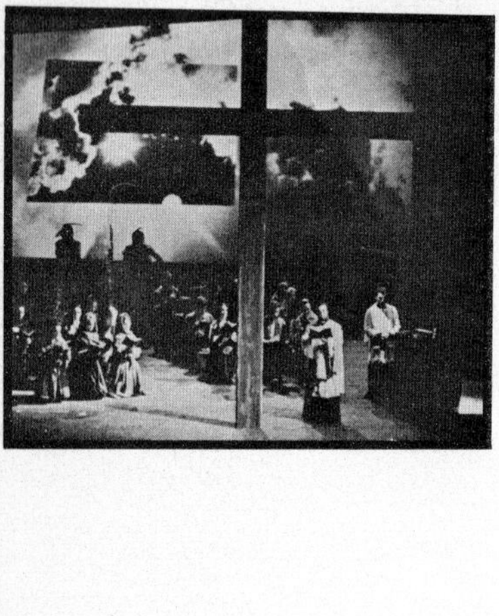

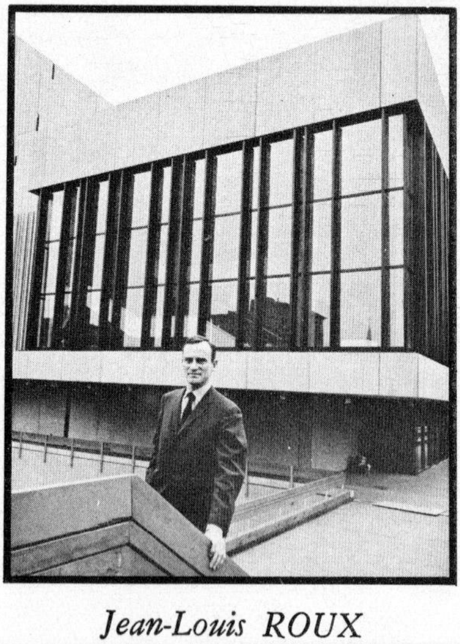

Jean-Louis ROUX

BOIS-BRÛLÉS

Du centre, se déroule une
immense carte représentant le nord
du continent américain en 1867,
y compris la nouvelle Confédération
canadienne, les Territoires du Nord-
Ouest, la Nouvelle-Calédonie — ainsi
que les États américains limités plus
du quarante-neuvième parallèle.
Pendant que la carte se déroule, on
entend l'hymne métis, écrit par Pierre
Falcon.

VOIX DES MÉTIS (CHANTANT)
Voulez-vous écouter chanter
Une chanson de vérité?
Le dix-neuf de juin la bande des Bois-Brûlés
S'sont avancés comme des braves guerriers.

Étant sur le point d'arriver,
Deux de nos gens se sont écriés:
Voilà les Anglais qui veulent nous attaquer.
Tout aussitôt avons dévirés.

Avons agi comme gens d'honneur.
Avons envoyé un ambassadeur.
"Messieurs les Anglais, voulez-vous arrêter
Un p'tit moment nous voulons parler"

Le député, comme un sauvage,
Il a dit à ses soldats "Tirez!"
Le premier coup partit d'un fusil anglais

Louis RIEL

Julie RIEL   288 — VII

Paul TOUPIN   Jacques LANGUIRAND   Jacques FERRO

PIERRE TROTTIER

(né en 1925)

Pierre Trottier a commencé sa carrière littéraire par la publication de recueils de poésie. Puis il passa à l'essai en donnant à notre littérature un des plus beaux livres écrits au Québec dans la dernière décennie: *Mon Babel*. Dans ce recueil d'essais, l'auteur convoque les énergies spirituelles des grandes civilisations et tente de les greffer sur son âme de Nord-Américain et de Français. C'est ainsi qu'il œuvre à l'édification de cette nouvelle Babel qui devient la tour non plus de la confusion et de la dispersion, mais de la synthèse et du rassemblement. Depuis le moyen âge de Tristan jusqu'à l'époque apocalyptique où nous sommes, depuis les lointains hivers russes jusqu'aux étés lascifs de l'île de Java, interrogeant les gisants d'Espagne, Dante ou Lawrence Durrell, faisant s'entrecroiser le temps et l'espace, s'entrelacer la vie et la mort, Pierre Trottier circule avec la gravité d'un spectre shakespearien à travers les allées d'une ménagerie des plus bizarres. Les dimensions multiples et simultanées de sa méditation lyrique donnent à ses essais l'allure riche et foisonnante de la poésie baroque. Ainsi se reconnaît-il d'ailleurs et nous peint-il: baroques. Par essence, par nécessité, par goût.

RETOUR À L'HIVER

Retournant aux sources vives de nos traditions, que d'aucuns auraient jugées folkloriques et vétustes, Pierre Trottier, dans *Mon Babel*, les arrache du fond des vieilles mémoires, leur insuffle une vitalité nouvelle et les relance dans la trajectoire des hautes aventures de l'esprit.

Je pense au réalisme d'une langue dont je m'enchante et m'enorgueillis chaque jour davantage, d'une langue qui a su ménager à l'indispensable silence — c'est-à-dire, pour nous, à l'hiver — l'occasion et la chance de l'e muet, indice de l'inachevé, de l'espace à meubler et occuper, de la constante sollicitation de ce qui a encore et toujours *à être*. La langue française n'a pas cette opacité, cette matérialité d'autres langues qui les font coller et comme obéir au réel dont elles ne s'échappent que dans un idéalisme romantique, comme l'anglais ou l'allemand. Elle n'a pas non plus ces belles mais trop fermes sonorités de l'italien ou de l'espagnol, qui tendent à enfermer le réel dans la forme d'une syllabe trop finie, trop *consommée*. Libérée de l'accent tonique, elle est plus sensible, plus délicate, plus articulée et elle peut ainsi mieux s'informer du réel et arriver à en reproduire une quantité presque infinie de nuances, à en faire une reconstitution verbale au prix de laquelle le réel lui-même paraît perdre de son intérêt. Ainsi donc, merveilleusement informé, le français sera tenté souvent d'informer à son tour. Quand cette attitude part d'une situation de faiblesse, comme c'est notre cas, et qu'elle est renforcée par une identification (même historiquement justifiée pour des fins de survivance) de la langue et de la foi, et vice-versa, il s'ensuit cette possession dangereusement tranquille de la vérité sur deux plans différents mais confondus qui est un véritable désastre, car nous nous en trouvons doublement divorcés de la réalité. Mais il y a l'hiver qui nous rappelle à notre tâche, comme le silence rappelle la langue française à la sienne quand elle a cessé de s'écouter.

Je prétends donc qu'il y a une alliance à refaire, un nouveau testament québécois à écrire sur la page blanche de l'hiver, et que cette alliance peut et doit être française.

N O T I C E   B I O G R A P H I Q U E

Né à Montréal en 1925, Pierre Trottier a étudié au collège Jean-de-Brébeuf et à la faculté de Droit de l'Université de Montréal. Avocat, il est entré au ministère des Affaires extérieures et a occupé des postes à Ottawa, Moscou, Djakarta et Londres. Marié à une Anglaise, il fut pendant plusieurs années, jusqu'à récemment, conseiller culturel à l'Ambassade du Canada, à Paris.

BIBLIOGRAPHIE

L'œuvre de Pierre Trottier :

> *Le Combat contre Tristan*, Montréal, Éditions de Malte, 1951.
> *Le Retour d'Œdipe*, Écrits du Canada français.
> *Poèmes de Russie*, Montréal, Hexagone, 1957.
> *Les Belles au bois dormant*, Montréal, Hexagone, 1960.
> *Mon Babel*, Montréal, H.M.H., 1963.

Études sur Pierre Trottier :

> Archambault, Gilles, « Mon Babel », dans *Livres et auteurs canadiens 1963*, pp. 87-88.
> Grandpré, Pierre de, « Mort et résurrection (Mon Babel) », dans *Dix ans de vie littéraire au Canada français,* Montréal, Beauchemin 1966, pp. 234-241.
> Marcotte, Gilles, « Diplomate, essayiste et poète », dans *Québec 64,* oct. 1964.
> Vachon, Georges-André, « Mon Babel », dans *Québec 64,* oct. 1964.

JEAN SIMARD
(né en 1916)

Comme chez François Hertel et Pierre Baillargeon, l'essayiste et le satiriste, chez Jean Simard, pointaient l'oreille derrière le romancier et ils se substituaient même souvent à lui dans ses trois premiers ouvrages. Ironique, bref, élégant et mordant, l'auteur de *Félix* (1947) et de *Hôtel de la Reine* (1949) ridiculisait les travers de ses compatriotes sous des traits qui sont dans toutes les mémoires. Lorsque, dès les premières lignes, il écrivait avec malice de son héros: « Il opta, à l'âge de trois jours, pour la religion catholique », le lecteur était averti d'entrée de jeu que le romancier était avant tout un humoriste et un esprit critique. Bien des pages de ce roman, puis de *Hôtel de la Reine* et de *Mon fils pourtant heureux* (1956) — cette « tentative d'objectivation » du *canadiensis vir* — confirmèrent par la suite ce sentiment. Ce qui était perdu, dans ces romans, au niveau d'une création naïve, généreuse et foisonnante, était abondamment récupéré au plan de la réflexion acérée, un peu grinçante, caricaturale parfois, mais faisant mouche à tout coup. La série des digressions (d'ailleurs parfois nourries de citations) contenues dans ces trois livres — avant *Les Sentiers de la nuit* (1959), roman de la maturité étudié plus haut et qui vint attester chez Simard les dons propres du romancier — forme un réquisitoire qui est avant tout l'œuvre d'un observateur et d'un moraliste. Nul n'aura oublié certaines esquisses qui sont de véritables tableaux de mœurs en capsules; ils apparurent aux contemporains de l'auteur, non sans raison, comme de vifs et impitoyables condensés d'expérience. Il en fut ainsi de cette page sur « le péché du Québec », dans *Hôtel de la Reine*, œuvre brève où est passée sous la loupe la vie du village gaspésien de Saint-Agnan, dont l'auteur nous dit qu'à un autre point de vue, corollaire sans doute, aucun de ses jeunes citoyens « n'ignore par qui commence la charité bien ordonnée »:

« Partout ailleurs, il y a sept péchés capitaux. Au pays de Québec, il n'y en a qu'un, — un seul ! celui de la Chair... que les gens rêvent de commettre, craignent de commettre, consentent à commettre, commettent, ont commis, regrettent d'avoir commis, mais commettront de nouveau. Cela simplifie singulièrement la tâche du confesseur : il n'est que d'établir un barème de *pénitences* directement proportionnel à la gravité de la faute, c'est-à-dire à son degré de consommation. On commet tant pour cent de Péché du Québec; c'est mathématique.

La foi des Saint-Agnanais est donc chose toute simple, sans encombrements métaphysiques : les bons vont au Ciel, les méchants vont en Enfer; les protestants et les enfants non-baptisés, myrteux et inconsistants, vont dans les Limbes.

Les bons, ce sont les paroissiens qui vont à la Messe tous les dimanches, qui payent régulièrement la dîme et ne commettent le Péché de Québec qu'en cas de légitime défense ou dans un but de procréation. Le Ciel est la récompense promise à cette vie exemplaire. »

Le narrateur de *Mon fils pourtant heureux,* qui se prénomme Fabrice comme le héros de *La Chartreuse,* entreprend, à quarante ans, d'écrire ses mémoires, ou plutôt une sorte de chronique familiale où grimacent les demoiselles de Valauris et les messieurs Navarin de sa galerie d'ascendants. Peut-être la « correcte formulation » des antécédents du mal diffus qui l'étouffe va-t-elle le sauver de lui-même? Il va donc se livrer à la catharsis d'une sorte d'autobiographie cogitative, à ranger sous la rubrique de l'essai tout autant que parmi les romans: essai qui prend prétexte des linéaments les plus indispensables du récit pour porter ses égratignures ou ses coups de boutoir. Car c'est en même temps, dans une certaine mesure, comme les récits antérieurs, la chronique des hérédités morales et des douloureux apprentissages du Canadien français moyen s'efforçant de parvenir à l'âge d'homme. Jean Simard a ajouté là des portraits de famille acérés et une brillante paraphrase aux nombreux essais moraux parus il y a dix ou quinze ans, du type de « L'atmosphère religieuse au Canada français » de Jean Le Moyne.

Ces qualités de l'essayiste devaient éclater à l'état pur, en s'approfondissant, du reste, dans *Répertoire* (1961) et *Nouveau répertoire* (1968), sortes de *vade-mecum* ou de fourre-tout où l'écrivain donne libre cours à ses humeurs, aux réflexions que lui proposent ses lectures ou la vie quotidienne, à d'abondantes considérations de goût et de sens commun sur l'esthétique et sur la peinture, sur la littérature également et les conditions de la création artistique et littéraire. Sur ce dernier sujet fourmillent les réflexions les plus opportunes, comme dans cette page qui pose froidement un problème majeur sur ses assises, hélas! constantes: « Quand un écrivain européen prend la plume, c'est un outil chargé d'ans, d'expériences, tièdes encore des milliers de mains lettrées qui l'ont manié avant lui. Tandis que les nôtres n'ont tenu que la hache! Nous sommes les premiers intellectuels d'un peuple de bûcherons ». C'est sans doute pourquoi il ne faut pas s'étonner si nos écrivains n'y vont pas toujours avec le dos de la cuiller. Jean Simard, quant à lui, connaît l'art de la nuance.

L'ÉCRIVAIN AU QUÉBEC

« Géographiquement, je suis homme d'Amérique, écrit Jean Simard dans *Répertoire.* Pas plus Français, par conséquent, que mon voisin des États-Unis n'est Anglais. Intellectuellement, *citoyen du monde.* Ce qui englobe la France, mais ne se restreint pas nécessairement à elle. » Fier désir d'universalisme et de neuve grandeur, sentiment d'appartenance à la famille nordique qui n'exclut pas cependant, chez Simard, à deux pages d'intervalle, la perception lucide et sans illusions de certaines dures réalités, celles-là mêmes qu'a évoquées Jean Le Moyne méditant sur l'œuvre de Henry James.

On nous reproche parfois — je veux dire : aux romanciers canadiens — de n'avoir pas su, de n'être pas parvenus à décrire nos villes. Quand l'écrivain européen, pour sa part, a tant et si bien, et depuis si longtemps, évoqué les siennes.

On nous en fait grief.

Il y a là, assurément, carence. Et nous sommes disposés à battre notre coulpe. Mais n'y aurait-il pas *déficit*, aussi, du côté de nos villes elles-mêmes ? Témoignent-elles d'assez de présence, d'existence, pour posséder d'ores et déjà un visage, des traits caractéristiques ? Car il en va d'une ville comme d'une face humaine : cela se façonne, se sculpte et finalement se mérite, par une lente et quotidienne érosion. En plein devenir, occupées à se chercher elles-mêmes et à s'urbaniser, nos villes ne ressemblent-elles pas à ces individus, proprement indéchiffrables, dont la fiche signalétique ne saurait comporter que : taille moyenne, figure moyenne, front, yeux, bouche, oreilles et nez moyens ? Alors que les cités européennes sont vieilles et rugueuses. Il en suinte de l'Histoire par tous les pores. Leur visage est buriné, raviné de cicatrices, de rides et de siècles. Les Cavaliers de l'Apocalypse ont galopé dessus ! Le fiel, les larmes, le vin, le sang ont coulé sur les pavés. Il y a eu des barricades dans les rues, des estrapades, des piloris, des échafauds, des foules haletantes. Des schismes, des persécutions, des guerres civiles. Des cataclysmes, des fléaux, des calamités de toutes sortes. Des bombardements et des incendies. Des conquêtes, des triomphes et de la clandestinité. Des jours de victoire et d'humiliation, des nuits de terreur ou de volupté. Le fer, le feu, la chair déchirée ou comblée. Le ravage des passions et la patine du temps...

Nos villes, à nous, ressemblent à de grandes adolescentes intactes. A peine sont-elles sorties du Couvent ! La vie, c'est visible, n'en a pas usé. Aucune aspérité n'a marqué leur peau trop lisse. Est-ce assez dire qu'on ne les a point violées, saccagées, détruites, puis reconstruites ? Elles n'ont connu ni l'amour, ni le plaisir, ni la douleur, ni la haine; seulement, parfois, le lourd ennui. On y a bâti des églises, des usines, des bureaux, des demeures laides et confortables. On y a fait de l'Argent, voilà tout !

Cela n'a pas de visage. [1]

PIERRE VADEBONCOEUR
(né en 1920)

Pierre Vadeboncœur est depuis une quinzaine d'années conseiller technique à la Confédération des Syndicats nationaux. Cette profession s'est muée en vocation et quand, aujourd'hui, il est question de valeurs syndicales, l'on ne saurait passer sous silence ce mystique et moraliste agitateur de consciences. Par son regard translucide et fort humain sur le quotidien, Pierre Vadeboncœur prône, ou plutôt nous jette à la figure la réclamation d'une liberté conquérante, mêlée à une déchirante indignation: c'est par cet acte d'amour qu'il rejoint

1. On trouvera au chapitre II, à la suite de l'étude sur Jean Simard romancier, les notes bio-bibliographiques le concernant.

les forces vives de la « révolution québécoise ». Dans son premier livre, *La Ligne du risque,* des textes marqués par l'élan spirituel alternent avec d'autres d'une haute et précise portée sociale. Dans son dernier essai, *L'Autorité du peuple,* il crie calmement l'essentiel de ses expériences, car il a su déceler les ressorts secrets des injustices plus ou moins admises ou légalisées; il propose les moyens d'en désamorcer les sourdes machinations et les tragiques répercussions.

LA JOIE ET LE BONHEUR

Pierre Vadeboncoeur n'est pas l'homme des compromis, l'homme d'une idéologie particulière, parce que l'authenticité et l'envergure de sa pensée l'en empêchent. Il est par nature un esprit libre. Le passage suivant est extrait de *La Ligne du risque.*

La psychologie ordinaire distingue mal le bonheur de la joie. Elle fait de celle-ci quelque chose de plus léger, de plus ailé, de plus vif que le bonheur, mais ne discerne entre eux aucune différence de nature. Je tente d'expliquer que le bonheur se distingue de la joie par des différences sans comparaison plus significatives que celles qui séparent des sentiments tels que l'orgueil, l'ambition, la concupiscence ou la cruauté. L'âme humaine d'après la plus haute tradition psychologique obéit à deux tendances contraires que les mots de spirituel et de charnel indiquent sommairement. Autour de ces deux mots viennent se grouper ceux d'amour et de possession, de piété et de convoitise, d'oraison et de réclamation, d'adoration et de jouissance, de générosité et d'égoïsme. L'esprit de bonheur et l'esprit de joie s'opposent exactement de la même façon, exprimant respectivement l'une des deux tendances foncières de la nature humaine.

Le joyeux est heureux à cause d'un événement dont il ne bénéficie pas directement. Dans la pureté de sa joie le mystique se réjouit d'un fait dont l'homme ne peut tirer aucun avantage et au sujet duquel Dieu seul aurait pour lui-même raison de se réjouir. La joie, dans l'ordre purement humain, se dit aussi d'un sentiment toujours plus ou moins altruiste; on est plutôt joyeux qu'heureux du bonheur des autres; on est plutôt heureux de son propre bonheur : le bonheur personnel. Les collectivités que le patriotisme anime, par exemple, peuvent être dites joyeuses. Si un état d'harmonie ou de félicité est partagé par d'autres, la conscience de ce partage engendre la joie.

La joie est une paix, et tous les états antérieurs semblent alors instables, provisoires, succédanés; elle délivre de la nécessité de toute démarche, et l'âme y paraît avoir pris sa position naturelle, son pli. Il ne s'agit plus de passer de cet état à un autre, comme c'était le cas pour tous les autres sentiments, y compris celui du bonheur, qui souhaite toujours de passer de l'état aléatoire à l'état assuré, et qui, du reste, ne satisfait point l'âme. La joie est l'état le meilleur de l'âme et son visage nu. L'âme se trouve alors comme tirée des conditions de l'existence contre lesquelles elle lutte d'ordinaire, et qui lui donnent par réaction ses diverses figures, y compris celle du bonheur.

NOTICE BIOGRAPHIQUE

Né à Montréal en 1920, Pierre Vadeboncoeur fit ses études secondaires aux collèges Jean-de-Brébeuf et Sainte-Marie. Il étudia le droit à l'Université de Montréal et fit ensuite un peu de journalisme. Depuis quinze ans, il est conseiller technique et juridique à la Confédération des Syndicats nationaux.

BIBLIOGRAPHIE

L'œuvre de Pierre Vadeboncœur :

> *La Ligne du risque*, Montréal, H.M.H., 1963.
> *En grève! L'histoire de la C.S.N. et des luttes menées par ses militants de 1937 à 1963*, Montréal, Éditions du Jour, 1963.
> *L'Autorité du peuple*, Québec, les Éditions de l'Arc, 1965.

Études sur Pierre Vadeboncœur :

> Bessette, Gérard, « La Ligne du risque », dans *Livres et auteurs canadiens — 1962*, 1963, p. 60.
> Grandpré, Pierre de, « L'Aventure de penser — La Ligne du risque; Convergences », dans *Dix ans de vie littéraire au Canada français*, Montréal, Beauchemin 1966, pp. 242-248.
> Bertrand, André, « L'Autorité du peuple », dans *Livres et auteurs canadiens — 1965*, 1966, p. 144.

JEAN-PAUL DESBIENS (FRÈRE UNTEL)
(né en 1927)

Jean-Paul Desbiens est connu pour ses célèbres *Insolences du frère Untel* (1960). Ce livre, qui s'en prenait à divers relâchements de la langue et de l'esprit au Québec et qui tenait beaucoup plus du pamphlet que de la littérature, laissait déjà paraître un prosateur fort habile. Les véritables dons littéraires du frère Desbiens éclatent avec plus de certitude encore dans son récit lyrique *Sous le soleil de la pitié*. L'auteur y raconte d'une manière originale et inattendue les principaux moments de son enfance et de son adolescence. Tous les problèmes touchant à l'état actuel de la nation québécoise y sont abordés avec un sens aigu de la liberté. Le lyrisme est la vertu principale de l'écriture de Jean-Paul Desbiens; il fait entendre chaque ligne comme le départ d'une conversation amicale. Ce lyrisme est fortement dynamique; ce qui fait du Frère Desbiens à la fois un écrivain de bonne trempe et un homme d'action prestigieux. Son influence pourrait bien devenir importante dans l'évolution de la prose au Québec.

LA LIBERTÉ

On sent dans le style et la pensée de Jean-Paul Desbiens la forte influence des grands « objecteurs » français, Léon Bloy, Georges Bernanos, et, à un moindre degré, de Nietzsche, Sartre et Mounier. Ainsi qu'en témoigne cette page de *Sous le soleil de la pitié*.

Ou bien la liberté n'existe pas, ou bien elle est tout entière à chaque moment. La liberté n'est pas une allumette : elle ne sert pas qu'une fois. Ce qui ne sert qu'une fois, c'est la démission devant la liberté. Si nous matérialisons le passé, si nous en faisons un conditionnement nécessitant, il faudra dire que notre marge de liberté va se rétrécissant à mesure que nous vieillissons. A la mort, nous serons aussi libres que des souches. Mais non, chaque acte libre est une refonte totale de notre valeur. Dans cette refonte, le passé entre comme matière, c'est-à-dire comme ce sur quoi j'ai à appliquer une forme. Dans cette perspective, la fidélité, au lieu d'être une crampe, est une création continuelle; et l'infidélité, au lieu d'être un retour à un certain état du passé, est un refus actuel de se donner telle ou telle forme par rapport à une valeur déjà perçue. Je ne dis pas que tout changement de direction est une infidélité : la liberté peut consister à devoir changer. Les premières valeurs perçues ne sont pas nécessairement les valeurs qui méritent d'être servies à l'exclusion de toute autre. Chaque réponse est personnelle; chacun doit l'inventer dans l'incertitude... La liberté n'est pas confortable. Reprendre sa liberté, ainsi qu'on dit parfois, est une expression dépourvue de sens. On a toujours sa liberté avec soi; on ne peut jamais la laisser à la porte de sa vie comme un parapluie. Nous sommes emprisonnés dans la liberté. La plupart des hommes voudraient bien être libérés de leur liberté, pourvu qu'ils en conservent le nom. (...) La condition humaine, c'est la condition d'êtres libres. Il s'agit de comprendre que la liberté n'est pas en arrière, mais quotidienne; il s'agit aussi de comprendre qu'on n'est pas libre « pour rien » : on est libre pour des valeurs. Une vie se dissout si elle n'est pas voulue comme témoignage des valeurs. Or les valeurs n'existent concrètement que si on les pose. Toute la question se ramasse à ceci : autour de quelles valeurs décidera-t-on d'unifier sa vie ? Encore une fois, cette question-là est posée à tout homme.

Au chrétien, elle se pose à un titre spécial, puisque des propositions précises lui sont faites : il s'est engagé à témoigner du salut de Jésus-Christ. Qu'est-ce que Nietzsche demandait, sinon que les chrétiens, justement, aient l'air un peu plus sauvé ? Il avait bien vu, ce superlucide, que c'est là-dessus que devait porter leur témoignage.

N O T I C E   B I O G R A P H I Q U E

Né au Lac-Saint-Jean en 1927, Jean-Paul Desbiens fit son juvénat chez les maristes de Saint-Hyacinthe. Il a enseigné à l'externat classique d'Alma. En 1960, il publie un livre dont le retentissement est considérable au Québec, voire

au Canada, et à l'étranger, Les Insolences du frère Untel.
Il fit ensuite un séjour d'études à Fribourg (Suisse) où il
obtint un doctorat en philosophie. Il est maintenant atta-
ché au ministère de l'Éducation et il a publié, en 1965,
un livre moins « spectaculaire » mais non moins riche de
réflexion que le premier, Sous le soleil de la pitié.

BIBLIOGRAPHIE

L'œuvre de Jean-Paul Desbiens :

Les Insolences du frère Untel, Montréal, Éditions de l'Homme, 1960.
Sous le soleil de la pitié, Montréal, Éditions du Jour, 1965.

Étude sur Jean-Paul Desbiens :

Thério, Adrien, « Sous le soleil de la pitié », dans *Livres et auteurs canadiens — 1965, 1966,* pp. 151-152.

ERNEST GAGNON, s.j.
(né en 1905)

Ernest Gagnon retrace, dans *L'Homme d'ici,* les lignes de force
de la tradition canadienne-française et dit à quelles conditions cette
tradition s'ouvrira à l'universel: « L'intelligence d'une nation, ce sont
les expériences historiques projetées dans l'universel ». Passer du
global au différencié, tel est le trajet urgent que doit parcourir l'être
canadien-français pour accéder à la plénitude de l'existence culturelle: c'est la pensée centrale du Père Gagnon. On lui saura gré
d'avoir, sans aigreur aucune, fait le point sur nos principales tares
spirituelles. C'est de l'intérieur qu'il considère notre histoire spirituelle, et il l'explique sans la mettre en accusation; chez lui, rien qui
fasse dévier les intentions de l'intelligence. Dans d'autres essais qui
ne touchent qu'incidemment à nos questions nationales, Ernest
Gagnon, avec une semblable profondeur d'analyse, interroge l'art
africain, la symbolique de l'Inde, l'amour humain ou la vie spirituelle.
Son écriture est d'une grave beauté, alliant une sourde poésie à la
netteté de la démonstration.

VISAGE DE L'INTELLIGENCE

L'Homme d'ici, qui avait marqué, en 1952, le grand départ de la pensée existentielle au Québec, gardait encore toute son actualité et toute sa fraîcheur lors de sa seconde parution, en 1963. Il venait ponctuer une nouvelle étape, celle de l'évolution d'un public qui, cette fois-ci, le lut.

« Je me souviens » : notre devise. Le Canadien se souvient toujours, mais il ne sait plus trop de quoi. Pour plusieurs de nos intellectuels, ces trois siècles d'intelligence sont devenus des siècles de mémoire. Un passé surexalté où chaque geste « est une épopée des plus brillants exploits », chaque attitude projetée dans les étoiles, ce passé, pourtant bien court, les emprisonne et les dispense de vivre dans le présent. Et tout « l'effort de leur génie » les fera inlassablement « sur notre sol... asseoir la vérité ». Une phrase comme « au pays du Québec rien ne doit changer » n'est pas aussi candide qu'elle en a l'air. Son ton de victoire peut cacher la suprême défaite, celle de l'avenir. Car le passé comme tel est mort. Comme tel, il n'existe que pour suppurer des aphorismes dangereux, paralyser au nom du sacré l'accueil vital de nos tâches actuelles. Une sédimentation de petites traditions inertes, vraiment surprenante chez un peuple aussi jeune que le nôtre, nous prive de la force essentielle du passé vivant. Car la seule fécondité du passé est dans le présent qu'elle éclaire et pousse vers l'avenir. Le passé n'est riche que de ses seules promesses réalisées dans le présent. Et ce présent n'est que la ligne irréelle où se rencontrent l'avenir et son aventure, le passé et sa sagesse. Faire du passé matière de mémoire, de l'avenir matière de rêve, c'est là une double démission de l'intelligence qui, elle, s'alimente dans le présent où se trouve le réel.

L'extrême gauche et l'extrême droite de l'intelligence canadienne : ce sont là deux positions opposées; ce qui les rassemble, c'est leur part respective de vérité complémentaire et toute la gamme de leurs nuances. Surtout, un amour profond du pays et le désir pressant d'une culture originale d'expression universelle, dont l'émergence est le signe historique de la vitalité intellectuelle d'une nation, le besoin d'une certaine qualité de présence.

Fuite dans le passé, fuite dans l'avenir, le développement de la pensée a fait l'intelligence s'interroger sur la fuite du présent. Un regard attentif, une objectivation sereine des œuvres qui nous expriment le mieux, découvre au cœur de la conscience canadienne, au-delà du sentiment d'infériorité et de revendication, au-delà de l'exaltation dans le vide ou d'une sourde hostilité envers autrui issue de la peur de vivre, le drame émouvant d'une âme d'isolé. Une âme d'isolé en quête de son expression personnelle : c'est là aujourd'hui le mouvement de fond qui soulève l'intelligence et la heurte à ce seuil qu'elle veut franchir.

N O T I C E   B I O G R A P H I Q U E

Né en 1905, Ernest Gagnon a fait ses études à Montréal. En 1926, il est admis chez les jésuites. Par la suite, il fera des voyages d'étude en Europe et aux États-Unis. A son retour, il enseigne l'histoire de l'art pendant une dizaine d'années à l'École des Beaux-Arts. Il devient commentateur

*à la radio pendant douze ans, notamment à Radio-Ca-
nada, où son ouvrage l'Homme d'ici a pris naissance. Il
est aujourd'hui professeur de littératures française et canadienne à l'Université de Montréal.*

BIBLIOGRAPHIE

L'œuvre d'Ernest Gagnon :

L'Homme d'ici, Montréal, H.M.H., 1963.
L'Art africain, Écrits du Canada français, vol. 18, Montréal, 1964.

Étude sur Ernest Gagnon :

Brochu, André, « L'Homme d'ici », dans *Livres et auteurs canadiens
1963*, 1964, pp. 78-79.

PIERRE ANGERS, s.j.
(né en 1912)

Pierre Angers a commencé sa carrière comme critique littéraire.
Il a écrit un ouvrage remarquable sur *l'Art poétique de Paul Claudel*,
considéré en Europe comme un précieux apport aux études claudé-
liennes. Dans *Foi et littérature*, il pose les fondements d'une critique
perspicace et ouverte, qui soit d'inspiration chrétienne mais non
dogmatique. En se penchant sur l'éducation des Québécois et leurs
problèmes de culture, il n'hésite pas à s'engager sans équivoque sur
la voie de solutions hardies et adéquates. On ne saurait oublier ses
sages *Réflexions sur l'enseignement,* où défilent les thèmes les plus
actuels et où sont traités des sujets aussi divers que les mutations dans
les mentalités, les tâches collectives et les responsabilités individuelles,
les jeunes au sein de la société, les problèmes que pose la dépendance
économique, etc.

UNE TÂCHE COLLECTIVE

Pierre Angers s'est révélé comme un humaniste de grande envergure, un
penseur à l'esprit réaliste, un chrétien réceptif, un homme à qui rien n'est étranger de ce qui touche à notre société et à son avenir. Le passage suivant est tiré
des *Réflexions sur l'enseignement.*

Dans notre société contemporaine mi-libérale et mi-socialisante, l'accueil
des jeunes à l'enseignement demande le concours des forces nationales. Il ne s'agit
pas ici de soulever de vaines querelles doctrinales sur les mérites et les faiblesses
du libéralisme et du socialisme. Il serait temps de classer les discussions sur le

libéralisme et le socialisme dans la même catégorie que celles qui concernent le sexe des anges. Il s'agit seulement de savoir pourquoi la société canadienne-française doit s'agencer de façon à recevoir ses jeunes, et quels moyens elle doit employer pour le faire. Ce sont les faits et non les idéologies qui commandent en cette matière.

L'ancienne société bourgeoise et individualiste du XIXe siècle se composait d'une masse de manœuvres illettrés (ce qui ne veut pas dire sans culture transmise par la tradition orale), et d'une mince fraction de personnes instruites. Cette société ne put jamais porter qu'un nombre limité de gens instruits qui n'étaient pas immédiatement productifs. L'expansion de l'enseignement — surtout à ses degrés supérieurs — n'aurait pu s'accomplir que par une exploitation intolérable des travailleurs manuels, les seuls productifs. L'accès à l'enseignement était alors limité à une poignée de privilégiés. Les familles privilégiées étaient à l'aise et pourvoyaient elles-mêmes à l'établissement et au soutien moral et financier des institutions qui étaient à leur service. L'État et la société en son ensemble n'avaient pas à se préoccuper d'accueillir la faible proportion des générations montantes qui recevait un enseignement supérieur. Il s'agit d'un patrimoine qui appartenait d'abord à une classe sociale chargée d'y pourvoir elle-même, sans le secours de l'État ou de la nation.

Il n'était pas question, à cette époque, d'accueil des enfants par la société; le concept, de date récente, n'eût même pas été compris dans le Canada français de 1850. A cette époque, lorsque l'enfant paraît, il est accueilli avec une joie chaleureuse par le cercle de famille. L'accueil est familial, et par le truchement de la famille, il s'étend au milieu social. La famille assure elle-même l'éducation des enfants dans les institutions privées qu'elle soutient et qui sont à son service. Lorsqu'ils atteignent l'âge adulte, ces jeunes entrent dans la vie et s'y débrouillent. La société du XIXe siècle n'organise aucun genre d'accueil. Elle n'assiste que les épaves, qu'elle met hors d'état de nuire, dans un but égoïste de sécurité. Dans une telle société, les jeunes ne sont pas exclus ni repoussés. L'inégalité sociale joue entre les classes, mais non entre les âges. Lorsque les jeunes sont équipés et savent travailler, ils sont intégrés à la vie sociale.

La société d'aujourd'hui, de caractère technique et socialisant, est très différente de celle d'hier. L'existence d'une forte proportion de gens instruits et possédant des capacités intellectuelles développées est devenue une condition essentielle de progrès social. La société d'aujourd'hui ne donne son plein rendement que si tous ses membres ont développé leur puissance de réflexion et d'action par une instruction aussi avancée que possible. Rien autant que l'ignorance ne paralyse la vie sociale. Il s'ensuit que l'éducation pour tous est une nécessité. Et l'enseignement supérieur pour le plus grand nombre, un besoin essentiel.

NOTICE BIOGRAPHIQUE

Né à Montréal en 1912, Pierre Angers, fils de l'honorable juge Eugène-Réal Angers, fait ses études aux collèges Jean-de-Brébeuf et Sainte-Marie. Ordonné prêtre en 1943, il est docteur ès lettres et docteur en philosophie. Après des études à l'Université de Louvain, il devient professeur de littérature française à la faculté des Lettres de l'Université de Montréal en 1945, et le demeure jusqu'en 1962. Depuis lors, il enseigne la littérature française au collège Jean-de-Brébeuf et au collège Sainte-Marie. De plus, il est membre du Conseil de l'Éducation depuis sa fondation, en 1964, et président de la Commission de l'enseignement supérieur du Conseil de l'Éducation. Membre-fondateur de la Société d'Histoire du théâtre (Paris), il fait partie de l'Association canadienne des Humanités, ainsi que du Conseil canadien de recherches sur les humanités.

BIBLIOGRAPHIE

Oeuvres de Pierre Angers :

> *Montréal, ville inconnue,* Montréal, l'Oeuvre des tracts, 1941.
>
> *Commentaires à l'art poétique de Paul Claudel, avec le texte de l'Art poétique,* Paris, Mercure de France, 1949.
>
> *Foi et littérature,* Montréal, Beauchemin, 1959.
>
> *Problèmes de culture au Canada,* Montréal, Beauchemin, 1960.
>
> *L'Enseignement et la société d'aujourd'hui,* Montréal, Éditions Ste-Marie, 1961.
>
> *L'Explosion scolaire, étude sur quelques-unes de ses causes et de ses conséquences sociales,* Montréal, Centre pédagogique des Jésuites canadiens, 1962.
>
> *Réflexions sur l'enseignement,* Montréal, Éditions Bellarmin, 1963.

Études sur Pierre Angers :

> Grandpré, Pierre de, « Contre une mentalité de repli : Foi et littérature », dans *Dix ans de vie littéraire au Canada français,* Montréal, Beauchemin 1966, pp. 230-233.
>
> Lebel, Maurice, « L'Enseignement et la société d'aujourd'hui », dans *Livres et auteurs canadiens,* 1961, pp. 74-75.

FERNAND DUMONT
(né en 1927)

Fernand Dumont est sociologue. Son principal essai, *Pour la conversion de la pensée chrétienne,* vient de l'appeler à l'audience universelle. Sans renoncer à l'utilisation de l'appareil complexe de la sociologie contemporaine, Fernand Dumont a réussi, étant écrivain de grande valeur, à imposer son œuvre aux esprits les plus profanes en matière de sociologie. Sa profonde connaissance des réalités spirituelles et de l'histoire humaine fait de lui l'un des penseurs les plus séduisants de notre littérature actuelle. Il pourrait devenir pour nous ce qu'a été pour l'Espagne Ortega y Gasset, ou pour l'Allemagne Hermann von Keyserling: un initiateur des valeurs fondamentales de la conscience et de l'esprit. Ses qualités d'écrivain le placent d'emblée parmi nos meilleurs prosateurs. Sa réflexion paraît propre à provoquer un très dense ressourcement de notre littérature de pensée.

CHRISTIANISME ET INQUIÉTUDE

Animé d'un lyrisme qu'un de ses critiques disait « tout illuminé de l'intérieur », Fernand Dumont, dans son essai *Pour la conversion de la pensée chrétienne*, nous convie au plus-être par une insertion de la vitalité spirituelle dans les nouvelles conditions d'existence au sein de la cité des hommes.

Nous paraît authentique la spiritualité qui accepte de se situer entre l'*a priori* de la tradition et la spontanéité de la conscience personnelle pour tracer, de l'un à l'autre, les cheminements sans cesse repris de la conversion. A cette jointure, il n'y a pas de position commode; il n'y a pas non plus de normes conventionnelles qui puissent dispenser de l'inquiétude de la foi. C'est en ce sens que la crise religieuse est permanente. Elle attend moins d'être résolue que d'être vécue par chacun de nous.

Dans cette pensée est peut-être aussi l'inspiration la plus essentielle de notre dialogue avec l'incroyant. En tant que chrétiens, il est vrai que nous tenons le sens dernier du monde. Mais nous n'en possédons aucunement la signification plénière. Sinon, à quoi pourrait donc servir d'y vivre, pourquoi Dieu nous aurait-il condamnés à ce long apprentissage ? Regardons du côté de Sartre, de Merleau-Ponty, de Camus — de ceux que l'on qualifie vaguement d' « existentialistes » — et qui expriment sans aucun doute l'obscure recherche d'un grand nombre de nos contemporains. Partis qu'ils sont à la découverte des conditions premières de la spontanéité de l'existence et de la conscience, je les vois aussi chercher une tradition. Celle du marxisme ou celle de la révolte éternelle — peu importe, au fond, les noms qu'ils lui donnent. Chrétiens, nous poursuivons en quelque sorte un chemin inverse, mais qui va peut-être à leur rencontre. De part et d'autre, même si les composantes de l'inquiétude ne sont pas superposables, la ferveur de la recherche doit être égale. Oui, nous tournons en rond sur cette terre, comme nos frères incroyants, dans cette prison qui est aussi la nôtre. Pour l'aménager quelque peu, économiquement ou politiquement, nous n'avons guère de meilleures recettes que les leurs. C'est bien assez déjà de pouvoir offrir notre espérance : qu'après avoir foulé, pétri et réorganisé sans cesse le lieu de l'exil, nous nous présentions devant le Père, debout et les yeux grand ouverts; qu'Il nous explique et nous pardonne, aux uns et aux autres, nos piétinements en cette enceinte qui enclôt nos fureurs et nos amours

NOTICE BIOGRAPHIQUE

Fernand Dumont est né en 1927, à Montmorency. Détenteur d'une maîtrise en sciences sociales (sociologie), de certificats d'études supérieures de psychologie générale et de psychologie sociale obtenus à Paris, il est agrégé de l'Université Laval (1960) et y dirige le département de sociologie et d'anthropologie. Professeur, il enseigne la psychologie générale, la théorie sociale systématique et les fondements de la sociologie appliquée. Poète et essayiste, cet universitaire de grande classe qui garde des ouvertures sur les domaines les plus variés, s'est fait connaître des milieux scientifiques internationaux par de nombreuses contributions, notamment ses articles aux Cahiers internationaux de sociologie, Social Compass, Anthropologica, Recherches et débats, Recherches sociologiques.

BIBLIOGRAPHIE

L'œuvre de Fernand Dumont :

L'*Ange du matin* (poèmes), Montréal, Éditions de Malte, 1952.
L'*Analyse des structures sociales régionales* (en collaboration avec Yves Martin), Québec, Presses de l'Université Laval, 1963.
Pour la conversion de la pensée chrétienne, Montréal, H.M.H., 1964.
Situation de la recherche au Canada français (avec Yves Martin), premier colloque de la revue *Recherches sociographiques*, Québec, Presses de l'Université Laval, 1962.
Littérature et société canadiennes-françaises (avec Jean-Charles Falardeau), colloque (en particulier: « La sociologie comme critique de la littérature », pp. 225-240), Québec, Presses de l'Université Laval, 1964.

Études sur Fernand Dumont :

Lazure, Jacques, « L'Analyse des structures régionales », dans *Livres et auteurs canadiens — 1963*, 1964, pp. 113-114.
Arès, Richard, « Pour la conversion de la pensée chrétienne », dans *Relations*, no 290, fév. 1965, p. 65.
Lockquell, Clément, « Une invitation à l'espérance », dans *Le Soleil*, 19 déc., 1964.
Rioux, Marcel, « Pour la conversion de la pensée chrétienne », dans *Socialisme 65*, no 5, printemps 1965, pp. 128-129.
Vachon, G.-A., Doucet, P., « Pleins feux sur l'Église », *Maintenant*, février 1965.
Duhamel, Roger, « Littérature et société », dans *Revue d'histoire de l'Amérique française*, mars 1965.
Robidoux, Réjean, « Littérature et société », dans *Livres et auteurs canadiens — 1964*, 1965, pp. 97-98.

III — LA PENSÉE POLITIQUE ET SOCIALE
par Jean-Charles FALARDEAU
avec la participation de Pierre de GRANDPRÉ

MARCEL RIOUX
(né en 1919)

Ethnologue et sociologue de formation et par profession, Marcel Rioux se manifeste également comme un réformateur social. Sa démarche est celle de l'observateur scientifique qui se préoccupe avant tout de comprendre la société en l'analysant et en la comparant avec d'autres sociétés archaïques ou contemporaines. Elle se situe au carrefour de l'histoire et des autres sciences sociales, et elle aborde la réflexion sur le Canada français en définissant celui-ci comme une société qui se dégage de son passé pour devenir une société moderne, déruralisée, désacralisée, démythifiée.

POUR UNE PENSÉE DE GAUCHE

Marcel Rioux, diagnostiquant les malaises de l'heure dans *Cité libre* de décembre 1955, sous le titre « Idéologie et crise de conscience du Canada français », constatait le déséquilibre d'un milieu où faisait défaut toute remise en question de l'ordre existant, et il formulait un « Plaidoyer pour une gauche canadienne-française. »

L'idéologie de droite contrôle tellement bien toutes les institutions d'éducation et de pensée, tous les organes d'expression, qu'elle s'est infiltrée dans tous les domaines et qu'elle a réussi à créer un immense vide, un marais où elle enlise ceux qui sont de son bord; elle a si bien découragé toute idée de liberté, de critique et de recherche, qu'aucun individu ne se sent de taille à percer ce mur moyenâgeux qu'elle a établi autour d'elle et du peuple qu'elle contrôle. Face à cette stagnation, les individus qui auraient pu apporter quelque chose de neuf et faire progresser la culture s'en détachent et laissent l'idéologie jouer tranquillement avec ses dadas. Ceux qui ne veulent pas se contenter de « conserver et de transmettre » des formules creuses, mais qui veulent suivre le reste du monde occidental et hâter l'avènement d'une humanité plus éclairée et plus heureuse, ceux-là trouvent difficilement place chez nous. Parce que notre élite a toujours fondé sa doctrine sur des éléments particularistes et provinciaux, sur des intérêts mesquins de classe, elle a créé des nationaux hypertrophiés qui ne se soucient guère d'être des hommes pourvu qu'ils soient de bons Canadiens français. Le malheur, au Canada français, ce n'est pas qu'il y ait une droite, c'est que la droite occupe toute la place. Dans toute société normalement évoluée, les deux points de vue composent: tantôt c'est l'un, celui qui conserve et transmet, qui l'emporte; tantôt, c'est la gauche, toujours en désaccord avec l'ordre établi et qui aspire sans cesse à un ordre qu'elle croit meilleur. Les nationalistes sont toujours des hommes de droite, des hommes qui « conservent » et qui voient le monde à travers leur optique nationale, qui ne sont pas d'abord pour la justice, mais pour leur justice, non pour l'avancement humain, mais l'avancement des leurs, non pour Dieu, mais pour leur religion. Parce que la gauche, comme le dit Malraux, se bat toujours pour des principes universels, valables pour tous les hommes, parce qu'elle envisage d'abord l'homme, l'être humain avant le Turc ou le Bulgare, il est grand temps que ceux qui, au Canada français, se sentent à l'étroit dans une doctrine d'achat chez nous, s'organisent en une gauche qui revendiquera, pour les provinciaux que nous sommes devenus, le droit d'être des hommes.

NOTICE BIOGRAPHIQUE

Marcel Rioux est né à Amqui en 1919. Il a fait ses études classiques au Séminaire de Rimouski, étudié la philosophie chez les Dominicains à Ottawa, suivi les cours des Hautes Études de Montréal et les cours d'anthropologie de l'Université d'Ottawa et du Musée de l'Homme de Paris. De 1947 à 1958, il a été directeur de la recherche au Musée national du Canada, à Ottawa. Depuis 1962, il est professeur de sociologie à l'Université de Montréal. Il a fréquemment participé aux émissions de Radio-Canada. Il fut président de l'Institut canadien des Affaires publiques et président de l'Association canadienne des sociologues de langue française. En 1967-1969, il a présidé une Commission royale instituée par le gouvernement québécois pour enquêter sur l'enseignement des beaux-arts. Il a publié un grand nombre d'études ethnographiques ou sociologiques et d'articles de revues. Ses principales études scientifiques ont paru dans le Bulletin du Musée national *d'Ottawa, la revue* Anthropologica, *la revue* Contributions à l'étude des sciences de l'homme *et dans les* Écrits du Canada français. *Il a collaboré à* Cité libre *et il a été l'un des fondateurs, au printemps de 1964, de la revue* Socialisme, *dont il est aussi l'un des directeurs et des collaborateurs réguliers.*

BIBLIOGRAPHIE

L'œuvre de Marcel Rioux :

> *Description de la culture de l'Île Verte,* Ottawa, Musée national du Canada, Bulletin numéro 133, 1954.
> *Belle-Anse,* Ottawa, Musée national du Canada, Bulletin numéro 138, 1957.

Les Nouveaux Citoyens, enquête sociologique sur les jeunes du Québec
(en collaboration avec Robert Sévigny), Montréal, Service des publications de Radio-Canada, s.d.
La Question du Québec, Paris, Seghers, 1969.

Études sur Marcel Rioux :

Grandpré, Pierre de, Chronique sur « Notre civilisation », dans *L'Action nationale,* en 1955, 1956 et 1957 (l'article de mars 1956 commente Rioux, Trudeau, Pelletier, Blain, sous le titre: « Cette crise de la conscience intellectuelle »).
Charest, Nicole, « Pourquoi les jeunes se révoltent-ils ? », dans *Perspectives,* 8 juillet 1967.
Anonyme, « Les nouveaux citoyens », dans *Culture-Information,* 20 juin-20 juillet 1966.

PIERRE ELLIOTT TRUDEAU
(né en 1919)

Rares sont les écrivains québécois dont la pensée s'est nourrie à la source des idéologies libérales. Plus rares encore sont ceux qui ont trouvé leur inspiration chez les libéraux anglais du XIXe siècle. Pierre Elliott Trudeau est de ceux-là. Économiste et surtout juriste par formation, plus précisément spécialiste de droit constitutionnel, sa pensée a été pétrie par les grands principes de la conception libérale de l'État, des institutions démocratiques britanniques, de la nécessité de l'autodétermination du peuple. Il a été particulièrement influencé par les idées d'un des premiers penseurs chrétiens du XIXe siècle qui aient réconcilié l'idéologie démocratique et la doctrine catholique, Lord Acton, ainsi que par la philosophie de Harold Laski et des théoriciens de la démocratie américaine.

UN MANIFESTE DÉMOCRATIQUE

Observant le même vacuum politique que Marcel Rioux, vacuum engendré par l'absence ou les trop faibles ressources de la pensée réformiste, Pierre Elliott Trudeau a exprimé son point de vue en un texte-clé paru dans *Cité libre* en octobre 1958 (no 22), texte où il réclame la fusion autour d'un objectif commun, la démocratie, des grandes forces de rénovation du moment: libérales, socialistes, et même nationalistes.

Démocratie d'abord, voilà qui devrait être le cri de ralliement de toutes les forces réformistes dans la Province. Que les uns militent dans les chambres de commerce et les autres dans les syndicats, que certaines croient encore à la gloire de la libre entreprise alors que d'autres répandent les théories socialistes, il n'y a pas de mal à cela — à condition qu'ils s'entendent tous pour réaliser d'abord la démocratie : ce sera ensuite au peuple souverain d'opter librement pour les tendances qu'il préfère.

Quant à moi, il me semble évident que le régime de la libre entreprise s'est avéré incapable de résoudre adéquatement les problèmes qui se posent dans le domaine de l'éducation, de la santé, de l'habitation, du plein emploi, etc. C'est pourquoi personnellement je suis convaincu que devant les bouleversements promis par l'automation, la cybernétique et l'énergie thermo-nucléaire, la démocratie libérale ne pourra pas longtemps satisfaire nos exigences grandissantes pour la justice et la liberté, et qu'elle devra évoluer vers des formes de démocratie sociale. Mais précisément, je suis prêt à collaborer à l'établissement de la démocratie libérale parce que je crois que l'autre suivra de près. Sans doute qu'un démocrate libéral sera convaincu du contraire; mais qu'importe ? Nous sommes tous deux démocrates, et nous sommes prêts à nous en remettre au jugement futur du peuple pour déterminer cette portion de notre histoire. En ce sens, la révolution démocratique est la seule nécessaire : tout le reste en découle.

Les générations qui sont devenues adultes dans l'après-guerre ont introduit un ferment de renouveau dans les secteurs les plus divers où leurs talents les conviaient : l'action catholique, les arts, l'éducation, le journalisme, la radio-télévision, le syndicalisme, le coopératisme, l'assistance sociale, etc. Leurs énergies sont ainsi dispersées et cela est inévitable; cela est même excellent car en dernière analyse elles re-convergent et contribuent à un développement harmonieux de toute la société, l'audace du poète ou du peintre venant en somme compléter celle du militant syndical ou de l'homme d'action. Mais ce qu'il reste d'effort et de temps pour la politique est forcément limité, en conséquence de quoi ce sont surtout les immobilistes, les médiocres et les chenapans qui s'en occupent.

Or ce qui est plus grave, c'est que le peu d'énergie dont disposent les réformistes pour la politique est lui-même divisé : les démocrates libéraux, les démocrates sociaux et les démocrates nationalistes se combattent si férocement les uns les autres qu'ils empêchent effectivement la démocratie pure et simple de prendre le pouvoir. C'est ainsi que notre génération qui a innové dans bien des domaines, qui a rejeté la tradition comme règle de vie, qui a refusé l'argument d'autorité comme maître à penser, qui a répudié l'Académie pour former son art, accepte néanmoins le carcan de l'autoritarisme et de la bêtise dans le domaine politique, où pourtant l'ensemble de nos destinées humaines se déterminent. Un aussi pitoyable illogisme vient de ce qu'en art, pour la pensée, et dans la vie, l'émulation et la division peuvent être d'excellents stimulants; tandis qu'en politique, pendant le stade de la démocratie combattante, la division des forces démocratiques ne peut que les rendre impuissantes devant la tyrannie.

Il faut absolument repartir de la donnée suivante : les forces politiques réformistes dans cette Province sont trop pauvres pour faire les frais de deux révolutions simultanément : la libérale et la socialiste, sans compter la nationaliste.

La conclusion est claire. Regroupons les hommes libres autour d'un objectif commun, la démocratie. Comblons le vacuum politique par une pensée minimum, l'idéologie démocratique. Pour atteindre cet objectif et propager cette idéologie — préalables à la renaissance de l'État civil, — tendons vers la formation d'un mouvement nouveau : l'union démocratique.

N O T I C E   B I O G R A P H I Q U E

Pierre Elliott Trudeau est né à Montréal en 1919. Il a fait ses études classiques au collège Brébeuf de Montréal et il a ensuite étudié à l'Université de Montréal, à l'Université Harvard, à la London School of Economics *et à l'Université de Paris. Il a été le co-fondateur, en 1951, de la revue* Cité libre *dont il est demeuré directeur jusqu'en 1963. Avocat et économiste, il a été actif dans le syndicalisme ouvrier. En 1961, il devint professeur de droit constitutionnel et chargé de recherches à l'Institut de droit public à l'Université de Montréal. Élu député de Mont-Royal aux Communes d'Ottawa, en 1965, il a été secrétaire parlementaire du premier ministre en 1966, et nommé ministre de la Justice en 1967. En mars 1968, il a été élu chef du parti libéral canadien et il est devenu premier ministre du Canada. Outre son œuvre publiée, il a écrit de nombreux articles sur des problèmes sociaux, politiques et idéologiques du Québec et du Canada, particulièrement dans* Cité libre, *de 1951 à 1963. Il a aussi publié dans le* Canadian Journal of Economics and Political Science *et dans divers journaux québécois. Il est l'auteur d'un chapitre, "Some obstacles to democracy in Quebec", dans* La dualité canadienne *(Mason Wade et J.-C. Falardeau, éd. Toronto et Québec, 1960).*

BIBLIOGRAPHIE

L'œuvre d'essayiste de Pierre Elliott Trudeau :

> *La Grève de l'amiante,* en collaboration, sous la direction de P. E. Trudeau qui y a signé l'étude d'ensemble sur « La province de Québec au moment de la grève », Montréal, Les Éditions Cité libre, 1956.
> *Le Fédéralisme et la société canadienne-française,* Montréal, Éditions H.M.H., 1967.
> *Réponses de Pierre Elliott Trudeau,* Montréal, Éditions du Jour, 1968.

Études sur Pierre Elliott Trudeau :

> Décarie, Vianney, « Présentation de M. Pierre Elliott Trudeau », dans *Société royale du Canada,* section française, no 20, 1965-1966, pp. 99-104.
> Grandpré, Pierre de, « La Grève de l'amiante », dans *Le Devoir,* 1956; « Cette crise de la conscience intellectuelle », dans *L'Action nationale,* mars 1956.
> Stanley, George, « Le Fédéralisme et la société canadienne-française », dans *Livres et auteurs canadiens-1967,* Montréal, 1968, pp. 154-155.
> Beauregard, Luc, « Pierre Elliott Trudeau publie la somme de ses réflexions sur le Canada français » (à propos du chapitre de Trudeau : *Réflexions sur la politique au Canada français,* dans *Québec : hier et aujourd'hui,* Montréal, McGill University, 1967), *La Presse,* 14 oct. 1967.

GÉRARD PELLETIER
(né en 1919)

Gérard Pelletier a été l'un des principaux artisans d'une pensée sociale qui, dans le Québec des années 1945 à 1960, a éprouvé le besoin de renouveler son orientation et son contenu. Cette pensée a voulu se décrocher des orthodoxies stériles tant du nationalisme officiel que de l'ensemble des prescriptions de ce que l'on avait reconnu jusque-là comme *la* doctrine sociale de l'Église. Cette pensée a surtout visé à porter des diagnostics précis sur les transformations subies par la réalité sociale canadienne-française, sur les scléroses qui avaient entraîné l'apathie politique collective, sur les étiolements de la vie spirituelle. Elle a aussi cherché à animer, chez les travailleurs canadiens-français, une conscience syndicaliste, le souci de justice sociale, un sain esprit de revendication. Ces thèmes et d'autres qui leur sont apparentés dominent les écrits de Gérard Pelletier.

D'UN PROLÉTARIAT SPIRITUEL

Les articles de Gérard Pelletier sont toujours des écrits aux contours fermes, d'une langue directe et ardente, soulevés par une sourde ferveur combative qui n'est pas sans rappeler celle d'Emmanuel Mounier, à qui Gérard Pelletier doit beaucoup. Le texte suivant a paru dans le numéro d'août-septembre 1952 de la revue *Esprit* sur le Canada français.

Nous touchons ici le troisième aspect de notre crise. Conscience adolescente, avons-nous écrit. C'est peut-être l'aspect le plus complexe, le plus difficile à saisir, peut-être aussi le plus important.

Cette notion d'adolescence est relative. On est adolescent par rapport à l'enfant qu'on était hier et à l'adulte qu'on sera demain. Or si ce dernier personnage se laisse mal deviner dans notre milieu, l'enfant par contre est facile à reconnaître, car il subsiste partout.

L'enfant, c'est le paysan d'hier qui était heureux et l'ouvrier d'aujourd'hui qui ne l'est pas. Tous deux souffrent d'une conscience infantile, d'une formation religieuse qui n'a pas évolué au même rythme que la croissance physique. Le paysan d'hier avait la conscience de son curé. Cette référence lui tenait lieu de pensée en matière religieuse et suffisait à résoudre tous ses conflits. L'ouvrier d'aujourd'hui n'a toujours que la conscience de son curé, avec cette différence tragique que le curé est désormais un personnage lointain qui ne se mêle plus au travail ni à la vie des prolétaires.

Situer maintenant la part de notre peuple qui accède progressivement à la maturité à travers les problèmes multiples de l'adolescence, c'est la tâche qui me reste. Elle n'est pas facile. Car ce mûrissement tardif, bien peu acceptent de le reconnaître pour ce qu'il est vraiment. On a tendance, instinctivement, à le travestir et ceux qui en craignent les conséquences n'en veulent voir qu'un aspect : la crise d'autorité.

A cela, rien d'étonnant. Il existe en fait une crise d'autorité. Ce phéno-mène n'accompagne-t-il pas inévitablement toute adolescence, et la crise n'est-elle pas d'autant plus aiguë que l'autorité en cause se montre plus exigeante et plus solidement établie? Or l'autorité du clergé catholique, nous l'avons signalé déjà, a régné chez nous depuis trois cents ans sur tous les domaines de la vie nationale. Il serait absurde de la représenter comme une dictature absolue ou comme une tyrannie imposée du dehors. Si le clergé régnait, c'est qu'il savait représenter les aspirations populaires, c'est qu'il s'appuyait sur la confiance sans réserve que mettait en lui l'immense majorité des citoyens.

Il n'en reste pas moins, toutefois, que tout se ramenait en définitive au pouvoir religieux et qu'on ne s'embarrassait guère de distinctions philosophiques entre le spirituel et le temporel. Il manquait chez nous ce cran d'arrêt, ce facteur d'équilibre que constituait en France, au cours des siècles derniers, le « château », symbole du pouvoir temporel. Au Canada, le vote populaire reflétait presque toujours le climat des paroisses; la troisième force, celle de l'argent, n'existait qu'en mains anglaises. Aujourd'hui même, les Canadiens français ne détiennent qu'une infime parcelle du capital investi dans les entreprises industrielles.

Il faudrait dire encore l'influence qu'ont eue sur nous une éducation rigide et quelque peu janséniste, un enseignement en totalité dispensé par des clercs, du haut en bas de l'échelle scolaire. Inspiré d'une tradition monasti-que et d'une spiritualité religieuse, on insistait si fort sur l'obéissance que la liberté et l'initiative demeuraient pour nous des notions vagues et fumeuses.

La crise d'autorité prend donc ici, à l'intérieur de la communauté chrétien-ne, des proportions toutes particulières. Il était impossible qu'un tel pouvoir clérical, débordant par nécessité historique ses cadres naturels, n'en vînt pas tôt ou tard à s'installer dans un conservatisme quasi intégral. Conservatisme social, conservatisme en matière religieuse, culturelle, politique. Au tournant du siècle, ce n'est pas, comme en Europe, une bourgeoisie qu'on trouvait en place au Canada français; c'est un clergé.

N O T I C E   B I O G R A P H I Q U E

Gérard Pelletier est né à Victoriaville en 1919. Il fit ses études classiques au séminaire de Nicolet et au collège de Mont-Laurier et il étudia ensuite à la faculté des Lettres de l'Université de Montréal. Il fut un des dirigeants de la Jeunesse Étudiante Catholique et consacra de nombreuses années au syndicalisme ouvrier. Il fut co-fondateur, avec Pierre Elliott Trudeau, en 1951, de Cité libre, *dont il fut rédacteur régulier jusqu'en 1963. Journaliste, commenta-teur et animateur à la radio et à la télévision, il fut direc-teur du journal de la C.T.C.C.,* Le Travail, *et direc-teur de* La Presse *de 1961 à 1965. Élu député du comté d'Hochelaga aux Communes en 1965, il fut nommé secré-taire d'État du gouvernement canadien en avril 1968.*

L'œuvre d'essayiste et de journaliste de Gérard Pelletier est répartie dans d'innombrables articles de revues et de journaux, en particulier dans le journal **Le Travail** *et dans* **Cité libre**.

BIBLIOGRAPHIE

L'œuvre de Gérard Pelletier :

« D'un prolétariat spirituel », essai paru dans le numéro spécial de la revue *Esprit* consacré au Canada français en août-septembre 1952.

« La grève et la presse », dans *La Grève de l'amiante*, ouvrage en collaboration dirigé par Pierre Elliott Trudeau, Montréal, Éd. de Cité Libre, 1956.

« Le syndicalisme canadien-français », dans *La Dualité canadienne*, ouvrage en collaboration dirigé par Masson Wade et Jean-Charles Falardeau, Québec, Presses de l'Université Laval, et Toronto, University of Toronto Press, 1960.

Études sur Gérard Pelletier :

Grandpré, Pierre de, « Le numéro spécial de la revue Esprit », dans *Le Devoir*, 4 articles en septembre 1952.

MAURICE BLAIN
(né en 1925)

Bien qu'il n'appartienne pas par son âge à la génération de *La Relève*, Maurice Blain se rattache à celle-ci par ses préoccupations spirituelles, par ses exigences intellectuelles et par sa soif de clarté. C'est sa pensée qui, avec celles de Gérard Pelletier et de Pierre Elliott Trudeau, a le plus influencé l'orientation de *Cité libre*. Cette pensée se situe sous le signe du doute méthodique et de la contestation.

POUR UNE DYNAMIQUE DE NOTRE CULTURE

Pénétrée de la nécessité des affranchissements individuels, la réflexion de Maurice Blain, par de patientes « approximations », selon le titre qu'il a donné à son récent recueil, tente de définir les conditions d'une société nouvelle. L'article suivant a d'abord été écrit pour *Cité libre* (juin-juillet 1952).

L'histoire de notre culture se confond avec celle du catholicisme. Il est capital, pour comprendre l'importance du phénomène, de se rappeler qu'issue d'une Église nationale, établie en fait sinon en droit, cette culture est devenue le prototype de la culture fermée. Cet événement, dont on n'a pas fini de mesurer les conséquences funestes pour l'avenir de l'esprit, a donné naissance aux deux plus grands mythes de notre histoire : ceux de la cité chrétienne et de l'état nationaliste, inspirés par le même courant d'intégrisme traditionaliste. Au moment où le plus grand nombre des clercs rêvaient d'instaurer le césarisme d'une cité temporelle de type médiéval, une large faction de laïcs ambitionnaient de conserver au Québec les principaux caractères sociologiques, sinon politiques, d'une nation-état française de type européen. C'est à l'origine de ce double raidissement que la résistance a sauvé les valeurs de culture et les libertés civiles et religieuses. Mais la dialectique traditionaliste a survécu à la nécessité de l'histoire. Elle a été si bien entraînée à identifier dans la fidélité à la tradition les domaines de la culture, de la politique et de la religion, que les valeurs de culture elles-mêmes sont passées au service du catholicisme et du nationalisme qui lui avaient provisoirement donné refuge. L'intégrisme des clercs et des laïcs a achevé d'immobiliser cette culture dans une dangereuse ambition d'originalité française et de la détacher d'une histoire irrécusablement américaine. C'était nier le contexte sociologique essentiel à l'élaboration d'une culture vivante. C'était nier le dynamisme même de la vie spirituelle, qui obéit aux mêmes lois que la vie physique et historique.

Notre culture n'est peut-être plus aujourd'hui que l'abstraction logique de la française. L'intégrisme a sans doute sauvé certaines institutions de la culture française, comme l'enseignement des humanités et le système juridique; mais il a perdu la sensibilité, l'imagination, le sens critique, le goût de la liberté individuelle — le style même et comme la respiration de la civilisation française. Aussi, sous le rapport très précis de l'influence européenne, l'histoire de notre tradition culturelle nous apparaît-elle étroitement liée au rythme de l'histoire contemporaine. L'extrême rapidité des échanges intellectuels a permis à la culture française de se déplacer tout entière vers l'Amérique mais avant même que l'Américain ait réalisé les conditions naturelles de cet échange et de cette immigration. Nous assistons depuis un demi-siècle à cet étonnant phénomène: la culture européenne, et plus particulièrement la française, nous est révélée dans le temps même où elle s'accomplit et se transforme sous nos yeux. Témoins de son avenir immédiat, nous avons perdu l'avantage certain de la distance historique et psychologique qui nous permettait d'assimiler ses acquisitions, et d'informer de cet apport étranger une nouvelle civilisation. Si l'Amérique ne ressent plus la nécessité psychologique d'un enracinement de cette culture dans sa géographie, sa politique et sa sociologie, c'est qu'elle ne présente plus (comme en pleine Renaissance, par exemple) la condition fondamentale d'un état de civilisation suffisamment pénétré par la vie de l'esprit pour recevoir et intégrer la tradition culturelle de l'Europe. Elle ne semble d'ailleurs pas éprouver le besoin d'une intégration: l'unité de mesure de la civilisation américaine est celle de la masse, et non celle de l'homme. Une culture essentiellement individualiste paraît inconcevable dans le nouveau monde. Importation de luxe pour raffinés, la culture française peut bien nous livrer son contenu et ses formes, l'esprit qui l'anime est en voie de disparaître. Il est significatif que la bourgeoisie cultivée du Québec soit aujourd'hui intellectuellement si éloignée de ses origines sociologiques.

NOTICE BIOGRAPHIQUE

Maurice Blain est né à Montréal en 1925. Il fit ses études classiques au collège Sainte-Croix, à Montréal, et étudia le droit à l'Université de Montréal. Il fut admis dans l'Ordre des notaires en 1945 et, depuis ce temps, il a exercé sa profession à Montréal. Journaliste, essayiste, critique de littérature et de théâtre, il a été un collaborateur du Devoir *de 1949 à 1954. Il fut l'un des membres fondateurs de* Cité libre, *dont il a été un rédacteur assidu. Il a collaboré à la revue* Liberté *de 1958 à 1962 et il a participé à la fondation du* Mouvement laïque de langue française. *Des essais de lui ont paru dans des ouvrages en collaboration tels que le numéro spécial de la revue* Esprit *(août-septembre 1952),* L'Université dit non aux jésuites *(Montréal, Les Éditions du Jour, 1961),* L'École laïque *(Montréal, Les Éditions du Jour, 1964),* Justice et paix scolaires *(Montréal, Les Éditions du Jour, 1964).* Présence de la critique *de Gilles Marcotte (Montréal, H.M.H., 1966) reprenait cinq de ses articles littéraires.*

BIBLIOGRAPHIE

L'œuvre d'essayiste de Maurice Blain:

Approximations, Montréal, Éditions H.M.H. (coll. « Constantes »), Montréal 1967.

Études sur Maurice Blain:

Grandpré, Pierre de, « Le numéro spécial d'*Esprit* sur le Canada français », dans *Le Devoir*, 4 articles, septembre 1952.

Kushner, Eva, « Approximations », dans *Livres et auteurs canadiens, 1967*, Montréal, 1968, pp. 125-127.

Duhamel, Roger, « Les « Approximations » de Maurice Blain », dans *Le Droit*, 23 décembre 1967.

Valois, Marcel, « Maurice Blain se révèle un véritable humaniste », dans *La Presse*, 2 décembre 1967.

Pontaut, Alain, « Maurice Blain: une part d'honnête approximation », dans *La Presse*, 11 novembre 1967.

Ethier-Blais, Jean, « L'intelligence du doute », dans *Le Devoir*, 25 novembre 1967.

GÉRARD BERGERON

(né en 1922)

L'on a connu les portraits et commentaires politiques de Gérard Bergeron avant de savoir son nom et d'être informé du champ réel des compétences de cet intellectuel-né: il a en effet longtemps signé « Isocrate » des chroniques fort remarquées que publiait *Le Devoir*. Et voici qu'assez soudainement, vers 1965, l'essayiste est sorti de façon éclatante d'une longue période de maturation vouée à un obscur labeur, en publiant coup sur coup à Paris une thèse magistrale sur *Le Fonctionnement de l'État*; deux ans plus tard, une initiation à notre vie politique destinée surtout au lecteur de l'étranger, sous le titre: *Le Canada français après deux siècles de patience*; puis à Montréal deux essais d'observation sur le concret de la politique avec la chronique d'une époque qui va *Du duplessisme au johnsonisme, 1956-1966* (1967), et une galerie de quarante portraits de politiques et d'hommes d'État canadiens, sous le titre *Ne bougez plus!* (1968).

LE FONCTIONNEMENT DE L'ÉTAT (1965)

L'ouvrage aux proportions monumentales de Gérard Bergeron sur *Le Fonctionnement de l'État*, publié en France avec le concours du Centre national de la recherche scientifique, contient une préface de Raymond Aron dont le ton et le contenu sont bien éloquents.

« Je tiens pour un honneur d'écrire une préface à l'*opus maximum* de M. Gérard Bergeron, écrivait l'éminent auteur du *Grand Schisme*. Juriste de formation, politicologue de métier, philosophe peut-être par vocation, M. Gérard Bergeron a voulu élaborer un système global à l'intérieur duquel tous les chapitres de la science politique trouveraient place et prendraient leur signification exacte. A partir des concepts de *contrôle* et de *fonction*, se dégage une théorie de l'État contrôleur et de l'État contrôlé; la vénérable controverse sur la séparation des pouvoirs est éclairée d'un jour nouveau. Les quatre fonctions — gouvernementale, législative, administrative, juridictionnelle — remplacent les trois pouvoirs. Les contrôles exercés à l'intérieur de chaque fonction ou par une fonction sur une autre sont passés en revue avec une subtilité d'analyse et une virtuosité dialectique qui forcent le respect du lecteur. Les débats aussi bien juridiques que proprement politiques, ceux de la philosophie classique aussi bien que de la science moderne, sont évoqués, discutés, souvent renouvelés. La preuve est faite de la légitimité de cette entreprise, que d'aucuns auraient jugée trop ambitieuse. »

LE CANADA FRANÇAIS APRÈS DEUX SIÈCLES
DE PATIENCE (1967)

Avec ses portraits de politiciens et ses chroniques de la vie politique et intellectuelle du Québec, Gérard Bergeron n'hésite pas à reprendre le ton du journalisme: celui en l'occurrence d'une observation malicieuse ne dédaignant nullement l'humour. Il passe ainsi de la théorie souveraine à ses humbles ou ambitieuses applications dans notre milieu. Et il parvient à distiller une ample information en propos familiers qui paraissent généralement assez équitables pour chacun, compte tenu des lois du genre qui s'accommode volontiers de la verve un peu systématique et du trait fort.

Passage également de la doctrine aux crises pressantes et à la réalité pratique des problèmes, l'étude du malaise politique du Québec au sein du système fédératif canadien — ainsi que de la place et du rôle de cet État en devenir dans la civilisation occidentale et dans le monde d'aujourd'hui — est conduite avec maîtrise et agilité dans *Le Canada français après deux siècles de patience.* On reconnaîtra aisément avec l'auteur que « c'est un sujet à la fois beau et déprimant qu'un pays qui, après cent ans d'existence, risque de se défaire avant de s'être vraiment fait. »

L'« HOMO QUEBECENSIS »

« On a procédé, écrit Gérard Bergeron dans l'avant-propos de son *Canada français après deux siècles de patience,* à une présentation par ondes concentriques, jusqu'au noyau central; puis, en une perspective inverse, on a parcouru le même chemin à rebours. Un sablier pourrait symboliser cette méthode: au centre le goulot d'étranglement, en l'occurrence les Québécois dans le Québec: *l'homo quebecencis.* »

On a beau être méfiant à l'endroit des belles généralités sur la « psychologie des peuples », on est amené, bien malgré soi, à y consentir quelque peu, ne serait-ce que pour la commodité du langage.

Il n'est probablement pas plus difficile de communiquer avec un Canadien français qu'avec un individu d'une autre nationalité. C'est même plus facile, en un sens: ses traits psychologiques étant plus arrondis que ceux d'individus appartenant à des peuples qui ont eu des destins plus clairs, fût-ce dans le tragique historique. Mais dans la mesure où la communication, dépassant le transitoire ou l'épisodique, n'est plus à la surface des choses, elle devient passablement compliquée, porteuse d'ambiguïtés (y compris les « généreuses », les plus pernicieuses de toutes). Très tôt, rien ne va plus. Il faut parler d'autre chose ou cesser de parler !...

En deçà des options politiques fondamentales, l'« inconscient collectif » des Québécois ne rend pas leur commerce quotidien facile. Ce n'est pas le thème universel de l'« incommunicabilité des êtres », que certain théâtre a poussé jusqu'à l'absurde, qu'il faut évoquer ici. Ce n'est pas son versant douloureux de la « solitude » en amour, dans la famille, dans le groupe dit « amical » ou professionnel, ou même dans la foule (*The lonely crowd* — « La foule solitaire » — du sociologue Riesman). On n'est pas « seul » quand on compte pour cinq millions, dont deux sont concentrés dans une agglomération métropolitaine, et quand 70% de la population totale est urbaine.

C'est le thème de l'isolement qu'il faut évoquer. D'un type d'isolement très particulier, du moins dans le monde occidental d'aujourd'hui: pas seulement l'isolement d'un groupe, mais celui existant entre les membres du groupe isolé; du groupe isolé dans une absence de pays, qui est un demi-pays (le Québec) ou un pays monstrueusement grand (le Canada), où l'on ne se trouve à l'aise ni dans l'un ni dans l'autre, puisqu'on habite l'un et l'autre; d'un groupe isolé qui voudrait retrouver dans ses origines son homogénéité première, et dont les membres cesseraient, à l'intérieur du groupe, de se sentir isolés. Deux isolés ne communiquent pas plus facilement entre eux qu'un isolé et un « intégré »: les isolés peuvent être encadrés, ils ne sont pas intégrés en communauté. Comme tout le monde, le Québécois a des « complexes » individuels; mais ils s'enracinent plus profondément dans « l'inconscient collectif » de ses origines que partout ailleurs où ne se trouvent pas des phénomènes quelque peu analogues (Irlande, Wallonie, Jura bernois).

L'épanouissement ne peut suivre que dans la phase de l'affirmation de soi; et le Québécois commence à peine à se rendre compte qu'elle est nécessaire parce que cet isolement auquel il a consenti lui a été imposé et que tout a commencé par là. Il l'a subi, a essayé, selon diverses formules et à diverses phases de son histoire, d'en tirer le moins mauvais parti possible; mais, au tréfonds de lui-même, il ne l'a jamais admis. Cet isolement du Québécois n'est pas dû au fait d'être minoritaire, comme chez les Canadiens français des autres provinces qui, à l'exception du Nouveau-Brunswick, sont voués à l'être de plus en plus. Car il est fortement majoritaire dans son « demi-pays » du Québec dont la propriété même lui échappe en sa plus grande partie. Il se pose maintenant la lancinante question: puisque majoritaire de façon irréversible, pourquoi ne pas devenir majeur sur le plan politique d'abord, puis économique ? Quant à savoir s'il sera plus heureux après la conquête de cette double majorité, c'est une autres question...

N O T I C E   B I O G R A P H I Q U E

Né à Charny, près de Québec, en 1922, Gérard Bergeron a fait ses études au collège de Lévis et aux universités Laval de Québec et Columbia de New York, à l'Institut universitaire des Hautes Études internationales de Genève et à la faculté de Droit et de Sciences économiques de Paris. Après avoir obtenu une maîtrise en sociologie et sciences sociales à Québec et un diplôme d'études supérieures de droit international à Paris, il a été chargé d'en-

*seignement en théorie politique et en relations interna-
tionales à l'Université Laval dès 1950; il est devenu professeur titulaire de théorie de l'État en 1961 à la faculté
des Sciences sociales de cette université. Mais c'est un professeur assez peu conformiste, qui non seulement fait du
journalisme (écrit ou parlé) d'observation politique, mais
qui en outre s'intéresse à maints domaines, dont la chanson puisqu'il fut « disque-jockey » à la radio. Il a préparé
pendant une dizaine d'année de recherches connues seulement de ses intimes les essais politiques qui fondent solidement aujourd'hui son renom. Depuis 1966, il est directeur d'études associé à la VIᵉ section de l'École pratique
des Hautes Études de Paris.*

BIBLIOGRAPHIE

L'œuvre de Gérard Bergeron:

Fonctionnement de l'État, publié avec le concours du C.N.R.S. de France,
préface de Raymond Aron, Paris, Librairie Armand Colin, 1965.

Le Canada français après deux siècles de patience, Paris, Le Seuil, 1967.

Du Duplessisme au Johnsonisme, 1956-1966, suivi de *A l'écoute du diapason populaire,* par Lionel Ouellet, Montréal, Éditions Parti pris, 1967.

Ne bougez plus!, portraits de 40 de nos politiciens, Montréal, Les Éditions du Jour, 1968.

Études sur Gérard Bergeron:

Savard, Pierre, « Le Canada français après deux siècles de patience »,
dans *Livres et auteurs canadiens-1967,* Montréal, 1968, p. 151.

La Terreur, Marc, « Du duplessisme au johnsonisme », dans *Livres et
auteurs canadiens-1967,* p. 150.

MAURICE TREMBLAY

(né en 1916)

Maurice Tremblay est un philosophe entraîné à la spéculation.
Sa familiarité avec la pensée sociale des Anciens lui permet de mettre
en perspective historique les composantes des idéologies dominantes
du Canada français contemporain.

ORIENTATIONS DE LA PENSÉE SOCIALE

L'ampleur de vues et la grande sérénité de Maurice Tremblay, penseur érudit, l'ont amené à circonscrire avec courage, notamment dans le texte suivant paru dans les *Essais sur le Québec contemporain*, certains des problèmes les plus aigus de la pensée québécoise au début des années 50.

L'une des prémisses de la pensée sociale au Canada français repose sur la conviction que notre peuple, s'il veut survivre en tant que groupe catholique et français en Amérique, doit demeurer fidèle à une vocation paysanne. On comprend facilement que cette pensée soit désemparée devant le phénomène de la révolution industrielle qui, en quelques années, a conduit plus de 65 pour cent de notre population dans les villes. Elle est profondément troublée du fait que la paroisse ait perdu, dans la complexité des structures sociales urbaines, son caractère de société globale à base religieuse, et que la famille, dépouillée de la plupart des fonctions qu'elle remplissait à la campagne, commence à se désintégrer et à cesser d'obéir aussi spontanément au grand précepte catholique et « national » de la fécondité. Elle est d'autant plus perplexe qu'avec la même révolution industrielle réapparaît, d'une façon tragique, le dilemme historique qu'elle croyait à jamais résolu. A l'empire commercial d'autrefois qui, aux confins de la colonie agricole, offrait une option patriotique au service du roi de France, s'est substitué l'« empire » industriel nord-américain qui, envahissant notre milieu, nous a imposé une « domination » économique étrangère. Cette domination proposait à notre fierté nationale un ultimatum d'autant plus douloureux qu'elle se doublait d'une invasion ethnique et qu'elle nous établissait dans une condition d'infériorité économique à l'intérieur même de notre propre province. Il fallait, par devoir patriotique, reconquérir sinon l'indépendance, du moins l'égalité économique avec les nouveaux venus, Américains, Britanniques ou Canadiens anglais, qui s'installaient chez nous alors que nous n'étions préparés à fournir que la main-d'œuvre. Il fallait nous ré-orienter vers les affaires et les carrières techniques. Or, une telle ré-orientation était et demeure difficile, vu qu'elle contredit toute notre tradition paysanne ainsi qu'une conception de la vie qui nous empêche de rivaliser sur un pied d'égalité avec nos concitoyens anglo-protestants dans les hautes sphères de l'activité économique.

N O T I C E   B I O G R A P H I Q U E

Maurice Tremblay est né en 1916. Il a fait ses études classiques au Séminaire de Rimouski et il a étudié, par la suite, chez les Dominicains à Ottawa, à l'Université Laval, à l'Université Harvard et à Paris. Depuis 1943, il est professeur de philosophie sociale et politique à la faculté des sciences sociales de l'Université Laval où il a occupé de nombreuses charges. Il a été directeur du département de Science politique et il est vice-doyen de la faculté depuis 1965. Il a participé à la direction de plusieurs organismes scientifiques et culturels. Il a été mem-

*bre du Bureau de direction de l'ACFAS et, de 1966 à 1968,
membre de la Commission québécoise d'enquête sur l'agriculture. Il a publié des articles dans les revues* Anthropologica, Relations industrielles, Service social.

BIBLIOGRAPHIE

L'œuvre de Maurice Tremblay:

« L'enseignement des sciences sociales au Canada de langue française »
(avec Albert Faucher) dans le volume *Les arts, les lettres et les sciences
au Canada,* publié par la Commission Massey, Ottawa, 1951.

« Orientations de la pensée sociale », dans les *Essais sur le Québec contemporain,* publiés sous la direction de Jean-Charles Falardeau, 1953.

« Réflexions sur le nationalisme », étude parue dans *Les Écrits du Canada français,* V, Montréal, H.M.H., 1959.

« Société moderne, société de masse », étude parue dans *Les Écrits du
Canada français,* XVIII, Montréal, H.M.H., 1964.

JEAN-CHARLES FALARDEAU
(né en 1914)

Associé à la faculté des Sciences sociales de l'Université Laval
depuis ses débuts, Jean-Charles Falardeau a été l'un des tout premiers
à appliquer la perspective et la démarche sociologiques à l'élucidation
des problèmes du Québec contemporain. Son attention a porté successivement sur l'évolution de la famille et des structures religieuses,
le monde du travail, les classes sociales, les activités esthétiques, les
courant idéologiques. Il s'est ainsi progressivement acheminé vers
l'histoire des idées et la sociologie de la littérature, où chacune de ses
interventions est des plus éclairantes.

OÙ VA LE CANADA FRANÇAIS ?

Volonté d'objectivité, souci des nuances, franchise de l'expression et netteté
de la pensée caractérisent les écrits de Jean-Charles Falardeau, qui témoignent
à la fois d'un zèle réformiste et de préoccupations spirituelles. Le texte suivant
est une réponse à une enquête du *Devoir* (19 mai 1959).

« Où va le Canada français ? — Il n'y a pas si longtemps, j'eus répondu
à cette interrogation, comme aussi, j'imagine, la plupart de ceux de ma génération,
avec plus ou moins de pessimisme. Le Canada français nous apparaissait alors
comme une Irlande. Une Irlande à qui il manquait d'être complètement une île.
Les intellectuels irlandais, vers les débuts de ce siècle, se posaient au sujet de leur
pays la question que l'on nous pose aujourd'hui. James Joyce, lassé, suffoqué avant

d'avoir vécu, répondit de la façon que l'on sait: « Si l'on ne peut changer de sujet, changeons de pays ». Il s'exila. Or, combien d'intellectuels canadiens-français, jusqu'à il y a vingt ans, quinze ans, n'ont pas éprouvé le même épuisement moral, la même tentation ? Tous ne partaient pas mais tous en étaient préoccupés. J'y ai songé. Qui n'y a pas songé ? Et si nous revenions, après un moment d'évasion (études à l'étranger, séjours à Paris, voyages), c'est avec une sorte de foi aveugle que, à la fois impatients et résignés, nous nous accrochions à la noria d'une besogne inutilement intrépide.

Inutilement ? Non, car il s'est passé, depuis, des événements tels que mes jeunes collègues d'université et beaucoup d'autres, n'ont éprouvé, eux, à aucun moment de leur vie, le sentiment dont je viens de parler. Jamais ne s'est posé à eux le dilemme: rester ou partir. Même s'ils sont allés, en nombre encore plus considérable que nous, étudier à l'étranger, jamais il n'a été question pour eux d'autre chose que de revenir faire leur vie dans leur pays. Le milieu canadien-français était devenu tel qu'il leur offrait des raisons d'être, des cadres d'existence, des stimulants de pensée et d'action.

Cette transformation a été relativement rapide et elle est loin d'être terminée. Mais ceux de ma génération ont le sentiment d'avoir participé à son début. L'essentiel de cette transformation, je le vois en ceci que le Canada français a trouvé, enfin, des voix pour s'exprimer. S'exprimer tel qu'il est dans sa condition humaine et non plus seulement tel qu'on lui avait fait croire qu'il était. Expression authentique qui a éclaté, principalement, chez les écrivains: quelques vrais romanciers, deux ou trois dramaturges, un nombre inattendu de poètes. Expression aussi chez les peintres et les musiciens. Expression enfin plus laborieuse et plus lente, chez ceux que les sociologues appellent les « définisseurs de la situation ».

Jusqu'à ces temps derniers, dans notre société, seuls des chefs ou des porte-parole de l'Église et des hommes politiques avaient assumé la responsabilité de définir ce que nous avions été, ce que nous devions être, ce que nous devions faire. Ils avaient formulé ces définitions d'après des normes et des demi-vérités répétées de génération en génération dans la chaire et à l'école, dénuées de tout rapport avec notre condition sociale et économique. Or, dans de larges secteurs de notre milieu, des voix nouvelles se sont fait entendre qui ont entrepris d'élucider les données objectives — économiques, psychologiques et culturelles — de notre situation, de diagnostiquer nos besoins profonds, de proposer sinon de créer les institutions qui sont nécessaires, plus qu'à notre « survivance », au salut de notre présent et de notre avenir. Ces voix se sont révélées dans le domaine de l'éducation, dans le syndicalisme, en éducation populaire, dans la vie universitaire. L'activité essentielle de ma vie d'homme a été de coopérer, avec un éveilleur lucide et dynamique, le Père Georges-Henri Lévesque, à l'extraordinaire aventure intellectuelle et morale que fut l'élaboration de la faculté des Sciences sociales de Laval. Une institution qui fut à la fois un laboratoire de pensée et un mouvement social. Dans ce laboratoire, nous avons tenté de trouver notre identité. Nous avons cherché à voir clair en nous-mêmes et autour de nous, en nous posant des questions nouvelles. De bonnes questions qui devaient nous permettre, qui nous ont permis, et qui ont déjà permis à d'autres autour de nous de discerner les réponses que, depuis si longtemps, nous cherchons et dont ce sera peut-être dorénavant notre destin, à chaque génération, de repenser les données fondamentales.

NOTICE BIOGRAPHIQUE

Né en 1914 à Québec, Jean-Charles Falardeau a étudié aux collèges Sainte-Marie et Brébeuf de Montréal, à l'Université Laval de Québec, à l'Université de Chicago. Professeur de sociologie à la faculté des Sciences sociales de l'Université Laval depuis 1943, il a été directeur du département de Sociologie de 1953 à 1961. Il a enseigné aux universités de Toronto, de Vancouver et de Bordeaux. Il a occupé de nombreuses charges dans des organismes universitaires et culturels, fut président du Conseil des arts du Québec de 1962 à 1965; co-fondateur, en 1960 — il en est toujours co-directeur — de la revue Recherches sociographiques *du Département de sociologie et d'anthropologie de l'Université Laval. Outre ses ouvrages, il a publié un grand nombre de brochures et d'articles dans des revues canadiennes, américaines et européennes, sur la sociologie, les institutions sociales du Canada français, les phénomènes culturels, sociaux et politiques de la vie canadienne et sur la vie universitaire. Il a collaboré au* Devoir, *à* Cité libre, *à* Liberté, *aux* Recherches sociographiques. *Il a publié, en collaboration, en 1953,* Essais sur le Québec contemporain, *a participé à la préparation de:* La Grève de l'amiante *(avec Frank Scott et Pierre Elliott Trudeau, Montréal, Éditions de Cité libre, 1956);* La Dualité canadienne *(avec Mason Wade, 1960, Toronto et Québec);* Littérature et société canadiennes-françaises *(avec Fernand Dumont, Québec 1964). En 1968-1969, il donne une série de cours sur la littérature et la civilisation canadiennes-françaises à l'Université de Caen.*

BIBLIOGRAPHIE

L'œuvre de Jean-Charles Falardeau:

Roots and Values in Canadian Lives, Toronto, s.éd., 1961.

L'Essor des sciences sociales au Canada français, Québec, Ministère des Affaires culturelles, coll. « Arts, vie et sciences », 1964.

Notre société et son roman, Montréal, Éditions H.M.H., 1967.

L'Évolution du héros dans le roman québécois, Montréal, Presses de l'Université de Montréal, conférences De Sève, 1968.

Études sur Jean-Charles Falardeau:

Robidoux, Réjean, « Littérature et société canadiennes-françaises », dans *Livres et auteurs canadiens, 1964*, Montréal, 1965, pp. 97-98.

Roussan, Jacques de, « L'Essor des sciences sociales au Canada français », dans *Livres et auteurs canadiens — 1694*, Montréal, 1965, p. 126.

Turcotte, Raymond, « Notre société et son roman », dans *Livres et auteurs canadiens - 1967*, Montréal, 1968, pp. 128-129.

Ethier-Blais, Jean, « Notre société et son roman », dans *Le Devoir*, 18 mars 1967.

Pontaut, Alain, « Un peuple coupé du monde, tel nous montre le roman canadien-français », dans *La Presse*, 11 mars 1967.

Valiquette, Bernard, « Notre société et son roman », dans *Échos-Vedettes*, 18 mars 1967.

IV — ÉCRIVAINS SCIENTIFIQUES
par Michel BROCHU
avec la participation de Pierre de GRANDPRÉ

Cette section portera essentiellement, comme toutes les autres, sur la période postérieure à 1945, mais comme il n'a pas paru indispensable, dans les premiers tomes de cette histoire littéraire, de suivre, étape par étape, les progrès intermittents de la littérature scientifique, nous remonterons succinctement ici, dans le passé, jusqu'à l'aube de la Nouvelle-France, pour rappeler les noms de quelques insignes précurseurs du jeune et nouvel essor de la littérature scientifique contemporaine au Québec.

A. — DES ORIGINES AU XXᵉ SIÈCLE

Conformément à l'esprit de ce chapitre, nous n'évoquerons, d'une part, que les auteurs qui ont traité de sujets scientifiques s'apparentant aux sciences naturelles (Botanique, Ornithologie, Zoologie en général), à la Biologie et à la Médecine. Il s'agira, d'autre part, d'auteurs nés au Québec ou qui sont venus s'installer à demeure en Nouvelle-France. Nous avons pourtant consenti une exception en faveur du Père de Charlevoix, en raison de l'importance de sa contribution en botanique.

Précurseurs

Même en tenant compte des autres écrits des découvreurs et fondateurs déjà passés en revue, on peut dire que l'honneur d'avoir été le précurseur de nos écrivains scientifiques échoit à Pierre BOUCHER (1622-1717), natif de Mortagne, venu se fixer en Nouvelle-France en 1634. En 1664, dans le dessein de faire connaître la France d'Amérique à la France d'Europe et d'y attirer des colons, il publia son ouvrage, resté célèbre, l'« Histoire véritable et naturelle des mœurs et productions du pays de la Nouvelle-France vulgairement dite le Canada ». Ce volume contient six chapitres fort intéressants sur l'Histoire naturelle; les titres suivants en annoncent le contenu, avec la saveur du français de l'époque: chap. III — Description des Terres dont nous avons la connoissance; chap. IV — Des Arbres qui croissent dans la Nouvelle-France; chap. V — Noms des Animaux qui se trouvent au pays de la Nouvelle-France; chap. VI — Noms des Oyseaux qui se voient en la Nouvelle-France; chap. VII — Noms des Poissons qui se trouvent dans le grand Fleuve Saint-Laurent et dans les lacs et rivières qui en descendent, dont nous avons connoissance; chap. III — Noms des Bleds et autres grains apportés d'Europe qui croissent en ce pays.

Le texte de Pierre Boucher est, pour l'époque, remarquable à plusieurs points de vue, si l'on tient compte que l'auteur était honnête homme, au sens classique du terme, mais n'avait pas reçu la formation d'un homme de science; ce qui explique des lacunes certaines dans ses descriptions scientifiques et quelques naïvetés.

Michel SARRAZIN (1659-1735) est né à Nuits-sous-Beaune, en Bourgogne. Après ses études en médecine, il vint, à l'âge de 26 ans, s'établir à Québec où il fut médecin de l'Hôpital Général de Québec, chirurgien à l'Hôtel-Dieu de Québec et chirurgien-major des troupes. Outre les devoirs de sa profession, il s'intéressa à la Botanique et à la Biologie animale; il se livra notamment à des recherches poussées sur le Castor (Castor canadensis), sur le Carcajou (Gulo luscus), sur le Phoque barbu (Erignathus barbatus) et sur le Rat musqué (Ondatra zibethica). La plupart de ces travaux étaient envoyés à l'Académie des Sciences de Paris, dont il fut nommé membre correspondant, en 1699. Il apporta une prestigieuse contribution à la Botanique en faisant parvenir au grand naturaliste Antoine de Jussieu, directeur du Jardin Royal (devenu, par la suite, le Jardin des Plantes) une collection, accompagnée d'un catalogue descriptif, des plantes de la Nouvelle-France. Jusqu'aux dernières années de sa vie, son activité médicale et scientifique se maintint intense et garda sa haute valeur. Il s'éteignit en 1735, à l'Hôtel-Dieu de Québec, où il s'était dévoué corps, âme et esprit. On peut le considérer comme le premier homme de science et auteur scientifique véritable de la Nouvelle-France.

Le XVIIIᵉ siècle

Il convient de signaler pour cette époque la remarquable contribution du Père Pierre-François-Xavier de CHARLEVOIX, S.J. (1682-1761), qui est venu en Nouvelle-France investi, par ordre du Roi, d'une mission de reconnaissance et d'enquête sur l'ensemble du territoire. Le Père de Charlevoix s'est si consciencieusement acquitté de cette mission royale qu'après un séjour de moins de deux ans et après avoir accompli un itinéraire qui le mena de Québec, où il débarqua le 23 septembre 1720, jusqu'aux bouches du Mississipi, où il quitta Biloxi le 22 juillet 1722, il a pu rédiger l'« Histoire et description générales de la Nouvelle-France où l'on trouvera tout ce qui regarde les découvertes et les conquêtes des Français dans l'Amérique Septentrionale » ainsi que le « Journal historique d'un voyage fait, par ordre du Roi, dans l'Amérique Septentrionale ». Cette œuvre en six tomes, que, pour l'époque, on peut considérer comme monumentale comporte, entre autres, au quatrième tome, un chapitre de soixante-dix-sept pages intitulé « Description des Plantes principales de l'Amérique Septentrionale », dans lequel la description détaillée de 98 plantes est accompagnée d'autant de gravures, groupées en 45 planches hors-texte. Voici, tirée de ce chapitre, une description représentative par le style et la concision:

> « EPINETTE, ou SAPINETTE DU CANADA, Abies canadensis, picea foliis brevioribus, conis parvis, biuncialibus, laxis. — C'est la plus grande des quatre espèces de Sapin que l'on trouve en Canada. Ce qu'elle a de particulier dans la figure, c'est que ses fruits sont plus petits que ceux de toutes les autres. »

On trouve ailleurs des descriptions, quelques-unes assez détaillées, sur les Mammifères suivants: le Castor (17 pages), le Carcajou, le Bœuf musqué, le Lynx, l'Orignal, l'Ours noir, le Rat musqué, le Phoque, le Morse et le Béluga, ces trois derniers étant nommés respectivement loup marin, vache marine et marsouin par le Père de Charlevoix comme par les gens du temps. C'est à coup sûr le chapitre consacré aux plantes qui, par sa clarté et par son dépouillement, se rapproche le plus des qualités du bon style scientifique. Les naturalistes et les botanistes modernes remarqueront le nombre très réduit de descriptions fondées sur des mesures; il ne faut pas s'étonner de cette lacune, les descriptions du Père de Charlevoix ayant été rédigées quelque quatre-vingts ans avant l'élaboration du système métrque.

Le XIXe siècle

Le XIXe siècle a été marqué par l'apparition des deux premiers hommes de science proprement québécois, c'est-à-dire, nés et formés au Québec et qui ont publié, au Québec, le résultat de leurs recherches: il s'agit donc d'un fait capital de l'histoire des Sciences au Québec. Le premier fut l'abbé Léon Provencher, et le second, C.-E. Dionne.

L'abbé Léon PROVENCHER (1820-1892) est né à Courtnoyer (paroisse de Bécancour). Après ses études religieuses au Séminaire de Québec, il exerça, de 1844 à 1869, diverses fonctions ecclésiastiques comme vicaire, aumônier ou curé. À sa vocation religieuse s'est ajoutée une vocation scientifique. Il consacra d'abord ses seuls loisirs à des recherches en Botanique et en Entomologie, auxquelles il voua à peu près tout son temps de 1869 à 1892, année de son décès. Il a écrit, notamment, un *Traité élémentaire de Botanique* (1858), *Le Verger canadien* (1864), un *Catalogue des arbres fruitiers*, *La Flore canadienne* (en deux volumes, 1863). On doit, enfin, à l'abbé Provencher d'avoir créé, en 1869, « Le Naturaliste Canadien », que l'on peut considérer comme la première et aussi la plus ancienne revue scientifique du Québec, puisqu'elle a eu l'exceptionnelle distinction de fêter son centenaire, en 1969. L'expression scientifique de l'abbé Provencher est claire, et sans être de facture exceptionnelle, elle se conforme le plus souvent à l'esprit de rigueur qui convient aux travaux de recherche.

C.-E. DIONNE a pris, si l'on peut dire, le relais de l'abbé Provencher, qu'il a d'ailleurs intimement connu à Québec; il a été un remarquable naturaliste, le premier, au Québec, qui ait consacré sa carrière scientifique à l'Ornithologie. Sa fonction de conservateur du Musée zoologique de l'Université Laval l'a mis en contact étroit avec des spécimens ornithologiques qu'il a eu tout le loisir de décrire et de mesurer. Ce travail de base, en laboratoire, ajouté à de nombreuses courses et observations personnelles sur le terrain, ainsi qu'à la constitution d'une minutieuse documentation, lui a permis de rédiger ses deux principaux ouvrages: *Les Oiseaux du Canada*, paru en 1883, et *Les Oiseaux de la province de Québec*, paru en 1908. Mentionnons encore quelques titres de lui: *Catalogue annoté des Oiseaux de la province de Québec* et *Les Mammifères de la province de Québec*. Son style est marqué au coin de la meilleure méthode scientifique: tout de rigueur (mesures nombreuses), de clarté, d'ordre systématique, de précision et de minutie. Malgré ce cadre qui aurait pu devenir un carcan et engendrer un style sans vie, les descriptions des espèces et des sous-espèces ornithologiques sont élégantes, dynamiques et pleines d'un réel intérêt. On aimerait pouvoir citer *in extenso* celles du Plectrophane des neiges, des Hiboux, des Lagopèdes et jusqu'à celle du très commun Moineau domestique; retenons celle de la Chouette épervière, dans *Les Oiseaux de la province de Québec* :

> « La Chouette épervière habite le nord de l'Amérique septentrionale et niche depuis le centre du Canada, au nord, jusque dans les régions arctiques. A l'automne, elle émigre au sud, jusque dans le nord des Etats-Unis.
> Elle se montre parfois commune à l'automne et en hiver dans le voisinage de Québec, à l'île d'Orléans et sur la côte de Beaupré. Elle est rare à Montréal (Wintle), et commune à Godbout (Comeau), ainsi qu'à Anticosti (Schmitt).
> La femelle niche sur les arbres, surtout parmi les conifères ou quelquefois dans un tronc d'arbre; son nid se compose de branches, de feuilles et de grosses herbes; elle pond de deux à dix œufs blancs. Ils mesurent 1.50 x 1.20. La ponte a lieu en mai.
> De toutes nos Chouettes, elle est une de celles qui voient le mieux durant le jour, aussi préfère-t-elle ce temps pour chercher sa nourriture.
> Elle se nourrit de petit Mammifères, de gros Insectes, de petits Oiseaux, et, pendant l'hiver, elle chasse aussi des Lagopèdes. »

B. — L'ENTRÉE DANS LE XXᵉ SIÈCLE

La première moitié du XXᵉ siècle, qui clôt ce qu'on peut appeler l'ère des précurseurs, est marquée par une véritable et très heureuse diversification des phylums scientifiques sur lesquels ont porté les écrits: la Médecine, la Géologie, la Chimie, la Physique, les Sciences de l'ingénieur, la Botanique elle-même qui, si tôt, avait été honorée de prééminente façon par les tout premiers auteurs scientifiques de la Nouvelle-France, connurent une belle efflorescence d'auteurs et de travaux.

Le branle fut donné, en 1902, en Médecine. Cette discipline prit une dimension nouvelle grâce à l'Association des Médecins de Langue française d'Amérique du Nord, dont le docteur Michel-Delphis BROCHU fut le fondateur et le premier président. La série ultérieure des congrès de cette Association, à tous les deux ans, encouragea et développa les travaux de recherche dans toutes les branches de la Médecine, travaux qui furent publiés dans des revues médicales récemment fondées ou qui allaient l'être.

En 1920, la future Université de Montréal fit sa marque en créant sa propre faculté des Sciences, qui allait présider, dans les décennies à venir, à la formation de plusieurs écrivains scientifiques du Canada français. On ne s'étonnera pas, prolonguement d'une constante, de retrouver la Botanique et ses auteurs de nouveau à l'honneur durant la première partie de notre siècle.

Ce ne sont plus, cette fois, des auteurs hautement cultivés et formés à la Science uniquement par discipline personnelle qui signeront les nouveaux travaux en Botanique. En effet, la création de plusieurs organismes, dont l'Institut agronomique d'Oka, en 1893, et l'École d'agriculture de Sainte-Anne-de-la-Pocatière qui devint la faculté supérieure d'Agriculture de l'Université Laval, en 1920, suscita de nombreuses et brillantes carrières de botanistes, parmi lesquels se détachent les noms de l'abbé Ernest LEPAGE, de Pierre DANSEREAU, du P. Arthème DUTILLY, O.M.I. D'autres botanistes: Jacques ROUSSEAU, Yves DESMARAIS, Gérard GARDNER, le R.P. LOUIS-MARIE, trappiste, le R.F. MARIE-VICTORIN et son coéquipier fidèle, le R.F. ROLLAND-GERMAIN ont été formés dans les universités mêmes. Sauf le Frère Marie-Victorin, décédé en 1945, tous ces botanistes poursuivent leurs recherches au moment de la publication de ce volume: ils ont abordé et exploré, à pied et en canoë, les régions les plus difficiles, les plus lointaines du

Québec, régions où leurs prédécesseurs n'avaient pas eu la possibilité de pénétrer: le Frère Marie-Victorin explora plus spécialement la Côte-Nord, l'archipel Mingan et l'île d'Anticosti. Le Père Arthème Dutilly, o.m.i., et l'abbé Lepage, formant équipe, ont, au cours d'une dizaine d'expéditions, exploré plusieurs rivières du bassin — versant québécois et ontarien — de la baie James, puis effectué deux traversées du Nouveau-Québec central.

Jacques Rousseau, pour sa part, s'est attaqué, en plus de l'île d'Anticosti, à d'autres zones de taïga et de toundra du Nouveau-Québec, en faisant la traversée du Sud au Nord, puis de l'Ouest à l'Est de ce territoire, grand comme la moitié de l'Europe occidentale. De son côté, le docteur Gardner, éminent spécialiste québécois des côtes du Labrador, fit plusieurs expéditions botaniques et géologiques au cœur de cette région littorale très allongée. Mentionnons, aussi, une tournée en équipe du docteur Gérard Gardner et du Père Arthème Dutilly le long des côtes septentrionales du Nouveau-Québec et sur plusieurs des îles du large ou du littoral de ce territoire.

Ces chercheurs étaient géographiquement dispersés, ils appartenaient à des institutions différentes et travaillaient souvent de façon isolée et à titre personnel, durant leurs vacances d'été ou leur temps libre. Mais l'importance et l'avance marquée que prenait la Botanique commandait la fondation d'un organisme scientifique consacré à cette discipline. C'est donc au cours de cette première moitié du XXe siècle, signe prémonitoire d'une ère nouvelle pour les Sciences au Québec, qu'a été aménagé, dans les années qui ont précédé la seconde guerre mondiale, le Jardin Botanique de Montréal, sous l'égide de la ville de Montréal et avec l'aide du Gouvernement du Québec. Les buts premiers étaient de favoriser la recherche en Botanique et la publication de travaux afférents à ses diverses disciplines.

Puisque la plupart des botanistes précités appartiennent à l'époque contemporaine nous n'évoquerons, ici, que la figure du Frère Marie-Victorin, pour soulignerr la qualité littéraire de son œuvre proprement scientifique; l'apport des botanistes contemporains sera analysé plus loin.

FRÈRE MARIE-VICTORIN
(1885-1944)

Le Frère MARIE-VICTORIN est l'auteur d'une œuvre maîtresse, fruit de presque toute une vie de recherches, *La Flore laurentienne* (1935).

Si les sept huitièmes de l'ouvrage sont des descriptions rigoureuses et précises qui excluent, par nature, dans leur expression formelle, toute intervention de la personnalité de l'écrivain, les quelque quatre-vingts pages de l'introduction, en revanche, révèlent un art fluide, limpide, d'une merveilleuse aisance, une écriture au vocabulaire opulent, un style riche en sonorités virilement poétiques et d'un fascinant éclat, style tout informé de passion et d'amour contenus: amour et passion de la Botanique, amour et passion de l'expression littéraire, amour et passion pour le pays laurentien, pour l'automne laurentien et pour le Saint-Laurent, « le plus beau fleuve du monde ».

Cette convergence d'admirables qualités scientifiques et littéraires qui, les unes et les autres, se compénètrent, font probablement du Frère Marie-Victorin le plus grand et le plus achevé parmi les écrivains scientifiques, aussi bien de la période contemporaine que de la période des précurseurs; il forme donc comme le point de suture entre ces deux moments de la littérature scientifique au Québec.

L'AUTOMNE LAURENTIEN

Le passage suivant de *La Flore laurentienne*, qui n'a rien d'exceptionnel par rapport à son contexte, témoigne éloquemment des dons d'écrivain du grand homme de science qu'a été le Frère Marie-Victorin.

Egalement caractéristique du climat laurentien est la douceur de l'automne, qui favorise la floraison d'une multitude de Composées vivaces et caulescentes, robustes plantes, riches en tissus lignifiés et que n'affecte pas une gelée occasionnelle et quelques jours de froid. Dans les prés incultes et dans les sous-bois, les Verges d'or et les Asters font les frais d'une décoration automnale prodigieusement haute en couleur. Il semble y avoir, alors, une Verge d'or et un Aster attitrés pour chaque habitat et pour chaque latitude, et si les espèces sont nombreuses, les individus sont légions de légions.

Mais cette explosion de couleurs dans le cadre de l'automne ne se limite pas aux espèces florales, dont c'est peut-être, après tout, le rôle, en cette ère moderne des Angiospermes périanthées, de briller pour l'éjouissement et le bénéfice des Insectes coopérateurs. La féerie déborde le monde des corolles, s'étend comme une espèce d'enthousiasme végétal, gagne les feuillages qui reprennent avec insistance, en élargissant l'expression, en gonflant la note, les mêmes gammes, les mêmes sonorités, les mêmes harmonies lumineuses.

A mesure que la chlorophylle, principale artiste de l'été, s'efface, tuée par la lumière vive et froide de l'automne, les pigments jaunes, carotine et xantophylle, masqués jusque-là, se révèlent et font de l'or avec les feuilles de l'Erable à sucre, des Frênes, des Bouleaux, des Peupliers. En même temps, chez nombre d'espèces, un jeu de diastases, stimulé par les conditions spéciales de notre automne, provoque une série de réactions qui aboutissent à la production des pigments anthocyaniques.

C'est alors que la Vigne vierge, le Summac vinaigrier, les jeunes pousses des Frênes, et surtout l'Erable rouge, entrent vigoureusement dans le paysage. Nos bois laurentiens chavirent dans le rouge et leur éclatante beauté est alors unique au monde. Les pentes des Laurentides, les fonds de la plaine basse, forment des horizons sanglants où s'ajoutent, chevauchent et se fondent les gammes infinies que le rouge vainqueur a sur sa palette. Souvent, dans cette forêt mixte, court devant la haute futaie qui flamboie le vert profond d'une lisière à Sapins ou d'Epinettes. Et à l'heure incertaine du crépuscule où les perspectives se déforment et les plans se télescopent, on dirait des rangées de tentes noires, profilées sur le fond rougeoyant d'un champ de bataille.

* * *

Grâce aux progrès qui viennent d'être indiqués, les hommes de science du Canada français n'étaient plus une poignée répartis en plusieurs disciplines, ils commençaient à faire nombre. Mais ils demeuraient isolés et il leur manquait le bénéfice de contacts réguliers: la réponse à cette lacune avait été, dès 1923, la fondation de l'A.C.F.A.S., Association canadienne-française pour l'Avancement des Sciences. À partir de 1932, elle tint ses congrès à l'automne de chaque année, alternativement dans chacune des deux grandes villes universitaires du Québec, de même qu'à Ottawa après 1945 et aussi à Sherbrooke à partir de 1963.

L'A.C.F.A.S., même si elle ne détient ou ne dirige aucun organisme de recherche, a joué et continue de jouer un rôle d'incitation à la présentation et à la publication, dans ses mémoires, des communications présentées aux congrès périodiques. Par là, elle a directement contribué à l'épanouissement d'une littérature scientifique canadienne-française bien structurée.

Quelques faits d'une haute importance sont encore à signaler, au terme de cette longue période des précurseurs. En 1938 fut fondé l'Institut de Microbiologie de Montréal, que l'on peut considérer, après le Jardin Botanique, comme le second des grands organismes canadiens-français consacrés à la recherche scientifique; il a été fondé par le docteur Armand FRAPPIER dans le but de mettre au point des vaccins contre plusieurs maladies microbiennes. Le noyau initial de direction et de recherche fut constitué par des médecins et des chimistes. Les travaux du docteur Armand Frappier qui, en 1969, est toujours l'âme dirigeante de cet organisme, comptent parmi les plus solidement charpentés de la littérature scientifique québécoise. Ils sont, pour la plupart, publiés dans des revues hautement spécialisées.

Le troisième grand événement scientifique de cet ordre a été la création, vers 1940, de la faculté des Sciences de l'Université Laval: aux anciennes Écoles de Chimie et d'Arpentage s'y ajoutèrent l'École des Mines et une section de Physique. Ces institutions allaient permettre l'éclosion d'auteurs scientifiques dans des domaines qui avaient été, jusque-là, par la force des choses, pour une large part, tragiquement fermés au Canada français.

Muni de ces instruments de base que furent les facultés des Sciences de Québec et de Montréal, des deux premiers institut de recherches (l'Institut de Microbiologie et le Jardin Botanique de Montréal), d'une grande association scientifique (l'A.C.F.A.S.), d'une première revue scientifique de plus en plus dynamique avec les années (« Le Naturaliste canadien ») et d'un premier noyau d'écrivains scientifiques qui, dans plusieurs domaines, avaient su s'exprimer dans une langue élégante et rigoureuse, le Québec put avec confiance, après la césure de la Seconde Guerre mondiale, assumer les responsabilités de l'époque contemporaine, cette seconde moitié du XXe siècle, si prodigieusement riche en découvertes et en incitations au labeur scientifique.

C. — L'ÉTAT PRÉSENT DE LA RECHERCHE ET DE LA LITTÉRATURE SCIENTIFIQUES

Dans le domaine scientifique où nous intégrerons, pour la période contemporaine, les sciences de la Terre (Astronomie, Géographie, Géologie, Géophysique, Hydrologie, Météorologie, Pédologie, Océanographie), la Biologie, la Chimie et la Médecine, on peut, on doit se demander comment s'expriment les universitaires, les chercheurs et les savants québécois. Si on ne l'a pas fait jusqu'ici dans les histoires littéraires, précisons que l'inexistence même de grands ouvrages scientifiques, dans plusieurs de ces domaines, y fut pour quelque chose.

Cette lacune, que nous avons évoquée pour un passé récent, tient à un faisceau de causes, dont quelques-unes apparaissent comme positivement impensables ou invraisemblables dans le contexte du Québec d'après la « révolution tranquille ». Songeons, par exemple, qu'avant 1960, la plupart des géologues de langue française attachés au Service des Mines du Québec rédigeaient leurs rapports en anglais, langue dans laquelle ils étaient publiés, parallèlement à une traduction française!

Les choses ont changé sur l'ordre du ministre des Richesses Naturelles, vers 1961, mais les séquelles demeurent: car ce n'est pas impunément qu'un homme de science est formé, même dans une université de langue française, dans des manuels qui sont en majorité américains; ce n'est pas impunément qu'un jeune scientifique, après cette première phase d'études, va compléter sa formation dans une université de langue anglaise; et ce n'est pas impunément, enfin, qu'il doive rédiger, durant des années de carrière, les résultats de ses recherches dans une langue autre que sa langue maternelle. Chacune de ces étapes ne peut qu'imprimer un indélébile traumatisme sur la qualité d'expression du praticien des Sciences le plus brillant et le plus compétent. L'homme de science québécois s'exprimera, par l'écrit, d'autant plus clairement, élégamment et justement en langue française, qu'il aura été formé en français (maîtres et manuels), qu'il se sera spécialisé en français, et qu'il effectuera la part essentielle de son travail en langue française.

Ces considérations ne doivent cependant pas masquer le fait qu'une littérature scientifique québécoise est, au sens propre du mot, en train de naître sous nos yeux, solide et diversifiée, grâce aux moyens de tous ordres, puissants, modernes, efficaces que, d'ores et déjà, possède le Québec. Parmi ces grands instruments, mentionnons l'État québécois et les universités; au sein de celui-ci et de celles-là, on remarque deux types d'organismes relativement récents: les centres de recherches et les presses universitaires.

L'État québécois   L'État québécois est présentement, et de façon directe, le moteur de plus puissant des recherches et des publications scientifiques au Québec. A plusieurs ministères, sont rattachés des services ou des centres de recherches spécialisés.

Le ministère de l'Agriculture, par exemple, publie des études pédologiques extrêmement bien conçues, rédigées et illustrées: or, la première étude de cette série ne date que de 1948, et cette collection comptait, en 1969, une quinzaine de titres. Des premières études aux dernières, on peut suivre le progrès des qualités de l'exposé, qui gagne en souplesse, en élégance et en clarté: on en tire l'impression réconfortante que voici des scientifiques parfaitement maîtres de leur profession et qui expriment, tout naturellement, en français, le résultat de leurs recherches. Parmi les noms qui se détachent en Pédologie et en Agronomie, citons: Roger BARIL, Lucien CHOINIÈRE, Armand DUBÉ, Gérard GODBOUT, Paul G.-LAJOIE, Léonard LAPLANTE, Auguste MAILLOUX, Ernest PAGEAU, René RAYMOND, Bertrand ROCHEFORT et Jean-Charles MAGNAN, doyen des agronomes québécois.

Du ministère de l'Industrie et du Commerce relève un organisme scientifique, peu connu du grand public, qui a nom Station de Biologie marine et qui est installé à Grande-Rivière, sur les rives de la baie des Chaleurs. Bien qu'elle ne date que de 1952, cette Station, sous l'impulsion de son directeur, le docteur Alexandre MARCOTTE, a publié une impressionnante série de contributions, d'études et de communications d'une exactitude et d'une concision scientifiques exemplaires.

Cet organisme scientifique a l'honneur d'être le premier, au Québec, à présenter toutes les mesures, dans ses publications, en système métrique: pratique qui, du point de vue de la présentation scientifique, hausse d'emblée ces travaux à un niveau international. Ces publications sont au nombre d'une quinzaine par année, auxquelles s'ajoutent, annuellement, trois ou quatre Cahiers d'information et un volumineux rapport d'activité. Outre le docteur Marcotte, les principaux écrivains qui ilustrent le domaine de la Biologie marine et de l'Océanographie physique sont Yves et F.-Robert BOUDREAULT, Pierre BRUNEL, Jean CARBONNEAU, André CARDINAL, Richard COUTURE, Monique GAUTHIER, Guy LACROIX, Marcel TIPHANE.

Un autre ministère, celui du Tourisme, de la Chasse et de la Pêche, apporte une remarquable contribution à la Biologie animale par l'intermédiaire de son service de la Faune.

Ce service a été créé en 1961 seulement. Il a été très adéquatement et logiquement installé sur les terrains du Jardin Zoologique du Québec, dont l'origine remonte à 1927 et dont il convient de dire, en toute équité, que le service de la Faune en est né. Les publications scientifiques en Zoologie ont pris, de ce fait, un dynamique essor. En raison toutefois de la jeunesse de ce service, jointe au fait que la plupart des zoologues ont dû, à leur corps défendant, sans doute, étudier et se spécialiser dans des manuels de langue étrangère, l'expression scientifique de leurs travaux, il faut le reconnaître, manque encore parfois de fluidité et de souplesse. Relevons, en outre, qu'on n'y a pas encore généralisé l'emploi du système métrique. Parmi les bons écrivains en ce domaine, citons Pierre DESMEULES (Mammifères), Vianney LEGENDRE (Mammifères), Louis LEMIEUX (Ornithologie), Louis MANGIN (Ichthyologie), Austin REED (Ornithologie), le Rév. Frère Clément ROBERT (Entomologie). Une mention spéciale doit être réservée à Raymond CAYOUETTE qui, bien avant la création du service de la Faune, s'était dévoué à la rédaction du Bulletin du Club des Ornithologues de Québec et des Carnets de Zoologie.

Le plus important ministère québécois, quant à la recherche scientifique, est incontestablement celui des Richesses naturelles. Le premier organisme d'État à caractère scientifique a été le service des Mines, créé vers 1930, devenu en 1961 la Direction générale des Mines au ministère précité. Encore en 1959, la grande majorité des travaux de cet organisme étaient rédigés et publiés en anglais, la version française portant la mention « traduit de l'anglais »: cette situation s'explique du fait que les premiers directeurs du service étaient de langue anglaise, de même que les premiers géologues. Ce fut un des effets de la Révolution tranquille qu'à l'initiative du ministre René LÉVESQUE, et aussi du Conseil de la Vie française en Amérique, le français devint la langue de travail au sein d'un organisme qui, signe de temps nouveaux, allait prendre le nom de Direction générale des Mines.

En 1962, toujours sur la lancée de la Révolution tranquille, survint un des événements les plus considérables de l'histoire du Québec moderne comme de son histoire économique et scientifique: la nationalisation de l'électricité, décidée par élection-referendum et devenue effective le 1er mai 1963. Résultat: pour les centaines de spécialistes qui œuvraient dans les anciennes compagnies, le français allait devenir langue de travail à une échelle encore inconnue jusque-là: c'est ainsi que, dans une langue ardue, hermétique et hautement technique, langue française presque squelettique parfois, belle cependant, allaient se concevoir et préciser les grands projets de barrages et d'aménagements hydroélectriques de la Côte-Nord, des Territoires de Mistassini, d'Abitibi et du Nouveau-Québec. L'État, par l'intermédiaire de l'Hydro-Québec, s'est haussé à un nouveau palier en créant, au printemps de 1969, l'Institut de Recherche en électricité, dont les laboratoires laissent présager l'importance et le nombre des contributions dans ce domaine.

Mentionnons, enfin, le ministère des Terres et Forêts, qui fournit sa quote-part d'études de valeur. J.-Oscar VILLENEUVE y est le grand spécialiste en Météorologie, et Paul-H. NADEAU en Astronomie.

Les universités
Parallèlement, corrélativement et souvent conjointement avec la contribution importante et diversifiée de la recherche au sein de l'État québécois, s'inscrivent les travaux des chercheurs universitaires.

À l'aube de leur existence, l'Université Laval d'abord, puis l'Université de Montréal eurent pour mission de former des professionnels dans les carrières traditionnelles au Québec: Droit, Notariat,

Médecine, Art dentaire. Ce n'est qu'après la Première Guerre que naquirent la faculté des sciences de l'Université Laval avec ses laboratoires ou écoles de Chimie, de Minéralogie et de Biologie. L'Université de Montréal emboîta le pas, pendant la seconde Grande Guerre, avec la création, entre autres, de l'Institut de Géographie, grâce au labeur enthousiaste des deux premiers géographes québécois en titre, tous deux formés en Europe: Benoît BROUILLETTE, à Paris, Pierre DAGENAIS à Grenoble, — œuvre que vint épauler solidement, de Grenoble, durant plus d'une décennie, le grand Raoul Blanchard. L'Université Laval créa, de son côté, en 1949, un Institut d'Histoire et de Géographie sous la direction première de Mgr Arthur MAHEUX.

L'Institut de Géographie de Montréal a formé une pléiade de géographes dont plusieurs, dans l'exercice de leur profession, sont devenus d'excellents auteurs: Noël FALAISE et Pierre-Yves PÉPIN en Géographie économique, Ludger BEAUREGARD, Hubert CHABONNEAU et Paul-Yves DENIS en Géographie urbaine, Jean-Claude DIONNE, Camille LAVERDIÈRE et Gilles RITCHOT en Géomorphologie structurale, glaciaire et périglaciaire, et de nombreux autres, naturellement, qui exercent d'importantes fonctions dans les divers ministères québécois (Richesses naturelles, Industrie et Commerce), dans les administrations municipales et aussi au sein de firmes d'architectes, d'ingénieurs et d'urbanistes-conseils, où leur travail demeure souvent anonyme.

Peu après la seconde Grande Guerre, en 1949, est né l'Institut d'Histoire et de Géographie de l'Université Laval, qui a formé plusieurs géographes devenus de bons écrivains scientifiques: citons Michel GAUMONT en Archéologie, Benoît ROBITAILLE en Géomorphologie, Henri DORION en Géographie politique. Un des noms les plus marquants de l'Université Laval est Louis-Edmond HAMELIN, qui, formé en Sciences sociales, est devenu un excellent géographe, un chercheur et un écrivain scientifique à la fois prolifique et solide; malgré un style parfois un peu rugueux, cet auteur se signale par la création de vocables nouveaux dans le domaine de la Géomorphologie glaciaire et périglaciaire et par des idées originales qui ont amorcé de passionnantes recherches, notamment en Géographie physique.

BENOÎT BROUILLETTE
(né en 1904)

Il est néanmoins un géographe québécois qui se détache comme en exergue dans cette profession et qui est en même temps le pionnier des géographes-écrivains proprement québécois du XXe siècle: il a été formé à l'École des Hautes Études commerciales de Montréal et à l'Institut de Géographie de Paris. Il n'y avait pas encore, à cette époque, d'institution de ce dernier type au Québec. Du début de sa carrière de professeur à l'École de Hautes Études commerciales jusju'à l'âge de sa retraite, en 1968, Benoît Brouillette a doublé son enseignement de recherches ininterrompues, ponctuées à intervalles réguliers par des publications, remarquables aussi bien par l'ampleur de la documentation que par la vigueur de l'exposé.

Cette constance et cette régularité des recherches méritent d'être signalées, car il s'agit de rarissimes qualités, il faut l'admettre, chez les hommes de science québécois pour qui, trop souvent, une nomination à quelque poste élevé signifie la fin de leur carrière scientifique, au point qu'on en arrive à se demander si, pour certains, les publications de début de carrière n'ont pas été un tremplin de leur avancement plutôt qu'une marque de véritable intérêt pour la chose scientifique.

Les travaux de Benoît Brouillette, généralement publiés dans la « Revue de Géographie de Montréal » et dans « L'Actualité économique » (également de Montréal), constituent un corps de recherches originales sur divers aspects de la géographie économique de Montréal (questions portuaires), du Québec et du Canada (industries manufacturières, courant commerciaux).

LE PORT DE MONTRÉAL

Le style de Benoît Brouillette reflète son dynamisme et son optimisme fonciers; il recèle une précieuse qualité pour les travaux scientifiques: celle d'être agréable à lire. La phrase est vivante et nerveuse, très personnelle et même personnalisée; en effet, l'auteur s'adresse, quelquefois, directement au lecteur, comme en ce passage sur les silos ou élévateurs à grains de Montréal, paru dans le vol. XXI, no 2, de la *Revue de Géographie de Montréal*.

Votre bateau de croisière s'arrêtera dans la baie par laquelle on pénètre aux chantiers maritimes de la société Canadian Vickers. Avec un peu de chance, vous pourriez voir fonctionner l'élévateur no 4. Les céréaliers qui y apportent les grains s'amarrent d'ordinaire au poste 56, à l'intérieur du bassin, tandis que les océaniques qui viennent y prendre leurs cargaisons se trouvent à l'extérieur, aux postes 55 ou 54. On décharge les navires à l'aide principalement de manches élévatrices, munies de chaînes à godets et installées dans les élévateurs mobiles montés sur rail. Ces tours géantes se placent auprès des cales du navire à décharger, où des godets viennent puiser le grain qu'ils déversent au sommet sur le tapis roulant qui l'achemine vers la cellule du silo auquel il est destiné selon sa catégorie. Il suffit de quelques ouvriers en fond de cale pour exécuter les manœuvres requises et pour compléter la besogne à l'aide d'aspirateurs ou de pelles mécaniques. Donc, la manipulation des céréales est fortement mécanisée, tant à l'arrivée qu'au départ des élévateurs. On charge, en effet, les cargaisons destinées aux pays d'outre-mer à partir des tapis roulants alimentés par des monte-charge à l'intérieur des silos. L'acheminement du grain vers la cale des navires se fait à l'aide de longs tuyaux mobiles en acier, des « trompes d'éléphant », que les ouvriers chargés d'arrimer correctement la cargaison disposent à leur gré. Ils complètent le travail avec un instrument appelé « trimmer » qui les aide à uniformiser la charge en projetant les grains sans affecter leur caryopse. Bref, les cinq élévateurs de Montréal peuvent entreposer environ 22 millions de boisseaux (600,000 tonnes). Mais c'est moins la capacité totale qui importe, que la vitesse de manipulation. Nos silos sont outillés de telle sorte qu'en 13 heures de travail, ils peuvent charger ou décharger trois millions de boisseaux (81,500 tonnes).

Dans les travaux de Benoît Brouillette, les exposés, les analyses sont étayés par des statistiques nombreuses, judicieusement employées et synthétisées; leur incorporation au texte ne nuit aucunement à la clarté de la phrase. L'auteur use fréquemment de citations rigoureusement choisies et venant bien à propos; il a, en outre, un sens critique aigu, du mordant, et il sait donner, avec une franchise et une pondération qui témoignent de son honnêteté intellectuelle, son avis sur les sujets qu'il aborde et qui demeurent rarement, ainsi, dans l'ordre purement descriptif ou spéculatif.

*
* *

Le domaine de la botanique est illustré par des chercheurs dont plusieurs ont été nommés plus haut et qui avaient commencé à écrire avant 1945; certains d'entre eux, pour des raisons diverses, publient aujourd'hui à un rythme moins accéléré. Il semble même que, corrélativement à un certain déclin de l'activité proprement scientifique au Jardin botanique de Montréal, après le départ de son directeur, Jacques ROUSSEAU, la Botanique québécoise soit, en ce moment, dans une phase assez peu dynamique, ce qui est bien exceptionnel dans son histoire et reflète, à coup sûr, un état provisoire. Il convient cependant de noter, parmi les botanistes écrivains de la génération postérieure à 1945, c'est-à-dire qui appartiennent exclusivement à l'époque contemporaine: Auray BLAIN, Marcel RAYMOND, spécialiste des Carex, et le Dr Ernest ROULEAU, qui a sur le chantier, depuis plusieurs années, une *Flore de Terre-Neuve*.

Nous retiendrons, comme auteurs scientifiques, les noms de deux pionniers de la Botanique contemporaine au Québec, les docteurs Jacques ROUSSEAU et Gérard GARDNER.

JACQUES ROUSSEAU
(né en 1905)

Jacques Rousseau peut faire penser à Charles Darwin dans la mesure où il est un naturaliste complet, dont l'attitude spontanée est d'embrasser un territoire dans une vue synthétique comprenant la Botanique, la Zoologie, et souvent la Climatologie et la Géologie. C'est ainsi que la description d'une région par l'auteur de *L'Hérédité et l'homme* constitue une merveilleuse petite synthèse d'histoire naturelle, un microscome où Botanique et Zoologie se compénètrent intimement et dont les descriptions aboutissent presque toujours à l'Homme qui informe cet habitat. Le style de Jacques Rousseau est sobre, la phrase est courte et claire, les descriptions alertes, le vocabulaire précis, judicieux, recherché à l'occasion, l'expression est toujours élégante et souvent baignée d'une poésie délicate soudain condensée en splendides images (il écrira, par exemple: « Ces arbres sont comme des flèches tassées dans un carquois »).

NOTRE ZONE TEMPÉRÉE

Écoutons Jacques Rousseau parler successivement du milieu végétal, animal et humain (amérindien) de la zone tempérée d'Amérique du Nord.

La zone tempérée des manuels de géographie se subdivise en trois unités distinctes: a) Au sud, la zone des bois feuillus atteint le Canada par la péninsule ontarienne. Cette forêt, qui ne traverse pas le continent, va buter contre la prairie, à l'ouest. b) De même, la zone des bois mêlés, la forêt mixte, qui la borde au nord et qui occupe la plus grande partie du Saint-Laurent. c) La forêt coniférienne tempérée, qui constitue le troisième secteur, au nord, — nommé zone tempérée supérieure dans la présente étude, — est un vaste croissant allant de Terre-Neuve à l'Alaska. La période dépourvue de gelées n'y dépasse pas cent jours par année et même, dans le nord de l'aire, atteint à peine soixante jours.

. . . .

Partout en zone tempérée, l'ours noir (Euarctos americanus) glisse d'un pas feutré à la recherche de poisson, l'été, et de baies sucrées, à l'automne, pour s'engraisser avant de s'engourdir dans le sommeil hivernal. Au sud de la forêt coniférienne, le cerf (Odocoileus virginianus borealis) gambade en quête de plantes fourragères et de bourgeons d'arbustes, quand la neige trop abondante ne vient pas compromettre son existence. La gélinotte au plumage panaché (Bonasa umbellatus umbelloides) se perche stupidement. Le lac frémit sous le cri strident du huard (Gavia immer); les volées de canards noirs (Anas rubripes) et d'outardes du Canada — ou bernaches (Branta canadensis), — émigrent à la poursuite d'un printemps sans fin. Les lacs recèlent le doré (Stixostedion) — un poisson typiquement américain, — la truite grise (Cristivomer namaycush), la truite rouge (Salvelinus fontinalis), le poisson blanc (Coregonus clupeaformis surtout), des carpes (Catostomus), le brochet (Esox lucius), la lotte (Lota lota maculosa) au lac Mistassini.

. . . .

Jusqu'à une date récente, le Grand-Nord s'identifiait à la forêt coniférienne des confins de la zone tempérée. C'était une région parcourue par de rares bandes forestières que fréquentaient, en hiver, une poignée de trappeurs et de bûcherons de race blanche. Depuis que l'exploration, la prospection et les exigences de la dernière guerre ont rendu plus accessibles les solitudes boréales — il y a deux décennies à peine, — le nom s'est étendu aux terres les plus septentrionales pour englober toute la forêt hyperboréale et la toundra arctique elle-même.

Les Amérindiens du Canada comptent actuellement 204,000 âmes, y compris les 12,000 Esquimaux. La province d'Ontario vient en tête, avec 48,000 Indiens, suivie de la Colombie-Britannique, 39,000, du Manitoba, de la Saskatchewan et du Québec, 19,000 à 30,000 chacune. Et au dernier rang, l'Île-du-Prince-Édouard, avec 346 Micmacs.

*

* *

La quintessence du plus pur style scientifique est apportée par Gérard GARDNER. Dans ses recherches, très originales et très nouvelles, sur la croissance des plantes ligneuses, à part quelques notes explicatives claires et dépouillées à l'extrême, où l'on chercherait en vain un qualificatif ou un adverbe superflu, les résultats s'expriment en valeurs numériques groupées en colonnes ou en tableaux. Il convenait de mentionner ce cas, car il s'agit pour maints auteurs, dans plusieurs diciplines, d'une préfiguration du style scientifique de l'avenir: pour certaines disciplines, les statistiques y compteront plus de pages que le texte de présentation et d'analyse.

Nouveaux instruments d'action

L'on a vu plus haut l'impulsion décisive, marquée, originale que l'État québécois a imprimée à la recherche scientifique dans des domaines comme la Géologie, la Pédologie, la Biologie marine et terrestre.

L'université québécoise prise comme un tout a, de son côté, outre son enseignement traditionnel, donné une vive impulsion à la recherche et à la production scientifique en créant des centres ou des laboratoires de recherches rattachés à diverses facultés: ces centres se sont particulièrement multipliés à partir de 1960. L'Université Laval, par exemple, possède un Centre d'Études nordiques dont les travaux couvrent plusieurs disciplines scientifiques, de l'Archéologie à la Linguistique esquimaude. A l'Institut d'Économie appliquée de l'École des Hautes Études commerciales de l'Université de Montréal est rattaché, depuis 1966, un Centre de Recherches arctiques dont les travaux sont essentiellement de nature quantitative et portent, fondamentalement, sur des sujets de Botanique, générale et forestière, de Géologie et de Sédimentologie appliquées.

Dans le domaine de la Médecine, quelques hôpitaux, à Québec et à Montréal, ont été promus au rang d'hôpitaux universitaires: la recherche clinique y a acquis droit de cité. Dans d'autres hôpitaux ont été institués des centres de recherches dans plusieurs disciplines. On est cependant contraint de remarquer une relative rareté des publications. Il est vrai que cette lacune n'est pas forcément un critère quant à l'intensité même des recherches dans tel ou tel domaine.

De façon générale, cependant, de tous ces organismes nouveaux et de tous ces scientifiques voués à la recherche allaient émaner, par un effet d'admirable convergence, des dizaines de travaux scientifiques importants. On s'aperçut, dès lors, que les revues scientifiques existantes ne pouvaient absorber le dixième de la production nouvelle. L'État québécois ne pouvait faire plus que de publier, dans chacun de ses ministères, les rapports et les travaux scientifiques qui y naissaient de plus en plus nombreux. Quant aux maisons d'édition québécoise, si, depuis plusieurs décennies, elles publiaient des manuels scolaires dont la vente était assurée, elles ne voulaient ou ne pouvaient consentir aux risques que comportait la publication d'ouvrages scientifiques. Les hommes de science du Québec manquaient d'instruments efficaces et puissants pour la diffusion de leurs travaux. C'est pourquoi furent créées, en 1960, les Presses universitaires de Laval, qui ont publié et publient la plupart des travaux de chercheurs de cette université, par exemple les travaux du Centre d'Études nordiques; peu de temps après, en novembre 1962, étaient établies, pour une même fin, les Presses de l'Université de Montréal.

L'analyse du catalogue de ces deux Presses, plus spécialement celui des Presses de l'Université de Montréal, montre que les publications en sciences humaines (Droit, Histoire, Linguistique, Littérature, Philosophie, Sciences économiques, religieuses et sociales) dépassent très largement, avec 48 titres, les ouvrages de science pure (Biologie, Chimie, Mathématiques, Médecine) qui ne comptent que 10 titres, dont un seul en Chimie, deux en Médecine, un en Entomologie et un en Botanique, — réédition de *La Flore laurentienne* du Frère Marie Victorin.

Cette constatation est un indice: les chercheurs et les auteurs universitaires, dans le domaine des sciences pures et naturelles, sont loin d'être aussi nombreux et aussi actifs qu'ils devraient l'être au Québec. C'est sans doute que certaines conditions manquent encore pour favoriser, au maximum, l'épanouissement d'une grande littérature scientifique au Canada français.

*Conclusion : les conditions
du progrès futur*

Ne faudrait-il pas, d'abord, que les scientifiques québécois, dans leur ensemble, considérassent comme normal, voire prioritaire, d'établir et de maintenir des contacts avec leurs collègues francophones de l'extérieur; qu'ils jugeassent également normal de participer activement et fréquemment aux congrès de leur spécialité, à Genève, à Bordeaux, à Lyon, à Strasbourg, à Paris, à Alger ou à Dakar et d'y présenter leurs communications en français? À l'heure actuelle, les participations aux congrès scientifiques s'effectuent particulièrement dans les milieux anglo-américains et les communications sont présentées en anglais. Nos scientifiques devraient mieux sentir la nécessité de s'abonner à de grandes revues internationales de langue française dans leur spécialité et d'y collaborer activement; il est, à cet égard, proprement inconcevable qu'une revue aussi prééminente dans le domaine de la Géologie que le *Bulletin de la Société géologique de France* ne compte que trois abonnés et deux collaborateurs au Québec, que la Société géologique de France ne compte que deux membres au Québec, la Société botanique de France un seul, et il est, somme toute, à proprement parler humiliant qu'il n'y ait, dans tout le Québec, qu'une seule bibliothèque abonnée aux Comptes rendus de l'Académie des Sciences, et qu'au cours des dernières années, deux collaborateurs québécois, seulement, y aient présenté des notes.

Il faut, au total, que les scientifiques québécois considèrent comme normal de s'alimenter régulièrement à des sources de langue française s'ils désirent véritablement occuper la place qui leur revient de droit sur l'échiquier international de la science française. Il faudra également que les scientifiques québécois apprennent les vertus de la continuité et de l'esprit de suite qui sont, au Québec, contrairement à ce qui se passe en Europe, mises en péril grave par des considérations de niveau de vie, par les nominations et par l'accession à des postes de direction, qui ont le plus souvent la redoutable et négative vertu de stériliser à la fois recherches et publications.

Mépriser ces exigences, que l'on peut qualifier de personnelles, ce n'est pas seulement mettre la charrue avant les bœufs, c'est vouloir faire fonctionner la charrue sans les bœufs.

Au-delà apparaissent les exigences et les besoins collectifs, dont la responsabilité incombe au Québec tout entier: par exemple, la création d'un Centre québécois de la Recherche scientifique et la création d'une Académie des Sciences.

La réalisation majeure à mettre en œuvre est un Centre québécois de la Recherche scientifique. Par ses propres laboratoires, par le canal des centres de recherches autonomes ou universitaires, par celui des universités elles-mêmes, cet organisme donnera à la science québécoise des moyens puissants et assurés de se développer; il donnera aux chercheurs le moyen de s'exprimer en subventionnant certaines des publications scientifiques existantes et en créant de nouvelles qui semblent indispensables dans plusieurs disciplines. Ce Centre des Recherches veillera très spécialement à encourager et à soutenir financièrement la participation active des scientifiques québécois qui présenteront des communications à des congrès internationaux, particulièrement au sein de la Francophonie. Jusqu'à maintenant, plusieurs professionnels désirant assister à des congrès ont dû le faire exclusivement à leurs frais, ce qui explique, en bonne partie, que la participation québécoise se soit anormalement réduite aux congrès se tenant aux États-Unis, puisqu'il en coûte, en moyenne, deux fois plus pour assister à un congrès en Europe qu'en Amérique du Nord.

Le Québec doit désormais s'aligner sur la plupart des grands pays du Globe, aider ses hommes de science à accomplir leur mission, et ne compter plus sur l'héroïsme d'une élite pour défendre, en Science, l'honneur de tous.

Les Arts et les Lettres, au Québec, ont traditionellement été servis avec plus de dilection que les Sciences. C'est ainsi qu'elles ont, pour les honorer, des organismes aussi prestigieux que l'Académie canadienne-française et le ministère des Affaires culturelles. Il faudrait bien que les Sciences fussent, à l'avenir, honorées de même, que leur prestige naissant, au Québec, fût étayé et couronné par la création d'une Académie de Médecine, par celle surtout d'une Académie des Sciences comprenant cinq grandes sections: Biologie, Botanique, Chimie, Physique et Sciences de la Terre et par la mise sur pied d'un Centre national québécois de la recherche scientifique. Voilà donc les quelques grandes étapes encore à franchir pour que la Science, au Québec, atteigne force et stature adultes et pour que les œuvres et les travaux qui en naîtront participent des mêmes solides vertus.

Chapitre VIII

LA CRITIQUE LITTÉRAIRE, DE 1945 À NOS JOURS

par Gilles MARCOTTE et Paul WYCZYNSKI
avec la participation de Pierre de GRANDPRÉ

L'étude de la critique littéraire du dernier quart de siècle, au Canada français, peut se subdiviser en deux secteurs, d'une importance respective qui tend progressivement, depuis quelques années, à se faire équilibre: la critique des journaux et des revues d'une part, et d'autre part la critique et la recherche universitaires.

La raison de cet état de choses, et de cette évolution, est donnée d'une façon particulièrement nette dans la page suivante de Guy Sylvestre sur « la recherche en littérature »: [1]

« Comme la littérature canadienne-française n'a guère été enseignée à l'université jusqu'à ces dernières années (sauf par Camille Roy à Québec et Séraphin Marion à Ottawa), il s'ensuit que la plupart des

---

1. « La recherche en littérature canadienne-française », chapitre final de *La Recherche au Canada français*, ouvrage rédigé en collaboration et présenté par le professeur Louis Baudouin, Montréal, Les Presses de l'Université de Montréal, 1968, pp. 149-161. — Il faut également accorder une mention ici, parce que c'est une matière qui touche souvent de près à la vie des lettres, à la critique d'art, où se sont signalés Gérard Morisset, Jean Chauvin, Olivier Maurault, Marius Barbeau, et plus récemment Guy Viau, Maurice Gagnon et Guy Robert (qui précisément commente aussi les poètes et fait de l'ingénieuse critique thématique en littérature, comme dans *La Poétique du songe*, 1963), des journalistes comme Rolland Boulanger au temps de « Arts et pensée » (1951-1955), Rodolphe de Repentigny, Yves Robillard, et les nombreux collaborateurs de l'excellente revue « Vie des arts », des écrivains ou artistes auteurs de monographies comme Robert Elie, Jacques de Tonnancour, Jacques Folch-Ribas, Claude Jasmin, Jacques de Roussan ou Laurent Lamy. Parmi les critiques de musique qui ont succédé à un Léo-Pol Morin et à un Eugène Lapierre, nommons Jean Vallerand, Annette Lasalle-Leduc, Jean Papineau-Couture, Andrée Desautels, Hélène Grenier, Gilles Potvin, Claude Gingras, Roger Bédard; et on ne peut songer aux arts du spectacle sans évoquer les noms de Jean Béraud, Marcel Valois (Jean Dufresne), Georges-Henri d'Auteuil, s.j., Jean Hamelin, Pierre de Grandpré, Guy Beaulne, Jean Basile, Rudel Tessier, Yerri Kempf, auxquels on pourrait déjà joindre ceux de Martial Dassylva, François Piazza et d'autres.

travaux qui lui ont été consacrés jusqu'ici ont été des travaux d'amateurs. Ai-je besoin de rappeler que dans *amateur* il y a *aimer*, et que certaines études de ces francs-tireurs nous font pénétrer dans certaines œuvres plus loin que ne le font parfois l'enseignement ou des travaux d'un universitaire qui commente une œuvre qu'il n'aime pas. On n'entre pas dans une œuvre littéraire par la porte du devoir et je donnerais volontiers, pour ma part, les cours ou les articles de certains professeurs pour quelques bonnes chroniques d'amateurs pour qui la littérature est un art et non une science. D'une manière générale, jusqu'à ces dernières années, la plus grande partie des ouvrages qui ont paru sur les lettres canadiennes-françaises ont donc été des travaux d'amateurs, de journalistes, de notaires, de dilettantes et de quelques universitaires pressés. »

I — LA CRITIQUE DES JOURNAUX ET DES REVUES
par Gilles MARCOTTE

Il est assurément téméraire, et surtout pour quelqu'un qui est de la confrérie, de prétendre analyser la critique littéraire qui s'est faite dans les journaux et revues du Canada français depuis 1945. La critique régulière ne s'enferme pas, en règle générale, dans des théories aisément identifiables; tout au plus, au delà du rudimentaire impressionnisme, avoue-t-elle des tendances, et qui ne tiennent pas toujours uniquement à la littérature. On aurait quelques difficulté, en France même, à isoler parfaitement les « phénomènes critiques » que représentent ou ont représenté un André Rousseaux, un Luc Estang, un Robert Kemp, un Robert Kanters. La critique périodique est affaire de culture, d'orientation personnelle, de style même, plutôt que de système. D'où son défaut certain: elle propose rarement des ensembles parfaitement cohérents. D'où aussi ses qualités possibles: une souplesse, une ouverture, qui lui permettent de suivre les méandres de l'actualité littéraire. On trouvera parfois dans les revues des chroniques plus longues, plus détaillées que dans les journaux, et qui permettent de mieux situer la pensée critique de leur auteur, mais il faut observer qu'au Canada français, les revues n'ont peut-être pas accordé à la littérature une attention aussi soutenue qu'il eût été désirable.

Pour éviter une fastidieuse énumération, nous nous essaierons au classement, mais en prévenant bien qu'il ne comporte aucune prétention à la rigueur. Citons d'abord, d'un même souffle, les noms de René Garneau, Roger Duhamel et Guy Sylvestre. Aux environs de 1945, ils exercent déjà le métier de critique depuis quelques années, et ils font autorité dans le milieu littéraire canadien-français.

341

Ils possèdent leurs classiques, la littérature française contemporaine leur est familière, et ils rédigent leurs chroniques dans une langue qui peut se comparer à celle de leurs confrères d'outre-mer. Ils ont quitté les préoccupations nationalistes peut-être un peu trop exclusives de leurs prédécesseurs immédiats, et recherchent dans les œuvres canadiennes-françaises les valeurs dites universelles. C'est ainsi qu'ils accueillent avec enthousiasme Alain Grandbois, salué par eux comme le premier poète canadien-français de classe internationale.

RENÉ GARNEAU
(né en 1907)

La carrière de René Garneau se divise en deux parties, non pas à cause d'un changement d'orientation, mais parce qu'après avoir pratiqué assez régulièrement la critique littéraire durant une quinzaine d'années à Montréal, il devient diplomate et réside en Europe. A compter de 1953, ses articles sur la littérature canadienne-française paraissent en France, aux *Nouvelles littéraires* et au *Mercure de France*. Il donne notamment au *Mercure* des articles d'une remarquable fermeté de pensée et d'écriture.

LA FRANCE ET LA LITTÉRATURE QUÉBÉCOISE

La situation faite à René Garneau par la carrière diplomatique l'amène à considérer avec attention le problème des rapports entre la littérature canadienne-française et la France. Il écrivait à ce propos, dans la revue *Liberté* (1966):

Puisque c'est avant tout du destin de nos romans en France qu'il s'agit, il faut préciser d'abord que deux éléments leur ont manqué jusqu'ici pour susciter des commentaires qui ne fussent pas uniquement sociologiques mais véritablement critiques: une valeur de choc et un poids suffisamment important de différenciation vis-à-vis de la tradition romanesque. J'entends par valeur de choc celle qui par exemple a jailli des œuvres des meilleurs romanciers américains depuis quarante ans et qui s'est acquis d'emblée et partout un droit de cité égal à celui des valeurs plus anciennes. Rien n'a été perdu de ce qui méritait d'être conservé du « roman à l'ancienne » mais on peut dire qu'à la suite de la fulguration, au ciel du roman, des grandes œuvres américaines, tout à été remis en question.

Valeurs de choc aussi que ces apports du Nouveau roman dont les romanciers traditionnels n'ont pas fini de se dépêtrer puisque même la critique la plus conformiste s'y réfère immanquablement, avec un sentiment qui s'apparente assez naïvement à la joie de la découverte, qu'il s'agisse d'un ouvrage de l'ancienne ou de la nouvelle formule.

... Nos romanciers ont été certes plus discrets que les Américains ou que les néo-romanciers. Ils n'ont rien découvert qui eût pu exciter l'intelligence critique des Européens et ils n'ont rien découvert qui eût marqué, dans le fond ou la forme, une différence avec le déjà connu et éprouvé. Et ils en souffrent certainement sur le marché étranger, celui des lecteurs aussi bien que de la critique.

ROGER DUHAMEL
(né en 1916)

Roger Duhamel [1] est sans doute l'un de ceux qui ont écrit le plus abondamment sur la littérature canadienne-française. Il s'embarrasse moins que tout autre de théories littéraires. Durant de nombreuses années, dans des articles de journal (il collabore actuellement au *Droit* d'Ottawa) et dans ses longues chroniques de *L'Action universitaire*, il a promené sur notre littérature le regard d'un liseur averti, attentif à la correction de la langue et à la clarté des idées. Il a beaucoup pratiqué Montaigne, les moralistes français, et ses préférences le portent vers les œuvres qui respectent les vertus traditionnelles de la littérature française. Mais il pratique aussi l'indulgence, et ne refuse pas de se prêter à des œuvres d'un ton nouveau.

LE RENOUVELLEMENT DU ROMAN

Dans le numéro de *Liberté* déjà cité, Roger Duhamel portait sur la « nouvelle littérature » du Canada français ce jugement tout en nuances:

Les tentatives de la jeune génération, parfois maladroites, le plus souvent originales et à l'occasion ironiques, réclament une rigoureuse exigence d'attention. Des voies nouvelles sont percées qui mèneront sûrement quelque part.

Puis-je avouer une certaine inquiétude, que je souhaite mal fondée ? Quand je lis les meilleurs de nos romanciers qui ont quitté les avenues traditionnelles — j'ai cité leurs noms — j'ai souvent l'impression qu'il s'agit de gageures, de prouesses intellectuelles ou verbales, d'œuvres expérimentales. Or comment ne pas convenir que même de nos jours les grands livres — je pense à Thomas Mann et à Boris Pasternak — ne s'adonnent pas à ces travaux de laboratoire et s'astreignent encore à nous rappeler que la marquise est sortie à cinq heures.

Ce que je redoute, c'est que nos romanciers actuels soient trop intelligents et trop cultivés. C'est regretter que la mariée soit trop belle ! Non pas tout à fait. C'est tout simplement craindre qu'un esprit critique très délié ne paralyse partiellement la fonction créatrice.

Il reste un fait évident. Pendant que notre poésie secouait les schèmes éculés, le roman stagnait sur place. Il a maintenant commencé de bouger. Il pousse ses pointes dans toutes les directions. Dieu merci, l'heure des inventaires n'a pas encore sonné.

---

1. Voir Chapitre VII, sur l'essai.

GUY SYLVESTRE

(né en 1918)

Guy Sylvestre fut, au départ, fortement attiré par la littérature française contemporaine, particulièrement la poésie. Grâce à sa revue *Gants du ciel*, qui parut de 1943 à 1946, le public canadien put prendre contact avec les pointes avancées de l'art littéraire en France. Il a collaboré à de nombreux journaux et revues (il signe actuellement des chroniques dans *Le Devoir*), en plus de publier quelques volumes, dont une *Anthologie de la poésie canadienne-française* qui a eu quatre éditions. Il a écrit de bonnes pages sur nos romanciers, nos essayistes, nos historiens — il connaît la littérature canadienne-française dans tous les coins — mais c'est la poésie, très évidemment, qui l'intéresse le plus.

LA JEUNE POÉSIE

Dans la Préface à la quatrième édition (1963) de son *Anthologie*, Guy Sylvestre exprime, à propos de la nouvelle poésie canadienne-française, des réserves analogues à celles que faisait Roger Duhamel au sujet du roman.

Il est peut-être opportun de souligner que si presque tous ces jeunes poètes ne nous ont encore donné que de brefs poèmes aux formes très libres, on trouve encore en France de bons poètes qui écrivent en vers réguliers — Jean Cayrol, Pierre Emmanuel, Maurice Fombeure, Paul Gilson, Jean-Claude Renard, Jean Tardieu, — ce qui ne les empêche pas de trouver des accents nouveaux; comme on trouve encore des poètes qui ont le souffle voulu pour entreprendre et réussir de grandes œuvres: Pierre Emmanuel, Patrice de la Tour du Pin, André Frénaud, Jean-Claude Renard. Je crains qu'il n'y ait chez la plupart des jeunes poètes canadiens d'aujourd'hui une certaine sécheresse — faut-il dire une certaine impuissance ? — qui les empêche de réaliser une œuvre d'envergure. Il est trop tôt toutefois pour en juger, et j'espère que leur laconisme est autre chose qu'un aveu d'impuissance.

CLÉMENT LOCKQUELL

(né en 1908)

Les trois critiques que nous avons recontrés jusqu'à maintenant sont des « littéraires » au sens fort, c'est-à-dire que leurs analyses se réfèrent à des barèmes esthétiques plutôt que moraux, sociaux ou politiques. L'esthétique, l'attention aux valeurs proprement littéraires des œuvres, tient également une grande place dans la critique de Clément Lockwell, mais elle compose avec une exigence spirituelle bien précise, marquée par le tragique pascalien.

L'INTUITION EN CRITIQUE

Ces dernières années, Clément Lockquell s'est penché sur les problèmes intellectuels que pose la critique littéraire. Il écrivait notamment, en 1964, un essai intitulé « Intuition et critique littéraire », paru dans *Recherches sociographiques*.

Il est indéniable que le critique qui essaie de comprendre, de faire comprendre, et aussi de créer à partir d'une autre œuvre, ne se contente pas des seules ressources de la raison. Celle-ci ne saisit et n'analyse le signifié que dans sa forme spécifique. Mais les richesses concrètes du monde et de l'écrit qui les exprime débordent les frontières de l'intelligence abstractive. Toute œuvre d'art, quelle qu'elle soit, est initialement mesurée par des émotions sensorielles, donc à multiples dimensions, à potentialités indéterminées mais diversement déterminables. La lecture et la création s'opèrent par une collaboration de l'esprit et des sens. Chaque mot recèle plusieurs sensations en puissance. L'opération critique compte parmi ses projets celui de se replacer dans la situation créatrice de l'auteur. C'est pourquoi l'intuition est un instrument critique excellent. Entendons toujours par intuition un effort presque douloureux de l'attention pour accomplir une descente bouleversante et difficile à l'intérieur de l'objet afin de l'épouser profondément. Mais cette attention n'est pas affaire unique de l'esprit, et le but de l'entreprise critique n'est pas, n'est plus seulement d'expliquer l'œuvre par l'expérience antérieure, mais de favoriser les illuminations de l'esprit au sens où Rimbaud emploie ce terme.

JEAN LE MOYNE
(né en 1913)

Depuis une quinzaine d'années environ se développe dans la critique canadienne-française une autre tendance, à laquelle se rattachent presque tous les écrivains dont nous parlerons désormais. La critique de la littérature devient la critique de la vie; la littérature sera considérée comme recherche de valeurs humaines, et non plus seulement, non plus surtout, de valeurs esthétiques. On justifiera parfois cette façon pour ainsi dire totale d'étudier la littérature canadienne-française en affirmant que la plupart de nos œuvres n'arrivent pas à la plénitude du sens esthétique. Dès 1943, Jean Le Moyne [1] pratiquait au journal *Le Canada* une critique savoureuse et profonde, qui cherchait à atteindre les œuvres à plusieurs paliers de signification. Il a collaboré à plusieurs journaux et revues depuis

---

1. Voir Chapitre VII, sur l'essai.

lors, mais il a fallu attendre la publication de *Convergences* (1961) pour que soient révélées au grand public quelques-unes des plus vigoureuses pages de critique qui se soient écrites au Canada français.

TOUT RÉEXPÉRIMENTER

Pour Jean Le Moyne, la littérature est soumise à la « loi de vie », comme il l'écrit dans la conclusion d'un article sur *Le Poids du jour* de Ringuet (*Revue Dominicaine*, 1950).

La tâche écrasante de nos romanciers ! Attachés à la plus explicite des disciplines artistiques (toujours la dernière « arrivée », ce que les premiers romanciers européens ignoraient bienheureusement), ils doivent souvent se dire: je fabrique nécessairement des pièces d'archéologie, je suis enfermé dans une sorte de protohistoire littéraire ! Nos entêtements et nos persévérances sont d'autant plus admirables et précieux, nos désespoirs et nos rages d'autant plus compréhensibles.

Une loi de vie s'impose à nous, inflexible: Rabelais, Montaigne, Racine, Molière, Stendhal, Balzac ont beau être nos ancêtres, il va falloir tout expérimenter par nous-mêmes; tout, si rapidement que ce soit. Nous n'avons pas encore supporté le poids du jour et nous avons affaire à un maître qui n'est pas celui de la parabole: nous ne serons payés que demain soir.

JEANNE LAPOINTE
(née en 1925)

Jeanne Lapointe, qui enseigne la littérature à l'Université Laval et qui a joué un rôle important dans la rédaction du Rapport Parent, a été peu prodigue d'articles. Mais les rares études qu'elle a données, à la radio ou à la revue *Cité libre*, ont une importance certaine. Douée d'un esprit critique aigu, elle est également attentive à la vie des formes littéraires et à la vie quotidienne du Canada français.

L'ESPRIT SOUS LE BOISSEAU

Dans *Quelques apports positifs de notre littérature d'imagination* (*Cité libre*, 1954), Jeanne Lapointe a brossé un tableau de l'aventure canadienne-française telle que la révèlent nos romans. Elle faisait de la psycho-critique sans trop y penser et c'est tout naturellement que cette étude débouchait sur des considération sociales.

On peut, en terminant, se demander pourquoi nous avons si peu d'œuvres où transparaissent une attitude personnelle de vie, ou simplement quelque préoccupation spirituelle, éthique ou métaphysique. L'une des causes en est la tradition littéraire elle-même, pour qui ces courants sont assez récents. Il s'y ajoute peut-être des causes locales. Les vérités thomistes, enseignées aux collégiens de façon assez dogmatique — sans point de comparaison avec d'autres philosophies, même chrétiennes et catholiques, — ne les détourneraient-elles pas de toute recherche personnelle dans le domaine de la pensée comme de quelque tentative insurrectionnelle ? Ne les décourageraient-elles pas aussi, tout simplement, d'adapter de façon vivante à leur monde intérieur les grandes vérités thomistes elles-mêmes ? La vérité n'est-elle pas trop considérée parmi nous comme une masse toute faite où l'on n'a qu'à prendre, le jour où l'on s'y intéresse ? Un certain dogmatisme dans toutes les matières de l'enseignement ne nuit-il pas aussi à la vitalité même de l'esprit, à ses pouvoirs de création et d'invention ? Est-ce tout à fait un hasard si trois de nos écrivains les plus productifs sont précisément des êtres qui n'ont pas subi ces moules scolaires, qui ont dû découvrir eux-mêmes leur propre perspective du monde ?

On peut tout au moins se poser ces questions.

MAURICE BLAIN

(né en 1925)

Les mêmes questions sont agitées, sous une forme différente, dans la critique de Maurice Blain, qui décrit à travers les œuvres le passage du temps de l'épopée au « temps des hommes ». Il a réuni ses principales chroniques, en 1967, sous le titre *Approximations*. La pensée de Maurice Blain se nourrit d'un humanisme qui n'est pas très précisément défini, mais paraît centré sur les valeurs de la personne: valeurs de la liberté et de l'amour.

LE DÉFI DE L'HUMAIN

Dans un paragraphe de son étude sur l'œuvre d'Anne Hébert (*Liberté*, 1959), Maurice Blain résume la conception qu'il se fait de l'évolution littéraire du Canada français.

Il était fatal que, dès ses premiers essais de conscience, la création littéraire se livrât, avec une gravité un peu morbide, à l'inventaire de notre misère spirituelle et se cristallisât, avec une complaisance obsédée, dans le phénomène de l'apparition de l'homme, de « l'homo (americanus) additus naturæ ». Cet homme émergeait à peine d'une histoire où il avait bien failli laisser ce supplément d'âme nécessaire à l'art; où les vertus les plus hautes de l'épopée paraissaient singulièrement hostiles à l'épanouissement de l'imagination et de la sensibilité dans une œuvre inutile; où la notion de l'humain elle-même était évacuée par l'ambition de maîtriser la géographie d'un continent, dissoute dans la déperdition prodigieuse d'énergie employée à consolider les assises matérielles d'une nouvelle civilisation. Achevée l'ère des conquérants, lui succédait le temps des hommes. Après le défi de la physique de notre civilisation, celui de l'humain dans cette civilisation: le seul et véritable défi de l'enracinement spirituel de l'individu. Qui est cet « homo novus » ? Qui est et que peut chacun de nous ? La littérature qui s'efforce de résoudre cette énigme ne sacrifie pas au plaisir, mais à l'inquiétude et à la nécessité.

PIERRE DE GRANDPRÉ
(né en 1920)

Celui qui, parmi les critiques littéraires du Canada français, a recouru le plus explicitement et le plus constamment à l'éclairage sociologique pour définir le sens des œuvres, est probablement Pierre de Grandpré[1]. Il a réuni ses articles les plus importants — qui avaient paru dans *Le Devoir* et *Liberté* — dans un volume intitulé *Dix ans de vie littéraire au Canada français* (1966) et cette orientation fondamentale de sa recherche y apparaît clairement. Sans doute se défend-il d'étudier spécifiquement les rapports qui existent entre la littérature et la civilisation du Canada français, mais sa critique des œuvres s'inspire — sans jamais quitter le terrain littéraire — d'une considération globale de notre situation.

LA LITTÉRATURE ET L'HOMME QUÉBÉCOIS

Dans l'avant-propos de ses *Dix ans de vie littéraire au Canada français*, Pierre de Grandpré parle explicitement d'une sorte d'«anthropologie» que créateurs et critiques concourraient à édifier.

Si notre littérature, à force de vérité et de relief dans les personnages qu'elle met au monde, à force de sincérité dans le cri poétique, avait déjà le mérite de nous gratifier demain d'une éclairante «anthropologie», je ne serais nullement tenté, pour ma part, de faire la fine bouche. C'est un palier de succès où nous ne sommes pas encore si solidement installés !

Dans notre vie littéraire se réfugient, se meuvent, s'expriment avec plus de liberté que partout ailleurs dans notre milieu, les idées générales de l'époque de transition que nous vivons; là s'incarnent et s'exaspèrent les erreurs de ce temps, ses déceptions, ses souffrances mais aussi ses brusques reprises. C'est un champ d'observation suffisamment complexe et captivant, et les limites en semblent, pour l'instant, assez reculées pour combler d'aise et de travaux l'exploration critique, — une critique qui ne veut pas tourner à vide

GILLES MARCOTTE
(né en 1925)

Dans un semblable sillage, citons Gilles Marcotte[2], dont le principal mérite (ou démérite) est d'avoir tenu fort longtemps la chronique littéraire, d'abord au *Devoir*, ensuite à *La Presse*. Il hésite à définir les fondements de sa pensée — ce qui d'ailleurs n'irait pas sans beaucoup de difficultés — car il est d'avis qu'un critique-jour-

---

1. Voir aussi Chapitre II, sur le roman de mœurs et d'analyse, pp. 112-118.
2. *Une littérature qui se fait*. Voir aussi Chapitre II, pp. 94-100.

naliste doit manger à beaucoup de râteliers pour éviter le dogmatisme; mais il reconnaît volontiers que, pour lui comme pour beaucoup d'autres, la littérature canadienne-française ne peut être étudiée sans référence implicite ou explicite au contexte social.

UN VERTIGE EN VOIE D'ÊTRE DOMINÉ

Retenons de Gilles Marcotte ces quelques lignes d'une étude intitulée *L'Expérience du vertige dans le roman canadien-français* (*Écrits du Canada français,* 1963) :

Ce n'est pas par hasard que la plupart de nos romanciers se rencontrent dans l'expression d'un vertige qui a presque toujours le même visage — et qui, d'ailleurs, se reconnaît également dans notre poésie. Ce vertige, les poètes d'abord l'ont reconnu, identifié, exprimé; on oserait même dire, à lire les œuvres les plus fortes de ces vingt dernières années, qu'ils en ont triomphé, et c'est pourquoi la poésie canadienne-française commence à déborder nos frontières traditionnelles, à offrir au monde un visage ferme, original. Si notre roman accuse un retard, j'émets l'hypothèse que c'est à cause des liens étroits que cette forme littéraire garde avec la vie des idées. (...) On est amené à penser que le roman canadien-français atteindra l'âge des valeurs — à la fois sur le plan de la morale et sur celui de l'esthétique — quand, dans notre milieu, se seront affirmées, inscrites dans l'existence, un certain nombre d'idées-forces.

JEAN ÉTHIER-BLAIS
(né en 1925)

Venu plus récemment à la critique périodique, Jean Éthier-Blais a pendant quelque temps intitulé ses articles du *Devoir* « Proses critiques », expression qui laisse entendre assez clairement qu'il voulait parler en marge des œuvres aussi bien que des œuvres elles-mêmes, et qu'il ne refrénerait pas ses mouvements d'humeur. Il est moraliste aussi bien que critique, et se réclame à ce titre de la tradition spirituelle et littéraire française.

DU PARTICULIER À L'UNIVERSEL

Les articles de Jean Ethier-Blais fourmillent d'observations très personnelles sur la vie au Canada français. Citons la conclusion d'une étude sur les poètes de l'Hexagone (*Études françaises*, 1965), reproduite dans *Signets II*.

L'une des grandes lois de la sensibilité canadienne-française, c'est qu'à mesure que les Canadiens français se sont sentis ramenés, comme un troupeau de migrateurs, vers l'intérieur du Québec, et donc dans la proportion où les grands espaces de l'Amérique leur ont été à peu près interdits (au profit d'on ne sait quels autres), leur sensibilité s'est épanouie. Le passage à l'universel ne se fait que par le particulier et le monde ne se conquiert que de chez soi. Les poètes de *l'Hexagone* sont les premiers qui aient compris cette loi; aussi sont-ils les premiers qui ne s'exilent pas. Ils assument. Ils créent. Ils disent avec leurs voix d'ici, ce qu'est ce pays et quels sont les hommes qui l'habitent. Paul-Marie Lapointe a su élever les arbres de son univers de tous les jours au rang de mythes; sous sa plume, ils répandent leur sève et leurs parfums. Pierre Trottier a vu, comme du haut des airs, les Grands Lacs prendre forme et exister pour la première fois. Michèle Lalonde a réduit notre vie à la mesure de sa prison intérieure et ses murs blanchis à la chaux sont devenus les nôtres. Les poètes de *l'Hexagone*, multiples voix, n'en forment qu'une. C'est, il est bien de le dire, la voix de leur peuple, tout comme Evtouchenko et Guillen sont les voix des leurs. Ces bouches qui, depuis plus de deux siècles, sont muettes, voici qu'elles émettent enfin un son et que cela est beau. Cette poésie, c'est l'hommage d'un présent vainqueur à la fois au passé vaincu et à l'avenir « dégagé ».

MICHEL VAN SCHENDEL
(né en 1929)

Michel Van Schendel [1] occupe une place à part dans la critique canadienne-française. Il n'a signé qu'un assez petit nombre de chroniques sur la poésie, à la radio, dans quelques journaux et revues, mais ses articles manifestent une cohérence de pensée assez remarquable. Il a introduit dans la littérature canadienne-française une critique d'inspiration nettement socialiste, influencée notamment par la pensée du critique Georg Lukacs. Cette inspiration n'implique aucun sectarisme — même si Michel Van Schendel aime se livrer à la polémique — et s'accompagne d'une connaissance détaillée de la littérature canadienne-française.

L'ABSENCE À SOI-MÊME ET L'INEXPRESSION

Michel van Schendel a découvert dans notre littérature les signes d'une aliénation fondamentale, comme en témoigne son impitoyable étude sur *L'Amour dans le roman canadien-français* (*Recherches sociographiques*, 1964).

Quant à la littérature romanesque, elle s'est trouvée longtemps condamnée. Car elle était aux prises avec une contradiction insoluble. Elle était chargée d'exprimer une réalité terriblement allusive et fuyante, proprement insaisissable, dans un langage que l'on voulait presque simpliste, hostile à toute innovation formelle. Cette peur du langage recoupe la peur de l'amour. Elle a la même épaisseur. Elle a la même source. Il n'est pas possible de parler quand on est dépossédé de sa langue, de sa culture. Il n'est pas possible de parler avec une langue violée

---

1. Voir aussi, au tome III, l'étude sur Van Schendel poète, pp. 266-269.

pour désigner ce qu'une sorte de malédiction paraît éloigner indéfiniment de vous. Il n'est pas possible de parler de l'amour, quand l'amour devient le sens intime d'une réalité dont chacun, quant à soi et collectivement, est aliéné.

Tout cela se tient. Comme aussi est psychologiquement cohérent le fait que la conséquence, immédiatement sensible, devient plus inquiétante que la cause, tellement distante, tellement aliénante qu'on l'a oubliée. L'on prend peur du mot plus que de la chose. Ainsi s'explique que, des *Demi-civilisés* de Jean-Charles Harvey à *La Fin des songes* de Robert Elie, ce qui tenait lieu de tradition littéraire se soit trouvé confirmé. Elle s'est fait une âme neuve, dans l'inquiétude, dans l'angoisse même (voir Robert Elie), mais elle n'a pas fait peau neuve. Les mots continuent de circuler maladroitement sur des rêves inexprimés.

ANDRÉ BROCHU
(né en 1942)

Parmi les critiques qui ont fait récemment leur marque — citons Guy ROBERT, Jean BASILE, André MAJOR, Alain PONTAUT, Naïm KATTAN et, déjà plus anciens, Julia RICHER et Jean HAMELIN, — André BROCHU est certainement celui qui s'est le plus étendu, et avec le plus d'ingéniosité, sur des questions de méthode. Mais à vrai dire, il ne s'agit pas que de méthode. L'action de Brochu vise à renouveler la critique dans son approche des œuvres, et il emprunte pour ce faire à la « nouvelle critique » française; il veut en outre que la critique serve à l'affirmation et à la libération de l'identité québécoise. C'est pourquoi, d'une part, il s'intéresse particulièrement à la tradition littéraire du Canada français, et d'autre part il définit sa démarche comme parallèle à celle des jeunes écrivains « révolutionnaires ».

L'INSTAURATION CRÉATRICE DANS LA CRITIQUE ET DANS L'ART

André Brochu s'est expliqué sur son art de faire coïncider les extrêmes — critique formelle et littérature de revendication — dans un article paru en 1965 dans la revue *Parti pris*.

Il m'apparaît maintenant que créateur et critique conditionnent mutuellement leurs attitudes. Si Marcotte est « moraliste », c'est de la même façon que Thériault (la problématique de ses romans est foncièrement morale: elle met en cause les « lois » de la survie face aux déviations produites chez l'homme par la perte du contact avec la nature); si, pour ma part, je prétends *dévoiler* l'œuvre, c'est à la façon de Chamberland qui, dans ses éditoriaux ou ses poèmes, *dévoile* la société, ou de Renaud, Major, Godin dans leurs écrits. L'antagonisme écrivain-critique était vécu dans l'absolu en '40, où l'on avait encore de la réalité une « vision tragique ». Si, aujourd'hui, rejetant l'illusion moraliste qui engendrera toujours le moralisme critique, l'écrivain accède à une vision vraiment dialectique de la réalité, il n'est pas improbable qu'il parvienne à saisir sa démarche non plus comme le contraire absolu de la démarche critique, mais comme liée à elle dans une même quête de dépassement vers les valeurs nouvelles à instaurer

Ce bref tour d'horizon [1] de la critique littéraire dans les journaux et revues du Canada français depuis 1945 ne rend assurément pas compte de tout ce qui s'est passé dans ce domaine. D'autres noms seraient à citer, des noms de critiques qui peut-être se sont montrés plus brillants et plus perspicaces dans l'analyse littéraire que ceux que nous avons distingués. Plutôt que de multiplier ces noms, affichant ainsi à leur égard une indulgence un peu dédaigneuse, il a paru nécessaire de ne retenir ici que les critiques qui, par la ténacité de l'effort ou la cohérence explicite de la pensée, paraissent avoir exercé une influence considérable dans notre milieu.

II — CRITIQUE ET RECHERCHE UNIVERSITAIRES
par Paul WYCZYNSKI

Il serait superflu de disserter longuement sur la nécessité d'une critique universitaire: son importance apparaît à l'évidence, comme s'imposent les multiples méthodes par lesquelles elle œuvre et se développe. En face de l'ensemble des faits littéraires, on attend d'elle des résultats qui soient à la fois vérité et lumière. Elle suppose l'habitude d'un travail méthodique, et donc en général une bonne formation universitaire. Bien davantage, on voudrait qu'elle mesure, en fonction des valeurs esthétiques, certes, mais aussi en fonction des traits et des exigences de l'âme collective, l'acuité du regard posé par l'écrivain sur l'homme et sur l'univers. Nous n'exagérons guère en accordant à la critique universitaire la vertu d'élargir constamment les connaissances dans le domaine de la littérature, d'organiser les recherches dont dépend, outre la précision des faits rapportés, la valeur des jugements qu'ils entraînent.

Critique universitaire et autres formes de la critique

Il existe, à coup sûr, plusieurs sortes de critique littéraire; et chacune est utile, fonctionnelle, née d'un besoin déterminé dans la vie culturelle d'une société. La page littéraire d'un journal apporte chaque semaine des comptes rendus plus ou moins élaborés qui éta-

---

1. Pour plus de détails, voir *Présence de la critique* (Anthologie colligée par Gilles Marcotte), Montréal, H.M.H., 1966.

Guy FRÉGAULT   Marcel TRUDE

ernand OUELLET *Michel* BRUNET

Chanoine
Lionel GROULX

R.P. LÉVESQUE,
sociologue

PELLAN, peintre

Gabrielle ROY,
romancière

Alphonse
DESJARDINS,
banquier

La BOLDUC,
chanteuse

Père Émile LEGAULT,
homme de théâtre

Jacques ROUSSEAU,
botaniste

Marius BARBEAU,
ethnologue

Frère
MARIE-
VICTORIN,
naturaliste

Wilfrid PELLETIER,
musicien

BORDUAS,
peintre

Paul GÉRIN-LAJOIE,
réformateur de l'éducation

n GRANDBOIS,
poète

Maurice RICHARD,
athlète

Gérard FILION

André LAUREN

Jan-Marc LÉGER   Claude RYAN   Gérard PELLETIER

Jean-Louis
GAGNON

le nouveau journal
LE QUOTIDIEN NATIONAL DU CANADA FRANÇAIS

Pearson et Douglas exigent la convocation du Parlement au plus tôt

"Dief deviendra créditiste sinon c'est une élection qui l'attend"

"C'est Réal Caouette qui vous le dit!"

Roger
DUHAMEL

Maurice
LEBEL

Jean
LEMOYNE

Pierre
VADEBON

Gilles
LECLERC

Fernand
DUMONT

Marcel
RIOUX

Jean-Charles
FALARDEAU

Ernest
GAGNON

Jean
PELLERI

Pierre-Elliot
TRUDEAU

Gérard
BERGERON

Jérôme
DESBIENS

Pierre
AILLARGEON

Pierre
de GRANDPRÉ

Nicole
DESCHAMPS

Clément
LOCKWE

Fernande
NT-MARTIN

Jean
ETHIER-BLAIS

Jeanne
LAPOINTE

blissent une communication entre l'auteur-créateur et le lecteur ou, si l'on veut, entre écriture et lecture. Une revue peut prendre l'initiative de bilans mensuels ou annuels, précieux tableaux qui mettent en relief l'essentiel de la production récente, qu'il s'agisse de romans, de pièces de théâtre, de recueils de poèmes ou d'essais littéraires. A travers les manifestations diverses et multiples de la critique littéraire se dégage avec certitude une idée dominante: elle est fonction soit de la littérature déjà faite, soit de celle qui se fait.

Dans ce monde de la critique, l'université occupe une place particulièrement bien définie. Non pas qu'elle ne communique pas avec la critique journalistique, qui œuvre surtout dans le présent; mais elle est principalement au service de l'enseignement et de la recherche, surtout au niveau des études supérieures. Un cours de maîtrise ou de doctorat devrait être, en principe, plus qu'une pure compilation de faits, plus qu'une synthèse de quelques livres savants. Une thèse de maîtrise ou de doctorat n'est parfois rien d'autre, il est vrai, qu'une simple dissertation au nombre de pages fixé par les règlements universitaires, fruit d'une réflexion étriquée; mais elle devrait — appuyée sur une documentation riche et précise, bien composée, bien écrite, apportant une vision neuve du sujet étudié — être déjà un livre en gestation, représenter une contribution originale à la connaissance d'une époque, d'un auteur, d'une œuvre ou d'un problème littéraire.

A la base de la critique universitaire doit se retrouver l'homme: professeur d'expérience, spécialiste au vrai sens du mot, personnalité animée d'un esprit humaniste, du désir de progresser, de rayonner, de vivre pleinement sa propre aventure intellectuelle. Ce n'est qu'autour de personnalités fortes que s'organisent la recherche et la critique à l'université. Il est important que cela se fasse au nom d'une liberté académique dignement pratiquée et dans la rigueur qu'exige toute recherche scientifique. Projet individuel ou travail en équipe, la recherche universitaire se révélera vraiment bienfaisante pour la littérature si elle aboutit aux œuvres d'envergure où l'école et la société pourront puiser en abondance informations et idées.

Développement de la recherche dans nos universités

Par rapport à ce qu'elle est dans les vieilles universités européennes, la recherche, dans les universités canadiennes, demeure encore bien jeune: on pourrait même dire qu'elle vient de commencer. Dans le domaine littéraire qui nous préoccupe, elle suit tant bien que mal le chemin tracé par des Français: Lanson, Maritain, Sartre, Albérès, Goldmann, Barthes. Il y a, cependant, un progrès notable entre les *Essais sur la littérature canadienne* [1] de Camille Roy et *Le Roman canadien-français du XXe siècle* [2] de Réjean Robidoux et André Renaud, entre *Le Tableau de la littérature canadienne-française* [3] que ce même Camille Roy écrivit en 1907 et *l'Histoire de la littérature canadienne-française* [4] que publia Gérard Tougas en 1960. Les ouvrages critiques se font de plus en plus nombreux et leur qualité s'améliore sans cesse. Cette amélioration est due à plusieurs facteurs: progrès de l'enseignement supérieur, meilleure organisation des bibliothèques, création de centres spécialisés, subventions plus généreuses pour la publication, meilleures conditions de travail du professeur voué à la recherche. Nous connaissons au moins trois études qui dressent un bilan des efforts et des travaux dans le domaine précis de la littérature canadienne-française: celles de Paul Wyczynski [5], de Jean Marcel [6] et de Guy Sylvestre [7].

Si, après la deuxième guerre mondiale, la littérature canadienne-française se taille lentement une place enviable dans notre enseignement supérieur, si elle y devient l'objet de recherches d'envergure, cela ne signifie pas qu'elle doive supplanter un jour la littérature française au programme de nos universités. Il faut que la formation littéraire se fasse au contact d'œuvres littéraires remarquablement riches, chefs-d'œuvre de la pensée et du style, sources d'un humanisme de portée universelle. La littérature française appartient bien ainsi, par ses meilleures œuvres, à l'humanité. Le Canada français, en raison de la similitude de la langue et des communes origines culturelles qui unissent Québec et Paris, ne peut que se féliciter d'avoir à y puiser toujours davantage. Il faut du reste noter que les Canadiens français ne se contentent pas de tirer profit de cette situation:

1. Camille Roy, *Essais sur la littérature canadienne*, Québec, Garneau, 1907, 376-1 pp.

2. Réjean Robidoux et André Renaud, *Le Roman canadien-français du vingtième siècle*, Ottawa, Éditions de l'Université d'Ottawa, 1966, 221 pp.

3. Camille Roy, *Tableau de la littérature canadienne-française*, Québec, Action sociale, 1907, 81-1 pp.

4. Gérard Tougas, *Histoire de la littérature canadienne-française*, Paris, Presses universitaires de France, 1960, 286 pp.

5. Paul Wyczynski, *Histoire et critique littéraires au Canada français*, dans *Recherches sociographiques*, vol. V, no 1-2, janvier-août 1964, pp. 11-69. Ce texte est reproduit en tête du volume *Littérature et Société canadiennes-françaises*, Québec, Les Presses de l'Université Laval, 1964, 273 pp., surtout pp. 11-69.

6. Jean Marcel, *Les forces provisoires de l'intelligence*, dans *Livres et auteurs canadiens, 1965*, pp. 23-32.

7. Guy Sylvestre, « La Recherche en littérature canadienne-française », dans *La Recherche au Canada français*, Montréal, Les Presses de l'Université Laval, 1968, pp. 149-161.

ils consacrent volontiers leur énergie intellectuelle à l'étude de la littérature française. Donnons-en quelques exemples: le *Commentaire à l'Art poétique de Paul Claudel* de Pierre Angers [8], *Henri Bergson et les lettres françaises* de Roméo Arbour [9], *Un prophète luciférien: Léon Bloy* de Raymond Barbeau [10], *L'Oeuvre de Boylesve* de Jean Ménard [11], *L'Expérience poétique de Marie Noël* de la R.S. Marie-Tharcisius [12], *Roger Martin du Gard et la religion* de Réjean Robidoux [13], *Le Temps et l'espace dans l'œuvre de Paul Claudel* de Georges-André Vachon [14], *Marcel Proust, critique littéraire* de René de Chantal [15], *Saint-Exupéry, l'écriture et la pensée* de Jean-Louis Major [16], *Henri Bosco. Une poétique du mystère* de Jean-Cléo Godin [17], *L'Univers féminin dans l'œuvre de Charles Péguy* de Robert Vigneault [18]. Plusieurs de ces ouvrages, originalement conçus et richement documentés, sont des thèses de doctorat, préparées en France ou au Canada, et leur qualité a été soulignée par les prix qui leur ont été décernés. On devra également faire état, de plus en plus, d'ouvrages d'envergure publiés soit en France, soit au Canada, dans lesquels des Canadiens font le point sur des auteurs anciens ou étrangers avec qui ils se sentent, de par leurs origines ou leur tempérament, des affinités: ainsi Nicole Deschamps a étudié *La Morale de la passion dans l'œuvre de Sigrid Undset* (P. U. de M., 1967), Irène Kwiatkowska *La Nature dans l'expérience et la pensée de Stefan*

8. Pierre Angers, *Commentaire à l'Art poétique de Paul Claudel*, Paris, Mercure de France, 1949, 390 pp.

9. Roméo Arbour, *Henri Bergson et les lettres françaises*, Paris, José Corti, 1955, 460 pp.

10. Raymond Barbeau, *Un prophète luciférien: Léon Bloy*, Paris, Aubier, 1957, 287 pp.

11. Jean Ménard, *L'Oeuvre de Boylesve*, Paris, Nizet, 1956, 271 pp.; *Xavier Marmier et le Canada*, Québec, P.U.L., 1968, IX-211 pp.

12. Sœur Marie-Tharsicius, c.s.c., *L'Expérience poétique de Marie Noël*, Montréal, Fides, 1962, 160 pp.

13. Réjean Robidoux, *Roger Martin du Gard et la religion*, Paris, Aubier, 1964, 395 pp.

14. Georges-André Vachon, *Le Temps et l'espace dans l'œuvre de Paul Claudel*, Paris, Le Seuil, 1965, 455 pp.

15. René de Chantal, *Marcel Proust, critique littéraire*, Montréal, Les Presses de l'Université de Montréal, 1967, 2 vol., 765 pp.

16. Jean-Louis Major, *Saint-Exupéry, l'écriture et la pensée*, Ottawa, Editions de l'Université d'Ottawa, 1968, 278 pp.

17. Jean-Cléo Godin, *Henri Bosco. Une poétique du mystère*, Montréal, Les Presses de l'Université de Montréal, 1968, XII-404 pp.

18. Vigneault, Robert, *L'Univers féminin dans l'œuvre de Charles Péguy*, Paris-Montréal, Desclée de Brouwer, 1968, 336 pp. Ajoutons à ces titres: *Henri Brémond et la poésie pure*, ouvrage de Clément Moisan, qui vient de paraître (P.U.L.); ceux, qui sont de 1961, d'Eva Kushner: *Patrice de la Tour du Pin* (Seghers) et *Le Mythe d'Orphée dans la littérature française contemporaine* (Nizet); *Visages d'André Malraux* (Hexagone, 1956) d'André Patry; et enfin, de Laurent Prémont, *Le Mythe de Prométhée dans la littérature française contemporaine*, P.U.L., 1964.

Zeromski (Nizet, 1964), nous aurons bientôt un essai sur Ivo Andric, un autre sur Dostoïevski journaliste; T. Domaradzki a étudié Norwid; récemment, Maurice Lebel traduisait et présentait le *Plaidoyer pour la poésie* de Sir Philip Sidney, et Viateur Beaupré signait une ingénieuse et séduisante initiation moderne à l'œuvre de Virgile.

Plusieurs universités offrent des cours de littérature comparée; grâce à eux les étudiants, par le biais des rapports idéologiques et artistiques, peuvent s'acheminer vers les chefs-d'œuvre de la littérature mondiale. N'est-il pas, en effet, passionnant d'examiner dans quelle mesure peuvent exister des liens de pensée et de sentiments, de vision artistique ou d'exécution formelle entre *Le Cap Eternité* de Charles Gill et la *Divine Comédie* de Dante, entre Nelligan et Verlaine, entre l'esprit de *La Relève* et la pensée de Maritain, entre l'orientation idéologique d'après-guerre au Québec et l'existentialisme de Sartre, entre *l'Incubation* de Bessette et la révolution romanesque due à un Robbe-Grillet, à un Michel Butor, à une Nathalie Sarraute? Comme tous les hommes, les artistes communient au moyen d'attitudes créatrices semblables et leurs œuvres répondent à l'appel d'une époque. Le Canada français connaît déjà quelques travaux de comparatistes [19]. La récente fondation d'une branche canadienne de l'Association de littérature comparée permet d'espérer la parution prochaine de livres qui étudieront la littérature du Québec dans ses rapports avec différents aspects de la littérature mondiale.

Les bibliographies

C'est au sein de l'université que se préparent, le plus souvent, les instruments de travail (bibliographies, répertoires, guides littéraires) qu'étudiants et chercheurs consultent fréquemment. Chacun connaît l'apport de bibliographes célèbres appartenant déjà à des époques révolues: Georges-Barthélemy Faribault (*Catalogue d'ouvrages sur l'histoire de l'Amérique*, 1837), Maximilien Bibaud (*Bibliothèque ou Annales bibliographiques*, 1858), Henry James Morgan (*Bibliotheca canadensis*, 1867), Philéas Gagnon (*Essai de bibliographie canadienne*, 1895-1913), Narcisse-Eutrope Dionne (*L'Inventaire chronologique...*, 1912), Ian Forbes Fraser (*Bibliography of French-Canadian Poetry*, 1935). Après 1945, on note la parution de plusieurs biblio-

---

19. Il convient de citer ici au moins quatre ouvrages: Jean Charbonneau, *Des influences françaises au Canada*, Montréal, Beauchemin, 1916-1920, 3 vol.; Jean-Charlemagne Bracq, *L'Evolution du Canada français*, Montréal, Beauchemin, 1927, 457 pp.; Marcel Trudel, *L'Influence de Voltaire au Canada*, Montréal, Fides, 1945, 2 vols; Paul Wyczynski, *Emile Nelligan, sources et originalité de son œuvre*, Ottawa, Editions de l'Université d'Ottawa, 1960, 349 pp.

graphies utiles: *le Répertoire bio-bibliographique de la Société des écrivains canadiens* [20], *la Bibliographie des bibliographies canadiennes* [21] de Raymond Tanghe, ainsi que de nombreuses données bibliographiques publiées dans des revues telles que *University of Toronto Quarterly, Lectures, Culture* et *Canadian Literature* de l'Université de Colombie Britannique. Depuis 1961, *Livres et auteurs canadiens*, revue dirigée par Adrien Thério, apporte fidèlement une bibliographie annuelle critique, extrêmement utile à la recherche littéraire. A signaler aussi la *Bibliographie du Québec* [22] qui couvre une période de dix ans, à partir de 1955. Il est à noter également qu'à partir de 1951, la Bibliothèque nationale du Canada fait paraître une liste mensuelle des publications canadiennes, ainsi qu'une compilation annuelle: *Canadiana*. Elle publie aussi annuellement la liste des thèses soutenues dans les universités canadiennes: *Thèses canadiennes*.

Il convient de souligner la part importante jouée par deux universitaires, David M. Hayne et John Hare, dans l'essor contemporain de la bibliographie. Le premier est avantageusement connu par les études qu'il a publiées dans la *Revue de l'Université Laval, Canadian Literature, Études françaises* et *Archives des lettres canadiennes*. Professeur de longue date à l'Université de Toronto, il publie avec succès les *Cahiers de la Société bibliographique du Canada* [23] et a fait paraître récemment sa *Bibliographie critique du roman canadien, 1837-1900,* depuis longtemps attendue. Quant à John Hare dont les

20. La Société des écrivains canadiens, *Répertoire biobibliographique,* Montréal, La Société des écrivains canadiens, 260 pp.

21. Raymond Tanghe, *Bibliographie des bibliographies canadiennes,* Toronto, University of Toronto Press, 1960, 206 pp., avec un supplément qui paraît tous les deux ans.

22. Philippe Garigue et Raymond Savard, *Bibliographie du Québec (1955-1965),* Montréal, Les Presses de l'Université de Montréal, 1967, 227 pp. — Un répertoire bibliographique est maintenant publié — et il sera tenu à jour — par la Bibliothèque nationale du Québec, qui appuie sa documentation sur le dépôt légal: il s'agit de *Ouvrages de référence du Québec,* suivi de périodiques *Bibliographie du Québec.*

23. Il convient d'ajouter que l'Université de Toronto a produit plusieurs bibliographies d'importance. Notons la *Bibliography of Canada* (livres canadiens à la Public Library of Toronto) compilée par Frances M. Staton et Marie Tremaine, avec une *Introduction* de George H. Locke, 1934, 828 pp.; le *First Supplement* parut en 1959, 352 pp., réalisé par Gertrude M. Boyle et Marjorie Colbeck, avec une *Introduction* d'Henry C. Campbell. Utile est aussi l'ouvrage bilingue de Mlles Dorothea D. Todd et Audrey Cordingley, *A Check List of Canadian Imprints, 1900-1925,* Ottawa, Imprimeur du Roi, 1950, 370 pp. Les professeurs Emilio Goggio, Beatrice Corrigan et Jack H. Parker ont publié *A Bibliography of Canadian Cultural Periodicals (English and French, from Colonial Times to 1950) in Canadian Libraries,* Department of Italian, Spanish and Portuguese, University of Toronto, 1955, 45 pp. A souligner aussi la grande utilité de la bibliographie de John Ball, *Theatre in Canada,* publiée dans *Canadian Literature* de Vancouver (automne 1962), pp. 85-100.

préférences vont vers la sociologie littéraire, il s'est fait d'abord connaître par sa bibliographie des récits de voyage des Canadiens français, de 1670 à 1914 [24], et par une importante bibliographie du roman canadien-français de 1837 à 1962, parue dans le troisième tome des *Archives des lettres canadiennes* [25]. Récemment, en collaboration avec Jean-Pierre Wallot, il publiait *Les Imprimés dans le Bas-Canada, 1801-1810* [26]. Sa *Bibliographie de la poésie canadienne-française* paraîtra dans le quatrième tome des *Archives des lettres canadiennes*. Professeur attaché au Centre de recherches, à l'Université d'Ottawa, John Hare songe à une bibliographie analytique de la littérature canadienne-française qui serait le pendant de *A Check-list of Canadian Literature and Background Materials, 1628-1950* de Reginald Eyre Watters [27].

David M. Hayne et John Hare ont donné une orientation nouvelle aux recherches bibliographiques au Canada, qui semblent maintenant vouées, à l'université et ailleurs, à un épanouissement certain [28]. Depuis deux ans, Réginald Hamel publie ses *Cahiers bibliographiques des lettres québécoises,* autre tentative heureuse dont nous soulignons plus loin l'importance.

Histoire littéraire et éditions critiques

Parallèlement aux recherches bibliographiques se développent l'histoire et la critique littéraires. La date capitale est l'année 1952: Luc Lacourcière, l'éminent folkloriste, publie alors l'édition critique des *Poésies complètes* [29] de Nelligan. Seize ans après paraît une deuxième édition critique, celle du *Voyage en Angleterre et en France dans les années 1831, 1832, 1833* [30] de François-Xavier Garneau, pré-

---

24. John Hare, *Les Canadiens français aux quatre coins du monde,* Québec, Société historique de Québec, 1964, 213 pp.

25. Id., *Bibliographie du roman canadien-français,* dans *Les Archives des lettres canadiennes,* Montréal, Fides, 1964, pp. 375-425. (Cette bibliographie complète à merveille celle d'Antonio Drolet, *Bibliographie du roman canadien-français, 1900-1950,* Québec, Les Presses de l'Université Laval, 1955, 125 pp.

26. John Hare et Jean-Pierre Wallot, *Les Imprimés dans le Bas-Canada, 1801-1810,* Montréal, Les Presses de l'Université de Montréal, 1967, 383 pp. (L'ouvrage continue en quelque sorte l'effort de Marie Tremaine, *Bibliography of Canadians Imprints, 1751-1800,* Toronto, University of Toronto Press, 1952, 705 pp.

27. Reginald Eyre Watters, *A Check-list of Canadian Literature and Background Materials, 1628-1950,* Toronto, University of Toronto Press, 1959, 789 pp. Ce travail est complété par *On Canadian Literature, 1806-1960,* compilé par R.E. Watters et Inglis Freeman Bell, Toronto, University of Toronto Press, 165 pp.

parée par Paul Wyczynski. Déjà on termine l'édition critique, à l'Université Laval, de l'œuvre complète de Nérée Beauchemin; à l'Université de Montréal, Jacques Brault et Benoît Lecroix, o.p. parachèvent l'édition critique des œuvres de Saint-Denys Garneau; à l'Université d'Ottawa, Odette Condemine publiera bientôt, dans la collection « Présence », les *Oeuvres complètes* d'Octave Crémazie. Trois autres éditions critiques y sont également en marche. Si l'on doit avouer que la situation ici est encore loin de celle que « La Pléiade », les classiques Garnier, les Textes littéraires français ou la Société des textes français modernes assurent à la littérature française, nous pouvons pourtant espérer que les éditions critiques canadiennes-françaises se multiplieront à un rythme croissant d'ici dix ans. Et cela est signe de santé littéraire et de sérieux, car sans éditions critiques l'on n'aura jamais de monographies de qualité, ni d'ouvrages de synthèse parfaitement valables.

Dans le domaine de l'histoire littéraire, il y a lieu de souligner plusieurs efforts louables au cours du dernier quart de siècle. *L'Histoire littéraire de l'Amérique française* d'Auguste Viatte [31] a constitué un excellent point de départ. Ayant enseigné pendant une vingtaine d'années à l'Université Laval, Auguste Viatte put recueillir une vaste documentation sur le fait français en Amérique. Son ouvrage est en effet consacré aux littératures de langue française du Canada, de la Louisiane et des Antilles. Vaste tableau où s'entremêlent constamment les faits littéraires et ceux qui relèvent de la vie des civilisations,

---

28. Il faut ajouter aux bibliographies précédemment citées quelques autres, à notre avis indispensables aux étudiants et aux professeurs: *Inventaire des périodiques de sciences sociales et d'humanités que possèdent les bibliothèques canadiennes*, Ottawa, Imprimeur de la Reine, 1968, 2 vol., publication de la Bibliothèque nationale du Canada; André Beaulieu et Jean Hamelin, *Journaux du Québec de 1764 à 1964*, Québec, Les Presses de l'Université Laval, 1965, 331 pp.; le *Catalogue des journaux canadiens sur microfilm*, publié par l'Association canadienne des bibliothèques; *Canadian Index to Periodicals and Documentary Films*, publié par Canadian Library Association depuis 1948, avec des compilations annuelles: parmi les 84 périodiques canadiens, 20 sont de langue française.

29. Emile Nelligan, *Poésies complètes, 1896-1899*, Montréal, Fides, 1952, 331 pp. (Collection du Nénuphar); texte établi, annoté et présenté par Luc Lacourcière.

30. François-Xavier Garneau, *Voyage en Angleterre et en France dans les années 1831, 1832 et 1833*, Ottawa, Editions de l'Université d'Ottawa, 1968, 379 pp. (Collection Présence, Série A — Le Saint-Laurent); texte établi, annoté et présenté par Paul Wyczynski. Le même auteur prépare les éditions critiques des *Poésies* et de l'*Histoire* de F.-X. Garneau.

31. Auguste Viatte, *Histoire littéraire de l'Amérique française*, Paris, Québec, Presses universitaires, 1954, XI-545 pp.

l'*Histoire littéraire de l'Amérique française* impressionne par la somme des détails rapportés et par l'étendue, compte tenu de l'époque où elle a été rédigée, des connaissances de l'auteur.

En 1957, le père Samuel Baillargeon, c.s.s.r., rédige à l'usage des écoles sa *Littérature canadienne-française* [32] qui a connu plusieurs éditions. Il s'agit d'un manuel à la Castex, riche de textes d'écrivains et de documents iconographiques. Bien qu'on puisse formuler plusieurs réserves quant au relief chronologique et à certains jugements accompagnant les analyses littéraires, le livre a fait son chemin dans les écoles, cela en dépit des nombreuses polémiques qu'il avait d'abord suscitées.

La parution, en 1960, de l'*Histoire de la littérature canadienne-française* de Gérard Tougas [33] constitue un véritable événement. On connaît la vaste culture de ce professeur de Vancouver, dévoué à la cause des lettres canadiennes-françaises. Ce qui compte surtout aux yeux de l'auteur, c'est le texte et, plus précisément, sa valeur esthétique et littéraire. Tougas, dont le jugement est nuancé autant que perspicace, sait intuitivement distinguer entre la fraîcheur et le moisi; et il a le désir d'apporter du neuf. La langue est élégante et dénuée de clichés. En conclusion, il propose un bref aperçu sur *La littérature canadienne dans ses rapports avec la France,* bon chapitre qui constitue, avec l'étude de David M. Hayne [34], plus qu'une introduction à l'étude des rapports culturels entre la France et le Canada français [35].

---

32. Samuel Baillargeon, *Littérature canadienne-française,* Fides, Montréal et Paris, 1957, X-460 pp.; deuxième édition en 1960, 3e — en 1962.

33. Gérard Tougas, *Histoire de la littérature canadienne-française,* Paris, P.U.F., 1960, 286 pp.; 2e éd., 1964, 312 pp.; 4e éd., 1967. Nous avons étudié cet ouvrage dans un compte rendu élaboré, publié dans *Archives des lettres canadiennes I,* 1961, pp. 298-301. Ajoutons, que Gérard Tougas est l'auteur de plusieurs livres, à savoir; *Littérature romande et culture française,* Paris, Editions Seghers, 1963, 104 pp.; *La Francophonie en péril,* Ottawa, Le Cercle du Livre de France, 1967, 183 pp.; une anthologie de textes canadiens-français, avec introduction et commentaires, est à la veille de paraître à la Toronto University Press. Il faut aussi se rappeler que Tougas a publié, en 1958, *Liste de référence d'imprimés relatifs à la littérature canadienne-française,* Vancouver, The University of British Columbia Library, 93 pp.

34. David M. Hayne, *Les Lettres canadiennes en France,* dans *Revue de l'Université Laval,* XV, 1961, pp. 222-230, 328-333, 420-426, 507-514, 716-725, XVI, 1961, pp. 140-148.

35. De Gérard Bessette, Lucien Geslin et Charles Parent, la récente *Histoire de la littérature canadienne-française par les textes* (s. l.), Centre Educatif et Culturel, 1968, 704 pp., est en tout premier lieu une anthologie. Clément Moisan, de son côté, vient de faire paraître un essai, *L'Age de la littérature canadienne,* Montréal, H.M.H., 1969. Roger Duhamel avait antérieurement publié un *Manuel* (Ed. du Renouveau pédagogique, 1967) et le R.P. Paul Gay un *Survol* de littérature canadienne-française, qui vient d'être repris en volume, *Notre Littérature,* H.M.H., 1969.

Recueils de critiques et essais

A côté des histoires littéraires existent quatre ouvrages, composés à partir de comptes rendus ou d'articles, qui fournissent à l'élève une documentation ou des instruments de réflexion supplémentaires: *Une littérature qui se fait*, de Gilles Marcotte [36], *Dix ans de vie littéraire au Canada français* de Pierre de Grandpré [37], *Signets* de Jean Ethier-Blais [38], et *Une littérature en ébullition* de Gérard Bessette [39].

Ces auteurs sont étudiés plus à fond en d'autres endroits de la présente *Histoire*. Mais il convenait de souligner ici le rôle important de tels ouvrages dans les études littéraires contemporaines: ils complètent en quelque sorte les histoires littéraires et, par leur style, s'apparentent fortement à l'essai. Il est intéressant de constater que chacun de ces quatre critiques présente les faits littéraires dans un éclairage différent: Gilles Marcotte, préoccupé du retentissement spirituel des œuvres, penche, dans certaines de ses études — notamment dans celle sur Saint-Denys Garneau — vers la méthode de Bachelard; Pierre de Grandpré, dont le style est toujours élégant et la pensée nuancée, semble chercher sa place entre la sociologie littéraire et la nouvelle critique; il y a, chez Jean Ethier-Blais, un impressionnisme frémissant nourri de beaucoup de lectures et d'une vision très personnelle de l'histoire et de la réalité canadiennes-françaises; enfin, chez Gérard Bessette, on aperçoit une forte tendance freudienne dans l'interprétation des textes littéraires.

Les quatre ouvrages précités invitent à dire quelques mots sur l'essai, genre issu des cheminements les plus divers, apte à véhiculer les pensées du philosophe, du moraliste, de l'historien ou du critique littéraire. Parmi les essais les plus apparentés à la critique et à l'histoire littéraire, retenons les *Convergences* de Jean Le Moyne, les deux tomes de *Répertoire* de Jean Simard, *Aux sources du romantisme* et *Lecture de Montaigne* de Roger Duhamel, la *Poétique du songe* de Guy Robert, *Notre société et son roman* de Jean-Charles

36. Gilles Marcotte, *Une littérature qui se fait,* Montréal, Les Editions H.M.H., 1962, 296 pp. Collection « Constantes ».

37. Pierre de Grandpré, *Dix ans de vie littéraire au Canada français,* Montréal, Beauchemin, 1966, 293 pp.

38. Jean Ethier-Blais, *Signets I, II,* Montréal, Le Cercle du Livre de France, 1967, 2 vol.

39. Gérard Bessette, *Une littérature en ébullition,* Montréal, Editions du Jour, 1968, 319 pp. — Il faudrait encore citer, pour leur section proprement littéraire, les *Approximations* de Maurice Blain, Montréal, H.M.H., 1967, 246 pp.

Falardeau. Ces livres manifestent la variété des points de vue et la diversité des méthodes qui permettent de passer du quotidien à l'éternel, des questions littéraires à des problèmes de société, de culture et de destin.

*
* *

La part de l'université dans le renouveau de la critique canadienne-française et dans la planification de la recherche littéraire au Canada est considérable. Les 25 et 26 octobre 1968, les représentants d'une vingtaine d'universités et de collèges ont examiné cette question au cours du colloque *Recherche et littérature canadienne-française*, organisé par le Centre de Recherches en littérature canadienne-française de l'Université d'Ottawa. Le volume qui en est issu fait connaître la situation à partir de faits bien établis; il aide à mesurer l'étendue des rapports entre la littérature canadienne-française et la recherche au sein des institutions de haut savoir [40]. C'est un ouvrage dont la documentation abondante et précise permet de passer de souvenirs sommaires ou de simples approximations à une connaissance objective de l'entreprise critique dans nos universités.

La recherche à Québec, à Ottawa et à Montréal

En premier lieu, on constate que trois universités donnent aujourd'hui le ton à la recherche en littérature canadienne-française: l'Université Laval, l'Université d'Ottawa et l'Université de Montréal. Ceux qui dressent des bilans et qui accumulent des preuves savent que là se trouvent les foyers qui peuvent déjà se prévaloir d'une certaine tradition. Expériences difficiles, mais fondamentales, car c'est dans une large mesure à partir de ces centres de rayonnement qu'une littérature mineure parvient aujourd'hui à susciter de l'intérêt tant en Amérique qu'en Europe.

A l'arrière-plan du Département actuel d'études canadiennes de l'Université Laval, on doit apercevoir — on la verra encore longtemps — l'ombre de Camille Roy qui, pendant presque un demi-siècle, œuvra quasiment seul, selon des principes lansoniens. Plus loin encore, dans l'orbite des influences du Vieux Séminaire, revivent les visages d'un Chapais, d'un Chauveau, d'un Casgrain, d'un Crémazie, d'un Hector Fabre. A partir des années 1940, le nom prestigieux de Luc Lacourcière s'ajoute aux annales de cette institution. Folkloriste par formation, il possède de plus une vaste culture littéraire et jouit de l'amitié et de l'expérience de Félix-Antoine Savard, folkloriste lui aussi au même degré que romancier, poète et, pendant de longues années, doyen de la faculté des Lettres. Il est évident que le

---

40. *Recherche et littérature canadienne-française*, Ottawa, Editions de l'Université d'Ottawa, 1969 (Cahier spécial du Centre de Recherches en Littérature canadienne-française). L'ouvrage se compose de quatre sections principales: *Recherche et littérature*, *Recherche et Littérature canadienne-française dans les universités canadiennes de langue française*, *Recherche et littérature canadienne-française dans les universités canadiennes de langue anglaise*, *Recherche, création littéraire et publication* (discussion en table ronde). — Consulter aussi l'étude de Guy Sylvestre: « La recherche en littérature canadienne-française », dans *La Recherche au Canada français*, ouvrage en collaboration présenté par Louis Baudouin, Montréal, Les Presses de l'Université de Montréal, 1968.

gros des efforts se résume dans les *Archives de folklore;* cependant, par les biais de la littérature orale, on rejoint vite la littérature proprement dite [41]. Luc Lacourcière a publié, en 1952, *Les Poésies complètes* de Nelligan; il dirige avec succès la Collection du Nénuphar. Autour du maître folkloriste, de nombreux professeurs: Jeanne Lapointe, le frère Lockquell, Léopold Lamontagne, Michel Dassonville, Sœur Jeanne-d'Arc Lortie, Henri Tuchmaïer, le père Yves Garon, Jacques Blais, Michel Tétu. Une quantité de thèses de maîtrise et de doctorat et plusieurs mémoires en vue de diplômes d'études supérieures ont déjà vu le jour. Et on peut regretter que la thèse sur les techniques du roman canadien-français d'Henri Tuchmaïer et celle d'Yves Garon sur Louis Dantin ne soient pas publiées. Il faut également noter que le Département de Sociologie et d'Anthropologie, animé aujourd'hui par Fernand Dumont et Jean-Charles Falardeau, contribue considérablement à la sociologie littéraire [42]. De plus en plus dynamiques, les Presses de l'Université Laval, sous la direction d'André Vachon, se font remarquer par l'excellence de leur travail. C'est là qu'on publie, sous la direction de Jean Ménard, de Benoît Lacroix et de Luc Lacourcière, la collection « Vie des lettres canadiennes » [43].

L'intérêt suscité par la littérature canadienne-française à l'Université d'Ottawa date de la fin du XIXe siècle: c'est au Père Louis-Marie-Cyprien Le Jeune (1957-1935), d'origine française, que l'on doit d'abord la *Revue littéraire de l'Université d'Ottawa* (1900-1906) et, ensuite, le *Dictionnaire général de biographie, histoire, littérature, agriculture, commerce, industrie et des arts, sciences, mœurs, coutumes, institutions politiques et religieuses du Canada,* publié en deux volumes, en 1933. Il eut pour successeur Séraphin Marion, auteur d'une quinzaine de volumes dont on connaît surtout *Les Lettres canadiennes-françaises d'autrefois.* Mais la recherche systématique et planifiée commence en 1958, avec la fondation du Centre de recherches en Littérature canadienne-française, dirigé par Paul Wyczynski. Celui-ci, et une équipe de chercheurs — Bernard Julien, Jean Ménard, Réjean Robidoux, André Renaud, Roger Le Moine, John Hare, Jacques Brunet, Raymond Rheault, Pierre Van Rutten — ont su donner aux études littéraires un nouvel essor. Une bibliothèque spécialisée de Canadiana, un secteur d'archives avec plusieurs milliers de documents, de multiples projets de recherches, individuels et collectifs, une dizaine de publications scientifiques, voilà autant de preuves qui n'ont pú passer inaperçues. Le Centre publie aujourd'hui cinq collections: *Visage des lettres canadiennes* [44], *Archives des lettres canadiennes* [45], *Présen-*

---

41. On consultera avec profit la *Situation de la recherche sur le Canada français,* Québec, P.U.L., 1963, 297 pp., où Luc Lacourcière décrit le développement des études folkloriques au Québec: « L'étude de la culture: le folklore », pp. 253-262.

42. Remarquons que le Département de Sociologie de l'Université Laval publie les *Recherches sociographiques* dont le cinquième volume est peut-être mieux connu sous son autre titre: *Littérature et société canadiennes-françaises.* Les essais de Fernand Dumont et de Jean-Charles Falardeau figurent aujourd'hui parmi les meilleurs livres que publie ce Département: touchant de particulièrement près notre sujet, rappelons, de ce dernier: *Notre société et son roman,* Montréal, H.M.H., 1967, 234 pp.

43. Les études suivantes font déjà partie de cette collection: *La Mère dans le roman canadien-français* de la Sœur Sainte-Marie-Eleuthère, c.n.d., *Le Ciel et l'enfer d'Arthur Buies* de Marcel-A. Gagnon, *L'Hiver dans le roman canadien-français* de Paulette Collet, *Xavier Marmier et le Canada* de Jean Ménard, *Joseph Marmette, sa vie, son œuvre* de Roger LeMoine. Signalons aussi un volume extrêmement utile publié par les Presses de l'Université Laval, *Les Journaux du Québec de 1764 à 1964* d'André Beaulieu et Jean Hamelin.

44. Quatre ouvrages ont paru dans cette collection: *Emile Nelligan, sources et originalité de son œuvre* de Paul Wyczynski, *F.-X. Garneau, aspect littéraire de son œuvre,* ouvrage publié sous la direction de Paul Wyczynski, *Le Roman canadien-français du XXe siècle* par Réjean Robidoux et André Renaud, *Albert Laberge* de Jacques Brunet.

45. Cette collection comprend: tome I — *Mouvement littéraire de Québec, 1860;* tome II *L'Ecole littéraire de Montréal,* tome III — *Le Roman canadien-français,* tome IV — *La Poésie du Canada français* (parution en 1969).

ce [46], *Voix vivantes* [47] et *Cahiers du Centre* [48]. Il entretient des relations avec des spécialistes de littérature tant au Canada qu'à l'étranger. Mais, surtout et avant tout, le Centre se veut un foyer d'idées: on ne s'emprisonne pas dans une méthode, dans une tradition, dans une routine; chacun est libre de travailler au nom du dépassement et du progrès. On y pratique avec autant de bonheur la méthode lansonienne que le structuralisme à la manière de Barthes et de Rousset; on se préoccupe de sociologie littéraire avec autant de soin que d'analyses linguistiques et thématiques, celles par exemple ayant comme point de départ les index de vocabulaire et de concordances effectués par les ordinateurs. Ce qu'on vise, c'est une juste connaissance des faits littéraires ainsi que la profondeur et l'authenticité du jugement. C'est là peut-être le secret de l'épanouissement de cette institution, qui vient de célébrer son dixième anniversaire de naissance.

A partir de 1921, date où une faculté des Lettres naît à l'Université de Montréal, la littérature canadienne-française y fait laborieusement son chemin à travers l'enseignement et la recherche, sous l'œil attentif du chanoine Emile Chartier. Premier doyen, celui-ci se voit décerner, en 1932, un doctorat ès lettres pour son travail *La Vie de l'esprit au Canada;* à la même date, l'abbé Lionel Groulx obtient le même titre pour sa thèse, *L'Enseignement du français au Canada.* En 1938, Louvigny de Montigny soutient une thèse de doctorat violemment attaquée par Claude-Henri Grignon: *La Revanche de Maria Chapdelaine.* Après ces débuts, Guy Frégault, parallèlement à ses préoccupations d'historien, organise, entre 1945 et 1951, quatre cours de littérature canadienne-française. En 1951, Gérard Bessette soutient sa thèse: *Les Images en poésie canadienne-française.* À partir de cette date l'intérêt pour la littérature canadienne-française grandit. René de Chantal devient successivement directeur du Département d'Études françaises et doyen de la faculté des Lettres: c'est lui qui fonde, en février 1965, la revue *Études françaises,* dans laquelle la littérature québécoise occupe une place importante [49]. Depuis une quinzaine d'années, plusieurs professeurs donnent des cours de littérature canadienne-française, dirigent des thèses de plus en plus nombreuses et font des recherches. Ce sont: Roger Duhamel, le Père Ernest Gagnon, Albert Le Grand, Monique Bosco, Nicole Deschamps, André Brochu, Georges-André Vachon, Laurent Mailhot, Gilles Marcotte... A signaler aussi les Conférences J.-A. de Sève [50] et le travail extraordinaire des Presses de l'Université de Montréal qui connaissent, sous la direction de Mlle Danielle Ros, un essor sans précédent. Mais l'événement

---

46. La collection « Présence » groupera les éditions critiques des auteurs québécois; le premier volume ainsi conçu, publié en 1968, est le *Voyage en Angleterre et en France dans les années 1831, 1832, 1833* de F.-X. Garneau, texte établi, annoté et présenté par Paul Wyczynski. Bientôt paraîtront les *Oeuvres complètes* de Crémazie, édition préparée par Odette Condemine.

47. Dans la collection « Voix vivantes » sont publiés les poèmes de qualité des auteurs québécois. Edition de luxe, le texte manuscrit y figure en regard du texte imprimé. Le premier de la série est le texte de Félix-Antoine Savard: *Symphonie du Misereor* (1968).

48. Dans la collection « Cahiers du Centre » on a publié: *Le Retour de Titus* d'Alfred Desrochers (1963) et les *Mémoires d'un artiste canadien* d'Edmond Dyonnet, texte établi et présenté par Jean Ménard.

49. La revue *Etude française,* maintenant dirigée par Georges-André Vachon, a déjà publié de nombreux articles et comptes rendus relatifs à la littérature canadienne-française. A retenir le no 3 du vol. 3, août 1967, entièrement consacré à Nelligan.

50. *Les Conférences J.-A. de Sève,* groupent déjà les textes de plusieurs communications importantes: *Situation de la littérature canadienne-française* par Gérard Tougas, *Les Grandes Options de la littérature canadienne-française* par David M. Hayne, *Gérard Bessette, l'homme et l'écrivain* par Glen Shortliffe, *L'Aventure romanesque de Claude Jasmin* par Gilles Marcotte, *Exils* par Jean Ethier-Blais, *Miron le magnifique* par Jacques Brault, *Anne Hébert: de l'exil au royaume* par Albert Le Grand, *Ducharme l'inquiétant* par Michel Van Schendel. On vient de les réunir en un volume: *Littérature canadienne-française,* Université de Montréal, 1969.

le plus important dans la revalorisation de la littérature canadienne-française à l'Université de Montréal est la fondation, en 1964, du Centre de documentation des lettres canadiennes-françaises, dirigé par Réginald Hamel. Celui-ci, après avoir terminé à l'Université d'Ottawa une thèse de maîtrise sur *Le Saint-Laurent de Charles Gill*, après avoir recueilli la volumineuse correspondance de cet artiste montréalais, a su organiser une abondante documentation, livresque, manuscrite et audio-visuelle, pour le bien des chercheurs et des étudiants. Ses *Cahiers bibliographiques* [51], publiés depuis 1966, constituent déjà un instrument de travail de première importance. Il reste à souligner l'apport critique de Benoît Lacroix et de Jacques Brault qui, bien qu'ils soient attachés à l'Institut d'études médiévales, scrutent avec non moins d'ardeur la littérature du Québec [52].

Dans les autres universités québécoises de langue française, on commence également à s'intéresser à la littérature canadienne-française. A l'Université de Sherbrooke, qui compte aujourd'hui une quinzaine d'années d'existence, on se dirige résolument vers la littérature comparée: canadienne-française et canadienne-anglaise. Au sein de l'équipe de chercheurs déjà attelés à cette tâche se trouve l'abbé Antoine Sirois, dont la thèse de doctorat, soutenue en décembre 1967 à la Sorbonne — *Montréal vu par les romanciers canadiens d'expression française et d'expression anglaise depuis 1945* — a été publiée à Montréal en 1969. Au collège Sainte-Marie, on s'oriente résolument vers l'étude de la littérature contemporaine du Québec: Mlles Renée Legris et Madeleine Greffard font des recherches d'envergure, respectivement sur Robert Choquette et Alain Grandbois; Maximilien Laroche et l'abbé Pierre Pagé, celui-ci déjà connu comme critique littéraire, procèdent à de vastes enquêtes sur le théâtre et la poésie, le premier surtout sur Marcel Dubé, l'autre sur Anne Hébert. On lit avec plaisir les *Cahiers de Sainte-Marie* dont quatre fascicules retiennent l'attention: *Littérature canadienne* (no 1), *Voix et Images du pays* (4 et 15), *Cinéma québécois* (12). L'institution aura bientôt son *Centre de recherches en symbolique*, qui permettra l'étude de l'univers symbolique du Canadien français à partir de la littérature, de l'architecture, de la sociologie et des beaux-arts.

La recherche dans les autres universités canadiennes

Modestement, l'Université de Moncton et l'Université de Sudbury font leurs premiers pas dans l'enseignement et dans la recherche ayant trait à la littérature canadienne-française. La première aura bientôt un Centre d'études acadiennes groupant d'inestimables documents sur l'histoire et la culture de l'Acadie, que le Père Clément Cormier, ancien recteur de l'Université de Moncton, accumule patiemment depuis une vingtaine d'années. A l'Université de Sudbury, le Père Germain Lemieux, de concert avec la Société historique du Nouvel-Ontario, travaille avec beaucoup d'ardeur à l'exploration scientifique de la littérature orale préservée au sein de la population française de l'Ontario.

51. Réginald Hamel, *Cahiers bibliographiques des lettres québécoises*, l'année 1966, 3 numéros: no 1, 1er janv.-15 mars 1966, pp. 1-247, no 2, 15 mars-7 juillet, pp. 248-611, no 3, 7 juillet-31 décembre 1966, pp. 612-1176; 1967, 4 numéros: no 1, 1er janv.-31 mars, pp. 1-471, no 2, 1er avril-30 juin, pp. 472 à 903, no 3, 1er juillet au 30 sept., pp. 904-1229, no 4, 1er oct.-31 décembre, pp. 230-1829.

52. De Benoît Lacroix on connaît *Vie des lettres et histoire canadienne*, Montréal, Les Editions du Lévrier, 1954, 77 pp. Jacques Brault, en plus de nombreux articles, a publié en 1968 *Alain Grandbois*, Paris, Seghers, Montréal, Hexagone, 1968, 191 pp.

Il est à noter également que les universités de langue anglaise progressent rapidement dans la recherche et l'organisation des études canadiennes-françaises. Depuis cinq ans existe à l'Université McGill le Centre d'études canadiennes-françaises: 20,000 documents relatifs au Canada français ont été acquis pour une somme de $100,000. Ce Centre a publié *Québec: hier et aujourd'hui* et plusieurs travaux de bibliographie. En novembre 1966, le Centre organisa un colloque sur Nelligan; Jean Ethier-Blais, coordonnateur général de la rencontre, y invita les meilleurs spécialistes de l'auteur du « Vaisseau d'or ». Au Collège Loyola, les études canadiennes-françaises progressent au rythme des efforts personnels de quelques professeurs: Arsène Lauzière se penche sur le XIXᵉ siècle, Paule Leduc examine de plus près la critique littéraire, Paul Toupin s'intéresse au théâtre, Gustave Labbé prépare un imposant ouvrage sur Marcel Dugas et son époque, tandis que la récente production romanesque passionne Gaston Laurion.

En dehors du Québec aussi, la situation est fort encourageante: l'Université Queen's rayonne grâce aux travaux de Glen Shortliffe, de Gérard Bessette, de François Hertel; à Kingston également, au sein du Collège militaire, Adrien Thério publie, d'année en année mieux réussie, sa revue *Livres et auteurs canadiens;* à Edmonton, à l'Université d'Alberta, le professeur B.G. Dobbs vient d'établir un vaste projet de recherche dont une grande partie porte sur le théâtre canadien-français; à Winnipeg, l'attitude sympathique du professeur Meredith Jones à l'égard du fait français permet d'espérer des initiatives concrètes, et déjà la revue *Mosaïc* de l'Université de Manitoba accueille avec empressement des études sur le Canada français; à l'Université McMaster, le professeur Jack Warwick songe à une « sociologie littéraire du Canada français »; à la très jeune Université York, le professeur Jacques Cotnam, auteur d'une récente anthologie: *Poètes du Québec* (Montréal, Fides, 1969), travaille à une *Histoire de la vie intellectuelle du Canada français, de 1760 à 1914*. Il reste, cependant, que parmi les universités canadiennes de langue anglaise, ce sont l'Université de Toronto, l'Université de Colombie-Britannique et l'Université Carleton qui sont aujourd'hui en tête des recherches en littérature canadienne-française.

A l'Université de Toronto, l'histoire des recherches sur la langue et la littérature canadiennes-françaises remonte à l'année 1887, alors que le professeur John Squair commençait à étudier l'état du français à Sainte-Anne-de-Beaupré. De 1916 à 1967, le professeur Charles-Achille Jeanneret, tour à tour professeur, principal, chancelier, contribua incontestablement, et de plusieurs façons, à l'organisation des études canadiennes-françaises. A cette tâche s'associe le nom du professeur David M. Hayne, avantageusement connu depuis plusieurs années comme critique littéraire et comme bibliographe. Autour de lui travaille une équipe dont nous nous contentons de citer quelques noms prestigieux: William Rogers, Laure Rièse, Louis-Joseph Bondy, Paulette Collet, Denis Saint-Jacques, Réjean Robidoux, Cécile Cloutier-Wojciechowski. Études, articles, anthologies, traductions, bibliographies, panorama littéraire annuel dans *The University of Toronto Quarterly* (œuvre commencée par F. Walter et W.E. Collin et continuée par J.-C. Bonenfant, R. Duhamel, Guy Sylvestre, R. Robidoux et J.-L. Major), thèses, *Dictionnaire biographique du Canada*, autant de preuves tangibles que l'Université de Toronto a déjà sa part dans l'histoire des recherches sur la littérature, la langue, l'histoire et la civilisation du Canada français. Il faut ajouter que sa Bibliothèque est l'une des mieux pourvues en livres canadiens.

A l'Université de Colombie-Britannique, l'intérêt pour la recherche sur le Canada français est né vers 1950. Venu de l'Université Yale, originaire des comtés de l'est, Gilbert Tucker, professeur d'histoire, décida à ce moment-là de créer un

Centre d'études canadiennes. Presque aussitôt la Fondation Carnegie lui octroya dans ce but des sommes importantes. L'arrivée à Vancouver de Gérard Tougas, en 1953, permit de joindre la dimension littéraire au projet plutôt « historique » du professeur Tucker. On commença par des achats massifs de livres canadiens-français. En 1958, Gérard Tougas publia la *Liste d'imprimés relatifs à la littérature canadienne-française*, qui montre avec exactitude ce que la Bibliothèque a fait, en cinq ans, dans le domaine précis de l'histoire et de la littérature du Canada français. Aujourd'hui, cette Bibliothèque est l'une des meilleures — sinon la meilleure — quant aux livres et aux brochures ayant trait au Canada français. La revue *Canadian Literature* y voit le jour en 1959; elle est dirigée par George Woodcock. L'année suivante, Gérard Tougas publie son *Histoire de la littérature canadienne-française* aux Presses Universitaires de France, ouvrage favorablement accueilli par la critique et qui connaîtra, dans l'espace de quelques années, quatre éditions. Présentement, grâce au travail inlassable de Gérard Tougas, et aussi grâce à l'appui de L.L. Bongie, directeur du Département de Français, les études et la recherche en littérature canadienne-française s'acheminent, sur la côte du Pacifique, vers un épanouissement certain.

Grâce aux efforts du professeur J.S. Tassie, qui depuis une vingtaine d'années dirige les destinées d'un Département de Français toujours plus dynamique — et qui auparavant a soutenu une thèse, à l'Université de Toronto, sur la langue des Canadiens français [53] — l'Université Carleton progresse rapidement dans l'organisation des cours et des recherches en littérature canadienne-française. Parmi les professeurs qui contribuent à ce succès, mentionnons Odette Condemine, Michel Gaulin, Robert Vigneault et surtout Eva Kushner, bien connue par ses conférences, ses articles et ses livres. Eva Kushner a publié, entre autres, une étude sur Rina Lasnier dans la collection « Écrivains canadiens d'aujourd'hui », ainsi qu'une autre, semblable, sur Saint-Denys Garneau, chez Seghers, dans la collection « Poètes d'aujourd'hui ». Dans la même collection, elle a publié en 1969 une seconde présentation de Rina Lasnier. À noter, également, qu'il existe à l'Université Carleton, depuis 1957, un Institut d'études canadiennes de caractère inter-départemental, voué surtout aux recherches sur les rapports entre le Canada anglais et le Canada français sous l'angle sociologique et historique.

*

* *

Autres progrès récents de la critique

Ce rapide tour d'horizon permet de constater que, bien que jeune, la recherche sur la littérature canadienne-française se porte bien dans les universités du Québec et du reste du Canada. Certes, il ne faut pas crier au miracle ni prétendre qu'en 1969, on a déjà tout étudié et tout résolu. Disons plutôt, avec la modestie qui s'impose, qu'il s'agit d'un début prometteur.

---

53. J.S. Tassie, *The Noun, Adjective, Pronoun and Verb of Popular Speech in French Canada*, thèse de doctorat, University of Toronto, 1957.

Début prometteur et qui augure déjà d'une tradition et d'une prise de conscience collective. La littérature canadienne-française n'apparaît plus comme un hors-d'œuvre dans la formulation des programmes et la planification des recherches au sein des universités canadiennes. Elle intéresse également, et toujours davantage, des spécialistes à Paris, à Poitiers, à Strasbourg, à Nice, à Caen, à Birminghan, à New York. Les travaux qui lui sont consacrés sont plus facilement acceptés qu'autrefois par les éditeurs. En dehors des Presses universitaires, à Québec, à Montréal, à Ottawa, à Toronto, on voit maintenant des maisons d'édition privées encourager les chercheurs.

Ainsi, Beauchemin publie *Les Images en poésie canadienne-française,* de Gérard Bessette, en 1960. La Librairie Déom lance, en 1965, une nouvelle collection, « Horizons », dont le premier volume est *Poésie et symbole* de Paul Wyczynski. Les Éditions HMH publient plusieurs essais dans la collection « Convergences ». Le Cercle du Livre de France fait paraître le *Répertoire* de Jean Simard, l'*Anthologie d'Albert Laberge* de Gérard Bessette, ainsi que les deux premiers volumes de l'*Encyclopédie littéraire et artistique du Canada français,* à savoir: *350 ans de théâtre* de Jean Béraud et *La Peinture traditionnelle* de Gérard Morisset. A noter aussi que les Éditions Fides publient la collection « Archives des lettres canadiennes », celle qui s'intitule « Écrivains canadiens d'aujourd'hui » [54] et, fort utiles aux chercheurs, les « Dossiers de documentation sur la littérature canadienne-française » [55]; et voici que le Centre Éducatif et culturel inaugure, sous la responsabilité de sa directrice littéraire, Céline Petit-Martinon, une collection d'essais sur la littérature dont le premier titre, sur Jean-Charles Harvey (1969), est l'œuvre de M. Guildo Rousseau.

On serait mal venu de ne pas souligner les progrès extraordinaires accomplis au cours des dernières années par la plupart des bibliothèques universitaires ainsi que par la Bibliothèque nationale du Québec, sous la direction de Georges Cartier, et par la Bibliothèque nationale du Canada, que dirige Guy Sylvestre depuis 1968.

On a beaucoup épilogué sur le caractère « trop scientifique » de la critique universitaire, sur ses armatures trop lourdes appliquées aux auteurs québécois, sur le danger de négliger la sensibilité esthé-

---

54. Cette collection comprend: *Germaine Guèvremont* par Rita Leclerc, *Rina Lasnier* par Eva Kushner, *Anne Hébert* par Pierre Pagé, *Léo-Paul Desrosiers* par Julia Richer, *Emile Nelligan* par Paul Wyczynski, *Félix-Antoine Savard* par André Major et *Robert Elie* par Marc Gagnon.

55. Ont paru tout d'abord: *Gabrielle Roy, Félix Leclerc, Emile Nelligan.*

tique et de faire montre d'une certaine froideur, d'un certain pédantisme. Devant de telles affirmations, on reste songeur. La tendance classificatrice, en voulant établir une distinction nette entre la critique « universitaire » et celle qui ne l'est pas, crée plus d'ambiguïtés qu'elle n'en dissipe. Il existe, en dehors de l'université, des critiques de bonne formation universitaire dont les méthodes de travail sont loin de la simple improvisation, de même qu'il existe, à l'intérieur de l'université, des professeurs qui s'adonnent à la critique littéraire sans rien perdre de leur sensibilité. Si l'université offre aux chercheurs l'avantage d'être en groupe et d'avoir à leur portée des ressources dont la critique, en d'autres endroits, ne dispose pas toujours, cela ne veut pas dire certes que les « universitaires » vont toujours et nécessairement produire des ouvrages extraordinaires. La critique littéraire à l'université constitue peut-être en soi un milieu actif, un foyer de polarisation, mais il est également évident qu'elle adopte des orientations sans cesse différentes, qu'elle est en constante réinvention chez ceux qui la pratiquent [56].

Redéfinitions
contemporaines

La critique a ceci de particulier qu'elle tient à son objet, l'œuvre littéraire, dans sa fortune de naître aussi bien que dans les modalités de son existence. Problèmes du langage et du poids psychologiques, coloris sociologique et reflets d'histoire, structures et significations, autant de points d'intérêt qui orientent l'entreprise critique vers la recherche des articulations internes des œuvres au même degré que vers le contexte culturel et social qui leur a servi de matrice. Mais a-t-on commencé à se faire à l'idée que l'évolution actuelle de la critique remet en question la conception même de la littérature? L'œuvre littéraire doit-elle son existence à la résonance humaine ou tout simplement à l'écriture qui est, comme le dit magistralement Blanchot, la présence originale et parfaitement indépendante du signifié dans le signe? Une telle alternative pose aujourd'hui de sérieux problèmes à ceux qui pratiquent la critique littéraire. On parle même de divorce radical entre l'histoire littéraire, « science périphérique » et complémentaire, et une critique « pure » qui postule le primat des mouvements à l'intérieur de l'œuvre pour aboutir ainsi à « l'essence valéryenne ». Le

56. Au sujet de l'évolution de la critique on pourra consulter avec profit: Pierre Moreau, *La Critique littéraire en France*, Paris, Armand Colin, 1960, 203 pp.; Roger Fayolle, *La Critique*, Paris, Armand Colin, 1964, 431 pp.; *Les Chemins actuels de la critique*, ouvrage collectif sous la direction de Georges Poulet, Paris, Plon, 1967, 515 pp., ainsi que *Présence de la critique*, textes choisis par Gilles Marcotte, Montréal, H.M.H., 1967, 254 pp.

grand rêve de débarraser l'œuvre de toute contingence tenant à l'homme, à la société ou à l'histoire, est déjà en route vers ce qu'on appelle l'herméneutique et la sémiologie, qui pourraient se définir ainsi: science de l'explication rigoureuse, science des « significations totalisantes ». Au cœur de ces tendances vit l'idée mallarméenne: une obsession du « mot total », du « Livre total », le vertige de la conscience qui croit ne pouvoir vivre autrement qu'au sein du langage réinventé.

Un tel cheminement ouvre à la critique universitaire un champ quasi illimité. De nos jours, elle n'est plus cette science solitaire et pontifiante qu'il lui est arrivé d'être autrefois; elle est vivante et prolifique; elle se situe au voisinage des autres genres littéraires et s'unit, par un complexe réseau de filiations, à l'histoire, à la sociologie, à la psychologie, à la psychanalyse, à la philosophie, à la linguistique... La vieille querelle engagée autour des problèmes du fond et de la forme — reprise par les formalistes russes il y a un demi-siècle — semble revivre avec plus d'intensité que jamais. On aurait tort de ne pas accorder à cette évolution la vertu d'accroître l'importance de l'œuvre littéraire. C'est ainsi que l'ancien souci d'histoire et de biographie, prédominant jusqu'aux années 1950, cède le pas aujourd'hui à une recherche serrée de l'expressivité de l'œuvre.

Conclusion:
vers une synthèse
interdisciplinaire

Dans une telle perspective, la critique universitaire qui se donne pour objet l'étude de la littérature canadienne-française, est vouée sans doute à une recherche considérable. Elle doit d'abord rattraper le temps perdu, en tenant compte de l'évolution rapide dans le domaine qui est le sien. Tout en se maintenant à la page, elle ne peut pas négliger l'histoire et la sociologie littéraires: il faut graduellement séparer le bon grain de l'ivraie. Et l'enquête critique ne donnera pas à la littérature canadienne-française son vrai relief si l'on n'étudie pas d'abord les œuvres littéraires en elles-mêmes. Nous n'avons que deux éditions critiques! On commence à peine la préparation de monographies exhaustives! Les enquêtes bibliographiques qui ont été intreprises sont encore loin de l'objectif qu'elles se sont fixé. Indépendamment de ces préoccupations, la recherche littéraire devrait prendre des orientations diverses, en allant, par exemple, de l'histoire des idées d'une époque à l'approche sociologique d'une œuvre, de l'édition critique des œuvres de Ringuet à une étude structuraliste de *Trente arpents,* de l'index-concordances du vocabulaire de

Nelligan à une étude systématique du langage chez l'auteur du
« Vaisseau d'or ». Pour procéder ainsi, il serait au plus haut point
souhaitable que la critique universitaire dépasse la barrière des disciplines et la cloison étanche de la faculté: elle leur préférera dorénavant un champ interdépartemental et interdisciplinaire. Elle aura
alors cette particularité d'être une science accueillante et ouverte, en
même temps que la certitude de vivre en relation d'identité avec
l'œuvre littéraire, dont le public connaîtra mieux par elle les dimensions multiples et les caractères propres.

APPENDICE

BIBLIOGRAPHIE DES INSTRUMENTS DE TRAVAIL EN LITTÉRATURE CANADIENNE-FRANÇAISE

par Réginald HAMEL
et Pierre de GRANDPRÉ

Anthologies

[En collaboration], *Écrivains du Canada,* dans *Les Lettres nouvelles* (Paris), décembre 1966-janvier 1967, 251 pages.

Bessette, G., Geslin, Z., Parent, Ch., *Histoire de la littérature canadienne-française par les textes,* Montréal, Centre Éducatif et Culturel, 1968, 704 pages.

Bessette, Gérard, *De Québec à Saint-Boniface,* Toronto, Macmillan, 1968, 285 pages.

Bosquet, Alain, *La Poésie canadienne contemporaine de langue française,* Paris-Montréal, Seghers-H.M.H., éd. de 1966, 275 pages.

Cotnam, Jacques, *Poètes du Québec,* Montréal, Fides, 1969.

Fournier, Jules, *Anthologie des poètes canadiens,* Montréal, Granger Frères, 1933, 300 pages.

Huston, James, *Répertoire national,* Montréal, Lowell and Gibson, éd. de 1893, 4 volumes (1ère éd., 1848).

LaPierre, Laurier L., *Québec : hier et aujourd'hui,* Toronto, Macmillan, 1967, 306 pages.

Malouin, Reine, *La poésie il y a cent ans,* Québec, Garneau, 1968, 103 pages.

Paul-Crouzet, Jeanne, *Poésie au Canada,* Paris, Didier, 1946, 372 pages.

Marcotte, Gilles, *Présence de la critique,* Montréal, H.M.H., 1966, 254 pages.

Renaud, André, *Recueil de textes littéraires canadiens-français,* Montréal, Éd. du Renouveau pédagogique, 1969.

Rièse, Laure, *L'Âme de la poésie canadienne-française,* Toronto, Macmillan, 1955, 263 pages.

Robert, Guy, *Littérature du Québec, témoignages de 17 poètes,* Montréal, Déom, 1964, 333 pages.

Smith, A.J.M., *Modern Canadian verse, in English and French,* Toronto, Oxford University Press, 1967, 426 pages.

Thério, Adrien, *Conteurs canadiens-français* (époque contemporaine), Beauchemin, éd. de 1964, 376 pages.

Thério, Adrien, *L'Humour au Canada français* (anthologie), Montréal, Le Cercle du Livre de France, 1968, 290 pages.

Sylvestre, Guy, *Anthológie de la poésie canadienne-française*, Montréal, Beauchemin, éd. de 1964, 376 pages.

Sylvestre, Guy et Green, H. Gordon, *Un siècle de littérature canadienne*, Montréal-Toronto, H.M.H.-The Ryerson Press, 1967, 599 pages.

Viger, Jacques, *Ma Saberdache* (1787-1858).

Bibliographies

[En collaboration], Bibliothèque Nationale, *Les Ouvrages de référence du Québec*, Ministère des Affaires culturelles du Québec, 1969, 189 pages; et *Bibliographie du Québec* (liste trimestrielle de publications), 1er trimestre, avril 1969.

Audet, Francis, J., et Malchelosse, Gérard, *Pseudonymes canadiens*, Montréal, Ducharme, 1938, 191 pages.

Allen, Patrick, *Confédération canadienne, Bibliographie sommaire*, dans *Revue d'Histoire de l'Amérique française*, vol. XXI, no 3a (1967), pp. 695-719.

Beaulieu, André et Hamelin, Jean, *Les Journaux du Québec de 1764 à 1964*, Québec-Paris, P.U.L.-Armand Colin, 1965, 329 pages.

Dionne, Narcisse-Eutrope, *Inventaire chronologique*, Québec, s.é., 1905-06-07-09, 4 volumes.

Drolet, Antonio, *Bibliographie du roman canadien-français (1900-1950)*, Québec, P.U.L., 1955, 125 pages.

Dulong, Gaston, *Bibliographie linguistique du Canada Français*, Québec-Paris, P.U.L.-Klincksieck, 1966, 167 pages.

Fraser, Jan Forbers, *Bibliography of French Canadian Poetry, from the beginnings of the literature, through École littéraire de Montréal*, New York, Columbia University, 1935, 105 pages.

Gagnon, Philéas, *Essai d'une bibliographie canadienne*, Québec, A. Côté, 1895, 2 vol.

Garigue, Philippe, *Bibliographie du Québec (1955-1965)*, Montréal, P.U.M., 1967, 228 pages.

Hamel, Réginald, *Bibliographie des lettres canadiennes-françaises*, 1965, dans *Études Françaises*, Montréal, P.U.M., juin 1966, 111 pages.

Cahiers bibliographiques des lettres québécoises, vol. 1, nos 1-3, janvier-décembre 1966, Montréal, C. de doc. des lettres c.-f., 1966, 1176 pages.

Cahiers bibliographiques des lettres québécoises, vol. 2, nos 1-3 (janvier-juin-septembre 1967), Montréal, C. de doc. des lettres c.-f., 1967, 1229 pages.

Hare, John E., *Bibliographie du roman canadien-français, 1837-1962*, dans *Archives des lettres canadiennes*, tome III, Montréal, Fides, 1964, pp. 381-456.

Hayne, David-M., *Bibliographie critique du roman canadien-français, 1837-1900*, Presses de l'Université de Toronto, 1968.

Lanctot, Gustave, *L'Œuvre de la France en Amérique du Nord*, Montréal, Beauchemin, 1954.

Lefebvre, Jean-Jacques, *Répertoire bio-bibliographique de la Société des écrivains canadiens*, Montréal, Société des écrivains canadiens, 1954, 255 pages.

Nish, Cameron et Elizabeth, *Bibliographie pour servir à l'étude de l'histoire du Canada français*, Montréal, Sir George Williams University, 1967, s.p.

Tanghe, Raymond, *Bibliographie des bibliographies canadiennes*, Toronto, University of Toronto Press, 1960.
Répertoire bio-bibliographique de la Société des écrivains canadiens, Montréal, 1954, 248 pages.

Catalogues

Duhamel, Roger, *Le Livre canadien*, Ottawa, Imprimerie de la Reine, octobre 1967.
Richer, Julia, *Catalogue de l'édition au Canada français*, Montréal, le Conseil supérieur du Livre, 1ère éd., 1965; 1966-67, 358 pages; 1968, 417 pages.

Dictionnaires

Barbeau, Victor, *Le Français au Canada*, Montréal, Acad. c.-fr. 1963, 252 pages.
Bélisle, Louis-Alexandre, *Dictionnaire Bélisle de la langue française au Canada*, Québec, 1957, 1390 pages.
Brown, George W., Trudel, Marcel et Vachon, André, *Dictionnaire biographique du Canada* (1000 à 1700), volume premier, Toronto-Québec, University of Toronto-Université Laval, 1966, 774 pages.
Daviault, Pierre, *Dictionnaire militaire*, Ottawa, Imprimeur de la Reine, 1945, 1016 pages.
Dagenais, Gérard, *Dictionnaire des difficultés de la langue française au Canada*, Québec, Éd. Pedagogia, 1967, 480 pages.
Lefebvre, Jean-Jacques, *Dictionnaire Beauchemin canadien*, Montréal, Beauchemin, 1968.
Sylvestre, Guy, Conron, B. et Klinck, C.F., *Écrivains canadiens, un dictionnaire biographique*, Montréal, H.M.H., 1964, 163 pages.
Turenne, Augustin, *Petit dictionnaire du « joual » au français*, Montréal, Éd. de l'Homme, 1962, 83 pages.
Vinay, Jean-Paul, Daviault, Pierre et Alexander, Henry, *Dictionnaire canadien*, Toronto, McClelland and Stewart, 1962, 862 pages.
Biographies canadiennes-françaises, Montréal, Éd. Bibliographiques c.-fr., 21e éd., 1969, 856 pages.

Histoires littéraires

(Archives des lettres canadiennes), *Mouvement littéraire de Québec 1860*, tome I, Ottawa, Université d'Ottawa, 1961, 349 pages.
(Archives des lettres canadiennes), *L'École littéraire de Montréal*, Montréal, Fides, 1963, 381 pages.
(Archives des lettres canadiennes), *Le Roman canadien-français*, Montréal, Fides, 1964, 458 pages.
(Archives des lettres canadiennes), *La Poésie canadienne-française*, à paraître à Montréal, chez Fides, en 1969.
Baillargeon, Samuel, *Littérature canadienne-française*, Montréal, Fides, 1957, 460 pages.

Béraud, Jean, *Trois cent cinquante ans de théâtre au Canada français*, Montréal, Cercle du Livre de France, 1958, 319 pages.

Bessette, G., Geslin, Z., Parent, C., *Histoire de la littérature canadienne-française par les textes*, Montréal, Centre Éducatif et Culturel, 1968, 704 pages.

Brunet, Berthelot, *Histoire de la littérature canadienne-française*, Montréal, L'Arbre, 1946, 186 pages.

Chartier, Emile, *Au Canada français, La Vie de l'esprit* (1760-1929), Montréal, Valiquette, 1941, 355 pages.

Costisella, Joseph, *L'esprit révolutionnaire dans la littérature canadienne-française, de 1837 à la fin du XIXe siècle*, Montréal, Beauchemin, 1968, 316 pages.

Dandurand, abbé Albert, *La Poésie canadienne-française*, Montréal, Éd. de l'A.C.F., 1933; *Littérature canadienne-française, La prose*, Montréal, Éd. de l'A.C.F., 1935; *Le Roman canadien-français*, Montréal, Éd. de l'A.C.F., 1937; *Nos orateurs*, Montréal, Éd. de l'A.C.F., 1939.

Dugas, Marcel, *Littérature canadienne*, Paris, Firmin Didot, 1929, 204 pages.

Duhamel, Roger, *Manuel de littérature canadienne-française*, Montréal, Renouveau Pédagogique, 1967, 161 pages.

Gay, Paul, *Survol de la littérature canadienne-française*, dans *L'Enseignement secondaire*, vol. XLVI, no 4, livraison sept.-oct. 1967, 98 pages, texte repris dans *Notre littérature*, Montréal, H.M.H., 1969, 214 pages.

Grandpré, Pierre de, *Dix ans de vie littéraire au Canada français*, [1955-1965], Montréal, Beauchemin, 1966, 300 pages.

Houlé, Léopold, *L'Histoire du théâtre au Canada*, Montréal, Fides, 1945, 173 pages.

Jobin, Antoine-Joseph, *Visages littéraires du Canada français*, Montréal, Zodiaque, 1941.

Lareau, Edmond, *Histoire de la littérature canadienne*, Montréal, Lowell, 1874, 496 pages.

Léger, Jules, *Le Canada et son expression littéraire*, Paris, Nizet et Bastard, 1938.

Marion, Séraphin, *Les Lettres canadiennes d'autrefois*, Ottawa, Université d'Ottawa, 1939-58, 9 volumes.

Moisan, Clément, *L'Âge de la littérature canadienne*, Montréal, H.M.H., 1969, 193 pages.

Pierce, Lorne, *An Outline of Canadian Literature, French and English*, Montréal, New York, Louis Carrier, 1927.

Robidoux, Réjean et Renaud, André, *Le Roman canadien-français du vingtième siècle*, Ottawa, Université d'Ottawa, 1966, 213 pages.

Rossel, Virgile, *Histoire de la littérature française hors de France*, Lausanne, Payot, 1895 (Le Canada, pp. 281-355).

Roy, Camille, *Manuel d'histoire de la littérature canadienne de langue française*, Montréal, Beauchemin, 1954, 201 pages. (*Tableau ...*, 1907; *Manuel*, 1ère éd., 1918).

Sœurs de Sainte-Anne, *Précis*, 1925, 1928; *Histoire de la littérature française et canadienne*, Lachine, 1944, pp. 312-523.

Sylvestre, Guy, *Panorama des lettres canadiennes-françaises*, Québec, Ministère des Affaires culturelles, 1964, 80 pages.

O'Leary, Dostaler, *Le Roman canadien-français*, Montréal, Le Cercle du Livre de France, 1954.

Tougas, Gérard, *Histoire de la littérature canadienne-française*, Paris, P.U.F., 1964, 312 pages.

Trudel, Marcel, *L'Influence de Voltaire au Canada*, Montréal, Fides, 1945, 2 vol.

Tuchmaier, Henri, « L'Évolution du roman canadien », dans *Revue de l'Université Laval*, oct. et nov. 1959 (et thèse sous le même titre).

Viatte, Auguste, *Histoire littéraire de l'Amérique française, des origines à 1950*, Québec-Paris, P.U.L.-P.U.F., 1954, 545 pages.

Ouvrages de critique

[En collaboration], *Littérature canadienne-française* (recueil de 10 conférences De Sève), Montréal, Presses de l'Université de Montréal, 1969, 350 pages.

[En collaboration], *Profils littéraires* (Cahier no 7 de l'Académie c.-fr., Montréal, 1963, 194 pages.

Arles, Henri d', *Nos historiens*, Montréal, L'Action française, 1921, 243 pages.

Auclair, E.-J., *Articles et études*, Montréal, La Revue canadienne, 1903, 311 pages.

Baillargeon, Pierre, *Commerce*, Montréal, Variétés, 1947, 185 pages.

Barbeau, Victor, *La Face et l'envers*, Éd. de l'Ac. c.-fr., Montréal, 196', 158 pages.

Bastien, Hermas, *Témoignages*, Montréal, Lévesque, 1933, 213 pages; *Ces écrivains qui nous habitent*, Montréal, Beauchemin, 1969, 227 pages.

Beauchesne, Arthur, *Écrivains d'autrefois*, Ottawa, Martines, 1930, 316 pages.

Bessette, Gérard, *Les Images en poésie canadienne-française*, Montréal, Beauchemin, 1960, 282 pages; *Une littérature en ébulition*, Montréal, Éd. du Jour, 1968, 317 pages.

Blain, Maurice, *Approximations*, Montréal, H.M.H., 1967.

Bruchési, Jean, *Rappels*, Montréal, Valiquette, 1941, 233 pages.

Brunet, Berthelot, *Chacun sa vie*, Montréal, s. éd., 1942, 161 pages.

Cahiers de l'Académie canadienne-française, Montréal, (plusieurs livraisons).

Chapais, Thomas, *Mélanges*, Québec, L'Événement, 1905, 373 pages.

Charbonneau, Jean, *Des influences françaises au Canada*, Montréal, Beauchemin, 1916, 3 volumes.

Dantin, Louis, *Gloses critiques*, Montréal, Lévesque, 1931 et 1935, 2 vols; *Poètes de l'Amérique française*, Montréal, Éd. du Mercure, 1928; 2e série, Éd. Albert Lévesque, 1934.

David, L.-O., *Mélanges historiques et littéraires*, Montréal, Beauchemin, 1917, 338 pages.

Desrochers, Alfred, *Paragraphes*, Montréal, A.C.F., 1931, 181 pages.

Dugas, Marcel, *Versions*, Montréal, France, 1917, 88 pages.

Duhamel, Roger, *Bilan provisoire*, Montréal, Beauchemin, 1958, 175 pages.

Éthier-Blais, Jean, *Signets II*, Montréal, Cercle du Livre de France, 1967.

Falardeau, Jean-Charles, *Notre société et son roman*, Montréal, H.M.H., 1967, 234 pages; *L'Évolution du héros dans le roman québécois*, (Conf. De Sève), Montréal, P.U.M., 1968, 36 pages.

Faucher de Saint-Maurice, *Choses et autres*, Montréal, Dansereau, 1874, 294 pages.

Fraser, Ian Forbes, *The Spirit of French Canada: A Study of the Literature*, Toronto, Ryerson, 1939, 219 pages.

Gagnon, Alphonse, *Questions d'hier et d'ajourd'hui*, Québec, Garneau, 1913, 305 pages.

Grandpré, Pierre de, *Dix ans de vie littéraire au Canada français [1955-1965]*, Montréal, Beauchemin, 1966, 300 pages.

Halden, Charles ab der, *Études de la littérature canadienne-française*, Paris, De Rudeval, 1904, 352 pages; *Nouvelles études de littérature canadienne-française*, Paris, Rudeval, 1907.

Harvey, Jean-Charles, *Pages de critique*, Québec, Le Soleil, 1926, 187 pages.

Harvey, Jean-Charles, *Art et Combat*, Montréal, A.C.F., 1937, 229 pages.

Hébert, Maurice, *Les Lettres au Canada français*, Montréal, Lévesque, 1936, 247 pages.

Lamarche, M.-A., *Ébauches critiques*, Montréal, Ménard, 1930, 169 pages.

Laperrière, Auguste, *Les Guêpes canadiennes*, Ottawa, Bureau, 1881, 2 volumes (recueil de textes).

Léger, Jules, *Le Canada français et son expression littéraire*, Paris, Nizet, 1938, 211 pages.

Le Moyne, Jean, *Convergences*, Montréal, H.M.H., 1961, 324 pages.

Lusignan, A., *Coups d'œil et coups de plume*, Ottawa, Free Press, 1884, 342 pages.

Marcotte, Gilles, *Une littérature qui se fait*, Montréal, H.M.H., 1962, 292 pages.

Marion, Séraphin, *Sur les pas de nos littérateurs*, Montréal, Lévesque, 1933, 198 pages.

Michel, Eléonor, *Les Canadiens français d'après le roman canadien-française contemporain*, s.l., s.éd., 1942.

Pelletier, Albert, *Égrappages*, Montréal, Lévesque, 1930, 232 pages.

Robidoux, Louis-Philippe, *Lueurs*, Sherbrooke, La Tribune, 1951, 200 pages.

Roy, Camille, *A l'ombre des érables*, Québec, L'Action Sociale, 1924, 348 pages.

Sylvestre, Guy, *Situation de la poésie canadienne*, Ottawa, Le Droit, 1941; *Sondages*, Montréal, Beauchemin, 1945, 157 pages.

Thério, Adrien, *Livres et auteurs canadiens* (revue), panorama de l'année littéraire (1961-1968), Montréal, Jumonville, 8 volumes.

Turnbull, Jane Mason, *Essential Traits of French-Canadian Poetry*, Toronto, Macmillan, 1938, 228 pages.

Wilson, Edmund, *Ô Canada*, Toronto, Macmillan, 1967.

Wyczynski, Paul, *Émile Nelligan, sources et originalité de son œuvre*, Ottawa, Université d'Ottawa, 1961, 349 pages.

Wyczynski, Paul, *Poésie et symbole*, Montréal, Déom, 1965, 353 pages.

L'essai

[En collaboration], *Littérature et société canadienne-française* (dir. F. Dumont et J.-C. Falardeau), Québec, Presse de l'Université Laval, 1964, 272 pages.

Arles, Henri d', *Essais et conférences*, Québec, s.éd., 1909, 322 pages.

Baillargeon, Pierre, *Le Scandale est nécessaire*, Montréal, Le Jour, 1962, 148 pages.

Biron, Édouard, *Billets du soir*, Montréal, l'Atelier, s.d., 233 pages.

Buies, Arthur, *Chroniques canadiennes*, Montréal, Senécal, 1884, 2 vols.
Desbiens, Jean-Paul (Frère Untel), *Sous le soleil de la pitié*, Montréal, Éd. du Jour, 1965, 128 pages.
Dugas, Marcel, *Approches*, Québec, Chien d'Or, 1942, 113 pages.
Dumont, Fernand, *Pour la conversion de la pensée chrétienne*, Montréal, H.M.H., 1964, 237 pages.
Fabre, Hector, *Chroniques*, Québec, L'Événement, 1877, 265 pages.
Françoise, *Chroniques du lundi*, Montréal, s.e., 1891, 325 pages.
Gagnon, Ernest, *L'Homme d'ici*, rééd. suivie de *Visages de l'intelligence*, Montréal, H.M.H., 1963, 190 pages.
Garneau, Saint-Denys, *Journal*, Montréal, Beauchemin, 1954, 270 pages.
Hertel, François, *Vers une sagesse*, Paris, la Diaspora, 1965, 136 pages.
Lacroix, Benoît, o.p., *Vie des lettres et histoire canadienne*, Ottawa, Les Éditions du Lévrier, 1954.
Larose, Wilfrid, *Variétés canadiennes*, Montréal, Sourds-Muets, 1898, 286 pages.
Leclerc, Gilles, *Journal d'un inquisiteur*, Montréal, L'Aube, 1960, 313 pages.
Le Moyne, Jean, *Convergences*, Montréal, H.M.H., 1961, 324 pages.
Legendre, Napoléon, *Échos du Québec*, Québec, Côté, 1877, 2 volumes.
Roussan, Jacques de, *Paradoxes*, Montréal, A la page, 1962, 148 pages.
Simard, Jean, *Nouveau répertoire*, Montréal, H.M.H., 1965, 419 pages.
Tétreau, Jean, *Essais sur l'homme*, Montréal, Pierre Guillaume, 1960, 247 pages.
Toupin, Paul, *Souvenirs pour demain*, Montréal, Cercle du Livre de France, 1960, 104 pages.
Trottier, Pierre, *Mon Babel*, Montréal, H.M.H., 1963, 217 pages.
Vadeboncoeur, Pierre, *La Ligne du risque*, Montréal, H.M.H., 1963, 286 pages.

L'Histoire

Bibaud, Michel, *Histoire du Canada sous la domination française*, Montréal, Jones, 1837, 370 pages.
Chapais, Thomas, *Cours d'histoire du Canada*, Montréal, Valiquette, s.d., 8 tomes.
Farley, Lamarche, Vaugeois et équipe de « Boréal », rééd. de *Histoire du Canada* (1534-1968), Montréal, Éd. du Renouveau Pédagogique, 1969, 551 pages.
Frégault, Guy, *La Guerre de la conquête*, Montréal, Fides, 1955, 514 pages.
Garneau, François-Xavier, *Histoire du Canada depuis sa découverte jusqu'à nos jours*, Québec, 1845-52, 4 tomes.
Groulx, Lionel, *Histoire du Canada français depuis la découverte*, Montréal, Fides, 1960, 2 volumes.
Héroux, Denis, Lahaise, Robert et Vallerand, Noël, *La Nouvelle-France*, Montréal, Centre de Psychologie et de Pédagogie, 1967, 249 pages.
Ouellet, Fernand, *Histoire économique et sociale du Québec 1760-1850*, Montréal, Fides, 1966, 639 pages.
Montréal, Centre de Psychologie et de Pédagogie, 1967, 249 pages; 2e tome: *L'Amérique du Nord britannique*, 1969.

Séguin, Maurice, *L'Idée d'indépendance au Québec. Genèse et historique*, Trois-Rivières, Éd. du Boréal Express, 1969.

Trudel, Marcel, *Histoire de la Nouvelle-France*, tome I, Montréal, Fides, 1963, tome II, 1966.

Études générales sur le Canada français

ACELF, *Esquisses du Canada français*, Montréal, Fides, 1967, 453 pages.

Arès, Richard, *Notre questions nationale*, Montréal, A.N., 1945-47, 3 vols.

Audet, Louis-Philippe, *Le Système scolaire de la province de Québec*, Québec, L'Érable, 1950-55, 5 volumes.

Barbeau, Marius, *Folklore*, Montréal, dans *Cahiers de l'Académie canadienne-française*, no 9, 1965, 180 pages.

Barbeau, Marius, *Maîtres artisans de chez-nous*, Montréal, Zodiaque, 1942, 220 pages.

Bastien, Hermas, *Le Bilinguisme au Canada*, Montréal, A.C.-F., 1938, 206 pages.

Beaulieu, Claude, *L'Architecture moderne au Canada français*, Québec, Ministère des Affaires culturelles, 1969, 90 pages.

Beaulieu, Germain, *Nos Immortels*, Montréal, Lévesque, 1931, 157 pages.

Bellerive, Georges, *Brève apologie de nos auteurs féminins*, Québec, s.e., 1920, 139 pages.

Bergeron, Gérard, *Le Canada français après deux siècles de patience*, Paris, Seuil, 1967, 281 pages.

Bibaud, Maximilien, *Le Panthéon canadien*, Montréal, Valois, 1891, 320 pages.

Boissonnault, Charles-Marie, *Histoire politique de la province de Québec*, Québec, Frontenac, 1936, 373 pages.

Bonenfant, Fernand, *La Civilisation scientifique et les Canadiens français*, Québec, P.U.L., 1963, 142 pages.

Boucher, Pierre, *Histoire véritable et naturelle des mœurs et productions du pays de la Nouvelle-France vulgairement dite le Canada*, dans Société Historique de Boucherville, Boucherville, 1964, 415 pages.

Boyer, Raymond, *Les Crimes et les châtiments au Canada français*, Montréal, Le Cercle du livre de France, 1966, 542 pages.

Bracq, Jean-Charlemagne, *L'Évolution du Canada français*, Paris-Montréal, Plon-Beauchemin, 1927, 459 pages.

Brunet, Michel, *La Présence anglaise et les Canadiens*, Montréal, Beauchemin, 1964, 292 pages.

Charbonneau, Jean, *Des influences françaises au Canada*, Montréal, Beauchemin, 1918, 3 volumes.

Charbonneau, Robert, *La France et nous*, Montréal, l'Arbre, 1946, 79 pages.

Chauveau, P.-J.-O., *L'Instruction publique au Canada*, Québec, Côté, 1876, 367 pages.

Cloutier, Eugène, *Le Canada sans passeport*, Montréal, H.M.H., 1967, 2 volumes.

Collectif, *Cent ans d'histoire, 1867-1967*, dans *Revue d'Histoire de l'Amérique française*, Vol. XXI, no 3a (1967) pp. 529-730.

D'Allemagne, André, *Le Colonialisme au Québec*, Montréal, Renaud-Bray, 1966, 107 pages.

Dantin, Louis, *Poètes de l'Amérique française,* Montréal, Carrier, 1928, 250 pages.

Daudelin, Robert, *Vingt ans de cinéma au Canada français,* Québec, M.A.C., 1966, 90 pages.

Desilets, Alphonse, *Les Cent ans de l'Institut Canadien de Québec,* Québec, Institut Canadien, 1949, 255 pages.

Devoir (Le), *Le Québec dans le Canada de demain,* Montréal, Jour, 1967, 2 volumes.

Duff, Sir James, *Structure administrative des universités du Canada,* Québec, P.U.L., 1966, 107 pages.

Dumont, Fernand et Montminy, Jean-Paul, *Le Pouvoir dans la société canadienne-française,* Québec, P.U.L., 1966, 252 pages.

Dumont, Fernand et Yves Martin, *Situation de la recherche sur le Canada français,* Québec, P.U.L., 1962, 296 pages.

Faribault, Marcel et Robert W. Fowler, *Dix pour un, le pari confédératif,* P.U.M., 1965, 165 pages.

Fauteux, Joseph-Noël, *Essai sur l'industrie au Canada sous le régime français,* Québec, Proulx, 1927, 2 volumes.

Fournier, Jules, *Mon encrier,* Montréal, Fides, 1965, 350 pages.

Garigue, Philippe, *La Vie familiale des Canadiens français,* Montréal, P.U.M., 1962, 142 pages.

Gosselin, Mgr Amédée, *L'Instruction au Canada sous le régime français,* Québec, Laflamme, 1911, 501 pages.

Gosselin, Auguste, *L'Église du Canada depuis Monseigneur de Laval jusqu'à la conquête,* Québec, Laflamme, 1911, 3 volumes.

Groulx, Lionel, *Les Canadiens français et la Confédération,* Montréal, A.F., 1927, 142 pages.

Groulx, Chanoine Lionel, *L'Enseignement français au Canada,* Montréal, Granger, 1934-35, 2 volumes.

Hamelin, Jean, John Huot et Marcel Hamelin, *Aperçu de la politique canadienne au XIXe siècle,* Québec, P.U.L., 1965, 160 pages.

Hamelin, L.-E. et C., *Quelques matériaux de sociologie religieuse canadienne,* Montréal, Levrier, 1956, 156 pages.

Harper, J.-Russel, *La Peinture au Canada des origines à nos jours,* Québec, P.U.L., 1966, 446 pages.

Harvey, Jean-Charles et Marcel Cognac, *Visages du Québec,* Montréal, Cercle du livre de France, 1965, 208 pages.

Jasmin, Claude, *Les Artisans créateurs,* Montréal, Lidec, 1967, 118 pages.

(Jésuites), *The Jesuits Relations and Allied Documents,* edited by Reuben Gold Thwaites, (rééd.) New York, Pageant Book Company, 1959, 73 volumes.

Johnson, Daniel, *Égalité ou indépendance,* Montréal, Renaissance, 1965, 125 pages.

Kempf, Yerri, *Les Trois coups à Montréal (1959-64),* Montréal, Déom, 1965, 369 pages.

(Kierans, Eric) *Pour une politique québécoise,* Montréal, Jour, 1967, 211 pages.

Labarrère-Paulé, André, *Les Instituteurs laïques au Canada français, 1836-1900,* Québec, P.U.L., 1963, 185 pages.

Lacourcière, Luc, *Archives de folklore,* Montréal, Fides, 1946-49, 4 vols.

Lahontan, Garonde, *Dialogues curieux,* Paris, Margraff, 1931, 271 pages.

Lanctot, Gustave, *Situation politique de l'Église canadienne,* Montréal, Ducharme, 1942, 26 pages.

Larsen, Christian, *Chansonniers du Québec*, Montréal, Beauchemin, 1964, 118 pages.

Lasalle-Leclerc, A., *La Vie musicale au Canada français*, Québec, M.A.C., 1964, 99 pages.

Laurendeau, André et Dunton, A. Davidson, *Commission royale d'enquête sur le bilinguisme et le biculturalisme*, Ottawa, Impr. de la Reine, 1967, livre I, 231 pages.

Lévesque, Albert, *La Nation canadienne-française*, Montréal, Lévesque, 1934, 172 pages.

Lévesque, René, *Option Québec*, Montréal, L'Homme, 1968, 175 pages.

Mayrand, Oswald, *L'Apostolat du journalisme*, Montréal, édition privée, 1960, 255 pages.

Meilleur, Jean-Baptiste, *Mémoire de l'éducation au Bas-Canada*, Québec, Léger-Brousseau, 1876, 454 pages.

Ménard, Jean, *Xavier Marmier et le Canada*, Québec, P.U.L., 1967, 211 pages.

Morisset, Gérard, *La Peinture traditionnelle au Canada français*, Montréal, Le Cercle du Livre de France, 1960, 220 pages.

Ollivier, Maurice, *L'Avenir constitutionnel du Canada*, Montréal, Lévesque, 1935, 182 pages.

Palardy, Jean, *Les Meubles anciens du Canada français*, Paris, A. et M. graphiques, 1963, 401 pages.

(Parent, Mgr A.-M.), *Rapport de la commission royale d'enquête sur l'enseignement dans la province de Québec*, Montréal (Fides), 1966, 5 volumes.

Parenteau, Roland, *La Planification économique dans un État fédératif*, Québec, P.U.L., 1965, 68 pages.

Pouliot, Léon, *Monseigneur Bourget et son temps*, Montréal, Beauchemin, 1955, 203 pages.

Raymond, André, *Croissance et structure économiques de la province de Québec*, Québec, M. I. et C., 1961, 658 pages.

Richaudeau, L'abbé, *Lettres de la Révérende Mère Marie de l'Incarnation*, Tournai, Casterman, 1876, 2 volumes.

Rioux, Marcel, *La Question du Québec*, Paris, Éd. Seghers (coll. « Événements »), 1969.

Roy, Carmen, *Littérature en Gaspésie*, Ottawa, Imprimerie de la Reine, 1962, 389 pages.

Roy, P.-G., *L'Île d'Orléans*, Québec, Proulx, 1928, 505 pages.

Robert, Guy, *Pellan, sa vie, son œuvre*, Montréal, Centre de Psychologie et de Pédagogie, 1963, 135 pages.

Rumilly, Robert, *L'Autonomie provinciale*, Montréal, L'Arbre, 1948, 302 pages.

Rumilly, Robert, *Monseigneur Laflèche et son temps*, Montréal, Simpson, 1945, 491 pages.

Saint-Martin, Fernande, *La Femme et la société cléricale*, Montréal, M.L.F., 1967, 16 pages.

Savard, Pierre, *Jules-Paul Tardivel, la France et les États-Unis (1851-1905)*, Québec, P.U.L., 1967, 499 pages.

Sylvestre, Guy, *Structures sociales du Canada français*, Québec, P.U.L., 1966, 120 pages.

Têtu, Henri et Gagnon, C.-O., *Mandements, lettres pastorales et circulaires des Évêques de Québec*, Québec, Côté, 1887-93, 8 volumes.

Tremblay, Maurice et Gérard Fortin, *Études des conditions de vie, des besoins et des aspirations de familles salariées canadiennes-françaises*, Québec, P.U.L., 1963, 3 volumes.

Trudel, Marcel, *L'Église canadienne sous le régime français*, Montréal, Fides, 1956, 2 volumes.

Viau, Guy, *La Peinture moderne au Canada français*, Québec, M.A.C., 1964, 96 pages.

Wade, Mason, *Les Canadiens français de 1760 à nos jours*, Montréal, le Cercle du Livre de France, 1963, 2 volumes.

Wallot, Jean-Pierre, *Intrigues françaises et américaines au Canada 1800-1802*, Montréal, Leméac, 1965, 143 pages.

INDEX DES NOMS

A

C

D

E

F

G

M

Q

R

U

V

LISTE DES OUVRAGES CITÉS

A

B

C

D

E

F

G

H

I

J

Q

R

T

U

TABLE DES ILLUSTRATIONS

Couverture: « 'Fanette », huile sur toile de Jacques Hurtubise, tableau de 60" × 72".
Collection du Musée d'art contemporain.

Première section

Deuxième section

Troisième section

Sixième section

TABLE DES MATIÈRES

Achevé d'imprimer
par les Ateliers de la Librairie Beauchemin Limitée
à Montréal, le vingt-huitième jour du mois de novembre
de l'an mil neuf cent soixante-neuf

20

Imprimé au Canada

Printed in Canada